Shikasta

DORIS LESSING

CANOPUS DANS ARGO : ARCHIVES

Shikasta

TRADUIT DE L'ANGLAIS
PAR PAULE GUIVARC'H

ÉDITIONS DU SEUIL
27, rue Jacob, Paris VIᵉ

Titre original : Canopus in Argos: Archives.
Re:Colonised Planet 5. Shikasta.

ISBN original : 0-586-05310-7 (Éditions Jonathan Cape, Londres)
© *1979, Doris Lessing.*

ISBN : 2-02-005954-1 (éd. complète)
ISBN : 2-02-005953-3
© *1981, Éditions du Seuil, pour la traduction française.*

REMARQUES

J'ai commencé l'histoire de *Shikasta* en croyant qu'elle formerait un seul volume et que, celui-ci terminé, j'en aurais fini avec le sujet. Mais au fur et à mesure que j'écrivais, j'étais envahie par l'idée d'autres ouvrages, d'autres histoires et par la joie d'avoir tout à coup accès à un monde plus vaste, un monde offrant de plus grandes possibilités et de plus larges thèmes. Je m'étais, de toute évidence, imaginé, inventé un monde nouveau, un royaume où les menus destins des planètes, sans parler des individus, ne sont que les aspects d'une évolution cosmique inscrite dans les rivalités et les interactions des grands Empires galactiques tels que Canopus, Sirius et leur ennemi, l'Empire de Puttiora avec sa planète maléfique, Shammat. J'ai l'impression de pouvoir être à la fois aussi aventureuse et aussi traditionnelle qu'il me plaît. Le deuxième volume de la série, *Mariages entre les Zones Trois, Quatre et Cinq* est une fable, un mythe, tout en étant — chose étrange — plus réaliste.

Il est devenu banal de nos jours de dire que les romanciers du monde entier sont en train de rompre les liens avec le roman réaliste, parce que ce que nous voyons autour de nous devient chaque jour plus fou, plus fantastique et plus incroyable. Jadis, il n'y a pas si longtemps, on accusait parfois les romanciers d'exagérer, de faire un trop grand usage de la coïncidence et de l'invraisemblance ; aujourd'hui, les romanciers eux-mêmes accusent sans cesse la réalité de rivaliser avec leurs inventions les plus insensées.

J'en veux pour exemple *les Mémoires d'un Survivant* dans lequel j'avais « inventé » un animal mi-chat mi-chien. J'ai lu depuis que les savants étaient en train d'expérimenter cet hybride.

Je suis profondément persuadée qu'il est possible — et non seulement pour les romanciers — de se « brancher » sur un suresprit, un Ur-esprit,

7

l'inconscient, ou ce que l'on voudra et que ceci explique de nombreuses invraisemblances et « coïncidences ».

Le vieux roman « réaliste » se transforme également sous l'influence de ce que l'on appelle, de façon impropre, le roman d'anticipation. Certains le déplorent. J'étais aux États-Unis, en train de faire une conférence, lorsque le professeur qui présidait la séance, et dont le seul défaut était peut-être de s'être trop longtemps nourrie de canons académiques, m'interrompit en disant : « Si vous étiez mon étudiante, je n'aurais pas laissé passer ça ! » (Évidemment, on peut ne pas trouver ça drôle.) Je venais de dire que le roman d'anticipation formait, avec la science-fiction, la branche la plus originale de la littérature actuelle, que c'était un genre inventif, plein d'humour, qui avait déjà enrichi toutes sortes d'ouvrages et que les puristes et spécialistes universitaires avaient tort de la dédaigner ou de l'ignorer purement et simplement — leur nature, il est vrai, les empêchant d'agir autrement. Cette opinion serait en passe de devenir la base de l'orthodoxie.

Je désapprouve avec vigueur l'attitude qui consiste à placer un roman « sérieux » d'un côté et, disons, *les Derniers et les Premiers* de l'autre.

Quel phénomène que cette explosion de la science-fiction et du roman d'anticipation, jaillie on ne sait d'où, inopinément bien sûr, comme toujours lorsque l'esprit humain se trouve forcé d'étendre ses limites : aujourd'hui vers les astres et les galaxies, demain qui sait vers quoi ! Ces prodigieux magiciens ont dressé la carte de notre monde, de *nos* mondes, nous ont, mieux que personne, avertis de ce qui se passait et décrit, voilà bien longtemps, notre horrible présent lorsqu'il n'était encore que notre avenir et que les porte-parole officiels de la science affirmaient que tout ce qui nous arrive aujourd'hui était absolument impossible. Ils ont joué le rôle indispensable et — du moins au début — ingrat de l'enfant illégitime et bafoué qui peut se permettre de dire des vérités que les respectables et légitimes rejetons n'osent pas dévoiler, ou bien plus vraisemblablement, n'ont même pas remarqué du fait de leur respectabilité. Ils ont enfin exploré les grandes littératures sacrées avec cette hardiesse qui leur sert à mener à leur conclusion logique les hypothèses scientifiques et sociales afin que nous puissions les étudier. Quelle dette nous avons envers eux !

Le point de départ de *Shikasta*, comme de bien d'autres ouvrages du même genre, c'est l'Ancien Testament. Nous le rejetons habituellement parce que Jéhovah, ou Iahvé, n'a ni les opinions ni le comportement d'un Petit Frère des Pauvres. H.G. Wells a dit que l'homme, lorsqu'il lance vers Dieu son petit : « donne, donne, donne », ressemble à un levraut qui viendrait se blottir contre un lion par une nuit sans lune. Ou quelque chose comme ça.

Les littératures sacrées de toutes les races et de tous les pays ont beaucoup de points communs. L'on dirait presque qu'elles sont le produit d'un cerveau unique. Nous commettons peut-être une erreur en les rejetant sous prétexte que ce sont là les étranges fossiles d'un passé révolu.

Mis à part le Popol Vuh, les traditions religieuses des Dogons, l'épopée de Gilgamesh et les nombreux autres récits accessibles de nos jours (je me demande parfois si les jeunes se rendent compte des temps extraordinaires — et peut-être éphémères — dans lesquels nous vivons, nous qui pouvons acheter à la librairie la plus proche tous les livres possibles et imaginables), et tout en gardant notre patrimoine et nos traditions propres, je pense qu'il serait bon de lire l'Ancien Testament — qui, évidemment, comprend la Torah des Juifs — et les Apocryphes, ainsi que tous les ouvrages du même genre qui se présentent à nous et qui, à diverses époques et en divers lieux, ont été maudits, interdits ou décrétés non existants. Puis le Nouveau Testament et ensuite le Coran. D'aucuns croient même qu'il n'y a jamais eu plus d'un Livre au Moyen-Orient.

Doris Lessing
7 novembre 1978

CANOPUS DANS ARGO : ARCHIVES
PLANÈTE COLONISÉE N° 5

SHIKASTA

Documents personnels,
psychologiques et historiques
relatifs à la visite de Johor
(George Sherban)

Émissaire de rang 9
Le 87ᵉ de la Période des Derniers Jours

A mon père qui, en Afrique, restait assis des heures entières, chaque soir, devant notre maison, à regarder les étoiles. « En tout cas, disait-il, si nous faisons un jour sauter notre planète, il en restera encore une multitude, là d'où nous venons. »

Shikasta est le premier roman d'une série
qui portera le titre de
Canopus dans Argo : Archives.
Le deuxième s'intitulera :
Mariages entre les Zones Trois, Quatre et Cinq.
Le troisième : *Expériences siriennes*.

CANOPUS DANS ARGO : ARCHIVES

Affaire SHIKASTA
Planète colonisée n° 5

Johor a été jugé digne de représenter nos émissaires sur Shikasta — émissaires fort nombreux et affectés à une multiplicité de tâches — dans cet ensemble de documents destinés à offrir une vue très générale de Shikasta aux étudiants de première année qui travaillent sur l'Autorité Coloniale Canopéenne.

JOHOR *communique* :

J'ai été envoyé en mission sur de nombreuses planètes colonisées par nous. Je suis habitué aux crises de toutes sortes. Je me suis trouvé au cœur de situations critiques menaçant l'existence d'espèces entières ou de programmes spécifiques soigneusement mis au point. J'ai su plus d'une fois ce que c'était que d'accepter l'échec, final et irréversible, d'une tentative ou d'une expérience portant sur des créatures possédant le potentiel de développement rêvé, attendu. Et puis plus rien, point final, les roulements de tambour s'espacent et se taisent. Silence...

Mais l'aptitude à faire la part du feu exige une détermination bien différente de la patience têtue nécessaire pour résister à l'usure, à la perte insidieuse de substance sur des siècles et des millénaires, avec, au bout du tunnel, une pauvre petite lueur d'espoir.

Le désarroi présente différents degrés et qualités. A mon humble avis, tous ne sont pas inutiles, et il me semble que la disposition d'esprit d'un simple employé mérite d'être consignée.

Je ne suis qu'un membre subalterne de l'Armée des Travailleurs et, en tant que tel, suis tenu de faire ce que l'on m'ordonne. Ce qui ne signifie pas que je n'aie pas le droit, comme tous les autres, de crier : « assez ! » mais des règles invisibles, non écrites, tacites l'interdisent. Ce que ces règles symbolisent, en fait, c'est l'Amour. Du moins, c'est ainsi que je le ressens et beaucoup d'autres avec moi. Il y en a, dans notre Service Colonial, qui, personne ne l'ignore, pensent autrement. L'un de mes objectifs, en rédigeant des pensées qui sortent peut-être du cadre de la stricte nécessité, c'est de justifier ce qui représente encore, après tout, à Canopus, l'opinion générale concernant Shikasta. A savoir que celle-ci mérite bien le temps et les efforts que nous lui consacrons.

Dans ces notes, j'essaierai de rendre les choses aussi claires que possible. Car il en viendra d'autres, après moi, qui étudieront ce

17

rapport, comme j'ai moi-même si souvent étudié les rapports de ceux qui m'ont précédé. Il n'est pas toujours possible de connaître, au moment où l'on consigne un événement ou un état d'esprit, l'effet que celui-ci produira sur un individu, disons dix mille ans plus tard.

Tout change. C'est la seule certitude que nous ayons.

De toutes mes ambassades, ma première, celle qui me conduisit sur Shikasta, fut la pire. Je peux dire, en toute honnêteté, que je n'y ai pas repensé jusqu'à aujourd'hui. Je n'en avais pas le cœur. S'attarder sur un malheur inévitable, non, vraiment, cela ne sert à rien.

Notre Univers est et a toujours été un Univers de catastrophes, sujet à de brusques revirements, bouleversements et cataclysmes, où la joie n'est jamais autre que le chant de la substance qui, sous l'effet de la pression, prend de nouveaux aspects et de nouvelles formes. Mais, à la pauvre Shikasta, je n'ai jamais voulu penser plus qu'il n'était nécessaire. Je n'ai jamais essayé de rencontrer ceux qui étaient envoyés (par milliers pourtant, les uns après les autres, car personne ne peut accuser Canopus de négligence envers la malheureuse Shikasta, et personne ne peut avoir l'impression que nous avons esquivé nos responsabilités), ceux, donc, qui partaient, revenaient et faisaient leur rapport comme chacun de nous. Shikasta était toujours présente, car elle est à l'ordre du jour, l'ordre du jour cosmique. Ce n'était pas un endroit que l'on pouvait chasser de sa mémoire car elle faisait souvent parler d'elle. Mais, en ce qui me concerne, je ne « gardais jamais le contact », je ne me tenais pas « informé » ; non, une fois mon rapport fait, c'était terminé. Et quand je fus envoyé, pour la seconde fois, au Temps de la Destruction des Cités, pour rendre compte des résultats de cette longue et lente agonie, je contins mes réflexions dans les limites de ma tâche.

Aussi, de retour sur Shikasta après un certain laps de temps — tous ces millénaires se sont-ils vraiment écoulés depuis ? —, j'ai décidé de ranimer mes souvenirs, de les recréer, et ces tentatives figureront dans ce récit à la place qui leur revient.

Extrait des NOTES concernant la PLANÈTE SHIKASTA, pour la GOUVERNE des futurs EMPLOYÉS COLONIAUX.

De toutes les planètes que nous avons partiellement ou totalement colonisées, celle-ci est la plus riche. Je précise : les formes de vie qu'elle renferme présentent un immense potentiel de variété, de richesse et d'abondance. Cela a toujours été ainsi, durant les nombreuses transfor-

18

mations qu'elle a — le mot s'impose ici, malheureusement — subies. Shikasta est portée aux extrêmes en toutes choses. Elle a, par exemple, connu des périodes de démesure, avec des formes de vie gigantesques et variées. Elle a également connu des périodes d'ultime petitesse. Il est arrivé que ces périodes se chevauchent. Plus d'une fois, la population de Shikasta a compté des créatures si énormes que l'une d'elle aurait pu consommer, en un seul repas, la nourriture et l'espace vital de centaines de ses compatriotes. Cet exemple se situe au plan du visible (du spectaculaire même pourrait-on dire), car l'économie de la planète est telle que chaque forme de vie en détruit une autre, est stimulée par une autre et à son tour détruite par une troisième jusqu'au niveau le plus infime, le niveau subatomique. Ceci n'apparaît pas toujours clairement aux créatures elles-mêmes qui ont tendance à être obsédées par ce qu'elles consomment et à oublier ce qui à leur tour les consomme.

Maintes fois, un choc ou une tension dans l'équilibre particulièrement précaire de cette planète a déclenché un accident, et toute trace de vie a pratiquement disparu sur Shikasta. Maintes fois, l'on a vu celle-ci grouillante d'organismes vivants de toutes sortes et malade de cette prolifération même.

Cette planète est par-dessus tout vouée aux contrastes et aux contradictions, du fait même de ses tensions intrinsèques. La tension est sa véritable nature, c'est là sa force — c'est là sa faiblesse.

L'on demande aux émissaires de ne jamais oublier qu'ils ne trouveront pas sur Shikasta ce qu'ils ont connu dans d'autres parties de notre empire et qu'ils s'apprêtent par conséquent à trouver ici, à savoir de longues périodes de stase, des époques caractérisées par un équilibre harmonieux et quasi constant.

L'on demande aux émissaires de se préparer par un entraînement intensif. A eux de procéder aux ajustements psychologiques suggérés par ce qu'ils trouveront dans la 5e Section du Bâtiment de Démonstration Planétaire.

Par exemple : Il leur plaira peut-être de se tenir devant la Maquette de Shikasta, à l'Échelle 3, c'est-à-dire à l'échelle qui correspond approximativement aux dimensions actuelles. (L'espèce dominante est deux fois moins grande que l'espèce canopéenne.) Cette sphère, que vous verrez comme ils la voient sur leurs plans et cartes, a pour diamètre la taille moyenne de leur espèce dominante. Sur la plus grande partie de la sphère, vous observerez une traînée de liquide. C'est de cette pellicule liquide que dépend la richesse de sa vie. (La planète ignore tout de cette petite écume de vie à sa surface, elle a d'elle-même une autre conception, nous le

19

savons, mais tel n'est pas ici notre propos.) L'intérêt de cet exercice, c'est de comprendre que la prolifération de possibilités organiques, la moisson de potentialités que représente Shikasta dépendent, d'un point de vue au moins, d'une trace liquide si insignifiante qu'elle pourrait être lapée en un instant par une étoile solitaire ou, telle une éclaboussure sur le ballon d'un enfant qui joue, essuyée d'un revers de main au cas où une comète, venue d'ailleurs, passerait par là. Événement qui, après tout, ne serait pas sans précédent !

Par exemple : Adaptez-vous aux différents niveaux de vie qui forment, autour de la planète, des enveloppes concentriques — six en tout — dont aucune n'exige de vous un effort particulier car vous ne ferez que les traverser — aucune, sauf la dernière Enveloppe, ou Cercle, ou encore Zone : la Zone Six, qu'il vous faut étudier en détail puisque vous devrez y demeurer aussi longtemps qu'il le faudra pour accomplir les tâches qui vous ont été confiées, celles qui ne *peuvent* être entreprises qu'en passant par la Zone Six. C'est un endroit terrible, plein de dangers, auxquels l'on peut cependant faire face, comme le prouve le fait que, pas une fois, nous n'avons perdu un seul de nos émissaires parmi les centaines et les centaines que nous y avons envoyés, même parmi les plus inexpérimentés. La Zone Six peut soumettre ceux qui n'y sont pas préparés à toutes sortes d'embûches, d'entraves et de fatigues. Ceci vient de ce qu'une forte émotion caractérise la nature de ces lieux, une « nostalgie » comme on l'appelle là-bas, c'est-à-dire un désir de ce qui n'a jamais existé, tout au moins sous l'aspect ou la forme imaginée. C'est le royaume des chimères, des fantômes et des esprits, de l'ébauche et de l'inachevé ; mais si vous êtes sur vos gardes et restez vigilant, rien ne vous résistera.

Par exemple : Il est recommandé de prendre le temps de se familiariser avec les diverses perspectives permettant d'observer les créatures de Shikasta. Vous trouverez toutes les dimensions possibles à Shikasta dans les pièces 1 à 100 de la Section 31, de l'électron jusqu'à l'Animal Dominant. La fascination qu'exercent ces différentes perspectives constitue de réels dangers. A l'échelle de l'électron, Shikasta apparaît comme un espace vide où vibrent imperceptiblement des formes floues : infimes traces de substance, minuscules impulsions isolées les unes des autres par de vastes espaces. (Le plus grand bâtiment de Shikasta s'effondrerait si l'on enlevait les espaces qui maintiennent ses électrons séparés et l'on ne trouverait plus à sa place qu'un fragment de substance gros comme un ongle de Shikastien.) La gamme des *sons* est telle sur Shikasta qu'il vaut mieux ne pas s'y exposer sans avoir subi un entraînement préalable. Quant à ses *couleurs*, elles vous tueront si vous n'y êtes pas préparé.

Bref, aucune des planètes que nous connaissons ne présente un degré de vibrations aussi intense et aussi agressif que Shikasta, et une trop longue exposition à ces vibrations peut fausser et corrompre le jugement.

JOHOR *communique :*

Lorsqu'on m'ordonna d'entreprendre cette mission, ma troisième, il était prévu que je ne m'attarderais pas en Zone Six. Je ne ferais qu'y passer, m'y arrêtant peut-être une ou deux fois pour une tâche précise. Mais on ignorait alors que Taufiq avait été capturé et que d'autres — moi en particulier — seraient obligés de faire son travail, et rapidement encore, car je n'aurais pas le temps de m'incarner et d'atteindre l'âge adulte avant de m'occuper des divers problèmes engendrés par la mésaventure de Taufiq. Nos envoyés sur Shikasta travaillent déjà à plein rendement et personne n'a les capacités nécessaires pour remplacer Taufiq. On ne se rend pas toujours compte que nous ne sommes pas interchangeables. Nos expériences, certaines volontaires, d'autres imposées, nous mûrissent différemment. Nous avons peut-être tous débuté de la même façon sur l'une des planètes et même certains d'entre nous sur Shikasta, sans que l'on ne nous distinguât davantage les uns des autres que les chiots d'une même portée, mais des centaines, voire des milliers d'années nous ont à tel point fondus, cuits et recuits que nous sommes devenus des êtres aussi différents les uns des autres que des flocons de neige. Quand l'un de nous est choisi pour « descendre » sur Shikasta ou toute autre planète, ce n'est qu'après mûre délibération. Johor, par exemple, est fait pour telle ou telle tâche, Nasar pour une autre et Taufiq pour une longue et difficile mission que lui seul, semble-t-il, est capable d'accomplir. Entre parenthèses, et en toute simplicité, j'avoue que je suis en proie au doute. Plus d'une fois Taufiq et moi-même avons été considérés comme très semblables l'un à l'autre — pas des répliques, non, jamais — mais nous avons souvent été les seuls élus, nous sommes amis depuis... Combien de fois, sur combien de planètes avons-nous travaillé ensemble ! Et si nous nous ressemblons tant, si nous sommes frères, compagnons-à-la-vie-à-la-mort, amis au point où l'on se dit tout, où il n'est aucun aspect de l'un dont l'autre ne se sente absolument responsable, si nous sommes si proches et que le voilà perdu pour nous, provisoirement bien sûr, mais néanmoins perdu et enrôlé dans les forces ennemies, alors à quoi ne dois-je pas m'attendre ? Je note ici le fait que, tandis que je me prépare à ce voyage dont l'une des

21

principales tâches sera de continuer le travail inachevé de Taufiq, je dépense de nombreuses unités d'énergie à renforcer mon propre objectif : non, me dis-je, non je ne suivrai jamais la voie de Taufiq, mon frère. Ou encore : je jure de repousser ce que je sais qu'il est de mon devoir de repousser... C'est pourquoi j'ai si mal réagi à la nouvelle qu'il me faudrait passer tant de temps en Zone Six. Je sais très bien, depuis la dernière fois que j'y suis allé, que cet endroit affaiblit, ébranle, emplit l'esprit de rêveries, de mollesse et de désirs dont on espérait — on espère toujours, n'est-ce pas ? — s'être à jamais débarrassé. Mais c'est notre lot, notre tâche, de sans cesse nous soumettre aux risques, aux dangers et aux tentations. Il n'y a pas d'autre issue. Cependant je ne veux pas aller en Zone Six ! J'y ai déjà été deux fois, la première comme membre subalterne du Détachement Spécial du Premier Temps, puis comme émissaire dans l'Avant-dernier Temps. Bien sûr, comme Shikasta, elle aura changé.

Je traversai les cinq premières Zones avec mon énergie en veilleuse. Je les ai déjà visitées à plusieurs reprises : ce sont des endroits vivants et dans l'ensemble agréables puisque leurs habitants ont réussi peu à peu à échapper à la funeste attraction de Shikasta et sont maintenant à l'abri des miasmes de la Zone Six. Mais ce ne sont pas elles qui m'intéressent pour le moment et, en les traversant, je ne perçus guère que de rapides et imperceptibles changements de formes et de sensations, des passages du chaud au froid, une excitation joyeuse. Je sentis bientôt que j'approchais de la Zone Six, et sans que personne ne m'en eût averti, j'aurais pu dire Ah ! Shikasta, te revoilà ; réprimant un soupir je pris mon courage à deux mains.

Un crépuscule de désespoir, des brumes de désirs inassouvis, un engourdissement de toutes les émotions : j'avançais péniblement, pas à pas, comme si des mains invisibles retenaient mes chevilles, comme si des êtres invisibles pesaient sur mes épaules, ralentissant ma marche. Je sortis enfin des brouillards et là où, lors de ma dernière visite, j'avais vu des herbages, des cours d'eau, du bétail paissant, il n'y avait à présent qu'une vaste plaine stérile. Deux gros galets noirs marquaient la Porte de l'Est, et assemblés là, une multitude de pauvres êtres cherchaient à fuir Shikasta qui s'étendait derrière eux, de l'autre côté des plaines poussiéreuses de la Zone Six. Sentant ma présence, car ils ne pouvaient pas encore me voir, ils se précipitèrent vers moi, dans le plus grand désordre, tournant la tête de-ci de-là comme des aveugles pour tenter de m'apercevoir, poussant de longs gémissements lamentables, et comme je ne me montrais toujours pas, ils entonnèrent une mélopée funèbre, une sorte d'hymne, que je me rappelais avoir entendu dans la Zone Six des milliers d'années auparavant.

Sauve-moi oh ! mon Dieu
Sauve-moi oh ! Seigneur
Je t'aime,
Tu m'aimes.

Œil de Dieu,
Qui me vois,
Rachète-moi,
Délivre-moi...

Pendant ce temps mes yeux dévoraient leurs visages ! Combien d'entre eux m'étaient familiers, inchangés malgré les ravages du désespoir, combien d'entre eux j'avais connus, même au Premier Temps — animaux splendides, pleins de santé et de force, l'image même de l'indépendance et de l'intelligence. Parmi eux, je vis mon vieil ami Ben, le descendant de David et de sa fille Sais ; il sentit si fort ma présence qu'il s'approcha de moi à me toucher, le visage ruisselant de larmes, les mains tendues comme en attente des miennes. Je pris la forme sous laquelle il m'avait vu pour la dernière fois et mis mes mains dans les siennes ; il se jeta aussitôt dans mes bras en pleurant. « Enfin, enfin ! sanglotait-il. Viens-tu me chercher ? Puis-je venir à présent ? » Alors tous les autres se pressèrent autour de nous, m'agrippant et m'étreignant au point que je faillis être englouti dans l'abîme de leur désir. Je restais là, debout, me sentant chanceler, sentant que l'on me dépouillait de ma substance et je fis un pas en arrière, les forçant à me lâcher. Ben aussi ôta ses mains de mon corps mais resta tout près de moi, gémissant : « Cela fait si longtemps, si longtemps... »

« Dites-moi pourquoi vous êtes encore ici », leur demandai-je, et ils firent silence tandis que Ben parlait. Mais c'était la même chose que ce qu'il m'avait déjà dit et quand il eut fini et que, les uns après les autres, ils eussent recommencé à raconter leur histoire en pleurant, je sus que j'étais prisonnier des lois de la Zone Six ; mon être entier bouillait d'impatience et de peur, car une lourde tâche m'attendait, mon travail me réclamait et je ne pouvais me libérer. Ils répétaient les mêmes mots, les mêmes qu'autrefois, et je me demandais s'ils se rappelaient que voilà bien longtemps déjà, au même endroit, ils m'avaient parlé de la même façon et que je les avais écoutés de la même façon... ils s'étaient forcés à

23

quitter cette Porte, à lui tourner le dos, ils avaient traversé la plaine, et regagné Shikasta, certains d'entre eux récemment, d'autres des siècles ou des millénaires plus tôt, mais ils avaient tous succombé à Shikasta, ils avaient tous péché par manque de détermination ou de volonté et avaient été refoulés ici, à la Porte Est autour de laquelle ils se pressaient maintenant. Certains d'entre eux avaient fait une seconde tentative, avaient de nouveau succombé, s'étaient de nouveau retrouvés ici, et ainsi de suite pour certains, tandis que d'autres avaient pour toujours abandonné l'espoir d'être assez forts pour retourner sur Shikasta et en gagner le prix, c'est-à-dire, à force d'endurance, de s'en libérer à jamais. Et ils se traînaient misérablement, pauvres spectres étiques, « Les » attendant désespérément, ceux qui, descendus du ciel, les emporteraient dans les airs loin de ces lieux abominables, comme une chatte transporte un à un ses petits à l'abri. L'idée de délivrance, de secours était là, toujours évidente, à cette Porte, plus forte que partout ailleurs, si suffocante, si accablante, que j'en devenais fou.

« Ben, dis-je — et à travers lui c'est à eux tous que je m'adressais —, Ben, il faut essayer encore une fois, il n'y a pas d'autre issue. »

Mais il continuait de pleurer et de s'accrocher à moi en me suppliant. J'étais au milieu d'une tempête de soupirs et de larmes.

. Il n'avait pas renoncé, ça je ne pouvais pas le lui reprocher ! Plusieurs fois il avait erré aux Portes de Shikasta et quand son tour était venu, il était entré, bien déterminé à ce que *cette* fois, enfin... et puis, ce n'était qu'après qu'il eut quitté Shikasta, après des mois, des années, une vie (quelle qu'en fût la durée à ce moment-là) qu'il se rappelait, de retour dans la Zone Six, ce qu'il avait entrepris de faire : se sauver lui-même en utilisant les terreurs et les dangers de Shikasta pour se cristalliser en une substance capable de survivre, de résister à tout ; puis, lorsqu'il revenait à lui il se rendait compte qu'il avait, *encore une fois*, dissipé sa vie dans le plaisir, la mollesse et, petit à petit, l'oubli. Toujours le même processus ! Si bien qu'à présent, cet endroit lui faisait tellement horreur qu'il ne pouvait se résigner à faire la queue avec des milliers d'autres, aux Portes de Shikasta, dans l'espoir d'une renaissance. Non, il avait abandonné la partie. Il était condamné, comme tous ceux qui étaient ici, à attendre, attendre qu'« Ils » viennent le chercher. Que *je* vienne... et il s'accrochait à moi, refusant de me lâcher.

Je dis ce que je leur — ce que je lui avais déjà dit : « Retraversez tous la plaine et, arrivés de l'autre côté, attendez patiemment votre tour ; l'attente ne sera pas aussi longue cette fois, car Shikasta est en train de se peupler : des âmes naissent en foule, plus nombreuses chaque

24

jour. Allez, attendez là-bas votre tour et tentez de nouveau votre chance. »

Une grande clameur de désespoir s'éleva autour de moi.

Ben s'écria : « Mais c'est pire maintenant, dit-on, c'est de pire en pire et de plus en plus dur. Si je n'ai pas réussi autrefois, pourquoi réussirais-je aujourd'hui ? Je ne peux pas... »

« Il le faut », répondis-je, en commençant de me frayer un chemin à travers la foule.

Alors Ben partit d'un grand éclat de rire rauque et accusateur. « Te voilà parti, cria-t-il, tu as bien de la chance, toi, tu vas et viens à ta guise, et nous, alors ? »

J'avais réussi à me dégager. Parvenu à bonne distance, je me retournai. Ils étaient tous là, gémissant, pleurant, chancelant sous le poids de leur désespoir. Ben se détacha du groupe et fit un pas en avant, puis un autre. Je désignai la plaine du doigt et le regardai faire péniblement un autre pas. Il avait décidé d'essayer. Il avait commencé son voyage à travers la grande plaine aride.

Je l'entendis chanter, tandis que je poursuivais ma route :

Œil de Dieu,
Qui me vois,
Rachète-moi,
Délivre-moi.

Me voici,
Qui attends,
Sauve-moi mon Dieu
Sauve-moi Seigneur etc., etc.

Déjà affaibli par la tristesse, émotion entre toutes stérile, je courais à travers la plaine, sentant sous mes pieds la poussière dense et molle. Je me remémorais les pâturages, les bocages et les rivières de ma dernière visite, tandis que je passais des canaux à sec et utilisais comme routes les lits de rivières asséchées. Les sauterelles, les cigales et un halo de chaleur sur le roc aveuglant de lumière me disaient que tout ceci ne serait bientôt plus qu'un désert. Et je songeais à ce qui m'attendait quand enfin je parviendrais à mettre le pied sur Shikasta.

Tout à coup je vis, assise sur un affleurement de rocher, à ras de terre, une silhouette connue ; en m'approchant, je distinguai une forme féminine accablée par une lassitude et un chagrin si profonds qu'elle ne bougea pas à mon approche. Je m'arrêtai tout près d'elle et vis que c'était Rilla, qui, lors de ma dernière visite, était parmi la foule qui se pressait à la Porte de l'Est.

Je la saluai, et elle leva vers moi un visage figé dans une tristesse obstinée, sans larmes.

« Je sais ce que tu vas dire, fit-elle.

— Ben essaie encore une fois », dis-je. Mais lorsque je me retournai je ne vis plus qu'un nuage de poussière ocre et les herbes sèches piétinées. Elle me regardait passivement.

« Il est là-bas, lui dis-je, crois-moi.

— A quoi bon, dit-elle, j'ai si souvent essayé.

— Tu vas rester assise ici jusqu'à la fin des temps ? » Elle ne répondit rien et reprit sa posture, les yeux baissés, immobile.

Elle se voyait comme un poids vide et inerte, tandis qu'elle m'apparaissait, à moi, comme un dangereux tourbillon. Je m'imaginais, squelettique, presque transparent, basculant vers elle et me perdant dans ses déchaînements intérieurs.

« Rilla, lui dis-je, j'ai du travail à faire.

— Bien sûr, dit-elle, c'est ton refrain.

— Va rejoindre Ben », lui dis-je.

Je poursuivis mon chemin. Au bout d'un long moment, je me retournai. Je n'avais pas osé le faire plus tôt car j'avais peur de revenir vers elle en courant. C'est que je l'avais connue, bien connue même. Je savais quelles qualités gisaient en elle, prisonnières de son désespoir. Elle ne me regardait pas. Elle avait tourné la tête et fixait d'un regard vide la plaine nébuleuse où était Ben.

Je me détournai.

J'avais perdu ma route. Les souvenirs d'autrefois ne m'aidaient guère — comment pouvait-il en être autrement : tout avait changé ! Je cherchais le séjour des Géants. Je ne voulais pas les voir car je savais quelle dégénérescence je trouverais parmi eux. Mais c'était le chemin le plus court jusqu'à Taufiq. Le sort de Taufiq, captif de l'Ennemi, devait être — comment en douter — le résultat de l'amour-propre, de l'orgueil et de la *bêtise*. Je ne pouvais entrer en contact avec Taufiq qu'en me servant des défauts équivalents existant ici. Les Géants, donc... il le fallait !

Au loin, de l'autre côté du désert, se dressaient d'immenses pitons rocheux, noirs et nus, pareils à des gerbes de poings tendus vers un ciel sanglant — nuées pourpres, immobiles, compactes et pesantes. Au-dessous, des tourbillons de sable suspendus dans l'air. Derrière moi,

26

longue et grêle comme une araignée, mon ombre s'étirait presque à l'horizontale, me suivant, sombre et menaçante, telle une ennemie. Les pics projetaient de longues ombres qui barraient le sable jusqu'à mes pieds, ombres denses, inquiétantes, pleines de souvenirs... L'une d'elles grandit soudain, s'anima, se détacha de la masse... une troupe de Géants s'avançait vers moi. A leur vue, je sentis aussitôt ce serrement de cœur, cette impression de forces qui défaillent, signe avant-coureur de la tristesse. Était-ce là la magnificence dont je me souvenais ?

Ils étaient grands et avaient gardé quelque chose de leurs formes anciennes, mais ils avaient perdu leur substance et leur énergie. Horde de fantômes maigres et chancelants aux gestes maladroits, aux visages vides et creusés d'ombres, ils avançaient vers moi au milieu des tourbillons de sable qui se levaient sans cesse, les cachant à ma vue, puis tournoyaient derrière eux, si bien qu'ils réapparaissaient sur un ciel brusquement obscurci, d'un gris noirâtre sur fond rouge, d'un gris qui brouillait les nuages pourpres, qui alourdissait et absorbait tout, et s'élevait en brouillard autour de leurs pieds. Ils avançaient avec peine vers moi, au milieu des tourbillons de sable, tels des spectres, des ombres... C'était là la noble race que j'étais venu mettre en garde lors de ma première visite — mettre en garde et soutenir ! — mais il n'y avait rien à faire, je ne pouvais m'en empêcher : une plainte funèbre s'échappa de mes lèvres, à laquelle répondit une autre plainte, la leur, mais, chez eux, c'était un cri de guerre, du moins c'est ainsi qu'ils l'entendaient. Un cri triste et funèbre et des mouvements, des gestes, raidis par une grotesque arrogance — cette horde de spectres était éperdue d'orgueil au souvenir d'un passé irréel et ils m'auraient mis à mal de leurs mains et leurs bras décharnés si je ne leur avais pas présenté la Signature. Ils la reconnurent. Pas tout de suite, et non sans peine : mais cela les arrêta net et ils s'immobilisèrent devant moi, dans le sable du désert, au nombre de deux cents environ, incertains, se souvenant vaguement, me regardant, se regardant les uns les autres, puis regardant cette Chose brillante, étincelante que je leur mettais sous les yeux... Mon regard allait d'un visage usé et émacié à l'autre et je reconnaissais, oui, je reconnaissais dans ces visages les royales créatures d'autrefois.

Au bout d'un moment, ne sachant trop que faire, ils virevoltèrent, m'enfermant au milieu d'eux, et se mirent à marcher, certains avec arrogance, d'autres en traînant les pieds, vers les grands rochers parmi lesquels ils avaient construit une espèce de château rudimentaire, ou plutôt un ensemble de tours. Ces pauvres constructions n'avaient rien à voir avec ce que les Géants avaient édifié au Premier Temps. C'était là

27

l'expression d'une pathétique grandiloquence. J'avais envie de leur dire : « Vous imaginez-vous vraiment que cet endroit désolé a quelque chose de commun avec ce que vous aviez construit pour y vivre au temps où vous étiez vous-mêmes ? »

Ils m'amenèrent dans une longue salle de pierre grossièrement taillée. Tout autour de la salle étaient alignés des chaises et des trônes de dimensions imposantes sur lesquels ils s'installèrent. Au moins, ils se souvenaient encore qu'ils avaient tous été égaux au sein d'une société de libres compagnons. Ils avaient pris des poses qui disaient « puissance », et revêtu de longues robes qui disaient « gloire » ; à la main, ils tenaient des bibelots et des colifichets de toutes sortes — couronnes et diadèmes, sceptres, globes et épées. Où avaient-ils trouvé cette camelote ? On avait dû s'aventurer jusque sur Shikasta pour s'en emparer !

En regardant ces ombres, j'étais de nouveau tourmenté du besoin de hurler simplement ma douleur au souvenir des splendeurs du Premier Temps à jamais disparues, mais je m'interdis de gaspiller ainsi mes forces ; en outre je ne pouvais me permettre d'extérioriser mes sentiments.

Je leur montrai la Signature et leur demandai ce qui leur était advenu depuis notre dernière rencontre. Silence ; ils s'agitèrent et leurs grandes faces caverneuses se regardèrent dans l'ombre indécise... M'apercevant que je distinguais mal leurs traits, je me mis à les scruter avec attention. Visages sombres et luisants, allant du brun au jaune, du jaune à l'ivoire et au crème... j'avais peine à les voir. Plus d'une centaine étaient entrés en même temps que moi dans la salle et s'étaient assis sur les chaises et les trônes, mais il me semblait que leur nombre avait diminué. Certaines chaises étaient vides. Je constatai que des sièges précédemment occupés étaient vacants à présent, telles des formes qui s'évanouissent dans le crépuscule. Seule, la Signature retenait la lumière et la vie, car les Géants étaient si grêles, si gris et si *usés* qu'ils en étaient presque transparents. Un simple changement de position et les voilà disparus, si bien qu'un homme brun, gigantesque, vêtu de couleurs criardes, devenait un manteau replié sur le dossier d'un trône, et les yeux brillants et anxieux qui scrutaient mon visage pour y lire la trace de souvenirs tout juste en allés avaient maintenant l'éclat blême du strass ornant une tiare disloquée qui pendait au dossier d'une chaise. Ils s'estompaient et disparaissaient sous mes yeux.

Je leur dis : « Ne tenterez-vous pas votre chance sur Shikasta ? N'essaierez-vous pas de surmonter ainsi vos problèmes ? » Un sifflement parcourut l'assemblée, les têtes et les membres s'agitèrent, ils

28

réfrénèrent des gestes agressifs et, n'eût été la Signature, ils m'auraient tué.

« Shikasta, Shikasta, Shikasta... », chuchotait-on à voix basse, tout autour de moi. Ce mot était comme un sifflement de serpent, c'était la haine, le dégoût — et une peur atroce.

Sous l'effet de la Signature ils se rappelaient vaguement ce qu'ils avaient été autrefois ; Oh ! pas beaucoup, mais ils se souvenaient tout de même de quelque chose de glorieux et de bon. Et ils savaient ce qu'étaient devenus leurs descendants. C'était ce qu'exprimaient leurs visages : le *mot* même de Shikasta évoquait pour eux la saleté et l'ordure.

« J'ai besoin de rester ici avec vous, leur dis-je, aussi longtemps qu'il le faudra pour préparer ma visite à Shikasta. »

De nouveau, ce brusque mouvement de recul comme chez des chevaux effrayés.

Je leur dis, comme il était de mon devoir de le faire, tout en sachant qu'ils ne voudraient pas m'écouter (et non qu'ils ne le *pouvaient* pas, sinon je n'aurais pas gaspillé mon énergie déjà vacillante), je leur dis : « Venez avec moi, je vous aiderai, je ferai tout ce que je pourrai pour vous aider à sortir d'ici. »

Mais ils restaient là, figés, fantomatiques, incapables de bouger. « Très bien, dis-je, restez assis où vous êtes jusqu'à mon retour. C'est grâce à vous que je veux entreprendre ce voyage. »

Et, entouré de ces hôtes de la mort, soutenu par leur terrible arrogance, je réussis à disperser les brumes qui me séparaient des réalités de Shikasta et à partir à la recherche de mon ami Taufiq.

Mais je voudrais d'abord noter les souvenirs retrouvés de ma visite à Shikasta, puis à Rohanda, dans le Premier Temps, à l'époque où cette race faisait la gloire et l'espoir de Canopus. J'utilise également les comptes rendus d'autres visites à Shikasta au Temps des Géants.

Cette planète fit partie, pendant des millions d'années, d'une catégorie comprenant des centaines d'autres planètes que nous surveillions avec vigilance. Elle était considérée comme porteuse de promesses car son histoire avait toujours été une suite de changements soudains, de développements et de dégradations rapides, ainsi que de périodes de stagnation. Elle était capable de tout. Mais elle était, depuis des millénaires, en période de stagnation lorsqu'elle fut soumise à une radiation prolongée due à l'explosion d'une étoile à Andar, et l'on dépêcha une mission pour faire un rapport de la situation. La planète était fertile mais en majorité marécageuse. On y trouvait de la végétation mais uniforme et persistante. De nombreuses variétés de lézards vivaient dans les marais et des petits rongeurs, des marsupiaux et des singes sur les quelques îlots de terre ferme. L'inconvénient de cette planète était que rien n'y vivait longtemps. Notre rivale, Sirius, y avait implanté certaines de ses propres espèces : celles-ci survécurent mais, immédiatement, leur durée de vie, jadis normale — à savoir quelques milliers d'années — s'adapta à l'environnement et les individus virent leur espérance de vie se réduire à quelques années (j'utilise ici l'unité de temps shikastienne). Des conférences avaient eu lieu entre les spécialistes de Canopus et de Sirius pour déterminer les possibilités de ces espèces éphémères et savoir qu'il était utile de partager les terres entre nous. Depuis la Grande Guerre entre Canopus et Sirius qui avait mis fin aux divers conflits entre nos deux planètes, des conférences avaient lieu à intervalles réguliers pour éviter tout chevauchement et toute interférence de nos expériences respectives. Cette pratique existe encore aujourd'hui.

La conférence n'aboutit à aucun résultat. On ne savait qu'attendre de cette explosion nucléaire. Sirius et Canopus décidèrent de voir venir. Pendant ce temps, Shammat avait, elle aussi, mené son enquête, mais nous ne le sûmes que plus tard.

Presque immédiatement, nos envoyés nous firent part de mutations étonnantes apparues chez les espèces. Cette planète fertile, marécageuse, chaude et humide bouillonnait de changements. Les singes, en particulier, engendraient toutes sortes de mutants, parmi lesquels des anormaux et des monstres, mais d'autres aussi, spectaculaires et des plus prometteurs. De même pour toutes les formes de vie : végétation, insectes ou poissons. C'est alors que, comprenant que cette planète était en train de devenir l'une des plus fécondes de sa catégorie, nous lui donnâmes le nom de Rohanda qui signifie fertile, prospère.

En attendant, c'était toujours un endroit de brumes, de marécages et d'effroyable humidité. (Je ne connais pas de lieux plus déprimants que ces planètes qui ne sont qu'eaux chaudes, nuages, marais, tourbières et moiteur, et personne n'aime s'y rendre.) Mais le climat changeait. L'eau s'évaporait des marécages et restait suspendue en gros nuages lourds. D'autres terres apparaissaient, bien qu'en approchant de la planète, on n'aperçût que les masses de nuages, houleuses et moutonnantes. Puis il se produisit une autre explosion nucléaire, tout à fait imprévue, et les pôles gelèrent, retenant d'énormes bancs de glace. Rohanda était en train de devenir la plus désirable des planètes avec ses vastes étendues de terre et ses eaux contenues dans des zones bien délimitées ou s'écoulant en canaux et en ruisseaux.

Longtemps avant que nous ne l'eussions prévu, Sirius et Canopus conférèrent de nouveau entre elles. Sirius voulait l'hémisphère sud pour y faire des expériences qui viendraient compléter celles qu'elle était en train de mener dans les zones tempérées et méridionales d'une autre de ses colonies. Nous voulions l'hémisphère nord car c'était là, principalement, qu'un sous-groupe des anciens « singes » s'était installé et se développait. Ceux-ci atteignaient déjà trois ou quatre fois la taille des petites créatures, leurs ancêtres. Ils montraient une propension à marcher debout. Leur intelligence ne cessait de s'accroître. Nos experts déclarèrent qu'ils allaient continuer de suivre cette évolution rapide et deviendraient probablement, dans cinquante mille ans, une espèce de catégorie A. (A condition, bien sûr, qu'il ne se produise plus d'accidents de type cosmique.) Leur espérance de vie était déjà plusieurs fois supérieure à ce qu'elle était jadis et l'on considérait ce facteur comme le plus important de tous.

Canopus décida de donner à Rohanda un vigoureux coup de pouce en la soumettant à un plan de Première Priorité et de Croissance Forcée. Ceci en partie parce qu'une autre de nos colonies, instable comme Rohanda, était supposée n'avoir plus que très peu de temps à vivre. Une comète devait, en effet, la détourner de son cours dans vingt mille ans. Ceci viendrait bouleverser l'équilibre du système que nous nous étions donné tant de mal à préserver. (Voir cartes et tableaux nos 67 M à 93 M, zone 7 D3, Immeuble de Démonstration Planétaire.) Si l'on réussissait d'ici là à amener Rohanda à un niveau opérationnel, elle pourrait remplacer, dans notre projet cosmique, cette malheureuse planète dont la destinée, hélas, se réalisa comme prévu : déséquilibrée, elle perdit, sans attendre, toute trace de vie et a maintenant cessé d'exister.

Ce qu'il nous fallait, très précisément, c'était hisser Rohanda au niveau voulu en vingt mille au lieu de cinquante mille ans.

Comme de coutume, nous fîmes des appels de volontaires dans toutes nos colonies, et notre choix se porta sur une espèce issue de la Colonie 10, qui s'est, depuis, révélée remarquablement apte au développement symbiotique.

Bien sûr, une espèce doit posséder des structures mentales particulières pour pouvoir ne serait-ce qu'envisager de telles propositions : disons qu'il ne peut s'agir que d'une race d'aventuriers ! S'il est possible de déterminer les grandes lignes d'une évolution prévisible, il est, par contre, toujours impossible de prédire exactement ce qu'il arrivera lorsque deux espèces seront mises en symbiose, car il y a trop d'inconnues. On ne cacha pas aux volontaires que Rohanda était, par nature, imprévisible, particulièrement soumise au hasard et au changement. Surtout, on ne savait pas comment s'harmoniseraient leurs espérances de vie respectives. En cas d'échec, si les normes actuelles de Rohanda l'emportaient, cette entreprise bénévole pourrait bien être considérée comme très proche d'un suicide ethnique.

Contentons-nous de dire pour l'instant qu'à ce stade et à cette époque, l'espèce était robuste et saine, vive et intellectuellement adaptable ; elle avait gardé le souvenir génétique de sa participation à des expériences de ce type.

De petits groupes de volontaires de la Colonie 10 furent implantés avec succès sur Rohanda, en divers points de l'hémisphère Nord. Ils étaient un millier en tout, hommes et femmes, et presque tout de suite, c'est-à-dire en moins de cinq cents ans, il fut évident que cette expérience serait un remarquable succès.

Il existait entre les deux espèces une interaction admirable dont les effets s'avérèrent, des deux côtés, positifs et il n'apparut aucune agression instinctive due à des incompatibilités génétiques. Sur Canopus, nous exultions.

Bien avant la fin des vingt mille ans, la race cadette (celle des ex-singes) aurait atteint le niveau requis. Les gens de la Colonie 10, qui évoluaient rapidement, seraient parvenus à un stade auquel l'on pourrait dire qu'ils avaient mis, pour franchir ce pas dans leur évolution, dix fois moins de temps qu'il en aurait fallu dans des conditions normales.

Je vais maintenant décrire la situation telle qu'elle était environ mille ans après l'introduction de l'espèce de la Colonie 10.

Tout d'abord, la race indigène. Ici rien de remarquable à noter ; rien que nous ne connaissions tous puisque ce schéma est déjà apparu sur de nombreuses planètes.

Les créatures avaient maintenant la station debout et leurs bras et leurs mains étaient bien adaptés à de nombreuses tâches ainsi qu'au maniement des outils. Elles avaient une conscience aiguë de leur valeur, en tant que créatures capables de manipuler leur environnement pour survivre. Elles chassaient et en étaient aux débuts de l'agriculture. Elles avaient à peu près la taille d'un Shikastien moyen d'aujourd'hui et grandissaient rapidement. Leur chevelure était longue et épaisse et leur fourrure corporelle courte et dense. Elles vivaient en petits groupes très disséminés ayant peu de contacts réciproques. Pas de luttes intestines. Leur espérance de vie était d'environ cent cinquante ans.

Parmi la première vague d'arrivants de la Colonie 10, beaucoup ne tardèrent pas à mourir — mais il fallait s'y attendre. Il n'y a jamais d'explication à ce type de mort. Les jeunes enfants avaient la taille de leurs parents avant même d'être adolescents et l'espèce grandissait si vite qu'ils se désignèrent eux-mêmes, presque dès le début, par le nom de Géants. Mais ceci ne se fit pas sans malaise : aucune espèce, en effet, ne se voit sans appréhension changer si rapidement. La race, dès le départ, présentait des individus grands et forts, mais mille ans passés sur Rohanda les avaient déjà rendus trois fois plus grands. Ils étaient bien faits. Ils avaient le teint brun foncé ou noir et une peau magnifique, saine et satinée. Ils n'avaient pas de poils sur le corps et très peu de cheveux. Les ongles de leurs mains et de leurs pieds n'étaient plus que des vestiges, un simple épaississement de la peau aux orteils et aux doigts. Il était trop tôt pour savoir comment leur espérance de vie allait évoluer. Certains des individus introduits sur la planète étaient à la fleur de l'âge et, quant aux jeunes, on ne pouvait encore se prononcer. La Colonie 10 jouit d'un climat tempéré, très peu sujet à variations. Les vêtements ne s'y portent qu'à l'occasion d'une cérémonie. Mais, sur Rohanda, les Géants, obligés de concevoir des vêtements, ce qu'ils firent immédiatement, furent bientôt capables de se dispenser des arrivages en provenance des entrepôts de Canopus, au profit de matières élaborées à partir des écorces et des plantes de Rohanda.

Ils avaient établi, entre eux et les Indigènes, des relations tutélaires suscitant, des deux côtés, le plus vif intérêt et la plus grande satisfaction. Ce furent les Géants qui enseignèrent aux Indigènes les premiers rudiments de l'agriculture. Ils leur apprirent également à utiliser les animaux sans nuire aux espèces. Ils s'occupaient à développer chez eux le langage. Ce n'était encore que les bases de nombreux talents — artistiques et scientifiques — que les Géants jetaient alors, car le temps n'était pas venu d'établir, entre Canopus et Rohanda, l'Alliance qui amorcerait la Phase de Croissance Forcée.

Les conditions continuaient d'être satisfaisantes et environ sept mille ans après l'appariement des deux espèces, Canopus envoya une mission spéciale pour voir si le moment était venu d'établir l'Alliance. Voici des extraits de son rapport. (N° 1300, Rohanda.)

LES GÉANTS

DURÉE DE VIE : Sur la Colonie 10, ils vivaient généralement de douze à quinze mille ans. La crainte de voir diminuer l'espérance de vie des Géants au contact de l'environnement rohandien s'est avérée juste. Au début, leur durée de vie fut réduite à deux mille ans. Presque aussitôt, cet état de choses s'améliora et ils vivent maintenant entre quatre et cinq mille ans. La courbe est ascendante. Nous observons les anomalies habituelles. Une minorité d'individus meurent, sans raison apparente, très jeunes. Ils ne représentent pas les types que l'on pourrait considérer comme dégénérés (voir ci-dessous, Taille), c'est-à-dire les malingres qui, en fait, vivent aussi longtemps que les forts. Et il n'existe aucune façon de prévoir qui mourra à l'âge de deux ou cinq cents ans.

TAILLE : Ils atteignent maintenant deux fois la taille qu'ils avaient en quittant la Colonie 10. Ils sont robustes, bien faits et doués d'une grande endurance physique. Les déviants sont soit très maigres, chétifs et relativement empruntés dans leurs mouvements, soit robustes et puissants, si bien qu'à voir ensemble des spécimens de ces deux extrêmes, l'on croirait aisément voir deux espèces différentes.

COULEUR : Autrefois brun foncé et noire, la peau va maintenant jusqu'au brun clair et au crème.

CAPACITÉS INTELLECTUELLES : Elles ont en général progressé avec la symbiose. Le niveau d'intelligence *pratique* ne diffère pas de celui que l'on trouve sur la Colonie 10, mais les niveaux supérieurs ont été considérablement stimulés et c'est cela qui fait tout le succès de cette remarquable expérience.

LES INDIGÈNES

DURÉE DE VIE : Elle augmente. Mais moins rapidement que chez les Géants. Ils vivent en moyenne cinq cents ans, à moins d'accidents. Ils meurent, comme les Géants, victimes d'organismes microscopiques, certains d'origine locale, d'autres venus de l'espace. Nous ne voyons aucun signe de la Maladie Dégénérative.

TAILLE : La moitié de celle des Géants, c'est-à-dire de deux mètres cinquante à deux mètres soixante-dix. Ils se sont merveilleusement affinés. Ils ont beaucoup moins de poils sur le corps. Leurs cheveux, cependant, sont abondants, et leurs sourcils très marqués. Corpulence, visage et apparence générale sont généreux, solides et robustes. Leur origine animale demeure visible. Ils ont presque tous les yeux marron. D'une colonie à l'autre, ces créatures restent remarquablement semblables dans tout l'hémisphère nord.

COULEUR : Leur peau va du crème au brun, mais la plupart ont un teint d'une belle couleur noisette.

CAPACITÉS INTELLECTUELLES : Aucune trace de Facultés Supérieures mais leur intelligence pratique évolue encore mieux que nous ne l'espérions, et ceci constitue la base saine et valable de ce que nous envisageons pour le moment où nous établirons l'Alliance.

OBSERVATIONS GÉNÉRALES

Les relations Géants-Indigènes sont bonnes. Un contact permanent bien que ténu existe entre eux. Les Géants rendent visite aux Indigènes uniquement quand il s'avère que ceux-ci ont besoin d'un conseil ou d'une réorientation. Les Géants ne vivent jamais à plus de cent kilomètres de leurs protégés. Leurs lieux de résidence sont confortables mais considérés, évidemment, comme temporaires et utilisés comme installations expérimentales servant à préparer la phase ultérieure. Ainsi, *tous* les bâtiments, toutes les plantations, tous les systèmes d'irrigation sont expérimentaux, en prévision de futurs alignements cosmiques subordonnées à l'Alliance. La mission a le plaisir de signaler qu'il n'y a pas trace de la Maladie Dégénérative. Nulle part on ne trouve de bâtiments ni d'aménagements destinés à autre chose qu'à la préparation de l'Alliance. Les villages sont tous évidemment alignés, autant que faire se peut, à ce stade, sur les facteurs géophysiques.

Les Indigènes vivent dans des villages beaucoup plus primitifs du point de vue des alignements cosmiques, bien que sur le plan esthétique certaines de leurs habitations aient atteint des niveaux intéressants qui reflètent des aspirations dépassant le simple besoin de chaleur et de confort. C'est ce facteur qui, plus que tout autre, nous pousse à conclure qu'il ne faut plus reporter la mise en place de l'Alliance. Les murs de certaines habitations, tout comme les toits, la poterie, les ustensiles et les étoffes, sont ornés de motifs et de dessins. Ces dessins, de par le rôle protecteur des Géants, s'inscrivent

35

parfaitement dans le cadre des besoins actuels, mais un déséquilibre ne saurait tarder à apparaître.

La chasse a cessé d'être la source principale de nourriture. L'agriculture est florissante et l'on trouve des céréales de toutes sortes, des calebasses et des plantes feuillues. L'économie rurale existe et se caractérise par des relations étroites et de plus en plus soutenues avec le cheptel. Le besoin d'irrigation ne se fait pas encore sentir, le réseau hydrographique naturel demeurant suffisant, mais les recherches des Géants laissent à penser qu'un système d'irrigation s'impose dans les zones chaudes de la région du Centre.

Nous signalons le plein succès de notre entreprise.

La mission est d'avis que le temps est venu d'établir l'Alliance. Les Géants l'attendent avec impatience. Sans le moins du monde se plaindre ni vouloir en hâter les phases de façon prématurée, ils se sentent exclus de tous contacts avec la galaxie. Si aucun d'entre eux, sur le plan individuel, ne se souvient d'un contact réel — libre circulation de la pensée, des idées, de l'information et du *développement* entre toutes les planètes de notre galaxie — il n'y a pas si longtemps que les plus vieux immigrants de la Colonie 10 sont morts et, de toute façon, leur mémoire génétique est vive, active et en constant progrès. De plus, tous leurs préparatifs en vue de l'établissement de l'Alliance sont terminés.

AVERTISSEMENTS

Des rumeurs persistantes circulent — surtout sous forme de légendes et de chansons, parmi les Indigènes qui apprennent très vite les nouvelles pendant la chasse ou autres sorties en groupe — selon lesquelles, « au sud », vivent des êtres extrêmement belliqueux et hostiles. Les Géants ont envoyé des expéditions sur les deux grandes terres émergées et ont simplement constaté que les espèces implantées par Sirius y sont tout à fait prospères. (Elles feront l'objet d'un sous-rapport.) Il apparaît clairement que les responsables siriens ont répandu ces bruits dans le but d'empêcher les sujets de notre expérience de s'aventurer sur leur territoire. Les Géants, qui l'ont compris, ont inventé de nouvelles légendes et de nouvelles histoires, et s'efforcent actuellement de créer des structures mentales permettant de remplir notre contrat envers Sirius.

Rien de tout cela ne nous surprend mais il y a autre chose. Des rumeurs persistantes, concernant l'existence d'« espions », circulent aussi bien chez les Géants que chez les Indigènes. Ces espions ne pénètrent pas sur le territoire des Géants mais apparaissent fréquemment parmi les Indigènes et en tout point de l'hémisphère nord. Au début, les Géants les avaient pris pour des envoyés de Sirius en mission d'enquête, mais ils sont maintenant persuadés qu'il existe également des espions venus de quelque autre empire. S'ils hésitent à se prononcer, ils répètent cependant que ce qui distingue ces créatures, ce n'est pas leur apparence physique mais leur comportement : ils présentent tous les signes de la Maladie Dégénérative. A notre avis, tout ce que nous avons appris ne fait que confirmer la présence de Shammat.

NOS CONCLUSIONS

1. L'Alliance peut être établie. Toutes les conditions sont réunies.
2. Ne jamais oublier dans nos plans que cette planète est sujette à des changements soudains et radicaux.
3. Une enquête doit être menée auprès de Sirius pour savoir si des espions de Shammat ont été découverts sur leurs territoires.
4. On devrait essayer de savoir quels sont les intentions et les désirs de Shammat. A première vue, il n'y a pas place pour elle sur cette planète.

Peu de temps après, l'Alliance fut établie avec succès ; missions et envoyés spéciaux sont donc désormais superflus. L'esprit des Géants ou, pour parler de façon précise et factuelle, l'esprit Géant avait fusionné avec l'esprit du Système Canopéen, partiellement d'abord, avec mille précautions, puis ce courant sensibilisateur n'avait cessé de croître. Il ne nous parvenait que de bonnes nouvelles de Rohanda. Se pénétrer des bandes et des enregistrements de cette période qui dura presque dix mille ans, c'est participer à la réalisation, au succès et au développement de l'entreprise. Rares sont les colonies qui ont exécuté nos plans de façon aussi satisfaisante. Les « espions » mentionnés dans le rapport de la mission semblaient s'être évanouis. On supposa, sur Canopus, que la soudaineté de l'Alliance les avait anéantis, qu'ils avaient été incapables de supporter le passage à des vibrations plus intenses et plus subtiles, bien qu'on n'écartât jamais l'hypothèse selon laquelle ces créatures de Shammat avaient non pas disparu mais évolué et, qui

37

sait, dans une direction propice à la diversité et à la richesse de Rohanda. Il nous faut à présent voir les choses un peu différemment. En bref, il s'agit non de distribuer les blâmes — procédure rarement positive et qui tend toujours à détourner l'attention au lieu de la concentrer sur l'essentiel —, mais de connaître les erreurs commises de façon à les éviter sur les autres planètes. En fait, la cause première de ce désastre fut ce que le mot lui-même implique : *dés-astre*, une erreur des astres. Ceci, nous étions incapables de le prévoir ; tout ce que nous savions, c'était que rien, sur Rohanda, n'allait de soi. Sans ce désalignement des astres, peu importait ce que faisaient les agents de Shammat.

Mais comment se fait-il que nous ne nous aperçûmes pas qu'ils étaient là ?

C'est en partie notre faute, à nous, Canopus. Quant à nos relations avec Sirius, elles continuaient d'être correctes sur le plan formel : des échanges d'information se faisaient entre les Services Coloniaux des planètes mères. Au niveau local sur Rohanda ou Shikasta, les Siriens ne se comportaient pas plus mal que prévu, étant donné le niveau nettement inférieur de leur Empire. Mais c'est justement ce niveau inférieur de l'Empire Sirien qui constitue la clé de ce problème et de bien d'autres propres à Rohanda-Shikasta, et je le comprends mieux à présent. Il ne faut pas oublier que nous, serviteurs de Canopus, nous sommes aussi en train d'évoluer et que notre vision des choses change avec nous.

[Voir *Histoire de l'Empire Sirien.*]

Bref, nous ne pensions guère à Shammat. Il est facile aujourd'hui de dire que nous avions tort. Puttiora elle-même tenait — du moins c'est ce qu'il nous semblait — à demeurer à l'écart de nos affaires : il n'était pas question de prendre à la légère l'alliance entre l'Empire de Sirius et l'Empire Canopéen. Personne ne s'y serait risqué ! Dans notre partie de la galaxie, tout n'était que paix et croissance harmonieuse ; personne ne nous menaçait. Pourquoi l'aurait-on fait ? Rarement, la galaxie a connu une telle flambée de civilisation, une aussi longue période sans conflits d'aucune sorte.

Peut-être est-ce une erreur propre aux espèces qui vivent en paix, se prêtent assistance mutuelle et aspirent à se multiplier elles-mêmes, que d'oublier l'existence, à l'extérieur de leurs frontières, de types d'esprits différents, nourris d'une substance différente. Ceci ne signifie pas que Canopus ne se protégeait pas des viles émanations de Puttiora, que nous ne nous tenions pas au courant de ce qui se passait dans cet empire abject qui nous déconcertait d'autant plus qu'il ne pouvait que nous rappeler les premiers stades, moins heureux, de notre propre développement. Ce n'est pas que nous ne nous en préoccupâmes point. Mais Puttiora ne nous menaçait nulle part : alors pourquoi sur Rohanda ?

C'est ainsi que nous prîmes Shammat trop à la légère. Que Puttiora acceptât l'existence d'un avant-poste sur une planète rocheuse et désertique nous avait toujours paru inexplicable malgré certaines rumeurs selon lesquelles Shammat aurait été colonisée par des criminels fuyant Puttiora et que celle-ci les aurait trop longtemps ignorés. Nous nous demandions bien comment Shammat parvenait à puiser et à drainer la nourriture là où elle se trouvait et comment, tel le voleur qui s'engraisse de son butin, elle s'était développée. Alors que Shammat était déjà un État pirate en pleine prospérité, nous la considérions encore comme un prolongement honteux mais dérisoire de la terrible Puttiora, heureusement fort éloignée de nous.

Et les Géants, ces créatures si vives et si intelligentes qui contrôlaient parfaitement Rohanda, où en étaient-ils ?

Encore une fois, nous sommes persuadés que tout vient du fait que les esprits pacifiques et créateurs n'arrivent pas à croire à la réalité de types d'esprits axés sur le vol et la destruction. La Colonie 10 avait toujours été un lieu de coopération fructueuse et, comme je l'ai dit plus haut, remarquablement apte à vivre en parfaite symbiose avec d'autres. Rohanda n'avait jamais connu ni échec ni menace. Nous pensons maintenant qu'il est dangereux de permettre une trop grande prospérité, de trop vastes possibilités de croissance. C'est pourquoi nous n'avons plus jamais, sur aucune de nos autres planètes, toléré ce type de développement sans entraves. Nous y intégrons toujours, à présent, une certaine dose de tension, de danger.

Mais supposons qu'il ne se soit jamais produit de dés-astre ? Personne, probablement, n'aurait jamais su que Shammat était sur Rohanda... car Shammat ne prospère que là où il y a déséquilibre, détresse et désarroi.

Nous fûmes surpris par la crise. Il n'y avait aucune raison de s'y attendre. Mais quelque chose se mit soudain à clocher dans l'équilibre de Canopus et de son système. Il nous fallait découvrir ce qui n'allait pas, et vite. Ce que nous fîmes. C'était Rohanda. Elle se déphasait et dégénérait rapidement. L'Alliance faiblissait. L'équilibre des forces émanant de Rohanda elle-même se déplaçait. Et ceci — il nous fallait à présent tourner nos regards à l'extérieur, loin de Rohanda — correspondait à un changement dans l'équilibre de puissances étrangères, parmi les astres qui nous maintenaient, nous Canopus, dans le réseau de courants tissé entre nous et les planètes que nous avions colonisées. C'était Rohanda qui avait, la première, ressenti les effets du désalignement car elle est, par nature, très sensible. Rohanda était en péril, Rohanda devait être, de toute urgence, secourue, maintenue en phase, réalignée. Telle fut notre première réaction.

Mais il apparut bientôt que ceci était impossible. Rohanda n'avait plus sa place dans notre Système. Ce n'était pas tellement qu'elle nous abandonnait mais plutôt qu'elle s'abandonnait elle-même.

Soit : nous pouvions la protéger et subvenir à ses besoins. Nous en décidâmes ainsi au deuxième stade de notre découverte.

Rohanda était condamnée à une longue période de stagnation, mais nous n'avions alors aucune idée de la durée de cette période. Nous veillerions du moins à ce qu'elle n'oubliât pas complètement ce qu'elle avait accompli et nous l'épaulerions jusqu'à ce que les forces cosmiques changeâssent de nouveau, ce qui ne pouvait manquer d'arriver, comme nous nous en étions assurés.

Mais nous fûmes bientôt confrontés à quelque chose de pire. Nous n'arrivions plus à faire coïncider nos informations avec ce qui nous parvenait de Rohanda ! Les courants en provenance de cette planète étaient incohérents, suraigus, déformés... il était évident que quelqu'un les captait en même temps que nous. Autrefois, l'Alliance qui nous unissait à Rohanda, forte et constante, interdisait ce genre de parasitisme, mais à présent il existait sans aucun doute.

Puis tout arriva en même temps. Des informations en provenance de Sirius concernant Puttiora et sa soudaine bouffée de puissance et d'orgueil. Des informations de nos espions implantés dans l'Empire de Puttiora concernant surtout Shammat. Shammat, tel un ivrogne impudent, fanfaron et titubant... Shammat de plus en plus puissante, Shammat profitant de la nouvelle faiblesse de Rohanda désarmée, vulnérable, victime toute désignée. Cela signifiait donc que Shammat avait guetté Rohanda, s'y était installée, sachant ce qui allait arriver ? Non, c'était impossible car nous-mêmes, malgré notre technologie tellement en avance sur celle de Shammat, nous l'ignorions.

Il ne s'agissait pas de veiller sur Rohanda pendant une longue période de calme ; non, c'était bien pire.

Il fallait dépêcher un agent, et tout de suite.

Je vais maintenant décrire Rohanda telle qu'elle m'apparut lors de ma première visite.

Mais c'était Shikasta à présent : Shikasta la meurtrie, la blessée, la malade. Elle avait déjà changé de nom.

Dirai-je que c'est « avec plaisir » que je parle d'elle ? Mon émotion vient de plus loin, d'avant les mauvaises nouvelles que j'apportais. Rohanda nous avait donné à tous tant de satisfactions, c'était notre plus beau succès, le plus facile. Et n'oubliez pas que c'est Rohanda qui devait prendre la place de cette malheureuse planète condamnée à une destruction prochaine et que nous vidions déjà de ses habitants pour les emmener ailleurs, dans des lieux où ils pourraient croître et multiplier.

Quels problèmes je laissais derrière moi en quittant Canopus, quel ouragan d'agitation, de bouleversements et de réadaptations ! Des structures respectées et jugées fiables depuis des millénaires étaient jetées par-dessus bord, modifiées, échangées contre d'autres. C'est de ces lieux de tumulte que je partis vers l'infortunée Shikasta.

Du moins, il est réconfortant de se dire qu'une telle perfection a existé. L'excellence passée est le gage qu'une autre excellence existera, elle aussi, en d'autres temps, en d'autres lieux. Quand règnent la destruction et la honte, de telles pensées aident à vivre.

Au moment du désastre, il n'y avait que soixante mille Géants et environ un million et demi d'Indigènes, disséminés sur toute la surface de l'hémisphère nord. La planète était incroyablement fertile et attrayante. Les eaux qui, une fois lâchées, recréeraient marais et marécages étaient toujours retenues dans les glaces des pôles et nous ne voyions aucune raison pour que cela changeât.

Les grandes forêts, qui recouvraient les régions septentrionales et tempérées, étaient peuplées d'animaux de toutes sortes qui ne différaient que par la taille de ceux que j'avais vus lors de ma première visite. Ceux-ci ne manifestaient aucune hostilité envers les habitants. On trouvait dans le nord, même dans les climats extrêmes, des villages de Géants et d'Indigènes, mais la plus grande partie de la population s'était installée plus au sud, dans les zones centrales, qui jouissaient d'un climat sec, ensoleillé et vivifiant.

Les cités étaient édifiées à l'endroit où avaient été disposés les alignements de pierres, selon les nécessités du plan, le long des lignes de force de la terre à cette époque. Ces motifs : lignes, cercles et agencements divers n'étaient en rien différents de ceux que nous connaissions sur d'autres planètes, et constituaient la base et le fondement des systèmes de transmission de l'Alliance entre Canopus et Rohanda, maintenant devenue la pauvre Shikasta.

L'agencement et l'alignement des pierres étaient, à l'origine, l'œuvre exclusive des Géants pour qui, étant donné leur taille et leur force, c'était chose facile ; mais l'entente entre les Géants et les Indigènes était

41

telle à présent que ces derniers désiraient participer à la tâche dont ils savaient qu'elle constituait — comme ils le disaient dans leurs chants, leurs contes et leurs légendes — leur lien avec les Dieux, avec le divin.

Ils ne considéraient pas les Géants comme des Dieux. Ils avaient dépassé ce stade. Leur intelligence s'était tellement développée — grâce à l'Alliance — qu'elle n'était plus guère inférieure à celle des Géants juste avant ladite Alliance.

Les cités avaient été construites sur les lignes indiquées par le résultat des nombreuses et importantes expériences menées pendant la longue phase préparatoire à l'établissement de l'Alliance.

Bâties en pierre, elles étaient reliées aux alignements de pierre et faisaient, avec eux, partie du système de transmission.

Les cités, les villes et les campements de pisé, de bois ou de tout autre matériau végétal ne peuvent perturber le processus de transmission ni créer des vibrations nocives. C'est pour cette raison que, durant la phase préparatoire, les Géants avaient rejeté la pierre comme matériau de construction, vivant eux-mêmes dans des maisons faites des substances végétales les plus appropriées et les plus accessibles. Une fois l'Alliance établie et les alignements de pierre en place et opérationnels, les cités furent reconstruites en pierre et les Indigènes apprirent les principes de cet art — dont Shikasta devait bientôt perdre jusqu'au souvenir — car le plan prévoyait que, lorsque les Indigènes auraient atteint le niveau requis, les Géants s'en iraient ailleurs, pour une autre tâche, ayant eux-mêmes évolué au-delà de tout ce qu'aurait pu envisager, tant de milliers d'années auparavant, la poignée d'individus venus de la Colonie 10.

Ce que les Indigènes apprenaient, c'était la façon de rester en contact permanent avec Canopus, avec leur Mère, leur Soutien, leur Amie, et ce qu'ils appelaient Dieu, le Divin. S'ils arrivaient à maintenir les pierres alignées, à leur faire suivre les mouvements des forces tantôt croissantes, tantôt décroissantes, et à entretenir les cités selon les lois de la Nécessité, alors ils pouvaient espérer, ces petits habitants de Rohanda — qui n'étaient autrefois que des singes craintifs vivant à moitié dans les arbres à moitié en dehors, des animaux qui avaient en eux bien peu de la nature canopéenne —, ils pouvaient espérer devenir des hommes, prendre en charge leur monde et eux-mêmes lorsque les Géants, une fois achevée l'œuvre de symbiose, s'en iraient à jamais.

Les cités étaient toutes différentes, du fait même de la différence de terrain sur lequel elles avaient été bâties et des courants et des forces propres à chaque lieu. Certaines se dressaient au milieu de plaines, ou près d'une source, le long d'un rivage, sur une montagne ou un plateau. Parfois construites dans la neige et la glace, ou en des lieux torrides, chacune était de dimensions exactes, absolument parfaite, conçue selon les plans de la Nécessité. Chacune représentait une forme et un symbole mathématiques. Les mathématiques étaient enseignées aux jeunes enfants par le voyage. Un maître emmenait un groupe d'élèves passer quelque temps dans, par exemple, la Cité Carrée, où les enfants absorbaient par osmose tout ce qu'il faut savoir sur les propriétés du Carré. Même chose pour le Losange, le Triangle, etc.

La forme d'une cité était aussi rigoureusement contrôlée verticalement qu'elle l'était au sol, car l'idée de cercle ou d'hexagone, de quatre ou de cinq s'exprimait tout autant dans les parties supérieures que dans les endroits où les alignements de pierres des constructions s'intégraient à la terre.

La circulation des eaux autour et à l'intérieur d'une cité était agencée selon la Nécessité, tout comme le feu — non pas la chaleur, obtenue par la vapeur et l'eau chaude, mais le feu lui-même —, auquel les Indigènes ne pouvaient encore s'empêcher d'attribuer une origine divine, et dont les diverses positions suivaient les lois de la Nécessité.

Chaque cité, donc, était une entité parfaite, entièrement contrôlée et considérée, avec ses habitants, comme un ensemble opérationnel. Car on avait découvert que certains tempéraments étaient mieux adaptés et se révélaient plus utiles à une Cité Ronde ou à une Ville en Triangle, etc. Une science, même, était née, qui permettait de déceler, chez le très jeune enfant, une aptitude à vivre dans tel ou tel endroit. Et c'est là qu'il faut chercher la source de cette « infortune » à laquelle aucun habitant de notre galaxie ne peut, à des degrés divers, échapper ; bien souvent, en effet, il arrivait que les membres d'une même famille fussent incapables de vivre dans la même cité. Même les amants — si je peux me permettre d'utiliser un mot désignant une relation que les Shikastiens actuels ne reconnaissent pas — s'apercevaient parfois qu'ils devaient se séparer, ce qu'ils faisaient, car tous acceptaient que leur existence même dépendît d'une soumission volontaire au grand Tout, cette soumission, cette obéissance n'étant ni un servage ni un esclavage — états qui n'avaient jamais existé sur la planète et dont ils ignoraient tout —, mais la source même de leur prospérité, de leur avenir et de leur développement.

Les deux races cohabitaient à présent, il n'y avait aucune séparation entre eux sur ce plan, bien qu'ils ne pratiquent pas le mariage mixte. Il y avait là une impossibilité physique. Les Géants n'avaient pas dépassé la

43

taille signalée par la dernière mission et mesuraient environ cinq mètres de hauteur — les Indigènes la moitié. Mais, dans l'intervalle, les Géants avaient largement changé de couleur, de visage et de corps. Certains étaient noirs, d'un noir étincelant comme les premiers immigrants. D'autres présentaient toutes les nuances du brun chaud. D'autres encore avaient un visage très pâle et des yeux d'un bleu qui, lorsqu'il était apparu pour la première fois, avait créé un malaise et même l'horreur parmi la population. Les Indigènes étaient, eux aussi, de diverses couleurs et leurs cheveux allaient du noir au châtain. Les Géants avaient maintenant des cheveux, probablement à cause du climat, mais ceux-ci étaient rares et courts et contrastaient avec l'épaisse chevelure des Indigènes. Les Géants aux yeux bleus avaient parfois des cheveux blancs ou blond clair mais ceci était considéré comme anormal.

La sexualité revêtait, chez les deux races, une importance différente. Les Géants, vivant quatre ou cinq mille ans, procréaient une ou deux fois ou pas du tout dans toute leur existence. (Ils portaient leurs petits longtemps : quatre ou cinq ans.) Les femmes des Géants, lorsqu'elles n'étaient pas occupées à enfanter ou à élever les enfants, exécutaient les mêmes travaux que les hommes, et ceci pendant la majeure partie de leur vie. Le travail était presque exclusivement d'ordre intellectuel et consistait à maintenir intacts les niveaux de transmission entre la planète et Canopus. Le sexe, chez les Géants, ne jouait pas un grand rôle, au sens où l'entendaient les Indigènes. Les pulsions sexuelles, les attractions, les répulsions, le flux et le reflux des émotions se transcendaient en énergies supérieures, excepté pour les besoins de la reproduction.

Les Indigènes, eux, étaient encouragés à procréer. Ils avaient à présent une espérance de vie d'environ mille ans, mais la planète pouvait facilement nourrir une population plus nombreuse. Il ne fut jamais envisagé de dépasser les vingt millions que l'on atteindrait tout doucement pendant les quelques milliers d'années à venir : rien n'avait jamais été prévu dans le sens d'une augmentation brutale. On procéderait à la construction méthodique et contrôlée de nouvelles villes bien situées — car il ne manquait pas d'endroits convenant aux lois de la Nécessité. Les Indigènes qui le désiraient et qui étaient jugés aptes, de l'avis général, pouvaient très bien engendrer plusieurs fois dans les cent premières années de leur vie. Ensuite, tout en continuant de goûter aux plaisirs du sexe, source d'équilibre, ils voyaient les mécanismes de la procréation cesser de fonctionner et entamaient une longue, vigoureuse et dynamique période de maturité. La Maladie Dégénérative, telle que nous l'entendons, n'existait pas encore ; les maladies dégénératives de type physique, qui deviendraient plus tard si courantes, n'avaient pas encore fait leur apparition. Géants et Indigènes mouraient d'accidents, bien sûr, ou victimes de très rares invasions de virus contre lesquels ils étaient sans défense.

Je me rendis sur Rohanda dans l'un de nos appareils les plus rapides et sans passer par la Zone Six. Je voulais évidemment inspecter la Zone Six, mais pas avant d'avoir étudié la situation de la planète, où je devais me trouver le plus tôt possible, en personne. Il avait été décidé que j'apparaîtrais sous la forme d'un Indigène et non d'un Géant puisque je devais rester pour aider les Indigènes après le départ de ces derniers. Cette décision était judicieuse, d'autres le furent moins. En y repensant plus tard, je compris que j'aurais dû sacrifier d'autres considérations à l'exécution rapide de ma tâche. Mais j'avais besoin de m'acclimater. Je ne pouvais entrer immédiatement dans les cités, avec leurs vibrations spécifiques, sans en être gravement incommodé. La différence entre Canopus et Rohanda était énorme et aucun d'entre nous ne pouvait se mettre au travail dès son arrivée : il fallait toujours s'accorder le laps de temps nécessaire à l'acclimatation. Mais les choses allaient plus mal que nous ne le pensions et se détérioraient plus vite que nous ne l'avions prévu.

Le vaisseau spatial, venant du nord-ouest, s'approcha de l'extrémité est de la plus grande des terres émergées et, volant à basse altitude au-dessus des montagnes, des plateaux et des plaines fertiles et boisés qui devaient devenir de vastes déserts, des déserts de milliers de kilomètres carrés, nous aperçûmes plusieurs cités et essayâmes d'imaginer ce que pensaient de notre sphère cristalline les habitants qui, levant la tête, nous avaient vus filer comme l'éclair dans le ciel, et ce qu'ils en diraient à ceux qui ne nous avaient pas vus.

A ce moment-là, j'ignorais de quelle cité il était préférable de s'approcher d'abord. Je fis mes calculs sur le rivage oriental du continent, et non d'une île. Pendant ce temps, l'équipage du vaisseau spatial explorait les lieux avec précaution car nous ne voulions effrayer personne et si nous étions vus, des complications pouvaient surgir car l'on risquait de penser qu'un Indigène avait été capturé par des créatures venues d'ailleurs. Il n'était pas facile de déterminer exactement la nature ni l'étendue du changement, mais je décidai que c'était la Ville Carrée qui convenait le mieux : nous l'avions vue en la survolant. Elle était à environ une semaine de marche rapide et c'est ce qu'il me fallait pour m'accoutumer à Rohanda. J'avais déjà déclaré que le vaisseau pouvait repartir quand je m'aperçus que l'air de la planète avait changé. Tout d'un coup. Je repris mes calculs. La Ville Carrée ne convenait plus à présent. Je donnai d'autres ordres et nous nous élevâmes de nouveau dans les airs, survolant d'autres cités, plus au sud, passant au-dessus des Grandes Montagnes où je savais que devait être le poste émetteur de Shammat. Je le sentais déjà. L'on me déposa à l'est de la zone des grandes mers intérieures. Je fis de nouveau mes calculs, et la même chose se produisit : j'avais choisi la Ville Ovale, au nord de la mer intérieure la plus septentrionale, lorsque, encore une fois, l'atmosphère changea. Malheureusement, j'avais déjà renvoyé le vaisseau spatial. La Ville Ronde était à des semaines de marche et c'est là que je devais me rendre. Mais cela me prendrait trop de temps.

La Ville Ronde se trouvait sur les hauts plateaux situés au sud des grandes mers intérieures. Ce n'était ni un centre administratif ni un siège du pouvoir car il n'en existait pas. Mais, outre la qualité de ses schémas vibratoires, sa position géographique centrale permettait une meilleure dissémination de mes informations. De plus, l'altitude et l'air vif préserveraient cette cité plus longtemps que les autres de la catastrophe imminente. Du moins, je l'espérais. Tout comme j'espérais qu'il ne se produirait aucune nouvelle distorsion dans l'alignement de la planète, m'interdisant l'entrée de la Ville Ronde.

Tout d'abord, il y avait le problème du temps. Je m'approchai d'une troupe de chevaux qui paissaient au flanc d'une montagne et m'arrêtai près d'eux, les regardant intensément en une muette prière. Ils étaient nerveux et inquiets mais l'un d'eux vint vers moi puis attendit ; alors, je l'enfourchai.

Lui ayant indiqué la direction, nous partîmes vers le sud au petit trot. Toute la troupe suivit. Nous parcourûmes des kilomètres et des kilomètres et je commençais à m'inquiéter pour les poulains et les jeunes qui nous accompagnaient en y prenant, semblait-il, grand plaisir car ils faisaient feu des quatre fers, hennissaient et luttaient de vitesse, lorsque j'aperçus une autre troupe, non loin de nous. Le cheval de tête me conduisit à elle. Je mis pied à terre. Ma monture expliqua la situation à une bête puissante et vigoureuse qui en faisait partie. Celle-ci vint vers moi et attendit : je la montai et nous repartîmes. Ceci se répéta plusieurs fois. Je pris très peu de repos ; je demandai seulement une ou deux fois à ma monture de s'arrêter et dormis, la tête appuyée contre son flanc, à l'ombre d'un arbre. Une semaine passa de la sorte et je vis que mes difficultés avaient disparu. Le moment était venu de me servir de mes jambes et d'avancer plus lentement. Je remerciai

46

mes compagnons de leur remarquable système de relais. Ils frottèrent leur museau contre mon visage puis firent demi-tour et s'en retournèrent vers leurs pâturages dans un tonnerre de sabots.

Alors, jour après jour, je marchai vers le sud, traversant d'agréables régions de savane plantées d'arbres légers au feuillage aérien, de buissons aromatiques et de clairières d'herbe blonde décolorée par la sécheresse. Partout, des oiseaux, des vols entiers — véritables entités, dotées d'un esprit et d'une âme, comme les hommes, composées, malgré tout, de nombreuses unités, comme les hommes. Partout des animaux, tous familiers et curieux, qui me saluaient et venaient à mon aide en m'indiquant le chemin ou un endroit pour me reposer. Je passai plus d'un midi et d'une nuit torrides en compagnie d'une famille de daims qui cherchait la fraîcheur dans les fourrés ou avec des tigres étendus sur des rochers au clair de lune. Un soleil chaud, sans être insupportable — ceci se passait avant les événements qui l'éloignèrent quelque peu — la lune si proche, si lumineuse de ce temps-là, de douces brises, des fruits et des noix à foison, des ruisseaux clairs et purs : voilà le paradis que je traversai pendant tous ces jours et toutes ces nuits, le bienvenu partout, un ami parmi des amis. Tout n'est plus maintenant que désert et rochers, dunes et schistes, végétation rabougrie de la sécheresse et des chaleurs exterminatrices. Tout n'est que ruines et chaque poignée de sable aride représente la substance de cités dont les Shikastiens d'aujourd'hui n'ont jamais entendu prononcer le nom, dont ils ne soupçonnent même pas qu'elles aient jamais existé — la Ville Ronde, entre autres, qui, devenue la proie de la discorde, se vida peu après de tous ses habitants.

Je ne cessais d'observer, de contrôler et d'écouter. Mais l'influence de Shammat — bien que je perçusse, sous les profondes harmonies de Rohanda, les discordes des temps à venir — était encore minime.

J'aurais voulu que ce voyage n'eût jamais de fin. Quels lieux enchanteurs que l'ancienne Rohanda ! Jamais, dans aucun de mes voyages, au cours d'aucune de mes visites, je n'ai trouvé pays plus plaisant, qui vous accueille avec une telle douceur, une telle aisance, vous attire tout entier avec de tels charmes et de tels artifices que l'on ne pouvait que succomber, comme l'on succombe au charme divin d'un sourire ou d'un rire qui semble dire : « Vous êtes surpris, n'est-ce pas ? Oui, c'est vrai, je suis en prime, un cadeau, un luxe, une preuve de la générosité qui se cache en toute chose. » Et pourtant, tout ce que je voyais allait bientôt disparaître et chaque pas sur ce sol craquant, tiède et odorant, chaque instant sous l'écran de ces branches accueillantes était un adieu : adieu, adieu Rohanda, adieu.

47

J'entendis la Ville Ronde avant même de la voir. Ses harmonies mathématiques se manifestaient par une espèce de mélodie, de chant suave, musique de sa propre entité. Cela aussi m'accueillait, m'accaparait, et le mal shammatien n'était encore qu'une vibration gênante. Les animaux s'étaient rassemblés tout autour de la ville, attirés et captivés par cette musique. Ils paissaient ou se prélassaient sous les frondaisons, paraissant écouter, pleins de contentement. Je m'assis sous un gros arbre pour me reposer, le dos appuyé au tronc, regardant, à travers le lacis des branches, les clairières et les allées et espérant que des bêtes viendraient à moi, car ce serait la dernière fois. Je fus exaucé : une famille de lions arriva bientôt à pas feutrés, trois adultes et quelques jeunes, qui se couchèrent autour de moi. On aurait fort bien pu me prendre pour un des leurs en ce qui concerne la taille car ils étaient très grands. Les adultes reposaient, la tête allongée sur les pattes, me regardant de leurs yeux d'ambre, tandis que les petits jouaient en bondissant tout autour de moi et sur moi. Je m'endormis et, lorsque je me levai pour repartir, deux des lionceaux m'accompagnèrent en se battant et en se roulant par terre, jusqu'à ce qu'un cri des adultes les rappelât.

Les arbres s'éclaircissaient. Entre eux et le pourtour de la ville se trouvaient les Alignements de Pierre. Je n'avais pas vu de Pierres pendant mes longs jours de marche mais elles formaient à présent des cercles et des avenues ; il y avait des Pierres isolées et d'autres groupées. Autour des autres villes que j'avais traversées ou contournées, j'avais vu des hordes d'animaux au milieu des Alignements, attirés par leurs harmonies, mais ici, autour de la Ville Ronde, pas un animal parmi les Pierres. La musique, si ce mot convient aux profondes harmonies qu'elles produisaient, était devenue trop forte. En regardant derrière moi, je vis que les bêtes étaient, en quelque sorte, parquées derrière la barrière invisible des Pierres. Les oiseaux, qui n'avaient pas encore l'air affectés par elles, m'accompagnaient en vols serrés et leurs cris et leurs pépiements participaient à la symphonie.

Il n'était pas agréable de traverser les Alignements et je commençais à sentir les premiers symptômes de la nausée. Mais il n'y avait pas moyen de les éviter puisqu'ils faisaient le tour complet de la Ville Ronde. Ils finissaient avec la calme et large rivière qui entourait la ville et l'enserrait de ses deux bras qui se rejoignaient pour former un lac du côté sud avant de diverger respectivement vers l'est et l'ouest. De légers esquifs, canoës et embarcations de toutes sortes étaient amarrés le long des rives pour l'usage de chacun. Ayant traversé la rivière, je m'aperçus que la musique des Pierres s'était tue pour faire place au silence, à un silence total, assez

48

puissant pour absorber le bruit des pas sur le sol, des outils d'un artisan ou des voix.

Devant la muraille basse, sinueuse et blanche des maisons, une large ceinture de jardins maraîchers entourait la ville. Des jardiniers y travaillaient, hommes et femmes, qui ne me prêtèrent aucune attention puisque je leur ressemblais. Ils étaient beaux, avec des visages, des bras et des jambes vigoureux et basanés que laissaient apparaître des vêtements courts et légers, bleus pour la plupart. Le bleu était ici la couleur la plus utilisée pour les vêtements, les tentures et les ornements, et tous ces bleus reflétaient le ciel du plateau, presque toujours sans nuages.

Il n'y avait rien, dans la Ville Ronde, qui ne fût rond. C'était un cercle parfait qui ne pouvait s'agrandir, car ses limites étaient exactement là où elles devaient être. Les murs des bâtiments extérieurs formaient le cercle et les murs latéraux, comme je le constatai tandis que j'avançais le long d'un chemin en arc de cercle, étaient légèrement arrondis. Les toits n'étaient pas plats mais avaient tous des formes de dômes, de coupoles et des tons délicats et pastel : crème, rose pâle, bleu, jaune et vert clair, qui chatoyaient sous le soleil. Lorsque j'eus traversé la ville extérieure, je trouvai une route bordée d'arbres et de jardins dessinant, elle aussi, un cercle complet. Il y avait peu de monde. Un groupe de gens, assis dans un jardin, bavardaient et, là encore, je ne vis que force, santé et joie de vivre. Ils n'étaient pas moins vigoureux que les jardiniers, ce qui laissait à penser qu'aucune division n'existait ici entre le physique et le mental. Passant près d'eux, je les saluai et ils me saluèrent à leur tour ; j'admirai leur peau brune satinée et leurs grands yeux, pour la plupart d'un brun franc et brillant. Les cheveux des femmes étaient longs, bruns ou châtains, coiffés de diverses façons et décorés de fleurs et de feuillages. Tous portaient des pantalons et des tuniques amples, de bleus différents rehaussés de blanc.

Après avoir traversé une autre partie de la ville, je me trouvai dans une autre rue en courbe, plus peuplée celle-là car bordée de boutiques, d'étals et d'échoppes. Elle décrivait un cercle complet à l'intérieur de la rue périphérique et servait au marché sur toute sa longueur ; comme tous les marchés du monde, elle n'était qu'animation et affairement. Une autre rangée de bâtiments en arc de cercle, une autre rue pleine de cafés, de restaurants et de jardins. Ici grouillait une foule de gens, les plus aimables et les plus robustes que j'aie jamais vus. L'entrain, l'amabilité régnaient en ces lieux, et de vociférations, d'agitation, pas une trace. Je remarquai qu'en dépit du bruit qui émane d'une foule, rien

49

ne venait troubler le profond silence qui était le son fondamental de l'endroit, sa musique intérieure, celle-là même qui protégeait la ville de ses harmonies. Encore des bâtiments et des rues en courbe : j'approchais à présent du centre de la ville et cherchais l'affectation et la pompe qui sont les signes infaillibles de la Maladie Dégénérative. Mais rien. En débouchant sur l'unique place centrale où se dressaient les bâtiments publics construits avec la même pierre dorée, je ne trouvai qu'harmonie et mesure. Ce n'est pas ici qu'un enfant, amené par ses parents pour découvrir les salles de réunion, les tours, le cœur de son patrimoine, aurait pu se sentir écrasé, rejeté comme une insignifiante créature, misérable et craintive, condamnée à obéir et assoiffée d'Autorité. Une longue et cruelle expérience m'avait appris à le redouter... Au contraire, marchant au milieu de ces constructions accueillantes, aux couleurs chaudes, on ne sentait qu'intimité et harmonie entre l'individu et son environnement.

Je n'étais pas encore suffisamment acclimaté pour entreprendre ma pénible tâche. J'en ressentais une tristesse que j'étais incapable de maîtriser. Je m'assis un moment sur la levée d'un petit lac entourant une fontaine et regardai des enfants qui jouaient sans crainte entre les bâtiments, des femmes qui se promenaient en groupes, des hommes entre eux, qui devisaient, des hommes et des femmes ensemble, les uns assis, d'autres flânant, ou encore marchant ; l'ensemble, baignant dans l'air pur et lumineux du plateau et dans la chaleur tempérée par l'exubérance des fontaines, des arbres et des fleurs, respirait la calme et puissante finalité qui m'est toujours apparue, où que j'aille, ville, ferme ou groupe de gens, sur n'importe quelle planète, comme le reflet de la Nécessité, du flux et du reflux des vibrations de l'Alliance.

Mais il était là, infime dissonance, à peine audible, le commencement de la fin.

Je n'avais pas encore vu les Géants ; pourtant, ils n'étaient pas loin. Je répugnais à me renseigner, craignant de révéler ainsi ma qualité d'étranger et de déclencher prématurément l'alarme. Je me promenais depuis quelque temps lorsque j'aperçus deux Géants au bout d'une avenue et me dirigeai vers eux. C'étaient des hommes, tous les deux d'un beau noir luisant, tous les deux habillés des amples vêtements bleus que j'avais vu porter aux Indigènes, tous deux absorbés dans un travail. Armés d'un instrument de bois et de métal rouge que je ne connaissais pas, ils étaient en train de mesurer les vibrations d'une colonne de pierre noire polie qui se dressait à l'intersection de deux avenues. Cette

50

pierre noire, parmi tant de pierres blondes couleur miel, surprenait sans toutefois créer une impression lugubre, car elle reflétait comme un miroir les vêtements bleus des Géants et leurs beaux et grands visages noirs tandis qu'ils s'affairaient autour d'elle.

Je dois avouer que je me tenais à présent sur mes gardes, attendant de voir comment j'allais être accueilli : j'avais toutes les apparences d'un Indigène et j'ai toujours répugné à me départir de ma prudence dans les relations de maître à élève ; c'est que mon rôle officiel consiste souvent à être soupçonneux et à rechercher les signes de la Maladie. J'attendis donc en silence, quelques pas plus loin, les yeux levés vers les épaules de ces créatures énormes qui avaient plus de deux fois ma taille et deux fois ma largeur. Ayant terminé leur travail, ils se retournèrent pour partir ; c'est alors qu'ils me virent. Ils me firent un signe de tête et un sourire tout en poursuivant leur chemin, ce qui prouvait qu'ils ne pensaient pas que je puisse avoir besoin d'eux ni eux de moi.

Certain, à présent, qu'il n'y avait, dans leurs manières, aucune condescendance à l'égard d'un Indigène, je leur dis que j'étais Johor et que je venais de Canopus.

Ils s'arrêtèrent alors et abaissèrent vers moi leurs regards.

Leurs visages n'avaient ni la chaleur ni le charme spontanés des aimables créatures que j'avais observées et côtoyées en m'acheminant vers le centre de la ville. Bien sûr, il est difficile de se sentir proche d'une race différente de soi : il faut toujours une période d'adaptation pour apprendre à résister aux assauts que subit alors notre sens de la vraisemblance. Mais il s'agissait ici de tout autre chose ! Les Géants, s'ils étaient familiarisés avec l'esprit canopéen, n'avaient pas vu un citoyen de Canopus depuis des milliers d'années car nous nous reposions sur les rapports de ces administrateurs consciencieux. Et voilà que Canopus apparaissait soudain, en chair et en os, mais par la bouche d'un Indigène ! En ce qui me concerne, je découvris en moi, avec surprise, des réactions infantiles. A regarder ces immenses créatures, me revenaient en mémoire des impulsions depuis longtemps refoulées dans mon inconscient. J'avais envie de les prendre par la main, envie qu'ils me tiennent et me protègent, qu'ils me soulèvent dans leurs bras jusqu'à leurs visages doux et affables, envie de toutes sortes de gestes rassurants et apaisants dont, *en fait*, je n'avais absolument pas besoin, et j'en ressentais de la honte, de l'indignation même. Et ces conflits entre différents niveaux de ma mémoire ne faisaient qu'aggraver la tristesse qui m'oppressait réellement à la pensée de ce que j'avais à leur dire. En outre, je ne me sentais pas bien. J'aurais dû passer quelque temps en

51

Zone Six en guise de préparation. Je fus pris d'une soudaine faiblesse et les Géants le virent. Avant qu'ils n'aient eu le temps de me soulever de terre, ce qu'ils s'apprêtaient à faire mais dont je ne voulais à aucun prix car cela n'aurait fait que réveiller en moi l'enfant depuis longtemps oublié, je m'assis sur le socle de la colonne et, d'encore plus bas qu'avant, je levai la tête vers ces forteresses humaines que les arbres semblaient à peine dépasser en hauteur, et me forçai à dire :

« Je vous apporte des nouvelles, de mauvaises nouvelles.

— L'on nous avait avertis que vous viendriez », répondirent-ils.

Toujours assis, je me pénétrai de ces paroles, faisant de ma faiblesse l'excuse de mon silence.

A *quoi* leur avait-on dit exactement de s'attendre ? Qu'est-ce que Canopus leur autorisait à connaître ?

Ce n'était pas comme si tout ce qui se passait dans l'esprit canopéen appartenait immédiatement à l'esprit Géant et vice versa. Non, c'était à la fois plus précis et plus spécifique que cela.

Le but de la phase de Pré-Alliance sur Rohanda était d'augmenter les forces — je ne trouve pas d'autre mot — de la planète grâce à la symbiose entre les Géants et les Indigènes de façon que la planète Rohanda, je veux dire l'entité physique de la planète elle-même, pût être reliée par la fusion Géants-Indigènes au Système Canopéen. Pendant cette phase, beaucoup plus courte que nous ne l'avions escompté, les échanges *intellectuels* entre Canopus et Rohanda furent insignifiants ; il y avait bien eu quelques rares instants de communication, quelques étincelles, mais rien sur quoi l'on pût compter, que l'on pût exploiter ni développer.

Lorsque l'Alliance fut mise en place, les forces, les vibrations (appelez-les comme vous voudrez puisque tous ces mots sont inexacts et approximatifs) de Rohanda fusionnèrent avec celles de Canopus et, par l'intermédiaire de Canopus, avec ses filiales, planètes et étoiles.

Mais il ne faut pas croire que, dès l'instant où l'Alliance fut mise en place, une fusion immédiate, totale et *stable* s'opéra entre l'esprit Géant et Canopus. A partir de ce moment-là, Rohanda constitua une fonction du Système Canopéen, mais rien ne pouvait être considéré comme définitivement établi. Le maintien de l'Alliance exigeait des soins constants. Tout d'abord, l'agencement des Pierres, leur surveillance et leur contrôle, car il fallait constamment les réaligner, légèrement, bien sûr, mais il y en avait tant que cela représentait une tâche ardue et absorbante. Puis la construction des villes. A chaque nouvelle entité mathématique mise en place et maintenue, l'Alliance

52

s'affermissait ; il fallait aussi contrôler et régler chaque ville, tout ceci avec l'aide des Indigènes qui durent tout apprendre dès qu'ils en furent capables. Mais surtout, ce qu'on leur enseignait, c'était la façon d'observer leur propre développement, de l'entretenir et de le vérifier constamment de façon que tout ce qu'ils feraient fût toujours en harmonie, en phase, avec Canopus et les « vibrations » de Canopus.

Rohanda était sans cesse exposée aux radiations de la force canopéenne et, à son tour, renvoyait continuellement sur Canopus sa force toujours croissante. Cet échange d'émanations, à la fois précis et savant, contribua à promouvoir le but et l'objectif premiers de la galaxie, à savoir la création de Fils et de Filles infiniment perfectibles du Grand Dessein.

Mais ces échanges de substance étaient variés et variables. L'« esprit » partagé par Rohanda et Canopus ne signifiait pas que chaque pensée germant dans chaque tête devenait instantanément la propriété de tout le monde. Ce qui était partagé, c'était une disposition, une base, un indispensable enchevêtrement, réseau, entrelacs, schéma commun, qui n'était pas lui-même statique puisqu'il ne pouvait que changer et évoluer avec les croissances et décroissances successives des émanations. Si un individu désirait entrer en contact avec un autre, une « mise au point » minutieuse et spécifique était nécessaire et la communication qui s'ensuivait correspondait en tout point à ce qui avait été décidé qu'elle serait, ni plus ni moins. C'est pourquoi les Géants, tout en étant une fonction de l'« esprit » de Canopus, ne savaient rien que Canopus ne voulait pas qu'ils sachent. D'ailleurs, les conditions n'étaient pas toujours favorables aux échanges de « pensée ». C'est ainsi que, pendant plus de cent ans, aucun échange d'informations spécifiques ne fut possible, par suite d'interférences provenant de la configuration particulière d'un système solaire proche du nôtre, temporairement déphasée par rapport à Canopus. L'échange d'énergie continua mais des courants plus subtils furent interdits jusqu'à ce que l'étoile en question changeât de position dans le quadrille céleste.

« Aviez-vous une raison particulière de mesurer les vibrations de la colonne ? leur demandai-je enfin.

— Oui.

— Avez-vous observé quelque chose d'anormal ?

— Oui.

— Vous n'avez aucune idée de ce que cela peut être ? »

J'avais hâte, comme on peut le voir, d'introduire le nom de Shammat car de ce que j'apprendrais dépendait une grande partie de nos plans, mais tout en cherchant une façon de parler de Shammat, je me rendais compte que ce sujet était encore pour eux un problème lointain et mineur. Je pris de nouveau conscience de l'urgence de la situation et, maîtrisant ma faiblesse, je me mis péniblement sur mes pieds et me tournai vers eux.

« L'on nous a dit que l'Émissaire Johor viendrait et qu'en attendant nous devions nous préparer à une crise.

— C'est tout ?

— C'est tout.

— Ceci signifie que là-bas, sur Canopus, ils ont encore eu plus peur que je ne le pensais en partant, que des ennemis captent nos informations », dis-je. Je parlais avec fermeté, avec désespoir même, les regardant tour à tour.

A « ennemis », ils ne réagirent pas. Le mot les effleura sans produire aucun effet, sans déclencher en eux le moindre souvenir ; c'était là une faiblesse dont nous étions sans doute responsables.

Tout en dénonçant chez eux cette imperfection — et elle est de taille — il me faut dire, à l'honneur et à la mémoire de tous les individus concernés, quelles extraordinaires créatures étaient ces Géants dont la race allait bientôt s'éteindre, tout au moins sous cette forme. Extraordinaires non par leur apparence physique, leur taille ou leur force. J'avais déjà travaillé avec de grandes races. La taille ne correspondait pas toujours aux qualités que l'on voyait chez ces hommes. Ils avaient quelque chose d'inoubliable, une générosité, une magnanimité, une envergure et une puissance d'entendement qui dépassaient de loin celles de la plupart des espèces que nous encouragions. Il y avait en eux une profonde retenue comparable au profond silence qui régnait sur la ville. Ils avaient tous la force tranquille de leur fonction qui était de servir ce qu'il y avait et ce qu'il y a toujours de meilleur. Leurs beaux grands yeux étaient à la fois pensifs et pénétrants et, encore une fois, évoquaient un lien, une communication avec des forces inaccessibles et bien supérieures à tout ce que pouvaient imaginer la plupart des êtres. Non que les Indigènes ne fussent, à leur manière, des créatures impressionnantes, elles aussi douées de réflexion et d'observation et, par-dessus tout, d'un débordement spontané de bonne humeur et de chaleur. Mais il y avait tellement plus chez les Géants et tellement plus raffiné ! En contemplant ces visages majestueux, je me sentais en pays connu : ces hommes rendaient le même son, la même note que les meilleurs des nôtres. Je savais que, chez de tels êtres, je ne pouvais rencontrer que Justice et Vérité. C'était aussi simple que cela.

54

« Vous avez besoin de repos, peut-être ? demanda l'un d'eux.

— Non, non, non, m'écriai-je, essayant de nouveau de leur communiquer le sentiment d'urgence qui me tenaillait. Non, il faut que je vous parle. Je vais tout vous dire maintenant et vous pourrez le redire aux autres. »

Je vis qu'ils commençaient enfin à comprendre qu'il se passait quelque chose de terrible. Encore une fois, je les vis rassembler leurs forces intérieures. Ces deux-là se comprenaient parfaitement et n'avaient nul besoin de gestes dérisoires comme des échanges de regards ou des signes de tête entendus.

Devant nous, l'avenue ombragée s'incurvait et descendait doucement jusqu'à un groupe de hauts bâtiments blancs.

« Il faudrait rassembler une Dizaine », dit l'un d'eux en s'éloignant à si grandes enjambées qu'il atteignit le bout de l'avenue en un instant, son immense silhouette à l'échelle des bâtiments qu'il longeait et en parfaite proportion avec eux.

« Je m'appelle Jarsum », me dit son compagnon. Nous nous mîmes en route. Il flânait et s'attardait tandis que j'avançais le plus vite que je pouvais, mais sans qu'il y eût entre nous aucune gêne, aucun effort ; je voyais bien que Géants et Indigènes avaient l'habitude de marcher ensemble et s'étaient adaptés à ce mode de coexistence amicale.

En approchant des bâtiments des Géants, je les trouvai hauts, bien sûr, mais pas écrasants du tout ; néanmoins, dans celui où nous entrâmes, je me sentis tendu et oppressé car le cylindre semblait s'élever à l'infini au-dessus de ma tête tandis que les sièges et les chaises étaient presque aussi grands que moi. Jarsum s'en aperçut et donna l'ordre, à l'aide d'un appareil, d'apporter une chaise, une table et un lit de dimensions indigènes et de les placer dans une pièce spéciale, plus petite que les autres. Malgré cela, le moment venu d'y vivre, je trouvai ces meubles d'un effet plutôt comique dans une pièce aux proportions gigantesques.

Cette pièce, ou plutôt cette salle, servait aux réunions. En peu de temps, dix Géants arrivèrent. Ils s'assirent sur le sol, négligeant leurs sièges habituels, et m'installèrent sur une pile de couvertures pliées de façon que nos visages fussent à la même hauteur. Ils attendirent que je commence. Ils avaient l'air troublés, sans plus. Je regardais, tout autour de moi, ces magnifiques et royales créatures, tout en pensant qu'il n'existe aucun individu, aussi armé soit-il contre les chocs, qui ne les ressente d'une façon ou d'une autre. Il me faudrait procéder lentement, par paliers successifs, même avec des créatures comme celles-ci.

55

Ce que j'avais à leur dire, c'était que leur histoire était terminée, qu'ils n'avaient plus aucune raison d'être, que la longue évolution qu'ils avaient si brillamment gérée et dont ils croyaient qu'elle ne faisait que commencer, était terminée. En tant qu'individus, ils avaient un avenir car ils seraient transférés sur d'autres planètes. Mais ils n'auraient plus l'existence ni le rôle en fonction desquels on leur avait appris à vivre.

L'on peut dire à un individu qu'il va mourir : il l'acceptera, car l'espèce, elle, continuera. Ses enfants mourront, même de façon absurde et arbitraire, l'espèce, elle, continuera. Mais que toute une espèce, toute une race, meure ou se transforme radicalement, cela est impossible à envisager, à accepter, sans une totale métamorphose de la personnalité profonde.

S'identifier à soi-même, en tant qu'individu — voilà l'essence même de la Maladie Dégénérative, tandis que nous, dans l'Empire Canopéen, nous apprenons à ne nous accorder une valeur quelconque que dans la mesure où nous sommes en harmonie avec le plan, les phases, de notre évolution. Ce que j'avais à dire porterait atteinte à ce que nous chérissions tous le plus, car il ne pouvait être d'aucun réconfort de leur dire : vous survivrez en tant qu'individu.

Quant aux Indigènes, je n'avais aucun message d'espoir à leur apporter, à moins que la nouvelle qu'il y aurait une rémission dans un avenir très lointain pût être considérée comme tel. L'évolution repartirait à zéro, après des siècles et des siècles.

La raison d'être des Géants, leur fonction, leur *utilité,* c'était le développement des Indigènes, qui étaient leur *alter ego,* leur propre substance. Mais les Indigènes, eux, n'avaient d'autre avenir que la dégénérescence... Les Géants étaient dans la position du jumeau le plus fort, sauvé par une opération qui tue l'autre.

Il me fallait dire tout cela.

Et je le dis.

J'attendis qu'ils l'eussent assimilé.

Je me revois, perché de façon ridicule sur ce tas de couvertures, me sentant dans la peau d'un Pygmée, observant leurs visages et celui de Jarsum en particulier. Maintenant que j'étais à sa hauteur, je m'apercevais qu'il était différent des autres. C'était un homme au visage extraordinairement accusé, tout en courbes et en creux impressionnants, avec des yeux sombres et brillants sous les lourdes arcades sourcilières et des pommettes saillantes et comme sculptées. Il était puissant, intérieurement et extérieurement, mais s'affaiblissait à vue d'œil. Tous les autres aussi. Ce n'était pas par manque de force d'âme car ils n'étaient pas encore capables de désobéir ainsi aux lois qui nous gouvernaient. Mais tandis que je les regardais, les uns après les autres, avec une crainte mêlée d'admiration, je les voyais diminuer — imperceptiblement. La force les abandonnait. Et je me demandais si là-haut, Canopus prenait note de cet instant, averti du même coup que j'avais accompli ce pour quoi j'avais été envoyé ici. En partie, du moins, mais le pire, pour moi, était passé.

J'attendis. Il fallait leur donner le temps de se pénétrer de mes paroles. Le temps passa, passa...

Personne ne parlait. Au début, je crus que ce silence était dû aux tristes nouvelles que j'apportais, mais je me rendis bientôt compte qu'ils attendaient que ce qui occupait leurs esprits se propulsât vers l'esprit de tous les autres Géants de la Ville Ronde et de là — sous une forme atténuée, plus vague, bien sûr, qui ne laisserait passer que des sentiments d'alarme, de danger et de malaise — aux Géants des autres Villes Mathématiques. Ce haut cylindre dans lequel nous étions assis était, en fait, un centre de transmission conçu pour fonctionner avec dix à douze Géants. Tous faisaient l'affaire, qu'ils fussent hommes ou femmes, du moment qu'ils étaient dix, mais ils devaient avoir subi un entraînement spécial, si bien que les très jeunes n'avaient pas accès à cette fonction.

La façon dont s'effectuait ce travail de transmission reflétait les échanges entre Canopus et Rohanda.

Une grille, ou base, permettait la transmission de nouvelles précises, mais cela nécessitait une mise en place, un tri, un agencement des éléments en question. Tout ce qui se passait dans l'esprit de l'un ou des dix individus rassemblés avec soin n'atteignait pas automatiquement ni immédiatement l'esprit des autres Géants de la même ville puis de ceux des autres villes.

Tandis que nous étions là, on calculait les effets : tout d'abord un substrat d'émotion, si c'est là le mot juste pour désigner des sentiments ô combien plus élevés que ce que l'on appellerait plus tard, sur Shikasta, *émotion* ; puis, une fois le terrain préparé, on diffuserait d'autres nouvelles.

Pendant ce temps, je ne cessais de regarder autour de moi. J'avais découvert avec intérêt que, parmi les dix, se trouvait une femme d'un type considéré autrefois et encore maintenant, selon les critères courants à Shikasta, comme une anomalie. Elle dépassait les autres Géants d'une bonne largeur de main, de *leurs* mains, et, sur son squelette fragile et long, la chair se creusait. Sa peau était pâle et froide comme celle d'une morte, avec des reflets gris et bleutés.

Jamais, au cours d'aucun de mes voyages, je n'avais vu une peau de cette couleur et je la trouvai d'abord répugnante, puis fascinante, et je ne savais pas si j'étais dégoûté ou attiré. Elle avait des yeux étonnants, du bleu vif et éclatant de leur ciel. Comme les autres Géants, elle avait le cheveux rare, mais le peu qu'elle avait ressemblait à une vaporeuse toison d'or pâle. Ses doigts se terminaient par de longues excroissances cornées, comme les Indigènes, jadis dotés de pattes et de griffes. Elle suscitait de nombreuses et troublantes réflexions génétiques ; mais elle, comment ressentait-elle tout cela ? Elle était tellement exotique parmi tous ces gens bruns, noirs et châtains, aux yeux noirs, bruns et gris ! Elle devait se sentir étrangère, exclue. Et puis son air chétif, faible, exténué même, qui n'était pas le fait de ces circonstances difficiles et éprouvantes mais faisait partie d'elle ! Il lui manquait sans doute la vitalité évidente et spontanée des autres Géants. Pour elle, tout devait être un effort. Je remarquai qu'elle était la seule ici à paraître affectée de ce que je venais de dire, au point d'en sembler bouleversée. Elle n'arrêtait pas de soupirer et de promener autour d'elle ses incroyables yeux céruléens tout en mordant ses minces lèvres rouges. Ça aussi, c'était quelque chose que je n'avais encore jamais vu. On eût dit une blessure. Mais, s'efforçant de contenir ses sentiments, elle se redressa contre le mur le long duquel elle était assise et lissa de la main la fine étoffe bleue de son pantalon. Elle croisa ses longs doigts fins sur ses genoux et parut se résigner.

Lorsque l'atmosphère de la réunion me sembla adéquate, je poursuivis en disant que cette crise était due à un désalignement imprévu parmi les astres qui maintenaient Canopus en place. Je notai une réaction d'inquiétude — aussitôt réprimée ; de protestation — aussitôt réprimée...

Nous sommes tous les créatures des astres et de leur puissance ; ils nous font, nous les faisons, nous sommes partie intégrante de la danse dont nous ne devons et ne devrons jamais, en aucun cas, nous considérer comme indépendants. Mais, lorsque les Dieux explosent, ou se trompent, ou se dissolvent en nuées de gaz, ou se contractent, ou se dilatent, etc., selon les exigences de leur destin, alors les minuscules atomes de leur substance peuvent, à leur très modeste niveau non pas exprimer leur désaccord — ce qui serait, bien évidemment, tout à fait déplacé dans leur position —, mais montrer qu'ils connaissent l'existence de l'ironie : oui, ils peuvent parfois se permettre — toujours avec respect — une imperceptible grimace d'ironie.

Aux Indigènes, même cela était défendu car ils n'en auraient pas compris le sens, ils auraient été incapables d'interpréter les événements au niveau où agissaient et pensaient les Géants. En fait, les principales victimes de cet écart de conduite divine, de cette calamité imprévue, de ce décalage dans le mouvement des étoiles, n'en sauraient même pas assez pour hocher la tête avec résignation, pincer les lèvres et murmurer : « Ah ! ça les arrange, eux, bien sûr ! » ou « Allez, c'est reparti mais nous, nous n'avons même pas le droit de nous plaindre ! »

Il n'est guère raisonnable de la part des Seigneurs de la Galaxie, naviguant sur leurs ondes astrales, leur temps astral, leur perspective planétaire, de ne pas s'attendre au moins, de la part de leurs protégés, à ce léger sourire ironique, ce soupir devant le contraste entre les siècles et les siècles d'efforts, de lutte, de lente ascension que peut paraître une vie — sans parler de la longue évolution d'une civilisation — et l'exclamation presque désinvolte — en apparence du moins : « Mais nous n'avions pas prévu cette explosion radioactive, cette collision planétaire ! » ou bien : « Mais nous sommes, comparés aux Majestés qui règnent sur nous et dont nous faisons partie, comme vous faites partie de nous, de petites créatures insignifiantes qui devons nous soumettre, exactement comme vous... »

J'ai dit, en commençant ce rapport, que je n'ai gardé jusqu'à aujourd'hui aucun souvenir de ma première visite. Quand l'un d'eux affleurait à ma conscience, essayant d'y pénétrer, je l'en chassais. C'est la pire chose que j'aie jamais eue à faire, dans ma longue carrière d'envoyé. Je ne me souviens pas combien de temps nous restâmes assis là, une demi-journée, une journée peut-être, à nous regarder en essayant de nous soutenir les uns et les autres, tout en songeant à l'avenir.

Les bruits de la ville nous parvenaient, lointains, étouffés par le silence et les dimensions du bâtiment dans lequel nous étions. Deux jeunes Géants jouèrent un moment dans une cour ensoleillée, non loin de nous, s'appelant et riant aux éclats ; leur exubérance contrastait cruellement avec notre état d'esprit. Mais bientôt la Géante blanche et maigre leur fit un signe et ils s'éloignèrent.

Enfin, Jarsum déclara qu'ils en avaient entendu suffisamment pour aujourd'hui et qu'ils en ingurgiteraient davantage demain. Ils discuteraient entre eux de la meilleure façon d'avertir les Indigènes ou de la possibilité de ne rien dire du tout. En attendant, j'avais une chambre, meublée, espéraient-ils, le plus confortablement possible. Si je désirais me promener, je ne devais pas m'en priver car j'étais libre d'agir à ma guise. Je pourrais manger à telle heure. Quelle courtoisie, quelles attentions et quelle gentillesse en tout ! Pourtant, j'avais le cœur brisé. Je ne peux m'empêcher de le dire, malgré la banalité de l'expression. Ce que je ressentais, c'était une désolation, un vide, un néant indicibles communiqués par les Géants qui sentaient tout cela et bien plus encore.

Le lendemain, je fus convoqué à la salle émettrice. Dix Géants m'attendaient, différents de ceux de la veille, mais je me sentais aussi proche d'eux que des autres.

Lorsque les Géants s'en iraient, comment les Indigènes réagiraient-ils au choc, eux dont les ambitions avaient été si soigneusement encouragées, orientées ? A quelles aberrations, à quelles perversions devait-on s'attendre ? Qu'adviendrait-il des animaux de la planète dont les Indigènes faisaient partie il n'y avait pas si longtemps ? Il avait été prévu que les Indigènes s'occuperaient du cheptel et le garderaient tout en veillant à ce que les potentialités et les qualités des différentes espèces s'harmonisent et se marient avec les besoins de l'Alliance. Comment considéreraient-ils ces animaux désormais ? Comment les traiteraient-ils ?

Tandis que ces réflexions occupaient nos esprits ce matin-là, je sentais le besoin d'introduire Shammat. Ce besoin était si fort en moi que je m'étonnais de ne pas les voir aborder le sujet eux-mêmes. Un courant de gêne, de soupçon, perceptible parmi nous, semblait indiquer que ce thème était prêt à faire surface. Mais il n'en fut rien. Le moment n'était pas venu. Il me fallait donc calquer mon attitude sur la leur, attendre qu'ils donnent un signal, qu'ils prennent des décisions. Ils levèrent bientôt la séance et me renvoyèrent, de nouveau avec mille courtoisies.

Cette fois, je profitai de l'invitation qui m'avait été faite de me promener à mon gré et je retournai dans les quartiers de la Ville Ronde où je savais rencontrer les Indigènes. Tout avait une apparence normale et prospère. J'allai de groupe en groupe et parlai à tous ceux qui avaient le temps de parler avec moi. Je commençai par dire que je venais de la Ville en Croissant mais, découvrant bientôt que les voyages étaient chose courante chez eux, je craignis de me trahir. J'appris qu'une ville ovoïde, située très loin au nord du pays et dont ils parlaient comme nous pourrions le faire des confins de la galaxie, n'était pas un endroit où ils se rendaient souvent ; je déclarai donc que j'en venais, inventant de fascinantes histoires de glaces et de tempêtes de neige, et réussis ainsi à me mêler naturellement à leurs conversations. Je voulais savoir si ces gens percevaient le moins du monde l'influence de Shammat, s'ils avaient entendu des voyageurs relater des événements fâcheux, ou même s'ils se sentaient souffrants ou moroses. Je n'avais rien appris qui m'éclairât quand une femme, assise sur un banc de la place centrale avec deux bambins qui se chamaillaient, me dit qu'ils étaient « bien méchants ces temps-ci ». Piètre indice ! Moi-même, je me sentais déprimé et irritable mais j'avais de bonnes raisons de l'être, aussi retournai-je à ma chambre, avec ses murs immenses au pied desquels se blottissaient, minuscules, mon lit et ma chaise ; je fus presque immédiatement convoqué à la salle émettrice.

Jarsum était là mais les autres m'étaient, encore une fois, inconnus. Nous nous installâmes comme les jours précédents et ayant décidé de parler de Shammat, je le fis aussitôt en ces termes : « J'ai encore quelque chose à vous dire, quelque chose de pire, pire du point de vue des Indigènes, sinon du vôtre. Votre planète a un ennemi. Ne le saviez-vous point ? »

Silence. De nouveau, le mot « ennemi » parut glisser sur eux, s'évanouir dans l'atmosphère de la pièce. Il semblait, tout simplement, qu'il ne trouvât rien où s'accrocher ! Il est déconcertant, pour quelqu'un qui a toujours pensé en termes d'équilibrage de forces, de succès tactiques, de traités et de tractations inévitables envers les méchants de cette galaxie, de se trouver soudain parmi des gens qui n'ont jamais, de leur vie, pensé en termes d'opposition ni *a fortiori* de perversité.

J'essayai un peu d'humour : « Vous savez bien, tout de même, que les ennemis se matérialisent parfois ! Ils existent, vous savez ! En fait, ils sont toujours à l'œuvre ! Il y a des forces mauvaises à l'œuvre dans notre galaxie, et elles sont très puissantes... »

Pour la première fois, je vis leurs yeux se chercher mutuellement, en un réflexe instinctif qui trahit toujours la faiblesse. Chacun cherchait à lire sur le visage de l'autre ce que pouvait bien signifier le mot « ennemi ». Et pourtant leurs rapports, du moins au début de notre expérience sur Rohanda, faisaient état de rumeurs concernant la présence d'espions ; or, qui dit « espion » dit « ennemi », même pour les plus naïfs.

Je vis que ceux-ci étaient d'une espèce qui, pour une raison quelconque, était incapable de penser en termes d'ennemi. Je n'en croyais pas mes yeux ! Jamais, sur aucune autre planète, je n'avais connu cela.

61

« Lorsque tu m'as dit, Jarsum, que vous contrôliez votre colonne, que vous vous doutiez que quelque chose n'allait pas, qu'avais-tu à l'esprit ?

— Les courants ont été irréguliers ces derniers temps, répliqua-t-il promptement, avec tout le sérieux et la lucidité dont il était capable. Nous nous en sommes aperçus voici quelques jours. Certes, il se produit toujours de légères variations. Il y a parfois même des interférences. Mais aucun d'entre nous n'a le souvenir de ce *type* de variation. Il y a là quelque chose de nouveau. Tu nous as expliqué ce que c'était.

— Mais il y a encore autre chose. »

De nouveau, un mouvement de gêne — imperceptible — parmi l'assistance, une certaine agitation, de légers soupirs.

Pour venir à bout de leur résistance, je leur retraçai brièvement l'histoire de l'Empire de Puttiora et de sa colonie, Shammat.

Ce n'est point tant qu'ils ne m'écoutaient pas mais plutôt qu'ils semblaient *incapables* d'écouter.

Je répétai mon histoire en insistant. Shammat, dis-je, avait, depuis quelque temps, des agents sur cette planète. N'avaient-ils pas entendu parler de la présence d'étrangers ? d'activités douteuses ?

Les yeux de Jarsum errèrent dans la pièce, rencontrèrent les miens, puis se détournèrent.

« Jarsum, lui dis-je, personne parmi vous ne se rappelle-t-il que vos ancêtres, vos parents même, croyaient en l'existence possible d'éléments hostiles sur cette planète ?

— Les territoires du sud sont, depuis longtemps, très coopératifs.

— Non, pas les territoires siriens. »

De nouveau, des soupirs, des signes d'agitation.

J'essayai d'être aussi bref que possible.

Je dis que cette planète, sous l'influence nouvelle des étoiles concernées, allait soudain manquer de — comment dire — de combustible. Oui, oui, je savais que je leur avais déjà dit tout cela. Mais Shammat s'en était aperçue et exploitait déjà, à son profit, les courants et les forces de la planète.

Rohanda, devenue maintenant Shikasta, la brisée, la blessée, ressemblait alors à un beau jardin fertile, conçu pour consommer des ressources d'eau inépuisables. Or, il s'avérait qu'elles n'étaient pas inépuisables. Le jardin ne pouvait plus être entretenu comme par le passé. Mais un mince, très mince filet d'énergie canopéenne continuerait de filtrer jusqu'à Shikasta. Celle-ci ne dépérirait pas complètement. Cependant, même ce mince filet était en train de s'épuiser. A cause de Shammat.

Non, nous ne savions pas comment et nous voulions le savoir au plus vite.

Nous étions persuadés qu'un minimum d'entretien serait possible, que le « jardin » ne disparaîtrait pas complètement. Mais, pour pouvoir prévoir et agir, il nous fallait connaître tout ce qu'il y avait à connaître sur la nature de notre ennemi.

Pas de réaction. Du moins, pas du type dont j'avais besoin.

« Pour commencer, repris-je, plus les Indigènes dégénéreront, plus ils s'affaibliront et perdront de leur substance, mieux cela vaudra pour Shammat. Vous comprenez ? Plus la relation Canopus-Shikasta sera mauvaise, mieux cela vaudra pour Shammat ! Œil pour œil ! Shammat ne supporte pas ce qui est élevé, pur, noble. C'est du poison pour elle. Le niveau de l'Alliance a toujours été trop élevé pour Shammat. Les gens de Shammat guettent le moment précis où leur nature, la nature Shammat, pourra se greffer, de toutes ses forces abjectes, sur la substance de l'Alliance. Ils prélèvent déjà une certaine force, ils s'en nourrissent, s'en engraissent à grand bruit, mais ceci n'est rien en comparaison de ce qui arrivera si nous ne les en empêchons pas. Vous comprenez ? »

Non, ils ne comprenaient pas. Ils ne pouvaient pas comprendre.

Ils étaient devenus incapables de saisir l'idée de vol et de parasitisme. Cela ne faisait peut-être plus partie de leur structure génétique, quoiqu'il fût difficile de connaître les raisons de cette évolution. En tout cas, je vis que rien de ce que je pouvais leur dire ne les atteindrait. Pas sur ce sujet du moins. C'est moi qui devrais faire les efforts.

Ma première démarche fut de passer un moment avec Jarsum dès que les séances étaient levées, pour tenter de le convaincre. Il me fournit toutes sortes d'aide et de renseignements, excepté sur un sujet.

Les séances de transmission continuaient, toujours les mêmes. Un thème était proposé, retenu dans l'esprit de ceux qui étaient présents, une petite discussion suivait quelquefois ou bien tout le monde gardait le silence. Le thème, tel qu'il se traduisait en idées et en images dans l'esprit de chaque Géant, était enrichi et développé, et sous cette forme complexe, partait vers les Géants des autres villes.

Je ne cessais de les exhorter à dépêcher des messagers afin de confirmer et d'étoffer ce qui venait d'être transmis. Comment savoir si la force des courants était encore intacte ? Je voulais que les envoyés les plus rapides fissent tout le chemin en courant s'il le fallait. Mais je me heurtais, chez les Géants, à un curieux blocage, une espèce de barrière. Ils n'avaient jamais eu à faire les choses de cette façon, disaient-ils.

63

« Oui, mais les choses sont différentes à présent. »

Non, ils préféraient attendre.

Impossible de leur faire entendre raison.

Puis, de Canopus, nous parvint la nouvelle que le vaisseau spatial destiné à emmener les Géants ne tarderait pas à arriver — avec les dates et les lieux précis — près des grandes villes.

« Jarsum, il faut faire vite, nous ne pouvons plus attendre... »

Mais il était devenu obstiné, soupçonneux même.

Je vis que cela avait commencé. Les Géants étaient atteints. Ils n'étaient déjà plus comme avant.

Et s'ils étaient atteints, alors moi aussi, probablement... C'est vrai qu'il m'arrivait d'avoir des vertiges. Parfois, je revenais à moi après un temps pendant lequel j'avais l'impression que mon cerveau était tout embrumé.

Bien que je n'eusse pas prévu de devoir le faire si tôt, je sortis la Signature de l'endroit où je l'avais cachée et la dissimulai sous ma tunique, fixée à mon avant-bras. Mes idées se clarifièrent alors et je compris qu'en fait un changement s'était opéré en moi à mon insu. Je me rendais compte que, bientôt, je serais le seul sur Shikasta à pouvoir juger et agir raisonnablement.

Cependant, les Géants étaient inconscients de leur état et contrôlaient tout !

Je découvris qu'ils n'étaient pas tous atteints de la même façon, certains ayant gardé l'esprit clair et sensé. Hélas, Jarsum n'était pas de ceux-là. Il avait succombé presque aussitôt. Je ne savais qu'en penser et n'essayai pas de comprendre. Je me souciais surtout de l'aspect pratique des choses et ne cessais d'exhorter ceux qui le désiraient à pénétrer dans la salle émettrice où ils me semblaient plus lucides que dehors.

C'est lors d'une séance de transmission que je me rendis compte qu'un changement véritable et radical s'était produit. La forme des séances était la même mais l'atmosphère était plus agitée et, à certains moments on avait l'impression qu'ils avaient tous perdu le contrôle d'eux-mêmes : leurs yeux vides erraient au hasard et ils parlaient sans réfléchir. Et puis, un matin, l'un des Géants déclara soudain d'une voix péremptoire que lui, du moins, choisissait de demeurer sur la planète et de ne pas suivre les autres. Il avançait un argument, comme s'il se fût agi d'un débat, et ceci leur était tellement étranger qu'ils revinrent soudain à eux. Mon ami Jarsum, par exemple, reprit brusquement conscience et je vis qu'il était de nouveau lui-même, derrière ces yeux magnifiques qui étaient les siens. Il restait silencieux mais concentrait ses forces. Un autre Géant prit la parole, contredisant le premier, mais plus pour le plaisir de soulever une objection que pour préconiser leur départ. Le premier rétorqua en criant que « c'était bien évident » qu'il serait stupide de partir. Jarsum, aux prises avec lui-même, luttait intérieurement, essayant de rendre l'assemblée à sa dignité passée. Une autre voix dissidente s'éleva. Je voyais, d'après le visage tourmenté de Jarsum et son regard tendu, que c'en était trop pour lui... il craqua soudain et sa voix se mêla au concert discordant de voix hargneuses.

Et c'est ainsi que, littéralement, « d'un instant à l'autre », tout s'écroula sur Shikasta. Au-dehors, on entendait des voix et des cris agressifs, des enfants qui se querellaient, des clameurs de désaccord et de contestation. A l'intérieur, tout n'était que fièvre et tumulte.

Penchés en avant, ils essayaient de capter le regard des autres, gesticulaient et s'interrompaient mutuellement. Il y avait deux clans, le premier composé de ceux qui, le visage bouleversé, essayaient de s'accrocher à leurs convictions intimes, et le deuxième rassemblant ceux qui avaient cédé avec, à leur tête, Jarsum qui criait qu'« ils pouvaient bien envoyer tous les vaisseaux spatiaux qu'ils voulaient, lui ne bougerait pas, ça, non ! ». On eût dit un enfant. Puis le groupe qui tenait bon capitula.

J'intervins alors. Pour cela, je me servis de la Signature. Refermant la main sur elle, je leur dis que ceux qui refusaient de partir seraient en état de Désobéissance. Pour la première fois de leur histoire, ils ne seraient pas en conformité avec la Loi Canopéenne.

Ils m'interrompirent en avançant les arguments et la logique des nouveaux critères corrompus.

Ils dirent, entre autres, que leur présence ici ne pouvait que profiter aux Indigènes car eux, les Géants, « connaissaient les conditions de vie locales », à la différence des étrangers. Ils dirent aussi que si les Indigènes devaient être trahis par Canopus, eux, les Géants, ne voulaient pas y prêter la main.

Je leur dis que si les Géants restaient, même en petit nombre, le nouveau plan de Canopus serait menacé, que les Géants n'étaient pas qualifiés pour « mener et guider » les Indigènes, contrairement à ce qu'ils affirmaient, car leurs forces, elles aussi, seraient amoindries — elles l'étaient déjà — ne voyaient-ils pas que leur comportement actuel indiquait une déchéance ? Mais non, ils avaient oublié ce qu'ils étaient avant : dissension et hostilité les habitaient déjà.

Je leur dis que la Désobéissance au Plan Supérieur était toujours, n'importe où, le premier signe de la Maladie Dégénérative, et cherchai autour de moi les nobles visages, les regards compéhensifs qui n'étaient plus, car sur les visages se lisaient la hargne et l'outrecuidance et, dans les yeux, l'incertitude.

Les jours qui suivirent furent marqués par des luttes de factions, des querelles et des cris.

J'étais partout où je pouvais, avec ma Signature dissimulée. En rassemblant toutes mes forces, je parvins à diffuser aux membres de l'équipage du vaisseau spatial un message les informant qu'ils ne devaient pas s'attendre, en atterrissant, à trouver les Géants prêts à embarquer — ce stade était dépassé — mais qu'il leur fallait plutôt se préparer à entrer dans chaque ville pour discuter, persuader, peut-être même capturer de force si cela s'avérait nécessaire. A ce moment-là, la résistance à mes transmissions vers l'espace était déjà si forte que je craignais que rien ne leur parvînt clairement. Plus tard, je sus qu'ils avaient compris l'essentiel. Dans la plupart des villes, en particulier dans celles de la zone centrale, l'on s'était au moins rendu compte que la situation était critique et que le vaisseau spatial approchait. L'embarquement n'eut rien à voir avec l'entreprise simple et facile que nous avions prévue. Partout, il y eut des discussions et des contestations avant que les Géants, égarés, ne fissent leur soumission — ceci dans le meilleur des cas. Dans d'autres, les troupes canopéennes durent utiliser la force.

Je n'appris pas tout de suite ce qui s'était passé : je dus, plus tard, rassembler les fragments d'informations reçues.

Pendant ce temps, dans la Ville Ronde, Jarsum avait pris la tête d'un groupe qui refusait catégoriquement de partir. Il faisait preuve, en restant, d'un noble esprit de sacrifice. Il savait que ses compagnons et lui-même, les Géants rebelles, risquaient leur existence, leur âme et pourtant il était décidé à ne pas partir. La Géante blanche à la beauté étrange et troublante avait, elle aussi, choisi de rester et, avec elle, sa progéniture, tous des bizarreries de la nature présentant les plus étranges combinaisons de caractères physiques. Elle me dit qu'elle était elle-même une erreur génétique et qu'il n'y avait pas de place pour elle sur la planète où l'on emmenait les Géants.

Comment le savait-elle ? demandai-je, lui faisant remarquer que la galaxie renfermait des variétés d'espèces dont elle n'avait même pas idée. Mais « elle savait ». C'était déjà assez pénible comme cela de passer sa vie parmi des gens différents d'elle, en étrangère, sans devoir recommencer à zéro.

66

Ceci se passait tandis que nous attendions l'arrivée du vaisseau spatial.

Pendant ce temps, l'on discutait pour savoir que dire aux Indigènes.

Les Géants manifestaient un souci ardent, passionné, de protéger leurs anciennes ouailles, qui contrastait avec leur confiance d'autrefois. A chaque instant, je me trouvais confronté à Jarsum ou à quelque autre Géant qui me regardaient avec de grands yeux accusateurs et des visages tragiques. Comment peut-on traiter ainsi ces pauvres créatures ! me faisaient-ils comprendre. Pas une discussion d'ordre pratique qui ne fût interrompue par de profonds soupirs, des regards de reproche et des commentaires à voix basse sur la cruauté et la dureté. Malgré cela je réussis à obtenir que des chants et des contes fussent composés et diffusés par les individus appropriés de ville en ville parmi les Indigènes, chants destinés à transmettre, sous une forme concrète, au moins l'essentiel de la nouvelle situation.

Ces émissaires furent prévenus que, dans chaque ville qu'ils visiteraient, ils devraient se mettre en quête de quelques Indigènes représentatifs et leur dire qu'il leur fallait se préparer à une période d'épreuves et de privations et qu'ils devaient attendre l'arrivée d'autres messagers qui viendraient les instruire.

Ce furent les Géants qui organisèrent cette démarche. Les Indigènes voyaient en eux des mentors et ne pouvaient pas, du jour au lendemain, les considérer autrement.

Mais les Géants allaient partir, disaient les chants.

> *A tire-d'aile, ils sont partis*
> *Vers les Cieux, nos grands amis*
> *Nos camarades, nos protecteurs*
> *Vers un lointain ailleurs.*
> *Nous, leurs enfants, nous sommes abandonnés.*
> *Il ne nous reste plus que nos yeux pour pleurer.*

Et ainsi de suite. Ce ne sont pas les mots que j'aurais choisis moi-même mais ils exprimaient bien l'indignation des Géants transposée au niveau des Indigènes.

Pendant ce temps, j'établissais des contacts avec les Indigènes, agissant avec lenteur, prudence, testant un individu, puis un autre. Il est intéressant de noter qu'au début, les Géants furent plus sérieusement et plus rapidement atteints que les Indigènes qui demeurèrent, eux, *relativement* normaux plus longtemps. Les organismes les plus élevés, les plus raffinés durent se soumettre les premiers. Ceci me permit de communiquer ce que je pouvais. Mais la difficulté et la contradiction mêmes de cette tâche sautent aux yeux : je devais dire à ces malheureux que, par suite de circonstances indépendantes de leur volonté et dont ils n'étaient pas responsables, ils allaient devenir l'ombre d'eux-mêmes. Comment leur faire comprendre cela ? Ils n'avaient pas été programmés pour l'échec ni le désastre ! Ils étaient encore moins armés que les Géants pour recevoir de mauvaises nouvelles. Et plus l'information serait détaillée et factuelle, plus je pouvais être sûr qu'elle serait déformée. Le fond du problème, c'était que j'avais ici affaire à des esprits qui se mettraient forcément à transformer mes paroles, à les réinventer et à les remanier.

Tout se passait comme si j'étais chargé d'annoncer à quelqu'un de parfaitement sain d'esprit qu'il allait bientôt devenir un crétin mais qu'il devait faire tout son possible pour se souvenir de certaines choses indispensables comme A, B, C, etc.

Un matin, je découvris qu'un bon tiers des Géants avaient disparu. Personne ne savait où. Ceux qui restaient attendaient passivement près du terrain d'atterrissage où le vaisseau spatial devait se poser, ce qui ne tarda pas. Trois de nos plus gros appareils descendirent et plusieurs milliers de Géants s'y engouffrèrent. Tout à coup, plus un Géant, plus un seul.

Les Indigènes virent atterrir le vaisseau spatial, regardèrent les Géants embarquer en foule, puis les gros engins étincelants décoller et disparaître en un clin d'œil dans les nuages. Les chants s'élevèrent :

> *A tire-d'aile, ils sont partis*
> *Vers les Cieux, nos grands amis...*

Pendant des jours entiers, les Indigènes se rassemblèrent près du terrain d'atterrissage, les yeux levés vers le ciel, en chantant. Ils croyaient que les Géants allaient revenir. La rumeur s'en répandit bientôt partout, engendrant les chants appropriés.

> *Quand ils nous reviendront, nos grands amis*
> *Nous pourrons leur dire : « Nous n'avons pas failli. »*

Je fus incapable de savoir où les Géants rebelles avaient disparu. Les Indigènes pénétrèrent alors dans tous les hauts bâtiments qui avaient été les maisons et les immeubles officiels des Géants et se les approprièrent, ce qui était préjudiciable aux dispositions exactes de la Ville Ronde. Je le leur dis. Ils m'avaient accepté comme quelqu'un possédant une certaine autorité, bien que sans comparaison avec celle des Géants, mais, à présent, la plupart d'entre eux étaient incapables de recevoir quelque information que ce fût. Déjà, la raison et la franchise ne rencontraient que des regards vagues et distraits ou des airs agités et belliqueux dans lesquels je reconnaissais les premiers signes de la Dégénérescence.

Un conteur et compositeur de chansons nommé David était devenu mon ami, ou, tout du moins, semblait m'accepter. Il était encore, dans une certaine mesure, en possession de ses facultés, aussi lui demandai-je d'observer ce qui se passait autour de lui et de m'en rendre compte à mon retour de la ville la plus proche. Celle-ci — la Ville en Croissant — était construite sur un large fleuve situé près d'une mer intérieure où les mouvements de la marée étaient minimes. Là aussi, la rivière enserrait la ville, mais d'un côté seulement : des rues et des jardins s'étendaient perpendiculairement au côté ouvert, comme les cordes d'une lyre. La musique de cette ville évoquait justement les harmonies d'une lyre mais, avant même de l'atteindre, j'entendis des discordances, des sons suraigus et grinçants qui disaient assez ce qui m'y attendait.

C'était une ville magnifique, construite en pierre blanche et ocre, ornée d'une abondance de motifs sur les trottoirs, les murs et les toits. Les vêtements de ses habitants, pour la plupart rouille ou gris, se détachaient vivement sur le feuillage vert et le ciel d'un bleu éclatant. Les Indigènes avaient la même corpulence que ceux de la Ville Ronde, mais leur peau était jaune et leurs cheveux, sans exception, d'un noir de jais. Je ne les vis jamais tels qu'ils étaient réellement car, au moment de ma visite, le processus de déchéance était déjà largement amorcé. Là encore, je me mis à la recherche d'un individu qui me semblât plus conscient que les autres de la situation. Les chants et les contes étaient parvenus jusqu'ici et, ici aussi, les Indigènes avaient regardé partir les Géants dans les énormes vaisseaux spatiaux transparents qui commençaient déjà à perdre leur réalité... Je demandai à mon compagnon de rassembler les autres et de les convaincre d'être patients, de ne pas prendre de décisions hâtives, de ne pas se laisser envahir par la peur ni l'affolement. Tout en parlant, je sentais l'absurdité de mes propos.

Je décidai de retourner à la Ville Ronde. Si les chants et les contes avaient atteint la Ville en Croissant, ils devaient avoir atteint toutes les autres ; c'était un début. En attendant, j'éprouvais de plus en plus un sentiment d'urgence, de danger : il me fallait retourner à la Ville Ronde, et rapidement, ça, je le savais, mais ce ne fut qu'en m'en approchant que je compris pourquoi.

J'arrivai du côté opposé à celui par lequel j'étais entré la première fois. Mais, de nouveau, je traversai une forêt trouée de clairières. En deçà de l'endroit où commençaient les Pierres, poussaient des noyers, des amandiers, des abricotiers et des grenadiers. Il y avait là une foule d'animaux, mais tous semblaient craintifs et regardaient en direction de la ville. Ils secouaient la tête, comme pour chasser les sons importuns. C'est qu'ils entendaient déjà ce que, moi, je ne percevais pas encore mais qui frappa bientôt mon oreille lorsque j'atteignis l'endroit où commençaient les Pierres. A leurs harmonies se mêlait, à présent, une discordance qui arrivait par vagues de la ville et qui me blessait les oreilles. Ma tête était douloureuse et, au moment de pénétrer dans les alignements, je fus pris de nausée. L'atmosphère était sinistre, menaçante. La disposition des Pierres avait-elle cessé de répondre aux besoins de Canopus du fait de la perturbation planétaire, les harmonies de la Ville Ronde avaient-elles été bouleversées par le départ des Géants et l'invasion de leurs lieux d'habitation par ceux qui n'avaient rien à y faire ? Je l'ignorais. Mais quelles qu'en fussent les raisons, lorsque j'eus atteint le côté intérieur de la cité, l'agressivité des sons me parut pire qu'à mon arrivée et, en levant les yeux, je vis des oiseaux qui se dirigeaient vers les Pierres faire un détour pour éviter ce qui montait de cet endroit vers le ciel dont le bleu profond semblait empoisonné, hostile.

Partout, dans la Ville Ronde, les Indigènes allaient et venaient fébriles, se bousculant, s'attroupant puis se dispersant sans cesse. Ils semblaient à la recherche de quelque chose, de quelqu'un. Ils passaient d'une rue à l'autre, d'un jardin à l'autre, de l'extérieur de la ville en son centre et, une fois là, regardaient autour d'eux d'un air égaré et inquiet ; leurs yeux, empreints de cet air perdu et troublé qui semblait à présent leur trait dominant, ne se posaient jamais, toujours à l'affût, toujours frustrés. Les groupes s'ignoraient entre eux, mais se poussaient les uns les autres, comme des étrangers ou même des ennemis. Je vis des bagarres et des échauffourées, des enfants qui se battaient en cherchant à se faire mal, j'entendis des voix furieuses qui s'élevaient de toutes parts. Déjà, la pierre dorée des murs était souillée de graffiti et maculée de terre. Des enfants, isolés ou par groupes de deux ou trois, debout devant les murs, étaient occupés à les barbouiller de boue dérobée aux parterres de fleurs, essayant, avec le plus grand sérieux, avec violence

70

même, de faire... quoi ? Interrompus, ils retournaient aussitôt à leur... tâche puisque, de toute évidence, c'est ainsi qu'ils voyaient leurs activités. Mais eux aussi cherchaient désespérément quelque chose ; c'était là le sens de leurs agissements. Si assez de gens couraient en tous sens, se précipitaient de place en place, si les enfants — et quelques adultes — barbouillaient de boue les subtiles motifs des murs encore éclatants de couleurs, si nombre d'entre eux se rencontraient, se bousculaient pour se dévisager ensuite avidement, si suffisamment de ces activités s'accomplissaient, alors ce qui était perdu se retrouverait ! Voilà comment les choses m'apparaissaient à moi, l'étranger aux mains crispées sur la Signature à laquelle je devais la vie sauve.

Mais les pauvres créatures ignoraient ce qu'elles avaient perdu.

Pourtant, la perte de substance, l'affaiblissement se faisaient déjà sentir à cette heure ; à voir les résultats, il ne pouvait en être autrement !

N'y en avait-il aucun d'épargné ? Aucun qui le fût suffisamment pour être prêt à m'écouter ?

Je scrutais les visages, espérant y découvrir une lueur de raison ; j'entamais des conversations mais, chaque fois, ces yeux noirs égarés, naguère si francs, si affables, se détournaient comme s'ils ne me voyaient pas, comme s'ils ne m'entendaient pas. Je me mis à la recherche des conteurs et des chanteurs qui s'étaient vu confier autant d'information qu'ils en pouvaient supporter. J'en découvris un, puis deux, qui me regardèrent sans comprendre et qui, lorsque je leur demandai si les gens aimaient leurs chants, apparurent indécis puis effleurés par *l'ombre* d'un souvenir. C'est alors que j'aperçus David, assis sur le rebord d'une fontaine souillée de détritus, qui monologuait, moitié chantant, moitié parlant : « Écoutez-moi, écoutez le récit du temps jadis, du temps où nos grands Amis étaient ici, nous enseignant tout ce que nous savons aujourd'hui. Écoutez-moi vous dire la sagesse des jours de gloire. » Mais en réalité, il ne faisait référence qu'au mois écoulé.

A ces mots, des groupes de gens s'arrêtaient dans leur recherche fébrile, écoutaient un instant comme si quelque chose en eux réagissait, s'éveillait. Je m'avançai alors et, m'asseyant à côté de lui, l'utilisai comme centre d'intérêt. Je me mis à crier : « Mes amis, mes amis, j'ai quelque chose à vous dire... Vous souvenez-vous de moi ? Je suis Johor, l'Envoyé de Canopus... » Ils me regardèrent d'un air absent puis me tournèrent le dos. Ce n'était pas qu'ils fussent hostiles : en fait, ils étaient incapables de comprendre mes paroles.

Je demeurai aux côtés de David le conteur qui s'était tu et restait immobile, ses vigoureux bras bruns enlaçant ses genoux, perdu dans une rêverie méditative.

« Tu te souviens de moi, David ? lui demandai-je. Nous avons souvent conversé, toi et moi, pas plus tard qu'il y a un mois. Je t'ai demandé d'observer ce qui se passait ici et de m'en rendre compte à mon retour. Je suis allé à la Ville en Croissant. »

Il découvrit une rangée de dents blanches en un large sourire tout aussi chaleureux et charmeur qu'autrefois, mais ses yeux ne me reconnaissaient pas.

« Nous sommes amis, toi et moi », lui dis-je et restai près de lui un moment. Mais il se leva bientôt et s'éloigna d'un pas nonchalant, ayant oublié ma présence.

Quant à moi, je demeurai au même endroit, observant pensivement la frénésie qui régnait autour de moi. De toute évidence, les choses étaient pires que Canopus ne l'avait prévu. J'avais d'ailleurs perdu tout contact avec Canopus, même avec l'aide de la Signature. Il me fallait prendre mes propres décisions tout seul, malgré le manque d'information... J'ignorais, par exemple, ce qui se passait en territoire sirien. Où les Géants rebelles étaient-ils partis ? Je n'avais aucun moyen de le savoir. La dégradation des Indigènes était-elle définitive ou partiellement réversible ? Quelle était la situation dans les autres villes ?

Pendant plusieurs heures, je restai assis là, observant l'agitation ambiante qui ne cessait d'augmenter. Puis, me promenant parmi les pauvres créatures, je m'aperçus que les vibrations — maintenant très fortes — de la ville et des Pierres qui l'entouraient commençaient à causer de réelles souffrances physiques. Les gens couraient en se tenant la tête à deux mains ou bien poussaient de brefs hurlements de douleur, mais toujours avec un air d'incrédulité, d'étonnement, car la souffrance n'avait guère, jusqu'ici, fait partie de leur lot. En réalité, la plupart ne l'avaient jamais connue. Il arrivait que quelqu'un se cassât un bras ou une jambe, ou bien, exceptionnellement, qu'une épidémie éclatât, mais les accidents étaient si rares qu'ils apparaissaient comme de lointaines contingences. Migraines, rages de dents, nausées, rhumatismes, arthrite, affections des yeux et des oreilles, toute la funeste liste des désordres infligés au corps par la Dégénérescence, tout cela leur était inconnu. A présent, je les voyais, les uns après les autres, tituber en se tenant la tête à deux mains et en gémissant, ou bien se saisir l'estomac, la poitrine, toujours avec le même regard signifiant : « Mais qu'est-ce qu'il y a ? Qu'est-ce qu'il m'arrive ? »

Il fallait absolument les emmener loin de là, sinon ce que j'avais à leur

72

dire leur semblerait incroyable, grotesque. Il fallait qu'ils quittent cette ville, cet endroit merveilleux qui était le leur, avec sa symétrie parfaite, l'harmonie de ses jardins, ses motifs recherchés qui reflétaient le mouvement des astres, il leur fallait quitter tout cela, et au plus vite, s'ils ne voulaient pas devenir fous. Mais ils ne savaient pas ce qu'était la folie ! Pourtant, certains avaient déjà perdu la raison. Parfois, l'un d'eux agitait dans tous les sens sa pauvre tête douloureuse qu'il saisissait ensuite à deux mains avec un geste qui voulait dire : Mais qu'est-ce que c'est ? Ce n'est pas possible ! puis poussait un cri de douleur et se mettait à courir, se précipitant ici et là en hurlant comme s'il espérait semer la souffrance. Ou bien, ils trouvaient un lieu, un bâtiment où la douleur était moindre, car le dérèglement des vibrations n'atteignait pas partout la même intensité. Ils restaient alors dans ces endroits relativement confortables et refusaient d'en sortir.

Quant à moi, je ne m'étais jamais senti aussi mal depuis mon passage dans des lieux pareillement affectés, c'est-à-dire dans la pauvre colonie que nous avions espéré remplacer par cette planète-ci.

Je découvris David. Il était allongé à plat ventre sur un trottoir, les mains sur les oreilles. Je l'obligeai à se relever et lui dis ce qu'il fallait faire. Sans grande énergie ni détermination, il réussit enfin à rassembler sa femme, ses enfants, quelques amis et leurs propres enfants. C'est donc à un groupe d'une cinquantaine de personnes que je m'adressai tandis qu'il traduisait mes paroles en chanson au fur et à mesure que je parlais. Sur chaque visage, je voyais des grimaces de souffrance et de nausée ; ils avaient tous le vertige et s'appuyaient contre les murs ou s'allongeaient n'importe où en gémissant. Je les suppliai de partir, de partir immédiatement avant que les vibrations ne les tuent. Je leur dis que s'ils acceptaient de s'éloigner des horribles émanations de cette ville et de se rendre dans les savanes et les forêts avoisinantes, ils seraient soulagés de ces douleurs. Mais il leur faudrait traverser les Pierres en courant de toutes leurs forces. Avant de partir, ils devaient prévenir le plus grand nombre d'amis possible pour la sécurité et la survie de tous.

Ceci au milieu d'un concert d'exclamations d'incrédulité et de refus, au milieu de gens qui résistaient, gémissaient ou pleuraient. Des milliers d'Indigènes allaient et venaient à présent en titubant et en se tordant de douleur.

Soudain, le groupe auquel je m'étais adressé s'enfuit de ces lieux empoisonnés, traversant les jardins abandonnés et pénétrant dans l'enceinte des Pierres où la douleur était si intense que certains rebroussèrent chemin et se précipitèrent dans la rivière où ils se noyèrent, acceptant la mort de bonne grâce, l'appelant même tant ils souffraient. D'autres, tout recroquevillés, se tenant la tête ou le ventre à deux mains, continuèrent leur chemin en courant, rasant le sol comme si la proximité de la terre pouvait les aider et, une fois sortis du cercle infernal des radiations, plongèrent parmi les premiers arbres de la forêt en pleurant de soulagement, car la douleur les avait quittés.

Ils appelèrent ceux qui étaient restés en arrière. Certains, les ayant entendus, les suivirent. Je me mêlai aux autres, leur disant qu'un grand nombre de leurs compagnons avaient fui et se trouvaient à l'abri. Bientôt, tous partirent, laissant derrière eux maisons, foyers, meubles, nourriture et vêtements, abandonnant leur culture, leur civilisation, tout ce qu'ils avaient créé. La petite troupe, qui s'était rassemblée dans les arbres et la verdure, se vit entourée d'animaux qui la contemplaient, immobiles, de leurs yeux intelligents et étonnés. Dépouillés de tout, ces hommes étaient aussi vulnérables que des milliers d'années auparavant, alors qu'ils n'étaient encore que de pauvres bêtes essayant de se dresser sur leurs pattes de derrière.

Certains d'entre eux, une fois remis de l'horreur qu'ils venaient de fuir, retraversèrent en courant l'enceinte des Pierres et se précipitèrent dans les jardins de la périphérie pour y prendre des fruits, des légumes et des graines, travaillant frénétiquement aussi longtemps qu'ils le pouvaient avant que la souffrance ne devînt insupportable. Quelques-uns, parmi les plus vigoureux, retournèrent à la ville même et, hurlant et vomissant, entrèrent en titubant dans les maisons d'où ils emportèrent avec peine de quoi se chauffer et s'abriter : couvertures, vêtements, ustensiles de toutes sortes.

Ils avaient tous maintenant de quoi se nourrir et avoir chaud. Mais ces incursions dans la ville avaient aussi leurs revers, comme nous allons le voir : il était clair, désormais, que certains de ceux qui s'étaient exposés aux émanations des Pierres semblaient désireux de les sentir de nouveau.

Pendant ce temps, l'on construisait des abris dans la forêt à l'aide de branches, de brassées d'herbes et même de mottes de terre tassée. Le feu, qui avait été apporté de la ville dans un pot de terre cuite, était entretenu nuit et jour sous forme d'une grande flamme qui servait de point de ralliement à ce campement de sauvages. Le terrain avait été délimité et on le travaillait pour en faire des jardins. On essaya aussi de reproduire les ateliers et les usines mais les hommes ne se rappelaient plus les techniques qui, de toute façon, reposaient sur les talents et la technologie des Géants.

Les animaux avaient commencé à s'éloigner, car les premiers chasseurs les tuaient en marchant droit sur eux et en leur plantant leur couteau dans le corps ; elles ne connaissaient pas la peur, ces douces et intelligentes créatures du Temps des Géants, comme on appelait à présent la période qui venait de s'écouler et tout ce qui était perdu. Mais les animaux, découvrant la peur, étaient partis, d'abord à regret, avec le même air d'étonnement et d'incrédulité que les Indigènes lorsqu'ils avaient, pour la première fois, ressenti les nouvelles douleurs. Puis, traquées et poursuivies, en groupes, en bandes et en troupeaux, les bêtes superbes, les plus variées et les mieux adaptées que connut jamais Shikasta, avaient effectué un rapide mouvement de fuite. L'on entendait, de temps en temps, un grondement de sabots : l'on savait alors qu'une autre partie de la population animale s'était enfuie.

Cependant, il fallait que je me rende dans toutes les autres villes où, je l'espérais, les habitants avaient eu l'instinct de fuir pour se mettre à l'abri. Peut-être l'esprit communautaire était-il encore assez fort pour permettre aux autres cités de percevoir ce qui se passait à la Ville Ronde ? David et moi, accompagnés de quelques autres, nous nous rendîmes d'abord à la Ville en Croissant où nous rencontrâmes des troupes de gens errant dans les champs fertiles du grand delta de la rivière. Ils nous dirent que leur ville était « remplie de démons » mais que de nombreux habitants étaient restés là-bas parce que « personne ne leur avait dit de partir et qu'ils attendaient le retour des Géants ». Ceux qui s'étaient échappés construisaient des cabanes de roseaux et avaient défriché le sol en vue des plantations de printemps. Les animaux étaient partis. Nous avions croisé, en venant, des troupeaux de toutes sortes qui fuyaient les mortels effluves de la Ville en Croissant et les créatures à deux pattes qui étaient devenues leurs ennemis.

Bref, pour en finir avec cette partie de mon récit, nous nous rendîmes de ville en ville, par équipes, de la Ville Carrée à la Ville du Triangle, de la Ville en Losange à l'Octogone, de la Ville en Ovale à la Ville Rectangulaire et ainsi de suite. Cela dura tout le temps d'une révolution de Shikasta autour de son soleil. Les équipes ne restèrent pas telles qu'elles étaient au départ car certains décidèrent de demeurer dans les campements qui leur plaisaient, d'autres moururent, frappés par la maladie, d'autres encore, découvrant une forêt ou une rivière agréable, ne pouvaient plus s'en aller ; mais une centaine, avec ceux qui se joignirent à nous par la suite, désirant se rendre utiles ou poussés par ce besoin maladif de mouvement qui caractérisait la nouvelle Shikasta, voyagèrent sans répit pendant toute une année, découvrant partout la même situation. Toutes les villes étaient vides. Aucune qui ne fût un endroit de mort ou un asile de fous. Là où les gens étaient restés, ou bien ils s'étaient tués, ou bien ils étaient devenus idiots.

Chacune était entourée des nouveaux campements des Indigènes qui vivaient dans des cabanes grossières, mangeaient la viande qu'ils avaient chassée, portaient des peaux de bêtes et cultivaient des jardins et des champs de céréales. S'ils possédaient encore des vêtements de leur ancienne existence, ils les gardaient jalousement car ceux-ci étaient déjà devenus des objets rituels. Les conteurs célébraient les Dieux qui leur avaient appris tout ce qu'ils savaient et qui — selon le thème introduit dès le début — « reviendraient un jour ».

A notre retour à la Ville Ronde, les vibrations étaient devenues si insupportables qu'il nous fut impossible de longer l'enceinte des Pierres comme nous en avions l'intention ; nous fûmes obligés de faire un grand détour. Sur des kilomètres à la ronde, toute trace de vie avait disparu : il n'y avait plus ni animaux ni oiseaux. La végétation dépérissait. Les campements que nous avions laissés avaient été transportés beaucoup plus loin.

Le principal changement consistait en un plus grand nombre de naissances. Les sauvegardes avaient été oubliées, oubliée la capacité de savoir qui devait procréer, qui devait s'accoupler, quel type d'individu ferait un parent adéquat. La connaissance de la sexualité et de son bon usage avait été oubliée. Alors qu'auparavant un individu qui mourait avant le terme naturel des mille ans était considéré comme malchanceux, il était clair à présent que l'espérance de vie était vouée aux fluctuations. Certains étaient déjà morts, très jeunes ou à la fleur de l'âge ; de nombreux nouveau-nés mouraient.

Telle était la situation sur toute la surface de Shikasta, un an après l'échec de l'Alliance.

En tout cas, un assez grand nombre de gens vivaient loin des anciennes villes pour perpétuer l'espèce. Je savais aussi que si, pendant un certain temps, les villes allaient devenir de plus en plus dangereuses, au bout de trois ou quatre cents ans (l'imperfection de l'information interdisant toute estimation plus précise), lorsque les intempéries et la végétation auraient fait leur œuvre sur les bâtiments et les Pierres, celles-ci, réduites à l'état de ruines, n'auraient plus en elles aucun pouvoir bénéfique ni maléfique.

J'en arrive à la phase finale de ma mission.

76

Il me fallait d'abord retrouver les Géants rebelles. J'avais maintenant une idée de l'endroit où ils étaient car, pendant ma visite à la Ville Hexagonale, au nord des Grandes Montagnes, j'avais aperçu, au loin, un campement inattendu, et entendu parler de fantômes et de démons « grands comme des arbres ».

Cette fois encore, c'est David que je décidai d'emmener avec moi. Dire qu'il comprenait ce qui se passait est exact. Dire qu'il ne comprenait *pas* est tout aussi exact. Combien de fois m'asseyai-je près de lui pour lui expliquer la situation ! Il m'écoutait, les yeux fixés sur mon visage, remuant les lèvres comme s'il se répétait mes paroles. Il acquiesçait de la tête : oui, oui, il avait saisi ! Mais, quelques minutes plus tard, si j'ajoutais quelque chose du même genre, il était mal à l'aise, inquiet. Pourquoi disais-je cela ? et cela ? Ses yeux anxieux interrogeaient mon visage : que signifiaient mes paroles ? A entendre ces questions, on eût cru que je ne lui avais jamais rien enseigné. Dans ces moments-là, il semblait être sous l'effet de la drogue ou d'un choc. Pourtant, j'avais l'impression qu'il enregistrait, d'une façon ou d'une autre, l'information car il parlait parfois comme sur la base de connaissances communes et tout se passait comme si une certaine partie de lui-même connaissait et se rappelait tout ce que je lui avais dit, tandis que l'autre n'en avait pas perçu un seul mot ! Je n'ai jamais, avant ou depuis, éprouvé si fort cette sensation d'être avec quelqu'un et de savoir que, du début à la fin, une partie de cette personne est là, avec soi, réelle, vivante, attentive, et que, pourtant, l'essentiel de ce que l'on dit n'atteint pas cet être silencieux et invisible et que les paroles qu'il prononce viennent rarement de son moi réel. C'était comme si quelqu'un se tenait en face de moi, ligoté et bâilllonné, tandis qu'un mauvais imitateur parlait à sa place.

Il me dit, lorsque je lui demandai de m'accompagner de nouveau dans mes voyages, qu'il ne voulait pas abandonner la plus jeune de ses filles. Il ne m'avait jamais parlé de cette fille. Où était-elle ? — Oh ! avec des amis, pensait-il. Mais ne la voyait-il pas ? N'en était-il pas responsable ? Pour me faire plaisir, apparemment, il acquiesçait avec empressement de la tête et marmonnait quelques phrases signifiant que c'était une brave enfant qui savait se débrouiller toute seule. Je rencontrais ici, pour la première fois, ce qui deviendrait, plus tard, l'indifférence typique des Shikastiens à l'égard de leur progéniture.

Sa fille, Sais, était une grande et forte créature à la peau brun clair, avec une masse de cheveux dorés et frisés. Tout en elle respirait la santé et la vie. C'était encore presque une enfant et pourtant elle savait se débrouiller seule — il avait bien fallu ! Elle ne semblait pas se rappeler son enfance dans la Ville Ronde ni la façon dont elle y avait vécu avec ses parents. Elle parlait de sa mère comme si celle-ci était morte depuis des années, mais je découvris qu'elle avait été tuée au cours d'une partie de chasse au daim. Deux tigres l'avaient guettée et frappée à mort de leurs énormes pattes. Sais ne savait pas que, ne serait-ce qu'un an auparavant, pareille chose eût été inconcevable. Les tigres étaient, avaient toujours été, pour elle, les ennemis de la race indigène !

Elle accepta de venir avec nous.

Lorsque le vaisseau spatial m'avait déposé sur la planète, c'était au nord des Grandes Montagnes, à l'est des terres centrales. J'avais ensuite marché et chevauché vers l'ouest. Nous nous dirigeâmes de nouveau vers l'est, mais cette fois vers le sud des Grandes Montagnes qui sont si typiques de Shikasta et qui dominent le paysage de toutes les autres régions. Les collines étaient tellement plus hautes que les plus hautes montagnes des continents situés au sud que nous n'en finissions pas de grimper. Autour des pics centraux, ce n'était pas une chaîne qui se dressait mais des dizaines de chaînes, des dizaines de pics, un univers de montagnes, du nord au sud, de l'est à l'ouest. Nos regards plongeaient de hauteurs vertigineuses sur les restes de la Ville Hexagonale entourée de ses campements que nous ne pouvions apercevoir de si haut. Mais je vis, par contre, une chose tout à fait inattendue. Loin au-dessous de moi, dans une clairière à flanc de montagne, se dressait une colonne, un pylône — qui étincelait au soleil, métallique sûrement, d'une taille considérable bien que, d'ici, elle parût minuscule. Elle devait être en relation avec Shammat. D'ailleurs même d'où nous nous tenions, sur ces hauteurs baignées d'un air merveilleusement tonique, je sentais monter vers moi des émanations funestes. Ne voulant pas exposer David et Sais à ces émanations, je repérai l'endroit de façon à y revenir seul.

Nous continuâmes à descendre, plus bas, toujours plus bas, laissant loin derrière nous cette émanation de Shammat et, sur les flancs d'un pic de moindre importance, parcourant des yeux les interminables plaines, je vis ce à quoi je m'attendais. Nos yeux plongeaient sur le plus étrange campement que j'aie jamais vu. Il n'avait pas été installé pour procurer à ses habitants abri et chaleur ni pour remplir aucune des fonctions habituelles. C'était, en fait, l'œuvre d'une mémoire défaillante.

Un haut cylindre s'élevait, auquel il manquait un toit ; on avait posé quelques branches en travers de l'ouverture supérieure. Une autre structure, carrée celle-là, avait, sur le côté, une déchirure béante. Une hutte pentagonale reposait, de guingois, sur sa base. Toutes les formes, toutes les tailles de bâtiments étaient là mais à tous il manquait quelque chose. Les matériaux avaient été empruntés à la Ville Hexagonale. Pour les Géants, transporter de grosses pierres sur plusieurs kilomètres était tâche facile.

Quelle idée avaient-ils donc en tête ? Que se rappelaient-ils des anciennes cités ? Comment s'expliquaient-ils les radiations funestes auxquelles ils avaient été exposés, et comment en avaient-ils été affectés ?

En continuant notre descente à travers les pentes boisées des contreforts montagneux, je parlai des Géants à David et Sais. Nous allions bientôt rencontrer des êtres très grands et très forts ; non, non, ce n'étaient pas les Grands Amis des histoires et des ballades. Il nous faudrait être prudents et nous tenir constamment sur nos gardes. Ils chercheraient peut-être à nous faire du mal.

Je préparai donc mes deux compagnons à affronter ce que je redoutais. Mais comment expliquer à des êtres qui n'avaient jamais rien connu de semblable, jamais entendu parler de ce genre de chose, ce qu'étaient l'esclavage et le servage ? Ils ne pouvaient, en aucun cas, éprouver ni concevoir le mépris d'une race décadente et dégénérée à l'égard d'une autre, différente d'elle.

Nous atteignîmes enfin la plaine et nous dirigeâmes vers le campement de fortune. Les Géants se trouvaient tous à l'intérieur des bâtiments. Nous leur criâmes nos salutations lorsque nous fûmes assez près ; ils sortirent avec des visages apeurés. Puis, rassurés par notre mine paisible et notre petite taille, l'un d'eux prit une expression indignée, comme s'il voulait voir la réaction des autres et discerner l'effet produit ; alors, tous se mirent à l'imiter, se comportant comme si notre visite était une impertinence. Ils nous emmenèrent dans une espèce de corral si mal construit que le jour passait entre les pierres. Jarsum était là — de toute évidence, un chef, un meneur. Il ne me reconnut pas. A ses côtés, telle une reine, trônait son épouse, l'étrange Géante blanche. Elle nous dévisagea puis se mit à bâiller, ostensiblement. Rien n'était plus pathétique que leur façon de se regarder les uns les autres à la dérobée pour voir si leurs gestes étaient admirés. Jarsum et elle essayèrent ensuite quelques mimiques et attitudes arrogantes et ridicules : levant les sourcils, nous jetant des coups d'œil méprisants et prenant des airs dégoûtés. Je me rendais compte que David et sa fille étaient tout déconcertés car ils n'avaient jamais rien vu de semblable.

Je dis à Jarsum que j'étais Johor, un vieil ami à lui ; il se pencha alors en avant, son grand visage tout plissé et froncé comme s'il se trouvait confronté à une énigme insoluble. J'ajoutai que mes compagnons étaient David et Sais, originaires de ce qui était autrefois la Ville Ronde, sa ville natale. Mais il ne s'en souvenait pas ; il interrogea alors du regard la Géante blanche qui se prélassait insolemment à côté de lui, puis les autres Géants, debout le long des murs, tout autour de la pièce, comme des serviteurs. Mais personne ne se souvenait de la Ville Ronde. Je découvris par la suite que tous ne venaient pas de la Ville Ronde mais de différentes cités et qu'ils étaient arrivés ici guidés, apparemment, par ce qu'il leur restait d'intuition. En ces misérables ébauches de constructions, ils avaient essayé de recréer ce qu'ils pouvaient.

La Géante blanche, qui étudiait depuis un moment le vigoureux David et sa belle grande fille, chuchota quelques mots à l'oreille de Jarsum. Il nous examina alors selon ses directives et vit trois créatures deux fois plus petites que lui et ceux de sa race, avec des traits et une couleur de peau différents des siens.

Il déclara qu'il nous permettait de rester ici et de travailler pour eux.

Je prononçai alors le nom de Canopus. Il le fallait.

Cela sembla éveiller quelque chose en eux. Ils se cherchèrent des yeux, d'abord Jarsum et la Géante blanche, et ne trouvant pas de réponse, interrogèrent du regard les autres qui les dévisagèrent à leur tour.

Oui, Canopus, répétai-je, Canopus, puis attendis de nouveau que le mot éveillât en eux un écho.

Ils n'avaient pas le droit de violer les Lois de Canopus, leur dis-je, aucun de nous n'en avait le droit, et la première Loi Canopéenne interdisait de faire de ses semblables des esclaves et des serviteurs.

Ces mots touchèrent juste.

Je réclamai un abri pour la nuit.

Ils me répondirent que tous les bâtiments étaient occupés, mais, en vérité, ils voulaient nous voir partir car nous les soumettions à une épreuve trop rude pour eux.

Je dis que nous passerions la nuit aux abords du campement, sous des arbres, et que nous reviendrions au matin parler avec eux.

Je voyais qu'ils étaient sur le point de nous ordonner de partir et même de nous chasser.

Je leur dis que Canopus exigeait que les voyageurs fussent nourris et logés. C'était une loi obligatoire pour chacun de nous.

Ils eurent du mal à comprendre cela. Intérieurement, ils étaient hostiles, furieux et nous auraient tués s'ils l'avaient osé. Quant à nous trois, nous attendions, immobiles, moi réprimant ma peur car je connaissais la gravité du danger qui nous menaçait, David et Sais calmes, intéressés même, car ils ne comprenaient rien à ce qui se passait. Je vis, là encore, que les Indigènes étaient plus favorisés que les Géants, car ils étaient plus proches des pierres, de la terre, des plantes et des bêtes. En eux existait une force fondamentale que les Géants n'avaient pas — ceux qui avaient accepté d'aller vivre dans l'atmosphère et le climat de planètes choisies pour eux, oui, mais pas ceux-ci. Je voyais bien, d'après leurs yeux vides et secrètement inquiets, que même leur personne physique était menacée. Ils ne vivraient pas longtemps.

Ils nous apportèrent toutefois des vivres — de la viande en fait ; ils s'étaient donc mis à chasser. Nous n'avions pas vu d'animaux aux alentours du campement, ce qui signifiait que les troupeaux s'étaient déjà enfuis très loin dans les plaines.

Nous nous étendîmes près du campement, sous quelques arbres, et je veillai pendant que les deux autres dormaient. Très tard dans la nuit, alors que des milliers d'étoiles brillaient dans le ciel noir, une grande ombre sortit, courbée, de l'enclos circulaire — c'était Jarsum qui se dirigeait vers nous à grandes enjambées. Il s'arrêta à deux pas — deux des siens, beaucoup plus des nôtres — de l'endroit où nous nous trouvions, scrutant l'obscurité d'un regard perplexe, incapable de nous distinguer dans l'ombre des branches ; alors il s'approcha, plié en deux. Lorsqu'il vit que je ne dormais pas, il sourit. D'un sourire embarrassé. Puis il s'éloigna, faisant craquer pierres et brindilles sous ses grands pieds vêtus à présent de peaux de bête.

Le lendemain matin, nous fîmes tous les trois, à pied, les kilomètres qui nous séparaient de l'entrée de la Ville Hexagonale où commençaient les Alignements de Pierres. Les atroces vibrations me semblaient moins fortes que dans les autres cités, soit parce qu'elles s'étaient affaiblies avec le temps — soit parce que les Géants avaient emporté tant de pierres que les alignements avaient été détruits, soit pour d'autres raisons qui m'échappaient.

Mais un fait stupéfiant frappa notre vue. Une demi-douzaine de Géants avaient quitté leur pitoyable campement pour nous suivre. Toutefois, sans nous accorder la moindre attention, ils se précipitèrent tout droit vers les Pierres, au milieu desquelles, debout, ils se mirent à onduler dans tous les sens, tendant les bras vers le ciel et se penchant d'avant en arrière. Je compris qu'ils *aimaient* ces sensations. Cependant, ces pratiques ne pouvaient que les perturber encore davantage.

Après un certain temps de ce manège, ils sortirent des Pierres, les bras et les jambes agités de soubresauts, comme s'ils étaient malades, et repartirent en tressautant et en sautillant vers le campement.

Je m'aperçus que David et Sais manifestaient le désir d'« essayer » car ils avaient oublié les effets de ces vibrations discordantes. Je leur dis : « non, non, il ne faut pas », et les ramenai vers les Géants.

Une grande fête battait son plein, avec des montagnes de viande rôtie, des chants et des danses. Je compris que les Géants qui s'étaient rendus dans les Alignements de Pierres étaient allés chercher, pour les rapporter en eux, les discordances qu'ils utilisaient comme de l'alcool pour alimenter cette orgie.

Je leur rappelai notre présence et réclamai des fruits.

Je demandai à Jarsum de venir seul avec nous sous les arbres. Il vint, mais on l'eût dit ivre ou à moitié endormi.

Je parlai encore une fois de Canopus.

Il accepta de m'écouter. Mais peu de choses arrivaient à percer les brumes et l'hébétude de sa pauvre tête.

Je sortis la Signature que je tins devant ses yeux. J'avais hésité à le faire, ayant remarqué que son pouvoir avait des effets inattendus et parfois contradictoires.

Oui, il s'en souvenait. Il se souvenait de quelque chose, les yeux hébétés, rougis et rapetissés — par l'alcool eût-on dit — l'examinèrent et les grandes mains tremblantes s'avancèrent pour la toucher. Il fit un geste que je n'avais jamais vu faire sur cette merveilleuse planète, qui n'aurait jamais pu arriver sur Rohanda : il se pencha et se prosterna jusqu'à terre, se couvrant la tête de sable. David et Sais l'imitèrent avec entrain, tout fiers d'avoir appris quelque chose de nouveau et d'amusant.

Je les ramenai jusqu'au campement, tout en disant à Jarsum qu'il devait demander aux autres de venir. Ce qu'il fit, mais plus de la moitié étaient partis danser parmi les Pierres et nous dûmes attendre leur retour.

Alors, debout devant eux, en un lieu découvert, parmi leurs cabanes inachevées, je brandis la Signature de façon qu'elle brillât et étincelât de tous ses feux, frappant de ses rayons lumineux les yeux et les visages.

Je leur dis que Canopus leur interdisait de se rendre près des Pierres. Que c'était un ordre. Et je fis flamboyer la Signature frémissante.

Je leur dis que Canopus leur interdisait de s'utiliser les uns les autres comme domestiques, ainsi que les autres créatures de la planète, à moins que ces domestiques ne fussent traités de la même façon qu'ils se traitaient eux-mêmes et, en toutes circonstances, comme des égaux.

Je leur dis que Canopus leur interdisait de tuer des animaux, sauf pour les manger et que, s'ils le faisaient, ce devait être avec discernement et sans cruauté. Ils devaient planter des céréales et récolter les fruits et les noix.

Je leur dis qu'ils n'avaient pas le droit de gaspiller les richesses de la terre et que chacun devait prendre ce dont il avait besoin, sans plus.

Ils ne devaient plus utiliser la violence contre leurs semblables.

Mais, surtout, plus forte que toutes ces interdictions était la première, celle de ne jamais, au grand jamais, retourner dans les anciennes cités ni d'utiliser leurs pierres pour construire d'autres habitations, ni de se droguer de la sorte s'il leur arrivait de visiter des lieux ou de trouver des objets qui eussent le pouvoir d'enivrer. Ils se détruisaient eux-mêmes par ces pratiques et Canopus s'en irritait.

Je rangeai ensuite la Signature et me dirigeai vers Jarsum qui s'était prosterné avec, à ses côtés, la Géante blanche et lui dis : « Adieu, je reviendrai te voir. En attendant, souviens-toi des Lois de Canopus. »

David, Sais et moi-même partîmes sans nous retourner. Je le leur avais interdit, de peur d'affaiblir un effet que je savais déjà infime. Une fois au cœur de la forêt recouvrant les contreforts des montagnes, j'interrogeai mes deux compagnons sur ce qui s'était passé.

Pétrifiés de crainte et de respect, ils se taisaient.

Sur mes instances, David me dit que j'avais connaissance de quelque chose qui s'appelait Canopus.

Et Sais ? Aurais-je plus de chance avec elle ?

Je fis une tentative. J'attendis que nous ayons gravi une chaîne de contreforts et que nous nous trouvions au fond d'une agréable vallée pleine de ruisseaux tranquilles et de plantes éclatantes pour demander s'ils avaient compris ce qui s'était passé chez les Géants.

David avait sur le visage l'expression que je lui connaissais bien à présent, l'air renfrogné de celui à qui on demande trop. Il détourna les yeux et feignit d'observer un oiseau perché sur une branche.

Sais me regardait attentivement.

« Que sais-tu de Canopus ? », lui demandai-je.

Elle répondit que Canopus était un méchant homme qui ne voulait pas que l'on danse là où il y avait des Pierres, qui ne voulait pas que les chasseurs tuent plus d'animaux qu'il ne leur en fallait pour se nourrir, qui ne voulait pas...

Elle n'avait rien oublié : je décidai de concentrer mes efforts sur elle.

83

Tout en marchant, je lui fis la leçon sans répit tandis que son père David cheminait d'un pas tranquille, tantôt chantant pour se distraire car nous l'ennuyions avec nos propos sérieux, tantôt nous écoutant et faisant chorus avec une ou deux phrases du genre : « Canopus ne veut pas... »

Nous allâmes ainsi, jour après jour, parcourant les contreforts et les vallées des Grandes Montagnes, jusqu'au moment où je sentis croître la présence de Shammat ; je sus alors que je devais contraindre mes deux compagnons à se séparer de moi.

Je donnai à la chose un tour terrible et solennel. Ils allaient entreprendre une tâche de la plus haute importance — pour moi d'abord, mais surtout pour Canopus. Ils allaient sillonner Shikasta en tous sens, s'arrêter partout où existaient des campements et, là, répéter tout ce que je leur avais dit. Sais serait le porte-parole ; David, lui, serait son protecteur. Sur ce, je lui donnai la Signature : ils devraient la considérer comme plus importante que... quoi au juste ? leur vie ? Ils ne savaient pas ce que cela signifiait : la pensée de la mort n'était pas, pour eux, une menace permanente. Je leur dis qu'elle venait de Canopus, qu'elle représentait la substance et l'essence même de Canopus et qu'ils devaient veiller sur elle sans relâche, même au péril de leur vie. C'est ainsi que je brandis devant eux l'image de la Mort pour faire naître en ces créatures une tristesse et une vigilance inconnues d'elles.

Sais glissa respectueusement la Signature dans sa ceinture, gardant la main dessus. Elle était debout devant moi et me regardait, les yeux fixés sur mon visage, attentive.

Lorsqu'ils atteindraient un campement, lui dis-je, elle parlerait d'abord de Canopus et, si le nom lui-même suffisait à éveiller des impressions et des souvenirs anciens, si ses auditeurs réussissaient à l'écouter grâce à ce seul mot, alors elle pourrait leur transmettre son message et partir. Ce n'est que si elle ne parvenait à se faire écouter de personne ou s'il lui semblait que son père et elle risquaient de se faire attaquer qu'elle produirait la Signature. Et lorsqu'ils seraient allés partout, qu'ils auraient parlé à tous, même à des bandes de chasseurs, à des fermiers ou à des pêcheurs solitaires rencontrés dans les forêts ou au bord des rivières, ils devraient me rapporter la Signature.

Je lui expliquai ensuite avec soin et lenteur le concept de tâche — car je craignais qu'elle ne l'eût totalement oublié. Ce voyage qu'elle allait faire, lui dis-je, le fait même de l'entreprendre, de porter sur elle la Signature et de la protéger, l'enrichirait, ferait ressortir ce qui était

84

enfoui, caché en elle. Et quand j'aurais quitté Shikasta, ajoutai-je, leur révélant pour la première fois que j'allais partir, c'est elle qui ferait respecter les Lois et les transmettrait. Je lus la panique dans leurs yeux à l'idée que j'allais les quitter mais je leur dis qu'ils vivraient sans moi pendant des mois et plus et apprendraient à survivre et à faire respecter les Lois sans mon aide. Nous nous séparâmes aussitôt après et, les regardant s'éloigner, j'essayai de transmettre ma volonté à Sais : tu peux le faire, tu le peux, tu le peux, dis-je d'abord à voix basse, puis plus haut, puis à plein gosier lorsqu'ils furent hors de vue et hors de portée de ma voix, parmi les immenses arbres de cette merveilleuse forêt. Je ne les reverrais plus pendant au moins la durée d'une révolution de Shikasta autour de son soleil.

J'en viens maintenant à l'émetteur de Shammat.

Si je fus jamais au Paradis, c'était ici. Ni les Indigènes ni les Géants n'avaient jamais vécu dans cette région. Les forêts étaient intactes et certains arbres avaient des milliers d'années. Il y avait des fleurs et des petits ruisseaux partout. Les oiseaux et les bêtes n'avaient pas encore appris à craindre ce nouvel animal ; ils venaient me flairer puis se couchaient à mes pieds pour avoir le plaisir de ma société. Cette nuit-là, je dormis au bord d'un ruisseau, au milieu des animaux qui venaient s'y désaltérer et ma pire crainte était que quelque grand daim ne me piétinât dans l'obscurité. Tigres et lions ne me voyaient pas comme une proie. Des troupeaux d'éléphants tendaient leurs trompes vers moi puis continuaient leur chemin.

Si je m'attardais ici, respirant la saine haleine des arbres et communiant avec les animaux, c'était dans un but bien précis : je n'étais plus armé de la Signature et devais affronter la puissance de Shammat.

Mais je ne savais pas comment m'y prendre pour retrouver l'émetteur. Ses vibrations semblaient venir de partout. Très loin au-dessus de moi, se découpant sur le ciel le plus bleu que j'aie jamais vu, se dressait le pic du haut duquel j'avais aperçu la clairière où s'élevait la colonne étincelante. Faudrait-il donc refaire la pénible ascension ? Je ne pouvais m'y résoudre, d'où je déduisis que j'étais déjà sérieusement atteint ; je m'étendis alors sous un grand arbre dont les fleurs blanches répandaient un parfum vivifiant. A mon réveil, je trouvai une créature hirsute penchée au-dessus de moi. Elle avait la taille d'un Indigène mais son corps était recouvert d'une épaisse fourrure ; c'était là le descendant d'un Indigène qui s'était, depuis longtemps éloigné de ses semblables et n'avait pas évolué avec eux. Il ne manifestait aucune hostilité, de la curiosité seulement ; il semblait sourire et ses yeux bruns et vifs

85

laissaient deviner une espèce de conscience. Il m'apporta des fruits que nous mangeâmes ensemble et, au bout d'un moment, nous fûmes capables de communiquer. Il possédait des rudiments de langage supérieurs à de simples grognements ou aboiements. Certains de ses gestes et de ses mimiques ressemblaient à ceux des Indigènes et, au moyen de sons, de grimaces et de signes, je parvins à lui dire ce que je cherchais : une chose toute nouvelle ici, dans les Grandes Montagnes, une chose étrangère à ces lieux. Il semblait déjà comprendre et lorsque je lui dis que c'était une chose mauvaise, malfaisante, il manifesta de la crainte mais, se maîtrisant, me souleva obligeamment de terre car sa taille et sa force supérieures aux miennes semblaient l'inciter à me protéger et à m'aider sans cesse. Nous nous mîmes en route tous deux.

La chose était plus éloignée que je ne le pensais. Nous grimpâmes interminablement. Nous atteignîmes la crête neigeuse de plusieurs pics, la franchîmes et descendîmes de l'autre côté, laissant la neige derrière nous. J'avais froid mais pas lui, protégé qu'il était par son épaisse fourrure. Plein de sollicitude inquiète, il me construisait de petits abris de branchages et, la nuit, se couchait contre moi pour me réchauffer de son corps. Il m'apportait des fruits et des noix puis, un jour, des feuilles mais il s'aperçut que je ne pouvais les manger. Nous faisions ensemble de petits festins.

Cependant, je me sentais mortellement atteint et craignais que la force me manquât pour terminer ma tâche. Lui aussi commençait à se sentir mal et à trembler. Il ne voulait pas que je continue mais je lui dis que c'était mon devoir et qu'il lui suffisait de m'attendre ici. Il m'accompagna un certain temps mais il devint bientôt craintif, courant d'un air terrifié à travers les arbres qui, je m'aperçus, étaient cassés et saccagés. Des rochers avaient été lancés ici et là, sans raison, des arbres avaient été coupés et laissés sur place, et il régnait sur tout cela une horrible puanteur. Nous trébuchions sans cesse sur des ossements d'animaux, des carcasses en décomposition et des oiseaux que l'on avait tués et laissés sur place. Toute cette tuerie, toute cette dévastation avaient été commises pour le plaisir. Ah ! je reconnaissais bien là Shammat !

J'ordonnai à mon ami de demeurer où il était et de m'attendre. Cela ne lui plaisait pas et il tendit vers moi ses mains velues dans l'espoir de me retenir mais, me détournant pour ne plus le voir ni être tenté de céder, je poursuivis ma route.

J'atteignis bientôt une haute chaîne montagneuse. A ses pieds s'étendait une vallée entourée de grands pics couverts d'une neige étincelante. La sensation de Shammat était très forte à présent.

Dans la vallée, tout était cassé et abîmé. Je reconnus la contrée que j'avais contemplée d'en haut ; mais point de colonne. Pourtant, elle était là, je la sentais bien. Des ondes et des vibrations shammatiennes arrivaient vers moi, me faisant chanceler, je me retins alors à un jeune arbre dont le tronc à moitié tranché à la base était tombé et gisait à ma hauteur, formant une rambarde. Je regardai partout autour de moi sans pouvoir apercevoir la colonne qui, je le savais, était là. Pourtant, le centre de la vallée où je l'avais repérée était à moins de deux cents pas de moi. Pendant ce temps, les vibrations continuaient d'arriver, lancinantes, mortelles, me rendant malade comme une bête. Je dirigeai mes pensées vers Canopus dans un appel au secours. Au secours, au secours, criai-je en silence, voici le plus terrible danger auquel j'aie jamais été confronté, un danger beaucoup trop grand pour moi. Je m'efforçai de garder l'esprit clair, comme un pont entre Canopus et moi-même, et ne tardai pas à sentir l'ombre d'un soutien qui me venait de là-bas. Au moment où les forces me revenaient je l'aperçus enfin — un instant — la colonne.

Un jet, une étroite fontaine, tantôt apparaissait, tantôt disparaissait pour reparaître ensuite. On eût dit que l'air s'était épaissi pour former un liquide très fluide et transparent, une eau cristalline qui montait et retombait sur elle-même. Je sus bientôt ce que c'était et compris que s'il m'avait fallu tant de temps pour m'en rendre compte, c'est que l'idée était trop loin de moi. Je connaissais cette substance ! Je rassemblai toutes les forces qui étaient en moi et me dirigeai vers l'endroit où la colonne étincelante était, n'était plus, était de nouveau.

Arrivé à quelques pas d'elle, je m'arrêtai car je ne pouvais plus avancer : elle me repoussait.

Il s'agissait d'une substance récemment inventée ou, plutôt, découverte par Canopus : l'Effluon 3 ; voilà pourquoi je ne m'attendais pas à la trouver ici. Et Puttiora était bien incapable de l'avoir fabriquée car sa technologie était très en retard sur la nôtre. Tout comme celle de Shammat. Elle avait donc été dérobée à Canopus.

L'Effluon 3 avait la propriété d'attirer ou d'émettre certaines qualités selon les divers besoins et programmes. C'était le plus sensible et, en même temps, le plus fort conducteur connu ; sa production ne nécessitait aucun équipement car il naissait d'une savante concentration de l'esprit. Ce que Shammat, ou Puttiora, nous avait volé, ce n'était pas un objet mais un savoir-faire. Mais le problème était trop ardu pour moi dans l'état où je me trouvais, au bord de l'évanouissement ; en outre, il y avait une question plus urgente à régler : l'Effluon 3, à la différence de l'Effluon 1 et de l'Effluon 2, ne durait pas longtemps. C'était un adjuvant, sans plus.

D'en haut, j'avais cru voir une colonne de métal, un emblème de force et de longévité car c'est ce à quoi je m'attendais. Mais ce n'était, en réalité, qu'un dispositif qui, par sa nature même, aurait bientôt disparu. Cependant, il était peu probable que Shammat se fût donné tout ce mal, au risque de subir des représailles de notre part, de celle de Sirius (et, peut-être même aussi, de celle de Puttiora, s'il s'agissait, comme je le soupçonnais fortement, d'un acte de défi), pour un gain à court terme.

Et, pourtant, je ne me trompais pas. C'était un collègue de Canopus qui avait inventé ce dispositif et j'avais vu ces évanescentes colonnes d'air compact aux divers stades de leur développement. Ceci ne pouvait être que de l'Effluon 3 qui, dans un an, aurait disparu.

Je m'aperçus que j'étais tombé peu à peu à genoux et que je me tenais, chancelant, à quelques pas de l'horrible élément qui, en d'autres temps et en d'autres lieux, pouvait être salutaire et bienfaisant ; mais mon esprit ne cessait de s'obscurcir, de s'emplir d'une eau grise et mouvante, une douleur aiguë me taraudait le cerveau et je sentais le sang, qui s'écoulait de mes oreilles douloureuses, me dégouliner le long du cou. Les pics neigeux, les pentes ensoleillées de la vallée, les arbres brisés et massacrés, le jet presque invisible de substance étincelante, tout bascula et disparut : je tombai dans le coma.

Je n'y restai pas longtemps et serais mort sans mon nouvel ami qui n'avait cessé de me surveiller du haut d'un escarpement, se retenant à un arbre, inquiet pour sa raison car son esprit, comme le mien, était atteint. Il m'avait vu chanceler sur les jambes, puis sur les genoux, puis m'affaler à terre. Il descendit en rampant de son escarpement, se forçant à avancer jusqu'à ce qu'il arrivât à me saisir les chevilles. Il me retourna sur le dos de façon à épargner mon visage et me traîna hors de l'endroit où j'étais puis, me soulevant, m'emporta dans ses bras. Lorsque je revins à moi, sur l'autre versant de la montagne, il gisait, inconscient, près de moi. C'était à mon tour, à présent, de le secourir ; je frottai ses mains velues et ses épaules de toutes mes forces mais il était si grand et si vigoureux que j'avais peine à croire que ces pauvres soins pussent le faire revenir à la vie. Dès qu'il fut de nouveau conscient et que nous fûmes tous deux en état de nous tenir sur nos jambes, nous nous mîmes en route et par- tîmes dans la montagne en nous soutenant l'un l'autre pour échapper aux émanations que nous sentions tous deux. Il avait une caverne tiède couverte de feuilles sèches et des réserves de fruits secs et de noix. Il connaissait aussi le feu et nous fûmes bientôt réchauffés et ragaillardis.

Cependant, dans mon coma, j'avais eu une espèce de vision et je connaissais maintenant le secret de la colonne de Shammat. J'avais vu l'ancienne Rohanda, lumineuse, superbe, émettant ses harmonies, un peu comme si je m'étais trouvé dans la Pièce-à-l'Échelle. Entre elle et Canopus se balançait le lien argenté de notre amour. Mais une ombre tomba sur elle, celle d'une horrible face, vérolée et blafarde, aux yeux fixes et glauques. Des mains pareilles à des bouches se tendirent, prêtes à étreindre et à dévorer et, à leur contact, la planète frémit et changea d'harmonie. Les mains arrachaient à la planète des morceaux qu'elles enfournaient dans la bouche suceuse et gloutonne qui n'en avait jamais assez. Puis, la chose vorace s'évanouit dans le jet indistinct de l'émetteur qui engloutissait tout ce qu'il y avait de bon et de fort et, comme la colonne, à son tour, disparaissait, je me penchai — toujours en rêve — avide de savoir ce que cela signifiait, ce que tout cela pouvait bien signifier... Je vis que les habitants de Shikasta avaient changé, que leur nature ressemblait d'ores et déjà à celle de la colonne jaillissante et insatiable. Shammat avait envahi la nature des habitants de Shikasta lesquels, devenus émetteur, alimentaient Shammat.

Tel était mon rêve et je comprenais maintenant pourquoi Shammat n'avait besoin que provisoirement de son émetteur.

Je demeurai quelques jours avec mon ami pour reprendre des forces. Je comprenais à présent une grande partie de ce qu'il savait et qu'il tentait de me communiquer. Tremblant d'effroi, il me raconta qu'un énorme Engin était descendu du ciel un beau jour et s'était posé sur les pentes de la vallée ; des êtres répugnants étaient apparus — il ne pouvait en parler sans frémir et se cacher le visage — qui avaient tout tué et tout saccagé. Ils avaient allumé des feux et les avaient laissés se propager furieusement sur les pentes des montagnes, détruisant et tuant tout sur leur passage. Ils avaient massacré par plaisir. Ils avaient capturé et torturé des animaux... Assis à côté de moi, la pauvre créature gémissait doucement tandis que les larmes coulaient sur ses larges joues velues ; elle fixait les flammes de notre feu, perdue dans ses souvenirs.

Combien étaient-ils ?

Il leva une fois les mains, paumes en dehors, puis une deuxième fois puis — maladroitement car ce mode de pensée ne lui était pas familier — une troisième fois. Ils étaient trente.

89

Combien de temps étaient-ils restés ?

Oh ! longtemps, très longtemps, terriblement longtemps ; il se cacha les yeux de ses pattes, de ses mains plutôt, et resta là, à se balancer d'avant en arrière en poussant de petits jappements de douleur. Oui, il avait été capturé par eux et emprisonné dans une cage de branchages ; ils avaient fait cercle autour de la cage en riant et lui avaient enfoncé des branches acérées dans le corps... il souleva la fourrure de ses flancs pour me montrer les cicatrices. Mais il avait réussi à s'échapper et après avoir libéré de nombreux animaux, il s'était enfui. Bêtes et oiseaux avaient tous fui également et, comme j'avais dû le remarquer, aucun n'était revenu. Aucune des créatures de la forêt n'était visible aux abords de cette vallée. Il avait rampé par une nuit obscure, avait gagné aussi silencieusement que possible le haut de la chaîne et avait scruté le fond de la vallée ; il n'avait rien vu, mais les émanations de la colonne l'avaient épuisé, à quoi il avait compris : il y avait quelque chose là... il ne savait même pas quoi car il n'avait rien vu ; il avait senti.

Et l'énorme Engin dans lequel ces êtres horribles étaient venus, l'avait-il vu, ou touché ?

Non, il avait eu trop peur pour s'en approcher et le toucher. Il n'avait jamais rien vu de tel, il ne savait pas que ce genre de chose pouvait exister. C'était rond — il arrondit les bras. C'était énorme — et il les étendit pour évoquer les limites intérieures de sa grande caverne. Et c'était — il se mit à gémir et à se balancer — horrible.

Je ne pus en apprendre davantage.

Je n'en avais d'ailleurs pas besoin.

Je lui dis qu'il me fallait partir très loin d'ici. Il ne comprenait pas ce que signifiait « très loin ». Il m'accompagnerait, me dit-il ; ce qu'il fit, mais au fil des jours, il devenait de plus en plus silencieux et craintif car il était loin de ses montagnes. Il se sentait seul, je le voyais bien. Peut-être n'avait-il jamais su qu'il l'était ? Y en avait-il d'autres comme lui ? Oui, il y en avait eu, autrefois ! Beaucoup ? De nouveau, il tendit les mains, une, deux, plusieurs fois de suite. Il y en avait eu beaucoup et ils étaient tous morts, peut-être d'une épidémie, et maintenant il ne restait plus que lui. S'il y en avait d'autres comme lui dans la montagne, il ne les connaissait pas. Il marchait à côté de moi en traînant les pieds tandis que je montais et descendais les montagnes, montais et descendais, montais et descendais, inlassablement, puis les laissant enfin derrière moi, continuai à descendre, toujours plus bas, loin des zones enneigées, traversai les merveilleuses forêts intactes, puis descendis de nouveau à travers des régions couvertes d'arbustes aux fleurs odorantes. Là, sous nos yeux, s'étendaient les jungles méridionales, chaudes et humides et, de l'autre côté, mais très loin, la mer. Connaissait-il la mer ? Mais il ne comprenait rien à mes tentatives d'explication.

Ce que je devais faire, c'était retourner aux campements des Indigènes qui avaient fui la Ville Ronde car j'y retrouverais Sais et son père. J'essayai de persuader mon malheureux compagnon de venir avec moi ; j'étais sûr que les Indigènes lui feraient bon accueil. Sais, tout au moins. Mais, lorsque j'atteignis les coteaux au-delà desquels s'étendait la jungle, il devint silencieux et morose, détournant constamment son visage comme si c'était moi qui m'éloignais de lui, puis se précipita vers moi d'un pas chancelant, me saisit les mains, les tenant si fort dans les siennes que je ne pouvais me dégager. De grosses larmes coulaient de ses bons yeux bruns, disparaissaient dans la fourrure de ses joues et sillonnaient sa poitrine. Il se mit à gémir puis poussa un hurlement de douleur et s'enfuit en courant, tombant et se relevant à plusieurs reprises avant de trouver refuge sous les arbres. Tournant le dos aux collines, il me fixait d'un regard intense et me criait adieu, adieu d'une voix suppliante qui signifiait en réalité : reviens, reviens ! Puis il me suivit un peu en courant et rebroussa chemin de nouveau. Je lui fis des signes de la main jusqu'à ce qu'il ne fût plus qu'un point sous les arbres qui, de là où j'étais, m'apparaissaient minuscules. Mais je devais continuer ; je l'abandonnai donc à sa solitude.

J'avais été absent une demi-année lorsque j'arrivai au campement. J'étais inquiet sur le sort de Sais et de David mais personne n'avait de nouvelles d'eux. Je sentais même qu'ils étaient déjà oubliés. Je me construisis un abri de terre et de branchages, et attendis. Pendant ce temps, j'essayai d'enseigner aux Indigènes qui me paraissaient intelligents tout ce que je pouvais concernant Canopus et la meilleure façon de limiter le pouvoir de Shammat sur eux. Mais ils ne pouvaient comprendre.

Ils étaient, en revanche, tout prêts à recevoir mon enseignement dans le domaine des arts pratiques qu'ils risquaient fort d'oublier. Je leur enseignai donc, ou plus exactement, leur ré-enseignai le jardinage et l'économie. Je leur appris à domestiquer un animal qui ressemblait à une chèvre et pouvait leur donner du lait, je leur montrai comment faire le beurre et le fromage. Je leur appris à cueillir certaines plantes pour en recueillir les fibres, à préparer ces fibres, à les tisser et à les teindre. Je leur appris à confectionner des briques avec de la terre et à les cuire. Toutes ces techniques, je les enseignais à des êtres qui les connaissaient depuis des milliers d'années et les avaient oubliées en quelques mois. Il était difficile, parfois, de ne pas croire qu'ils se moquaient de moi car, m'ayant regardé faire, leur visage s'éclairait d'un sourire stupéfait et ravi devant le fromage, les poteries ou les belles peaux souples bien tannées.

Deux ans après m'avoir quitté, David et Sais revinrent. Dès qu'ils eurent franchi l'entrée du campement, je vis qu'ils avaient subi de dures épreuves. Ils semblaient méfiants et prêts à se défendre — ce qu'ils furent presque obligés de faire car leurs amis et même leur famille les avaient oubliés. Ils étaient maigres et brûlés par le soleil. La jeune fille avait atteint sa taille définitive pendant le voyage mais était beaucoup plus petite que son père, plus petite que la moyenne des Indigènes ; j'en conclus que la race avait commencé à diminuer.

Ils avaient réussi à atteindre la plupart des campements. Ils avaient voyagé à pied, à dos d'animal, en canoë et en bateau. Ils n'étaient pas restés plus d'un jour à chaque endroit. Ils avaient fait exactement ce que je leur avais ordonné de faire : ils avaient parlé de Canopus, observé les effets de leurs paroles et utilisé la Signature lorsqu'ils y avaient été contraints.

En deux endroits, on les avait chassés et menacés de mort s'ils revenaient.

Tous deux parlaient des morts qu'ils avaient vus dans les campements. Ce n'était ni de la peur, ni du chagrin, ni de la tristesse qui se lisait sur leur visage : tout comme la mort de sa mère avait davantage intrigué Sais qu'elle ne l'avait affligée, les preuves de la proximité de la mort, comme un cadavre gisant à découvert dans une forêt ou un groupe d'hommes portant un mort dans une litière, suscitaient en eux le désir de comprendre. Je n'avais pas réussi à concrétiser l'idée de la mort en la reliant à la Signature. Ils ne parvenaient pas à envisager leur propre mort car leur corps vigoureux savait qu'il avait encore des centaines d'années à vivre ; leur corps en savait plus long que leur pauvre esprit dérangé. Ils me racontèrent, comme si c'était un fait extraordinaire dont ils ne pouvaient espérer me convaincre, que certains des cadavres qu'ils avaient vus étaient ceux d'hommes tués au cours d'une rixe : oui, ils s'étaient entre-tués ! parfaitement ! il n'y avait aucun doute possible !

Dans de nombreux campements, beaucoup, en fait la plupart des habitants et en particulier les vieux Indigènes qui avaient du mal à s'adapter aux nouvelles conditions de vie, avaient pris l'habitude de se rendre parmi les Pierres et de s'abandonner aux sensations ressenties d'abord comme horribles puis agréables ou, tout au moins, indispensables.

Pourtant, mes ordres réitérés avaient été suivis d'effet. Dans presque tous les campements, les gens avaient appris par cœur les mots communiqués par les deux étrangers et ne cessaient de se répéter à eux-mêmes et mutuellement : Canopus dit qu'il ne faut pas faire des autres nos serviteurs, Canopus dit... Canopus ordonne...

Oui, sans cesse, dans cent lieux différents, Sais avait dit ou psalmodié — car les mots étaient devenus un chant, une mélopée :

> *Canopus dit : tu ne gaspilleras ni ne dépouilleras.*
> *Canopus dit : aux autres, point de mal ne feras.*

et avait, en s'en allant, entendu les gens murmurer ou réciter ces mots.

Sais avait évolué à tous égards pendant ces deux années. Son père, lui, était toujours le même, aimable et rieur, incapable de rien garder dans la tête, bien qu'il ait su protéger sa fille dans tous leurs déplacements puisque « Canopus l'avait ordonné ». Tout en étant bien loin de posséder la merveilleuse agilité d'esprit et le développement intellectuel d'« avant la Catastrophe », comme les chants et les légendes disaient à présent, elle était devenue plus stable, plus lucide, plus apte à comprendre et à retenir, ceci parce qu'elle avait porté la Signature et l'avait sauvegardée. C'était une fille courageuse — ça, je le savais avant même de l'envoyer en mission — et forte.

Maintenant, assis à côté d'elle, je pouvais lui parler, avoir avec elle de vraies conversations, de véritables échanges, parce qu'elle était à présent capable de m'écouter. Ça n'allait pas vite car son cerveau en friche « décrochait » sans cesse, son regard s'obscurcissait mais elle se secouait alors et se forçait à écouter, à comprendre.

Un jour, elle me tendit la Signature sans que je la lui aie demandée. Elle était fière d'avoir réussi à la préserver et elle trouvait dur de s'en séparer. Je la repris — momentanément (mais ça, elle ne le savait pas) — et lui dis que la part la plus importante de ce qu'elle devait apprendre et accomplir ne faisait que commencer. Bientôt il me faudrait quitter Shikasta pour retourner sur Canopus ; elle resterait ici comme gardienne de la vérité shikastienne qu'il faudrait étudier, protéger et transmettre à quiconque serait capable de l'écouter.

Elle se mit à pleurer. Son père David également. Moi aussi, j'avais envie de pleurer. Ces pauvres créatures devraient affronter de telles épreuves, parcourir un tel chemin semé d'embûches et de dangers qu'elles semblaient d'ailleurs à mille lieues de comprendre !

93

Je leur donnai le temps de se remettre des fatigues du voyage, puis nous nous rassemblâmes tous les trois sur une place entre les cabanes, là où brûlait le feu central ; je posai la Signature entre nous sur le sol et les habituai à l'idée d'écouter des explications. Au bout de quelques jours, pendant lesquels d'autres Indigènes nous avaient vus, où certains s'étaient même arrêtés pour écouter, à quelques pas de nous, curieux, parfois même intéressés, je demandai à tous les habitants du campement qui n'étaient ni à la chasse, ni de garde, ni, d'une manière ou d'une autre, occupés à la survie de la tribu — c'est ainsi qu'on l'appelait à présent — de s'asseoir avec nous, chaque jour, pendant une heure ou deux, pour m'écouter. Ils devaient réapprendre à écouter, à comprendre que, de cette façon, ils pouvaient recueillir des informations, ce qu'ils avaient complètement oublié. Ils ne se rappelaient rien de ce que les Géants leur avaient enseigné, ne comprenaient que ce qu'ils voyaient, comme lorsque je frottais des pierres sur une peau pour l'assouplir ou agitais du lait aigre pour en faire du beurre. Mais, le soir, ils écoutaient David chanter « le temps jadis », et ils se mettaient à chanter avec lui...

Bientôt, chaque jour, au coucher du soleil, juste après le repas du soir, je parlais et ils écoutaient. Ils répondaient parfois par des paroles surgies du passé, dans un fugitif éclair de mémoire, puis leurs yeux se détournaient et regardaient distraitement ailleurs : soudain, ils n'étaient plus là. Comment dire ? C'est tellement difficile à décrire, surtout à des Canopéens !

Voici ce que je disais aux Shikastiens.

Avant la Catastrophe, au temps des Géants qui avaient été leurs amis et leurs mentors et leur avaient tout appris, Shikasta était un lieu plaisant où il faisait bon vivre, où dangers et menaces n'existaient pas. Canopus dispensait à Shikasta un air riche et vivifiant qui donnait à chacun santé et sécurité et, par-dessus tout, les faisait s'aimer les uns les autres. Mais, par suite d'un accident, cette substance de vie n'arrivait plus comme avant, ou seulement en quantités dérisoires. Cet approvisionnement en air ultra-pur portait un nom. Il s'appelait SAF : Substance-absolue-de-Fraternité. Je n'avais évidemment épargné ni mon temps ni ma peine pour trouver un sigle facile à se remémorer. Le mince filet de SAF qui leur parvenait était ce qu'ils avaient de plus précieux, ce qui leur permettait de ne pas retomber à l'état animal. Je leur dis qu'il y avait un abîme entre eux et les animaux de Shikasta et que ce qui les rendait supérieurs à eux, c'était leur connaissance de la SAF. La SAF les protégerait et conserverait l'espèce. Ils devaient tous révérer la SAF.

94

Car ils pouvaient très bien la gaspiller, l'épuiser ou l'utiliser à mauvais escient. Voilà pourquoi ils ne devaient pas se corrompre dans les ruines des anciennes cités en dansant parmi les Pierres. Voilà pourquoi ils ne devraient jamais, au cas où ils rencontreraient des sources de corruption, accepter cette corruption. De Canopus à Shikasta coulait constamment un mince filet de cette substance, qui ne tarirait jamais. C'était une promesse faite par Canopus à Shikasta. Le moment venu — pas nécessairement après des milliers et des milliers d'années — ce filet deviendrait un fleuve. Leurs descendants s'y baigneraient comme eux se baignaient à présent dans les rivières cristallines. Mais ils n'auraient pas de descendance s'ils ne veillaient pas à leur propre survie. Si ceux-là mêmes qui, assis autour de moi, écoutaient ces précieuses révélations ne se sauvegardaient pas, ils tomberaient plus bas que la bête. Ils ne devaient pas se gâter en abusant de la substance de Shikasta. Ils ne devaient pas non plus en utiliser d'autres. Ils ne devaient pas se laisser tomber au rang des bêtes qui ne vivent que pour manger, dormir et manger de nouveau ; non, une partie de leur vie devait être réservée au souvenir de Canopus, au souvenir de la Substance-absolue-de-Fraternité qui était leur seule richesse.

Mais il y avait plus, il y avait pire. Sur Shikasta existaient des ennemis, des gens méchants, des détracteurs de Canopus, qui leur dérobaient la SAF. Ces ennemis faisaient des Shikastiens leurs esclaves chaque fois qu'ils le pouvaient. Cela, en encourageant tout ce que Canopus haïssait. Ils prospéraient lorsque les Shikastiens se battaient ou utilisaient leurs semblables, et exultaient chaque fois qu'ils constataient l'absence de la Substance-absolue-de-Fraternité. Pour confondre leurs ennemis, les Shikastiens devaient s'aimer, s'entraider, rester égaux entre eux et ne jamais dérober à autrui ses biens ni sa substance... Voilà ce que je leur dis, jour après jour, devant la Signature qui luisait sur le sol, dans la lumière qui s'éteignait dans le ciel du soir et la clarté du feu qui brûlait plus clair dans la nuit tombante.

Pendant ces séances, Sais était ma plus sûre auxiliaire. Utilisant des facultés qui semblaient renaître en elle, elle choisissait des individus qui lui paraissaient pleins de promesses et leur répétait ces leçons, sans jamais se lasser. Elle les disait et les chantait tandis que David composait de nouvelles chansons et de nouvelles histoires.

Lorsque suffisamment de gens, parmi eux, auraient assimilé ces connaissances, leur dis-je, ils parcourraient Shikasta en tous sens pour les enseigner. Ils devraient s'assurer que tout le monde recevrait le message, et surtout s'en souviendrait.

95

Le moment arriva enfin où je devais me rendre en Zone Six. Je mis la Signature dans la main de Sais en présence de tous et lui dis qu'elle en était désormais la gardienne.

Je ne leur dis pas que c'était le seul moyen de maintenir le courant de SAF entre Canopus et Shikasta mais je savais qu'ils ne tarderaient pas à s'en apercevoir. Je devais laisser à Sais quelque chose pour la soutenir.

Je leur dis donc que je me préparais à retourner sur Canopus mais qu'un jour je reviendrais.

Je quittai la tribu un matin de très bonne heure, au moment où le soleil se levait au-dessus de la clairière et du campement. J'écoutai les oiseaux qui se chamaillaient dans les arbres séculaires et tendis la main pour caresser une petite chèvre apprivoisée qui trottait après moi. Je la renvoyai et me dirigeai vers la rivière, à l'endroit où elle était large, profonde et tumultueuse et m'emporterait bien loin du campement, si bien que personne ne trouverait mon corps. J'entrai dans la rivière et gagnai la pleine eau à la nage.

J'en reviens maintenant à ma visite des Derniers Jours.

Il était nécessaire que Taufiq choisît de renaître sous la forme d'un membre de la race minoritaire sur la planète, celle des individus à la peau blanche ou pâle, originaires des régions du nord. La cité de son choix n'était pas située à l'emplacement des Villes Mathématiques de la Grande Époque, bien que certaines villes actuelles fussent construites à cet endroit, sans aucune idée, bien sûr, de ses énergies potentielles. Cette région n'avait jamais été attrayante : située à basse altitude, elle était marécageuse depuis une grande partie de sa récente histoire, qui coïncidait avec une période de climat humide. Le sol était toujours détrempé et le climat débilitant. Rien n'y avait jamais été propice au développement des énergies, bien qu'il eût déjà été aménagé et utilisé à certaines fins et dans certaines circonstances — temporairement, il est vrai. C'était la principale ville d'une petite île qui avait, grâce à sa nature belliqueuse et avide, envahi et soumis une bonne partie du globe mais avait, récemment, subi des revers.

Taufiq s'appelait John, nom dont il avait déjà souvent usé au cours de sa carrière — Jan, Jon, John, Sean, Yahya, Khan, Ivan, et cætera. Il était John Brent-Oxford et les parents qu'il s'était choisis étaient des gens sains et honnêtes, situés ni trop haut ni trop bas dans la société, ce qui, étant donné que celle-ci était affligée d'un système de castes et de classes qui se méfiaient toutes les unes des autres, était un point important nécessitant une décision mûrement réfléchie.

S'il voulait réussir dans son entreprise, Taufiq devait devenir expert dans les règlements grâce auxquels les divers individus et sections de la société, toujours en guerre et en litige les uns contre les autres, se contrôlaient eux-mêmes et mutuellement. Il y était parvenu. Il avait passé sa jeunesse de manière intelligente, avait acquis un bon bagage intellectuel et, tout jeune encore, brillait par ses dons exceptionnels. Tout comme dans les hautes sphères de la société, les jeunes gens pleins de promesses sont le point de mire de ceux dont ils ne savent rien (même s'ils s'en doutent ou s'en étonnent) dans les sphères d'activité plus modestes, certaines possibilités sont réservées à ceux qui font leurs preuves, et John, dès l'enfance, fut observé par des « personnes d'influence », comme l'on dit sur Shikasta. Mais les « influences » n'étaient pas toutes de la même espèce !

Dans ces temps d'abomination et de corruption, le jeune homme ne pouvait éviter d'être exposé aux nombreuses tentations de quitter le chemin du devoir et, très tôt — il n'avait pas encore vingt-cinq ans — il succomba. Il savait, d'ailleurs, qu'il agissait mal. Les jeunes ont souvent des moments de lucidité qui, avec l'âge, se font plus rares et plus vagues. Il avait gardé, quelque part dans sa tête, l'idée qu'il était « destiné » à une certaine tâche. Il trouvait cela beau et noble mais — de plus en plus fréquemment et de plus en plus nettement — « irréaliste ». Qu'il eût conscience de ses actes apparaissait clairement dans sa tendance à rire parfois d'un air confus en avouant qu'« il avait été incapable de résister à la tentation ». Pourtant ces mots, à première vue, étaient incompatibles avec les mœurs courantes et admises de la société dans laquelle il vivait ; c'est pour cela qu'il était obligé de rire. Son rire rendait hommage aux us et coutumes de cette société. Son rire disait qu'il se comportait de façon ridicule... et pourtant il n'était jamais tout à fait à l'aise, ni dans ses actions ni dans ses choix.

Il était nécessaire qu'il se trouvât à un certain endroit à un moment donné pour pouvoir jouer le rôle, essentiel à notre objectif, qui était de résoudre la crise qui sévissait à Shikasta. Son but était d'atteindre une position de premier plan, non seulement dans le système légal de son pays, mais dans celui des pays septentrionaux destiné à unifier, ou tout au moins à essayer d'unifier les États de l'hémisphère nord qui avaient récemment conquis et dépouillé une bonne partie de la planète et qui, encore très récemment, étaient continuellement en guerre entre eux. Sa tâche était de devenir un individu sérieux et honnête dans ce domaine. En un temps de corruption, individuelle et collective, il devait se faire

97

une réputation d'homme incorruptible, intègre, désintéressé, franc et direct.

Mais il venait juste de terminer ses études et de quitter l'institution d'élite spécialisée dans la production de la classe administrative lorsqu'il prit un mauvais tournant. Au lieu d'accepter un emploi modeste dans l'un des Conseils du bloc des États septentrionaux déjà mentionné — situation envisagée par nous (et par lui, bien entendu, en tant que Taufiq) — il entra dans un cabinet juridique bien connu pour le nombre de ses membres passés à la politique.

La Deuxième Guerre mondiale — selon la terminologie shikastienne — venait de se terminer. [Voir *Histoire de Shikasta,* vol. 2955 à 3155, *Le Siècle de la Destruction.*] Il y avait combattu, y avait vu bien des atrocités, des ravages et des souffrances. Il en avait été, comme chacun, affecté dans sa vision des choses, et même dans sa personnalité profonde. Il se voyait donc jouant un rôle primordial — ce qui était très bien — mais l'une des plus puissantes idées fausses de l'époque, la politique, lui était entrée dans la tête. Il ne s'agissait pas pour lui de désirer le pouvoir, l'autorité à l'état brut, non, il se voyait « dirigeant les choses pour le bien de tous ». C'était un idéaliste — ainsi se décrivaient les gens qui tendaient vers le bien et non vers leurs propres intérêts aux dépens d'autrui.

Entre parenthèses, je signale que ceci était vrai d'un bon nombre de nos citoyens — pour employer un mot shikastien — de l'époque. Ils empruntaient des chemins dévoyés et néfastes, tout en se croyant meilleurs que d'autres dont la mystique de l'intérêt personnel était franche et avouée, meilleurs parce qu'eux, et eux seuls, savaient comment il fallait conduire les affaires de la planète. Une réaction émotive aux souffrances de Shikasta leur semblait une qualification suffisante pour tenter de les apaiser.

Les attitudes exposées sommairement dans ce paragraphe décrivent la « politique », les « partis politiques » et les « programmes politiques ». Presque tous les politiciens étaient incapables de penser en termes d'interaction, d'influence réciproque et de concevoir les divers sectes et « partis » — sans parler des groupes de nations — comme un ensemble, des ensembles étroitement unis. Adopter cet état d'esprit dominé par la « politique », c'était adopter une partialité stérile, une attitude dans laquelle on se trouvait aveuglé par la « justesse » d'un certain point de vue. Et lorsque l'un de ces clans ou « partis » accédait au pouvoir, il se comportait, la plupart du temps, comme si son point de vue était le seul correct, le seul *bon* : lorsque John adhérait à une secte, il se croyait motivé par les plus grandes idées, les plus purs idéaux. Il se voyait comme une espèce de sauveur, il s'imaginait à la tête de la nation. A partir du moment où il se mit à travailler avec ce groupe de juristes, il rencontra peu de gens qui aient des idées différentes des siennes. A plusieurs reprises, certains membres de notre personnel tentèrent de l'influencer et essayèrent de le ramener à la raison — indirectement bien sûr — mais tous échouèrent ; les modes de pensée et de vie qu'il avait apportés sur Shikasta étaient maintenant si profondément enfouis en lui qu'ils ne resurgissaient qu'à de rares moments, dans ses rêves ou dans certains accès de panique et de remords qu'il ne pouvait imputer à leur vraie cause.

Nous l'avions provisoirement rayé de nos registres. S'il arrivait, pensait-on à Canopus, que, par quelque processus imprévu pour l'instant, Taufiq « revînt à lui » — ce genre d'expression significative était très courant sur Shikasta et, bien souvent, des gens en apparence perdus pour nous, du moins de façon temporaire, « revenaient à eux », « voyaient clair » etc. (très souvent à la suite d'un terrible choc ou traumatisme du type de ceux dont Shikasta était si prodigue) — alors, et alors seulement, nous donnerions-nous de la peine pour lui. Nous étions tous si débordés, si peu nombreux et la situation de la planète était si dramatique !...

L'une de mes tâches consistait à l'observer, à juger son état actuel et, si possible, à le rappeler à l'ordre.

Il avait dépassé la cinquantaine, c'est dire qu'il avait dépassé la moitié de l'éphémère existence qui était désormais le lot des Shikastiens. Or, il était justement programmé pour vivre plus longtemps que la plupart de ses concitoyens. Sa mission finale consistait à avoir soixante-quinze ans au moment où il deviendrait le représentant des vieillards — représentant très *respecté*, quoiqu'il fût difficile, pour l'instant, d'imaginer comment cela serait possible.

Il habitait une maison située dans un quartier résidentiel de la ville et menait un train de vie qu'il eût qualifié de modeste et raisonnable comparé à ce qui se pratiquait alors couramment dans ce secteur géographique, mais qui, selon les critères d'après lesquels il sera jugé dans peu de temps (je parle ici du temps à l'échelle universelle), était en réalité éhonté, prodigue et libertin. Il avait deux familles. Sa première femme, qui avait eu quatre enfants de lui, vivait dans un autre quartier de la ville. Sa seconde femme avait deux enfants. Ces derniers étaient choyés, dorlotés et totalement inadaptés à ce qui les attendait. Ses femmes consacraient leur vie à l'aider et à l'encourager, lui et ses ambitions. Elles éprouvaient toutes deux pour lui les mêmes sentiments que tous ceux qui le fréquentaient. Cet homme suscitait chez les autres une sympathie ou une antipathie excessives. Il influençait les gens. Il changeait leur vie — pour le meilleur ou pour le pire. Une puissante énergie intérieure (chose éminemment précieuse mais qui, chez lui, s'était, en quelque sorte, dévoyée) avait fait de sa vie — phénomène, encore une fois, courant à cette époque — une forêt dont un incendie aurait ravagé tout un hallier avec des conséquences extrêmes : une terre noircie, la faune et la flore anéanties, puis une végétation nouvelle, plus luxuriante que la précédente, une transformation des structures génétiques et un potentiel infini.

Physiquement, il n'avait rien d'extraordinaire : cheveux bruns, yeux bruns où je me plaisais encore à imaginer des traces de ses lointains ancêtres, les Géants, un teint pâle qui lui venait peut-être des Géants anormaux. Son corps, vigoureux et musclé, me rappelait ceux des Indigènes. Mais il y avait en lui à présent d'innombrables mélanges dus aux expériences siriennes, aux espions de Shammat, etc.

Comme tous les personnages publics de cette époque, il avait une personnalité officielle et une personnalité privée. Ceci venait de ce qu'aucun d'eux ne pouvait jamais dire la vérité aux gens qu'il était censé représenter. Un certain degré d'agressivité dans la personnalité était jugé indispensable, comme la force de persuasion, l'énergie et le charme. Ils avaient recours à des méthodes qui, en d'autres temps, en d'autres lieux, sur d'autres planètes, auraient été considérées comme trompeuses, mensongères et, en fait, criminelles. Les qualités les plus prisées chez les hauts fonctionnaires de Shikasta étaient presque invariablement les plus superficielles et les plus inutiles que l'on puisse imaginer et ne pouvaient convenir qu'à une époque d'effroyables déchéance et imposture. Ceci était vrai de chaque secte, de chaque groupe et de chaque « parti », car ce qui frappe dans cette période, c'est la grande ressemblance entre tous ces clans qui dépensaient pourtant la plus grande partie de leurs énergies à décrire et à critiquer les différences qu'ils s'imaginaient exister entre eux.

A l'âge de quarante ans, John était déjà une figure nationale. C'est qu'il occupait certaines positions à certains endroits, et non qu'il eût des talents extraordinaires ou une compréhension exceptionnelle des affaires de l'État — considérées d'un point de vue local, bien sûr. Il était handicapé par ses divisions internes. Ses qualités profondes, étouffées en lui, le laissaient insatisfait. Il sentait qu'il possédait des qualités

100

supérieures à celles dont il faisait usage mais il ne savait pas lesquelles. Cette insatisfaction l'avait conduit à boire et à se laisser aller à des accès d'autocritique et de cynisme. Il n'était respecté pour aucune raison fondamentale, et il le savait. Il faisait partie des centaines, des milliers de politiciens du globe dont il n'y avait pas grand-chose à attendre, certainement pas, en tout cas, de la part des gens qu'ils étaient censés représenter. Ceux-ci, en effet, après avoir travaillé, combattu, commis des crimes même pour placer « leurs » représentants au pouvoir, ne se considéraient pas liés par leurs choix. Car un trait — peut-être dominant — des habitants de cette planète était l'aptitude de leurs esprits désaxés à exprimer une opinion ou une tendance et à s'y conformer — avec véhémence et violence même — pour, quelques années, un mois, voire quelques minutes plus tard, les renier totalement.

A l'époque où je repérai sa maison et me postai (bien entendu, confortablement installé en Zone Six) à l'endroit où je recueillerais toutes les informations nécessaires pour prendre mes décisions et l'influencer si possible, il était dans une phase d'intense activité émotionnelle.

Il avait des choix à faire. En lui-même, il savait bien qu'il était de nouveau en situation de crise. La faction politique qu'il représentait venait de perdre le pouvoir. Elle avait accédé plusieurs fois au Gouvernement depuis la Deuxième Guerre mondiale (ou, dans notre terminologie à nous, la Seconde Phase Intensive de la Guerre du Vingtième Siècle) ; mais ce n'était pas cela qui le tourmentait. Des pressions s'exerçaient sur lui (par notre entremise) pour qu'il retournât travailler à temps plein dans son cabinet juridique et qu'il s'y montrât très actif car il pourrait ainsi cultiver le type de réputation le plus solide qui soit, c'est-à-dire celle qui se forme parmi ceux qui travaillent dans la même sphère. S'il le faisait, il serait encore temps pour lui de prendre en main une série de procès en cours et de les traiter de façon efficace. L'autre poste qui lui était offert relevait des Conseils du bloc d'États septentrionaux. Mais c'était un poste de haute responsabilité pour lequel il n'avait pas les qualités requises et nous savions qu'il ne serait pas à même de prendre la défense des races blanches au moment où celles-ci seraient menacées d'extermination. Il n'aurait pas les compétences nécessaires. De notre point de vue, il commettrait une grave erreur en acceptant ce poste.

Sa deuxième femme le pensait également. Elle se doutait vaguement de ce qui pourrait arriver. Dans son amour pour lui, elle n'avait rien d'une fanatique. Sa première femme non plus. En fait, si elles l'avaient toutes deux épousé, c'est qu'elles s'étaient toutes deux senties attirées par des possibilités cachées et dormantes qu'il n'avait jamais exploitées par la suite ; c'était là la vraie raison de leur insatisfaction à son égard, qu'elles ne comprenaient d'ailleurs pas et qui faisait naître en elle toutes sortes de frustrations et d'aigreurs. Son second mariage était au bord de la faillite. Tout ceci avait provoqué chez lui un effondrement nerveux. Son foyer était un maelström d'émotions et de conflits. [Voir *Histoire de Shikasta*, vol. 3012, chap. I, *Instabilité mentale durant le Siècle de la Destruction*. Section 5. Personnages officiels.] Il avait déjà eu une dépression nerveuse et avait subi un traitement prolongé. En fait, presque tous les politiciens de l'époque avaient besoin d'une aide psychiatrique rendue nécessaire par la nature de leurs préoccupations, c'est-à-dire le caractère irréel de leurs prises de décision, de leur réflexion et de leur activité quotidiennes.

Je l'observai pendant quelques jours. Il se tenait dans une vaste pièce, au dernier étage de sa maison, endroit réservé au travail, où sa famille n'avait pas accès. Étant seul, il n'usait pas du charme abject de sa personnalité publique. Il arpentait la chambre, les cheveux en bataille (la coiffure avait beaucoup d'importance à l'époque), les yeux rouges et incapables de se fixer. Il n'avait pas arrêté de boire depuis des semaines. Tout en marchant, il gémissait et marmonnait, se penchait puis se redressait comme pour soulager une souffrance intérieure, s'asseyait, les bras autour du corps, les mains agrippées aux épaules, ou bien se jetait sur un lit de repos, dormait quelques instants pour se relever et reprendre sa marche anxieuse. Il avait décidé d'accepter un poste dans le bloc des États septentrionaux. Il savait — tout en ne le sachant pas — que c'était une erreur. Son moi rationnel, celui auquel il se fiait — il avait, d'ailleurs, un esprit clair et pénétrant —, y voyait un merveilleux tremplin à son ambition... qu'il n'appelait jamais autrement que « progrès », « justice », *et cætera*... Il imaginait ce bloc devenant, de jour en jour, plus important, plus efficace et plus apprécié de toutes les parties intéressées. Et pourtant, l'effondrement de l'ordre mondial apparaissait déjà à tous de manière évidente. De même qu'il était évident que les façons de voir actuellement adoptées par les partis politiques ne suffisaient plus à régler les problèmes : plusieurs minorités, certaines d'entre elles très influentes, proposaient des alternatives qui ne pouvaient que séduire John... ou Taufiq. Mais il avait épousé une ligne de pensée partisane et devrait s'y tenir tant qu'il serait politicien. D'autre part, il ne voulait ni rompre son mariage, ni décevoir ses deux enfants comme il l'avait fait pour ceux de la première union car il avait

peur de sa progéniture, suivant en cela la tendance générale de l'époque
— mais nous y reviendrons.

S'il restait membre de son parlement local, il se sentirait encore plus
inutile et frustré qu'avant ; ceci n'était donc pas une alternative à
considérer.

Alors, sautant de son lit en désordre, dans sa chambre en désordre, se
jetant par terre, se balançant d'avant en arrière ou arpentant la pièce, il
essayait d'imaginer l'autre possibilité, celle de son retour définitif au
cabinet juridique d'où il pourrait guetter les occasions de s'employer
dans des fonctions facilement envisageables… perspective alléchante s'il
en fut… mais il n'y avait rien là qui pût nourrir son ambition… il ne serait
plus une vedette, une vedette nationale, sans parler des glorieux champs
d'action qui s'ouvraient à lui. Et pourtant… pourtant… il ne pouvait
s'empêcher d'être attiré par ce qui avait été décidé pour lui et *par* lui
avant son arrivée sur Shikasta.

C'est alors que j'intervins.

Nous étions en pleine nuit. Tout était calme dans cette rue paisible et
charmante. Le vacarme des machines avec lesquelles les gens vivaient
s'était tu. Pas un bruit dans la maison. Dans sa chambre, une seule
lumière, dans un coin.

Ses yeux s'y posaient sans cesse… Il était dans une espèce d'état
second créé par la fatigue et l'alcool.

« Taufiq, lui dis-je, Taufiq… souviens-toi, essaie de te souvenir ! »

Tout cela en esprit, bien sûr. Il ne bougea pas mais se raidit et revint à
lui. Assis sur son lit, il écoutait, le regard tendu. Dans ces profonds yeux
noirs, soudain graves et attentifs, je reconnaissais mon ami, mon
frère.

« Taufiq, répétai-je, ce que tu penses *maintenant* est juste. Tiens bon,
persévère. Il n'est pas trop tard. Tu as pris un très mauvais tournant en te
lançant dans la politique. Ce n'était pas fait pour toi. N'aggrave pas les
choses à présent. »

Il ne bougeait toujours pas. Il écoutait de toutes ses fibres. Puis, il
tourna la tête prudemment ; je savais qu'il se demandait s'il allait
distinguer quelqu'un ou quelque chose dans la pénombre de la pièce — il
se souvenait obscurément de moi — il ne vit rien, bien qu'il tournât la
tête de tous côtés, scrutant les coins et les recoins de sa chambre. Il
n'avait pas peur.

Mais il était ébranlé. L'intrusion de mes paroles dans l'état de
semi-démence et d'agitation où il se trouvait était trop pour lui. Il se leva
brusquement, se jeta sur le sol et s'endormit aussitôt.

103

Il se mit à rêver et je lui fournis la matière de son rêve...

Nous étions tous les deux dans la cabine de projection du Bâtiment de Démonstration Planétaire, sur Canopus.

Nous projetions des scènes de Shikasta, des scènes récentes, montrant les foules innombrables et grouillantes de ceux qui étaient devenus à présent de misérables sauvages à la vie éphémère, contraints de partager, entre tant de gens, la précieuse Substance-absolue-de-Fraternité, devenue si rare que chacun ne recevait qu'une infime quantité, une goutte de vraie substance fraternelle ; et nous étions tous deux bouleversés devant le sort des Shikastiens incapables de se venir en aide à eux-mêmes, et qui, à demi morts de faim, se battaient, se haïssaient et se volaient les uns les autres. Nous avions tous deux connu Shikasta à des époques très différentes, lui beaucoup plus souvent et plus récemment que moi. Nous nous trouvions ensemble dans la cabine de projection parce qu'il avait reçu l'ordre de faire ce voyage et d'entreprendre cette tâche.

Il n'était pas question qu'il refusât. Nous ne repoussions jamais ce genre de requête. Certains d'entre nous, en tout cas ! [Voir *Histoire de Canopus*, vol. 1.752.357. *Désaccord sur la politique de Shikasta ex-Rohanda*. Chapitre récapitulatif.] Mais tout se passait comme si on lui avait demandé d'accepter qu'on fît de lui un fou, un dément, un aliéné, pour l'enfermer ensuite dans un repaire de sauvages sanguinaires. Il avait néanmoins accepté immédiatement. Tout comme j'acceptai, peu de temps après, lorsqu'il était clair qu'il avait échoué.

Il gisait, immobile, sur son lit. Sous l'effet du rêve, il s'agita et fit presque surface puis sombra de nouveau, épuisé.

Il rêva d'un paysage de haute altitude, désertique, entouré de montagnes colorées, sous un ciel pur implacable où tout était d'une beauté envoûtante mais, à bien y regarder, vide comme le désert. Les villes étaient mortes, anéanties, réduites à des sables délétères. La famine, la maladie et la mort dénudaient ces plaines funestes. Leur beauté exhalait un relent sinistre, un relent de mort et pourtant on y sentait partout une nostalgie, un désir, des besoins imaginaires qui venaient tous de la Zone Six et avaient engendré ce cauchemar. Il se réveilla en sursaut, grognant, gémissant, assoiffé. Il but successivement plusieurs verres d'eau, s'aspergea le visage, et reprit ses déambulations. Au-dehors, le ciel pâlissait et la nuit s'estompait. Mais lui marchait, marchait toujours. Il était à présent dégrisé mais réellement très malade.

Il fallait prendre une décision, et vite, sinon cette tension le tuerait.

Il resta toute la journée dans sa chambre perchée au dernier étage de la maison. Sa femme vint lui porter à manger ; il la remercia mais d'un air si absent et distrait qu'elle décida sur-le-champ de demander le divorce. Il ne toucha pas à la nourriture. Ses yeux avaient perdu tout éclat. Il contemplait les objets sans les voir, d'un regard sombre et menaçant. Il se jeta sur le lit pour dormir et se releva aussitôt d'un bond. Il avait peur. Il craignait de me rencontrer, moi, son ami, son *alter ego*, son frère.

Canopus, son pays, son moi le plus profond, l'effrayait au point de lui faire perdre la tête.

Lorsqu'il s'endormit enfin, incapable de rester éveillé plus longtemps, je lui fis rêver de nous, d'une bande de camarades à lui, de ses vrais camarades. Il souriait dans son sommeil. Puis il se mit à pleurer et les larmes ruisselaient sur son visage tandis qu'il marchait et parlait en rêve avec *nous*, avec lui-même.

Il s'éveilla en souriant, descendit au rez-de-chaussée et dit à sa femme qu'il avait pris sa décision. Il allait accepter ce nouveau poste, ce poste de responsabilité. En lui disant cela, il avait l'air affable et menteur de son personnage public.

Mais je savais que ce que j'avais introduit en lui pendant son sommeil y demeurerait et qu'il en serait transformé. Je voyais, de façon précise — car l'image était fixée dans mon esprit — que, plus tard, aux jours terribles qui nous attendaient, je le confronterais sous les traits d'un jeune homme et prononcerais devant lui les mots appropriés. Il se souviendrait et l'ennemi — car c'est ce qu'il serait devenu pour un temps — redeviendrait un ami et serait de nouveau lui-même.

Histoire de Shikasta, vol. 3012, *Le Siècle de la Destruction*.
Extrait du chapitre récapitulatif.

Au cours des deux siècles précédents, les étroites franges de terre situées au nord-ouest du continent shikastien avaient atteint une supériorité technique sur le reste du globe qui leur avait permis de conquérir et de dominer — physiquement ou par d'autres moyens — de nombreuses cultures et civilisations. Les habitants de ces franges se distinguaient par une indifférence particulière aux mérites des autres cultures, indifférence tout à fait unique dans l'histoire des siècles passés. Tout naquit d'un malheureux concours de circonstances. 1) Les habitants de ces franges venaient eux-mêmes de sortir de la barbarie. 2) Les classes supérieures de la société étaient fortunées mais n'avaient jamais eu le moindre sentiment de responsabilité envers les classes inférieures, ce qui explique que toute cette zone, bien qu'infiniment plus riche que presque tout le reste du globe, se définissait par un contraste entre des extrêmes de richesse et de pauvreté — mis à part une brève période située entre les Phases II et III de la Guerre du Vingtième Siècle. [Voir vol. 3009, *Économies de l'abondance*.] 3) La religion locale était matérialiste. Ceci tenait, encore une fois, à un malheureux concours de circonstances : l'une était géographique, l'autre venait de ce que la religion avait toujours été aux mains des classes aisées depuis pratiquement les débuts de son histoire, la troisième était qu'elle avait encore moins retenu que les autres religions les enseignements de son fondateur. [Voir vol. 998 et 2041, *Les Religions en tant qu'instruments des castes dominantes*.] Pour ces raisons et bien d'autres encore, ses patriciens n'avaient pas fait grand-chose pour réduire la cruauté, l'ignorance et la stupidité des habitants des franges nord-ouest. Au contraire, c'étaient eux, bien souvent, les plus grands coupables. Pendant deux siècles au moins, le trait essentiel de l'histoire shikastienne fut donc la domination par une espèce arrogante et vaniteuse, une minorité dans la minorité blanche, de la plus grande partie de Shikasta, c'est-à-dire d'une multitude de races, de cultures et de religions qui, dans l'ensemble, étaient bien supérieures à celles de leurs oppresseurs. Ces habitants des franges nord-ouest ressemblaient à la majorité des conquérants en ce qu'ils dépouillaient ceux qu'ils avaient envahis, mais ils les dépassaient tous par la facilité avec laquelle ils se persuadaient eux-mêmes que ce qu'ils faisaient était « pour le bien » des pays conquis, et c'est là que la religion précitée porte la plus grande responsabilité.

La Première Guerre mondiale — pour adopter la terminologie shikastienne (en d'autres termes, la Première Phase Intensive de la Guerre du Vingtième Siècle) — commença par une querelle entre les habitants des franges nord-ouest à propos du butin colonial. Elle se caractérisa par une brutalité inconnue des plus barbares parmi les barbares. Par la stupidité aussi : le gaspillage de vies humaines et de ressources naturelles apparut, à nos yeux de spectateurs, tout simplement inouï, même selon les critères shikastiens. Et enfin, par l'incapacité totale des masses populaires à comprendre ce qui se passait : la propagande à grande échelle avait fait son apparition, utilisant des méthodes d'endoctrinement fondées sur les nouvelles technologies ; ce fut un succès. Ce que l'on raconta aux malheureux qui devaient sacrifier leurs biens et leur vie

– ou, au mieux, leur santé – à cette guerre n'avait rien à voir avec la réalité de la situation et, en admettant même que toute collectivité ou culture particulière en guerre pense et agisse selon les exigences de ses propres intérêts, jamais, dans l'histoire de Shikasta ni d'aucune autre planète d'ailleurs – excepté celles du groupe de Puttiora – la tromperie ne fut utilisée à cette échelle.

La guerre dura presque cinq de leurs années. Elle se termina par une épidémie qui emporta six fois plus de gens que les combats proprement dits. Elle massacra, en particulier dans les franges nord-ouest, la fleur d'une génération de jeunes hommes. Mais — et c'est là, potentiellement, le résultat le plus catastrophique — elle donna une impulsion aux industries de guerre (mécanique, chimique et psychologique) au point que, par la suite, il fallut bien reconnaître que ces industries dominaient l'économie et, par conséquent, le gouvernement de toutes les nations participantes. Par-dessus tout, cette guerre abaissa encore le niveau d'une moralité déjà pervertie dans ce que l'on appelait alors « le monde civilisé » c'est-à-dire, en gros, les franges nord-ouest.

Cette guerre, ou phase de la Guerre du Vingtième Siècle, jeta les bases de la suivante.

Plusieurs régions, poussées par les souffrances dues à la guerre, se jetèrent dans la révolution ; ce fut le cas, en particulier, d'un immense territoire s'étendant, sur des milliers de kilomètres, des franges nord-ouest jusqu'à la mer orientale. C'est à cette période que l'on commença à juger un gouvernement « bon » ou « mauvais », non pas selon ses résultats mais selon une étiquette ou un nom. Principal résultat de la décadence consécutive à la guerre : on ne peut passer des années et des années de sa vie soumis à une propagande trompeuse et mensongère sans voir se détériorer ses facultés mentales. (C'est un fait confirmé par chacun de nos envoyés sur Shikasta !)

Les fonctions intellectuelles des Shikastiens qui, pour des raisons indépendantes de leur volonté, n'avaient jamais été très remarquables, dégénéraient rapidement sous l'effet de l'usage qu'ils en faisaient.

La période qui va de la fin de la Première Guerre mondiale au début de la Deuxième Phase Intensive connut plusieurs petites guerres, certaines servant à tester des armes destinées à être bientôt employées massivement. Par suite des souffrances dues aux représailles infligées par les vainqueurs à l'un des vaincus de la Première Guerre mondiale, une Dictature apparut ; il fallait s'y attendre. Le continent nord indépendant, récemment conquis par des émigrants des franges nord-ouest avec l'odieuse brutalité habituelle, était en passe de devenir une grande

107

puissance, alors que les nations des franges nord-ouest, affaiblies par la guerre, marquaient le pas. L'exploitation frénétique des régions colonisées, surtout dans le continent sud I, s'intensifia afin de compenser les dommages causés par la guerre. En conséquence, les populations indigènes, atrocement exploitées et opprimées, déclenchèrent des mouvements de résistance de toutes sortes.

Les deux grandes Dictatures s'imposèrent de façon impitoyable. Toutes deux répandirent des idéologies prônant la suppression et l'oppression de populations entières de sectes, opinions, religions et cultures différentes. Toutes deux utilisèrent la torture à échelle massive. Toutes deux firent des adeptes dans le monde entier et chacune de ces Dictatures, suivie de ses alliés, considérait l'autre comme une ennemie totalement différente d'elle, mauvaise et méprisable alors qu'elles se comportaient toutes les deux de façon absolument identique.

L'intervalle entre la fin de la Première Guerre mondiale et le début de la Deuxième fut de vingt ans.

Il nous faut souligner ici que la plupart des habitants de Shikasta ignoraient qu'ils vivaient une époque que l'on considérerait plus tard comme une guerre de cent ans, un siècle qui verrait le quasi-anéantissement de leur planète. Nous insistons sur ce point car il est presque impossible à des individus sains d'esprit — c'est-à-dire qui ont eu la chance de vivre (nous ne devons jamais oublier que nous avons eu de la chance) des bienfaits de la Substance-absolue-de-Fraternité —, il est presque impossible, dis-je, de comprendre la mentalité des Shikastiens. Alors que l'on assistait à la liquidation et à la destruction universelle des grandes cultures par des technologies néfastes, que la guerre faisait rage aux quatre coins du globe, que des populations entières étaient exterminées, délibérément, au profit des castes dominantes, que la richesse de chaque nation servait presque entièrement à la guerre, aux préparatifs de guerre, à la propagande de guerre, à la recherche de guerre, alors que les niveaux de décence et d'honnêteté baissaient dramatiquement et que la corruption régnait à l'échelon universel, alors qu'elles vivaient, de surcroît, avec la peur panique de l'anéantissement, était-il vraiment possible, je vous le demande, à ces pauvres créatures de croire que « dans l'ensemble » tout allait bien ?

Je réponds : oui. Surtout, bien sûr, à ceux qui possédaient richesse ou confort, c'est-à-dire à une minorité ; mais aussi, à ces millions, ces milliards d'affamés, sans abri, sans appui, toujours plus nombreux, à ceux-là aussi il était possible de vivre au jour le jour, d'un maigre repas à l'autre, d'un instant de chaleur à l'autre.

Ceux qui se sentaient enclins à « faire quelque chose pour arranger ça » étaient presque tous pris dans les rets de l'une de ces idéologies qui aboutissaient toutes aux mêmes résultats tout en se décrivant comme différentes les unes des autres. Ceux-ci, les gens actifs, s'agitaient en tous sens comme mon malheureux ami Taufiq, prononçant des discours, palabrant, participant à d'interminables procédures pendant lesquelles des groupes d'individus, assis autour d'une table, échangeaient des informations et faisaient des déclarations de bonnes intentions, toujours au nom des masses, de ces populations désespérées, épouvantées, affolées qui savaient que tout allait mal mais qui croyaient que, quelque part, de quelque façon, les choses s'arrangeraient.

Ne croyez pas que j'exagère si je dis que, dans un pays dévasté par la guerre, couvert de ruines, asphyxié, dans un paysage noirci, carbonisé, écrasé, sous un ciel lourd de fumées, un Shikastien était capable de se construire un abri avec des morceaux de brique et des fragments de métal, de se faire cuire un rat et de boire l'eau du caniveau, puant évidemment le mazout, tout en pensant : « Eh bien ! ça ne va pas si mal que ça !... »

La Deuxième Guerre mondiale dura cinq ans et fut incomparablement plus meurtrière que la première, à tous égards. Tous les éléments de la première y étaient, mais amplifiés. Le gaspillage de vies humaines alla, cette fois, jusqu'à l'extermination des populations civiles. Les villes furent complètement détruites, l'agriculture anéantie sur d'énormes périmètres. Là encore, les industries de guerre se mirent à prospérer et devinrent les maîtres incontestés de chaque zone géographique. Mais les pires blessures furent infligées à la substance, à la personnalité même des gens. La propagande de chaque sphère, de chaque groupe, était malhonnête, cruelle, trompeuse — et inefficace — car, à la longue, les gens ne croyaient même plus la vérité lorsqu'ils la voyaient. Sous les Dictatures, mensonges et propagande étaient la base même du gouvernement. L'impérialisme se perpétuait dans les pays colonisés grâce au mensonge et à la propagande — beaucoup plus efficaces que la force physique — et la vengeance des peuples conquis prit, pour commencer, la forme — la plus influente — du mensonge et de la propagande. C'est ce que leurs conquérants leur avaient appris. Le monde entier fut impliqué dans ce conflit. La Première Guerre, ou Phase de la Guerre, n'avait, elle, touché qu'une partie du globe ; à la fin de la Deuxième Guerre mondiale, pas un coin de Shikasta n'avait été épargné par l'imposture, le mensonge et la propagande.

Cette guerre utilisa également des armes capables de réduire le globe à néant, cela, bien entendu, sous la bannière des mots démocratie, liberté, progrès économique.

La dégénérescence de créatures déjà dégénérées ne fit que s'accélérer.

A la fin de la Deuxième Guerre mondiale, l'une des Grandes Dictatures — celle qui avait subi la plus cuisante défaite pendant la Première Guerre — fut écrasée. La Dictature qui occupait une si grande partie des terres centrales avait vu son pouvoir diminuer à la limite de la disparition mais avait survécu et se relevait à présent, avec peine et lenteur. Une autre vaste région des terres centrales, à l'est de cette Dictature, mit un terme à un demi-siècle de conflits locaux, de guerres civiles et de souffrances, et à plus d'un siècle d'exploitation et d'invasions de la part des franges nord-ouest en se tournant vers la Dictature. Le continent nord indépendant, lui, s'était trouvé fortifié par la guerre et représentait désormais la première puissance mondiale. Les franges nord-ouest avaient, dans l'ensemble, beaucoup souffert. Contraintes de lâcher leurs colonies, appauvries, brutalisées — ce n'étaient plus elles, à présent, les vainqueurs —, elles ne comptaient plus parmi les puissances mondiales. En se retirant, elles laissaient la technologie, c'est-à-dire une idée de la société fondée sur le bien-être et la satisfaction physiques, l'accumulation des biens matériels, à des civilisations qui, avant leur rencontre avec ces déprédateurs des franges nord-ouest, étaient infiniment plus proches et plus en harmonie avec Canopus que ceux-ci l'avaient jamais été.

Cette période peut être désignée — elle l'*est* par certains de nos savants — sous le nom de *Siècle de l'Idéologie*. [Sur cette conception, voir vol. 3011, chapitre récapitulatif.]

Les groupements politiques étaient tous retranchés derrière des idéologies qu'ils défendaient âprement.

Les religions locales survécurent, infiniment divisées et subdivisées, chacune retranchée derrière son idéologie.

La science était la dernière idéologie en date. La guerre lui avait donné un essor extraordinaire. Sa démarche intellectuelle, au début souple et ouverte, s'était durcie, comme il est de règle sur Shikasta, et les savants, dans leur ensemble — nous excluons les individus, ici comme dans tous les autres domaines — étaient aussi imperméables à la réalité des choses que les théologiens. La science, avec ses principes fondamentaux et ses préjugés, enserra, de manière irrévocable, le globe entier dans son étreinte. De même que les individus partageant nos affinités et notre amour de la vérité — nos « citoyens » — avaient dû vivre sous l'oppression et la menace de religions prêtes à n'importe quelle brutalité

110

pour défendre leurs dogmes, de même, à présent, les individus ayant des penchants et des besoins différents de ceux tolérés par la science devaient vivre de manière prudente et discrète, soucieux de ne pas offusquer le fanatisme de la classe scientifique dirigeante, elle-même à la solde des gouvernements nationaux et, par conséquent, de la guerre — caste dominante invisible, à l'échelle du globe et au service des fauteurs de guerre. Les fabricants d'armes, les armées et les savants qui les soutenaient, tous étaient difficilement attaquables puisque, à l'image officielle donnée par les gouvernants de leur façon de gérer le globe, celle-ci, la vraie, manquait. Jamais on ne vit nulle part une caste gouvernante aussi autocratique, aussi envahissante et aussi redoutable et pourtant les citoyens de Shikasta en étaient à peine conscients, qui répétaient ses slogans du bout des lèvres en attendant de mourir immolés. Jusqu'à la fin, ils restèrent ignorants des agissements de « leurs » gouvernants. Chaque groupement national mettait au point des industries, des armes, des horreurs de toutes sortes à l'insu des populations. Si l'on découvrait, par hasard, ces arsenaux, les gouvernements niaient purement et simplement leur existence. [Voir *Histoire de Shikasta*, vol. 30013, 30014 et chapitre 9 de ce volume, intitulé « Utilisation de la lune comme base militaire ».] On effectuait des vols de reconnaissance spatiaux, on fabriquait des armes spatiales, on explorait les planètes, on les utilisait, on se livrait à une concurrence acharnée autour de la lune, tout ceci dans le dos des populations.

Le moment est venu de dire combien la masse de ces populations, c'est-à-dire l'individu moyen, était meilleure, plus saine d'esprit que ceux qui la gouvernaient. La plupart des citoyens eussent été effarés devant les agissements de « leurs » représentants. L'on peut affirmer sans se tromper que si ne fût-ce qu'une partie de ce qu'on leur cachait était venue à leur connaissance, on aurait assisté à des soulèvements de masse aux quatre coins du globe, au massacre des gouvernants, à des émeutes. Malheureusement, lorsque les peuples sont démunis, trahis, trompés, ils ne possèdent aucune arme si ce n'est celle (inefficace) de l'émeute, du pillage, des tueries et de l'invective.

Pendant les années qui suivirent la Deuxième Guerre mondiale, il y eut beaucoup de « petites » guerres, certaines aussi cruelles et étendues que les conflits récents qualifiés de majeurs. Les besoins des industries de guerre, tout autant que l'idéologie, dictaient la forme et l'intensité de ces combats. Durant cette période, on assista à l'extermination sauvage de peuples « primitifs » jusque-là autonomes, principalement dans le continent sud indépendant (connu également sous le nom de continent sud II).

Durant cette période, les soulèvements coloniaux servirent les fins de toutes les grandes puissances. Durant cette période, la guerre psychologique et le contrôle des populations civiles prirent une ampleur encore jamais imaginée.

Il nous faut, ici, tenter de souligner un autre trait pratiquement impossible à juger par ceux qui ont des choses la même vision que nous.

Lorsqu'une guerre ou une phase de la guerre, avec ses débordements de barbarie, de sauvagerie et d'avilissement, était terminée, presque tous les Shikastiens étaient capables d'opérer une espèce de rajustement intellectuel qui leur permettait d'« oublier ». Ceci ne signifie pas que les guerres ne fussent devenues des idoles, des objets de dévotion de toutes sortes. Les actes d'héroïsme, les évasions, les actions d'éclat de type local et limité étaient élevés au rang de préoccupations nationales, elles-mêmes, en fait, des formes de religion. Mais ceci, non seulement n'encourageait pas mais empêchait, en réalité, de comprendre comment le tissu même des cultures s'était trouvé lésé et détruit. Après chaque guerre — c'était visible — on descendait d'un échelon dans la barbarie mais, apparemment, les Shikastiens ne voyaient là aucun lien de cause à effet.

Après la Deuxième Guerre mondiale, la corruption et la dégradation de la vie publique dans les franges nord-ouest et sur le continent nord indépendant crevaient les yeux. Les deux guerres « mineures » entreprises par le continent nord indépendant réduisirent le pouvoir de ses agences gouvernementales, même de celles dont les activités, bien visibles, étaient ouvertes à l'inspection et au scandale publics. De grandes figures politiques furent assassinées. La corruption, le pillage, le vol étaient la norme, du haut en bas de la pyramide. On apprenait aux gens à vivre pour leur avancement personnel et l'acquisition de biens matériels. La consommation de nourriture, de boissons et de toutes les denrées imaginables était incorporée au tissu économique de chaque société. [Vol. 3009, *Les Sociétés d'abondance*.] Et, malgré tout, personne ne voyait, en ces répugnants symptômes de décadence, la conséquence directe des guerres qui dominaient l'existence de tous.

Pendant toute la durée du Siècle de la Destruction se produisirent des bouleversements soudains tels des traités entre des ennemis d'hier qui, à leur tour, dirigeaient leurs hostilités contre des alliés de fraîche date ; des traités secrets entre des nations en guerre les unes contre les autres, ennemis et alliés changeant constamment de camp, preuve que le moteur de leurs actions était l'attrait de la guerre en tant que telle. Pendant cette période, toutes les grandes villes de l'hémisphère nord vivaient dans un cercle de terreur, chacune voyant, braquées vers elle à partir de satellites artificiels postés dans l'espace, de sous-marins patrouillant constamment les mers ou encore de bases terrestres situées parfois de l'autre côté du globe, jusqu'à une trentaine d'armes offensives, toutes capables de la réduire en cendres, elle et ses habitants, en quelques secondes. Ces engins étaient contrôlés par des machines dont chacun savait qu'elles n'étaient pas infaillibles car personne n'ignorait que, plus d'une fois, la destruction de villes et de régions entières n'avait été évitée que « par miracle ». Mais on cachait aux populations la fréquence de ces « miracles », c'est-à-dire des collisions quasi fatales entre des engins spatiaux, des télescopages d'appareils sous-marins ou du lancement d'un engin terrestre arrêté juste à temps. Vue du dehors, cette planète paraissait peuplée d'une espèce complètement folle.

Dans de vastes zones de l'hémisphère nord, le niveau de vie était celui encore tout récemment réservé aux empereurs et à leur cour. Sur le continent nord indépendant, tout particulièrement, la richesse était scandaleuse, même aux yeux de ses propres citoyens. Les pauvres y vivaient comme les riches des époques passées. Le continent regorgeait de choses inutiles, de déchets et des dépouilles du reste du monde. Autour de chaque cité, de chaque ville — jusqu'au plus petit hameau du désert — s'élevaient des monceaux de marchandises et de nourriture jetés au rebut, qui, dans d'autres parties du globe, auraient sauvé de la mort des millions d'êtres humains. Les voyageurs s'émerveillaient, certes — mais de tout ce que l'on arrivait à enseigner au peuple à considérer comme son dû, son droit.

C'est cette culture qui donnait le ton et fixait les normes pour l'ensemble de la planète Shikasta. Car, en dépit de l'étiquette idéologique attachée à chaque nation, celles-ci considéraient toutes la technologie comme la clé du bonheur, le bonheur étant toujours l'accumulation des biens matériels, la richesse, le confort et le plaisir. Le véritable but de l'existence, depuis si longtemps dénaturé — préservé par nous avec tant de peine et maintenu à quel prix ! — avait été oublié et se trouvait ridiculisé par ceux qui en avaient entendu parler, car leurs religions gardaient encore quelques traces dénaturées de vérité. Et, pendant ce temps, la terre était livrée au pillage. On lui arrachait ses minerais, on gaspillait ses sources d'énergie, on appauvrissait les sols par une agriculture imprévoyante et irréfléchie, la faune et la flore étaient massacrées et saccagées, les mers remplies de déchets et de toxines, l'atmosphère corrompue et toujours, sans relâche, la machine de propagande martelait ses slogans : plus, encore plus, toujours plus, buvez plus, mangez plus, consommez plus, gaspillez plus. C'était devenu une frénésie, une obses-

113

sion chez ces êtres aliénés, et les faibles voix qui s'élevaient pour protester ne parvenaient pas à arrêter le processus mis en branle et conforté par l'avidité. Par le manque de Substance-absolue-de-Fraternité.

Mais les immenses richesses de l'hémisphère nord n'étaient pas également distribuées parmi sa propre population et les classes défavorisées se montraient de plus en plus rebelles. Le continent nord indépendant et les franges nord-ouest comprenaient un grand nombre d'individus à la peau sombre importés, à l'origine, comme main-d'œuvre bon marché destinée à faire les travaux méprisés par les blancs ; et bien qu'ils partageassent, dans une certaine mesure, l'abondance générale, il faut admettre que, si l'on considère Shikasta dans son ensemble, c'étaient les blancs qui prospéraient et les noirs qui végétaient.

Et cela, bien sûr, les noirs ne se privaient pas de le clamer, de plus en plus fort car ils haïssaient les exploiteurs blancs comme jamais, peut-être, conquérants n'avaient encore été haïs.

A l'intérieur de chaque territoire national, partout, du nord au sud et de l'est à l'ouest, le mécontentement croissait, créé non seulement par le fossé séparant les riches des pauvres mais parce que le mode de vie général, dont le seul critère était une consommation sans cesse accrue, ne faisait qu'affliger et déprimer la vraie personnalité de l'individu, sa personnalité cachée, celle qui était dépossédée, dédaignée, spoliée, trompée par toutes les agences environnantes et par toutes les autorités qu'on lui avait appris à respecter en vain.

De plus en plus, les deux grands continents méridionaux étaient déchirés par toutes sortes de guerres et de désordres — parfois des guerres civiles entre noirs, parfois des conflits entre les noirs et les vestiges de l'ancienne oppression blanche, ou bien entre des sectes, des juntes et des groupes de pression rivaux. Les dictateurs locaux abondaient. De vastes territoires étaient dépouillés de leurs forêts, des espèces animales détruites, des tribus entières massacrées ou dispersées...

La guerre. La guerre civile. Le meurtre. La torture. L'exploitation. L'oppression et l'extinction. Et, toujours, le mensonge, le mensonge, le mensonge. Toujours au nom du progrès et de l'égalité, du développement et de la démocratie.

La grande idéologie de Shikasta n'était plus, à présent, qu'une variation sur le thème du développement économique, de la justice, de l'égalité et de la démocratie.

Ce n'était pas la première fois, dans la lamentable histoire de ce terrible siècle, que cette idéologie particulière : justice économique, égalité, démocratie et le reste, prenait le pouvoir en un temps où l'économie d'une région était au plus bas. Les franges nord-ouest se virent alors dominées par des gouvernements « de gauche » qui les conduisirent tout droit au chaos et à la misère.

Les peuples autrefois exploités se réjouirent de la chute de leurs anciens persécuteurs et tortionnaires, de la race qui les avait réduits à l'état d'esclaves, de serfs, qui les avait volés et, par-dessus tout, méprisés pour la couleur de leur peau et avaient détruit leurs cultures indigènes qui commençaient enfin, à présent, à être comprises et appréciées... trop tard, hélas, car elles avaient été anéanties par la race blanche et ses diverses technologies.

Il n'y avait personne pour secourir les franges nord-ouest prises dans l'étau de Dictatures dogmatiques qui réapparaissaient avec une régularité accablante, toutes incapables de résoudre les problèmes dont elles avaient hérité, le principal et le pire étant que les empires coloniaux qui leur avaient apporté la richesse non seulement s'étaient effondrés, les laissant dans le vide, mais avaient laissé derrière eux des idées fausses et irréalistes sur leur nature et leur importance à l'échelle du globe. La vengeance jouait donc un rôle — non négligeable — dans ce qui arrivait.

Le chaos régnait. Le chaos économique, mental, spirituel — j'utilise ce mot dans son sens exact, son sens canopéen — triomphait tandis que la propagande hurlait ses slogans par haut-parleurs, radio et télévision interposés.

Le temps des épidémies et des maladies, le temps de la famine et des morts collectives était arrivé.

Sur le continent principal, deux grandes puissances s'opposaient en un combat mortel. La Dictature née à la fin de la Première Guerre mondiale dans les territoires du centre et celle qui s'était imposée dans les régions orientales entraînaient à présent, directement ou indirectement, dans leur querelle, l'ensemble de Shikasta. La plus jeune des deux Dictatures était la plus forte. L'ancienne était déjà sur le déclin, avec un empire en décomposition, des populations de plus en plus rebelles et menaçantes et une classe dominante de plus en plus éloignée du peuple (les processus de croissance et de décadence qui prenaient autrefois deux ou trois siècles, se déroulaient à présent sur quelques dizaines d'années). Cette Dictature fut incapable de s'opposer à l'avance de la Dictature orientale dont les populations crevaient les frontières. Leurs masses envahirent une grande partie de la vieille Dictature puis les franges nord-ouest au nom d'une idéologie supérieure qui, en fait, n'était qu'une variante de l'idéologie dominante de ces territoires. Les nouveaux maîtres étaient clairvoyants, adroits et intelligents. Ils entrevirent, pour eux-mêmes et leurs descendants, la domination ininterrompue de tout le continent principal de Shikasta.

Et pendant ce temps, la course aux armements ne cessait de s'accélérer.

La guerre commença par une erreur. Un mécanisme se détraqua et les grandes villes furent réduites à l'état de poussière délétère. Que ce genre de chose fût inévitable, les techniciens de tous les pays l'avaient amplement prévu... mais l'influence de Shammat fut la plus forte.

En peu de temps, presque toute la surface de l'hémisphère nord fut couverte de ruines, mais de ruines très différentes de celles de la Deuxième Guerre sur lesquelles on rebâtissait rapidement. Cette fois-ci, les ruines étaient inhabitables car la terre alentour était contaminée.

Des armes jusque-là gardées secrètes emplissaient maintenant les cieux et les survivants moribonds, chancelants, pleurant et vomissant parmi leurs ruines, levaient les yeux pour suivre les combats titanesques qui se livraient au-dessus d'eux. Dans un dernier souffle, ils murmuraient des mots comme « Dieux », « Démons », « Anges », « Enfer ».

Sous terre existaient des abris inaccessibles aux radiations, aux poisons, aux influences chimiques, aux vibrations sonores mortelles et aux rayons meurtriers. Ils avaient été construits pour les classes dirigeantes. Certains y survécurent.

Dans les régions écartées, les îles lointaines, les endroits protégés par le hasard, quelques rares individus survécurent.

Les populations de tous les continents méridionaux furent aussi frappées par la peste, les radiations, la contamination du sol et de l'eau, et leur nombre en fut considérablement réduit.

En moins de vingt ans, sur les milliards et les milliards d'habitants que comptait Shikasta, il ne resta pas plus d'un pour cent d'individus. La Substance-absolue-de-Fraternité, autrefois partagée entre des multitudes, suffisait désormais à les faire vivre et à les maintenir heureux, sains de corps et d'esprit.

Les habitants de Shikasta, revenus à eux-mêmes, regardaient autour d'eux avec stupéfaction, se demandant comment ils avaient pu perdre à ce point la raison.

Rapport des Émissaires TAUFIQ, NASAR *et* RAWSTI, MEMBRES *de la* COMMISSION SPÉCIALE D'ENQUÊTE *sur* L'ÉTAT *de* SHIKASTA, *dans* L'AVANT-DERNIER TEMPS.

RÉSUMÉ. (Première mission envoyée par Canopus sur la planète depuis la visite de Johor au Temps de la Catastrophe.)

1. Nous avons inspecté l'hémisphère nord et avons contacté les représentants de Sirius, ceux qui sont en poste ici ainsi que des chargés de mission. Nous avons également rencontré des agents de Shammat, à leur insu.

2. Nous confirmons les rapports, à la fois de nos agents en tournée d'inspection et de nos agents indigènes signalant une évolution imprévue. Dans tout l'hémisphère nord existe une race de « petits hommes » comme on les appelle partout. Les analyses de sang, de tissus et d'os suggèrent une origine sirienne et les représentants siriens eux-mêmes confirment qu'ils sont le résultat d'expériences siriennes remontant à l'époque de la visite de Johor au Temps du Désalignement. L'hémisphère nord est maintenant largement recouvert par les glaces. De ce fait, une nouvelle partie des eaux de Shikasta se trouve emprisonnée ; le niveau général des eaux a baissé et des terres sont apparues là où il n'y en avait pas auparavant, des isthmes se sont créés entre la terre et les îles, facilitant ainsi les déplacements de ces « petits hommes ». Sirius confirme leur présence dans de nombreux endroits du petit et des deux grands continents méridionaux.

Ces « petits hommes » ne mesurent pas plus d'un emban et les plus grands d'entre eux n'en font pas plus de deux. Ils sont de types variés et l'on trouve, parmi eux, aussi bien des individus trapus, lourds et d'un physique très puissant que des êtres fins, délicats, merveilleusement beaux, même selon les normes canopéennes. Le premier type vit, de préférence, sous terre dans des cavernes, des grottes et des endroits de toutes sortes, parfois si profonds que leurs habitants ne voient que rarement ou même jamais la surface de la terre. Ils excellent dans l'exploitation minière, la fonderie des métaux et l'arpentage. Ils produisent et utilisent le fer, le cuivre rouge, le bronze, l'or et l'argent. Les individus de type délicat, eux, vivent en contact étroit avec la végétation car ils comprennent l'usage des plantes ; certains autres vivent de l'eau et de ses propriétés, d'autres encore sont des créatures de feu. Ils fuient tous les Shikastiens de grande taille au point que, dans plusieurs endroits, ils font déjà l'objet de mythes et de légendes, mais ailleurs un lien durable s'est parfois créé qui va même jusqu'à l'échange d'informations et de denrées. Ces races ont, à notre avis,

117

un potentiel d'évolution minime ou nul. Elles diminuent en taille et en nombre, et la plupart des individus ont déjà émigré non vers la Zone Six, où ils ne se sentent pas chez eux, mais vers les Zones Un et Deux.

3. Par suite de la pression exercée par la présence, dans des régions aussi méridionales, de bancs de glace polaire, il s'est produit d'importants mouvements parmi les deux races qui nous intéressent. Les Géants, qui s'étaient, à l'origine, installés plutôt dans les montagnes et sur les plateaux du continent principal, se sont répandus vers l'est et ont émigré en masse vers le Continent nord indépendant, au moyen des ponts de glace nouvellement émergés. Ils y sont très prospères. Ils n'atteignent maintenant que les deux tiers de leur ancienne taille. Ils vivent environ deux mille ans. Leur espérance de vie et leur stature diminuent toutes les deux rapidement.

Les Indigènes, qui s'étaient établis plus au sud et plus au nord que les Géants, se sont rassemblés dans des régions désertées ou maigrement habitées par les Géants et ont aussi émigré un peu partout dans le sud ; ils sont même allés jusqu'à s'installer dans les zones septentrionales du continent sud I. Eux aussi diminuent de taille et ne sont plus que les deux tiers de ce qu'ils étaient au temps de Johor. Ils vivent environ huit cents ans. Comme pour les Géants, leur espérance de vie et leur stature décroissent rapidement.

4. On assiste maintenant à l'accouplement des deux races, ce qui donne une espèce de meilleure qualité, robuste, saine, mais surtout très adaptable, capable de supporter des climats extrêmes, de se nourrir de n'importe quoi et de s'adapter rapidement à des changements soudains et brutaux. Par exemple, ils vivent très bien tout au bord de la calotte glaciaire. Leur mentalité ne surpasse ni celle des Géants ni celle des Indigènes mais ils sont ingénieux et — encore une fois — très adaptables, dans les limites, bien sûr, imposées par l'ingestion réduite de SAF par la planète.

La nouvelle race hybride vit parmi les Indigènes ou près d'eux mais les Géants sont moins sociables. Il y a toujours, et de plus en plus, mésentente au niveau personnel et intergroupes ; toutefois, rien n'indique encore que ceci doive mener à la guerre, d'ailleurs la guerre n'apparaît, chez eux, ni inévitable ni désirable. Au contraire, les « Règles » de Johor ont gardé suffisamment de force pour que l'espèce tout entière se sente mal à l'aise lorsqu'il lui

arrive de céder à l'humeur belliqueuse — ne serait-ce que
brièvement — et les conflits sont toujours à l'échelon local et de
courte durée.

Ces trois espèces — car il faut considérer les Hybrides comme une
nouvelle espèce — élèvent et exploitent toutes sortes d'animaux
pour la nourriture, le transport et l'agriculture. L'usage des métaux
leur est inconnu bien que des rumeurs sur les talents des « petits
hommes » suggèrent toutes sortes de tentatives et d'expériences.
Nous avons conseillé aux individus de toutes les régions de
Shikasta de se mettre à la recherche des « petits hommes » et
d'apprendre, auprès d'eux, le maximum de choses, en particulier
sur les métaux.

5. Les « Lois de Canopus » décrites par Johor se sont, dans une
certaine mesure, imposées non seulement aux diverses structures
éthiques mais au niveau génétique également. Les transgressions
créent un malaise qu'il faut alors compenser de façon parfois
fâcheuse et improductive. Mais nous devons signaler que, comme
prévu, ces Lois perdent rapidement de leur efficacité ; l'une des
causes, et non la moindre, étant les efforts de Shammat dont les
agents travaillent avec zèle. Le malaise psychologique créé par les
« transgressions » pourvoit efficacement aux besoins de Shammat.
Les sacrifices humains, par exemple, ont été établis comme moyen
de « plaire aux Dieux ». Cette pratique gagne partout du terrain.
En tout lieu et de mille façons, Shammat encourage les Shikastiens
à tomber dans l'animalisme. Ceci ne différant en rien de ce que
nous savons déjà de Puttiora et de Shammat en d'autres endroits, il
est inutile d'entrer dans les détails.

NOS RECOMMANDATIONS

a. Une inoculation de gènes canopéens aux Hybrides. Ce sont eux
qui, à notre avis, ont le plus grand potentiel évolutif car ils
montrent une tendance aux mutations fréquentes et variées.

b. Des visites plus nombreuses de nos représentants. Nous savons
que l'on ne peut empêcher Shammat de dérober la SAF mais l'on
peut combattre ses efforts pour abâtardir la race.

TAUFIQ, ÉMISSAIRE 99, *communique* :

J'ai parcouru les régions désignées. Les glaces polaires reculent. Le niveau des océans est pratiquement redevenu ce qu'il était.

Les populations vivent surtout à proximité des grandes mers intérieures, à cause des avantages climatiques, et sur les îles de l'océan qui sépare le continent nord indépendant du continent principal. (Ces îles sont instables.) C'est-à-dire entre 20 et 40 degrés nord, selon leurs estimations. La race des Hybrides, issue du croisement Géants-Indigènes, s'avère, comme prévu, la plus endurante. Les Géants et les Indigènes de race pure constituent maintenant des minorités et ont tendance à vivre repliés sur eux-mêmes. Les Hybrides les considèrent les uns et les autres comme des « Géants ». Ils se reproduisent et, à chaque génération, apparaissent des individus de plus en plus trapus, de plus en plus petits, mais très sains et très robustes. Ils sont d'une intelligence inférieure, même dans les limites imposées par les ravages shammatiens : ils sont belliqueux et cupides.

Une minorité d'individus accumule des richesses et même des terres au détriment de la majorité qui occupe souvent une position d'esclaves et de serviteurs. Certains d'entre eux, suivant le recul des glaces, s'enfuient à présent vers le nord et s'installent dans des conditions climatiques rigoureuses. Ils effectuent souvent des raids vers le sud pour voler et piller les récoltes et le bétail. L'on se bat et l'on saccage désormais partout, sans relâche.

Il reste bien peu de chose des instructions laissées par l'émissaire Johor et les visiteurs qui suivirent.

Un système de tabous entoure les choses, les objets fabriqués et les animaux. La plupart des sacrifices d'animaux et d'humains sont effectués par des « prêtres », gardiens autodésignés du « Divin ».

MES RECOMMANDATIONS

a. Je confirme les recommandations de la Commission qui conseille un stimulant génétique. Certains affirment qu'il y a déjà trop d'espèces sur Shikasta. A ceci, je réponds que le produit du Croisement Géants-Indigènes ne tardera pas à dominer. Il faut en réduire la violence et la rapacité particulières. Sinon, il ne restera plus une seule espèce ! Un exemple : la race des « petits hommes » est en voie d'extinction, sauf dans certaines régions, situées surtout au nord où la sévérité du climat les maintient en vie. Ils ont été pourchassés *pour le plaisir*. Je n'ai pas besoin d'en dire plus pour étayer ma conviction que les influences de Shammat sont pratiquement insurmontables.

b. Nos serviteurs ont reçu la consigne de passer aussi inaperçus que possible. Leur fonction consiste surtout à contrôler et observer. Je pense que nous devrions adopter une nouvelle politique d'intervention vigoureuse. Il nous faudra travailler dans le cadre des dispositions et structures mentales existantes. Ceci suppose l'exploitation des « religions » actuelles et peut-être même l'introduction de nouvelles.

TAUFIQ, ÉMISSAIRE 102, *communique* :

Notre plan devra être reporté. L'instabilité de cette planète a de nouveau été confirmée. Shikasta a pivoté légèrement sur son axe puis est revenue à sa position normale. J'ai demandé aux experts compétents d'en établir la cause. Il y a eu des inondations, des orages et des tremblements de terre. Certaines îles se sont trouvées submergées. Il va se produire des changements dans le climat. Shikasta s'est légèrement éloignée de son soleil. L'effet sur sa lune n'en est pas encore évident. Il y a eu de lourdes pertes de vies humaines, davantage dans l'hémisphère nord que dans l'hémisphère sud. Plusieurs cultures pleines d'avenir et soigneusement contrôlées par nous-mêmes ont été anéanties : l'Adalanterland entre autres. L'agent Nasar, maintenant définitivement établi sur Shikasta, enverra un rapport personnel. Ces événements, cependant, ne changent pas la situation et après un laps de temps permettant aux effets de ces bouleversements de s'estomper, les recommandations de mon rapport devront être suivies.

TAUFIQ, ÉMISSAIRE 105, *communique :*

J'ai choisi cinq mâles du Secteur Oriental de Canopus, cinq de la Planète 19 et cinq de la Planète 27.

Il y a peu de traces, pour l'instant, des récentes catastrophes, mais le niveau de la population demeure faible.

Les mâles furent divisés en cinq groupes et répartis comme suit : Immédiatement au nord des Grandes Montagnes. Immédiatement au sud des mêmes. A l'extrême nord du continent sud I. Deux groupes au sud des Grandes Mers. (J'en accompagnai un.) Ils durent tous s'acclimater pendant quelques jours avant de permettre qu'on les remarquât.

Le groupe de trois avec lequel je me trouvais était sur une montagne, non loin d'un endroit plane où se posa notre appareil. Cet endroit a des connotations sacrées dans la région.

Notre problème était le suivant : seules les femelles choisies devaient procréer.

J'abordai des descendants de la vieille souche davidique qui, du fait de leur supériorité naturelle, détiennent des positions importantes dans la société. Je dis à chacun « en secret » que des « êtres sacrés » étaient descendus des « hautes sphères », attirés par leur beauté. Les femelles choisies furent alors amenées aux mâles et l'accouplement eut lieu. Elles étaient environ cinquante et chacune croyait, au début, qu'elle était unique.

Notre plan prévoyait que chacun des mâles en parlât aux autres « en confidence », ceci dans le but d'assurer la propagation des rumeurs concernant les Dieux et autres sujets du même genre. Mais nous ne voulions pas que l'accouplement devînt général.

Bientôt, le nid d'aigle dans la montagne où nos volontaires s'étaient installés était assiégé par des femelles consentantes et des mâles soupçonneux. Nous nous dirigeâmes alors tous les quatre aussi discrètement que possible vers le véhicule spatial, mais deux des femmes nous suivirent et l'accouplement eut lieu bien que je leur en fisse remontrance en leur disant qu'elles n'avaient pas été sélectionnées. Attention : Planète 27 impropre à ce genre de travail. Planète 19 moins enthousiaste.

Nous fîmes en sorte que le décollage de notre véhicule eût lieu sous les yeux des deux femelles qui, à leur retour, parleraient aux autres de chariots célestes.

TAUFIQ, ÉMISSAIRE 111, *communique* :

Je me préparais à exécuter notre premier plan, selon lequel je devais descendre à travers la Zone Six. Il avait été décidé que je m'incarnerais et deviendrais visible sous la forme d'un mentor. Des rapports de nos agents nous signalant des conditions imprévues sur Shikasta condamnèrent ce projet.

Je m'approchai donc de nouveau en vaisseau spatial. Les rapports de nos agents se confirmèrent bientôt. Les calottes polaires fondaient à un rythme tout à fait inattendu. Ceci était d'autant plus imprévu qu'à une certaine époque elles avaient, en fait, gagné un peu de terrain, envahissant une partie du territoire qu'elles avaient jadis quitté. Ce brusque renversement a, de nouveau, noyé toutes les lignes de côtes. Il a rempli le ciel de Shikasta d'une couche de nuages qui ne se lève jamais. L'obscurité ainsi produite a créé un changement dans le tempérament des Shikastiens. Ils sont moins éveillés qu'avant, maussades, soupçonneux et plus lents à réagir.

Je parcourus les régions indiquées. L'inspection fut menée aussi vite que possible car j'étais pénétré d'un sentiment d'urgence.

Voici ce que je constatai. Les produits de la stimulation génétique, c'est-à-dire les habitants des Planètes 19 et 27 et de l'est de Canopus sont tout à fait satisfaisants. Le déclin général s'est arrêté. Ils forment une race visiblement supérieure. Les autres, par contre, sombrent rapidement dans un état lamentable. Notre décision de stimuler ces produits de notre expérience génétique devait, de toute évidence, être reportée, mais je propose que, lorsque Shikasta se sera remise de ce nouveau handicap, nous l'exécutions.

Il était clair qu'un déluge céleste était imminent : la masse nuageuse était de jour en jour plus lourde et plus dense.

Je pris à part le chef de la nouvelle lignée (la souche davidique améliorée), et lui dis de se tenir prêt, lui et sa famille, à émigrer vers des régions plus élevées et à y emmener des animaux pour y constituer un élevage. Il comprit que je venais d'« ailleurs », comme il disait. La légende suggérant l'existence de « Dieux » est bien implantée. Une preuve de l'intelligence de la nouvelle souche est sa réaction à ce genre d'information. Je dis à l'homme de prévenir tous les habitants de cette région. Ceux qui accepteraient d'écouter devraient être incités à effectuer des préparatifs de survie. Mais rares furent ceux qui pouvaient l'entendre : leurs structures génétiques les en empêchaient. Cette nouvelle situation d'urgence nous fournit, en fait, un moyen imprévu mais efficace de séparer les êtres supérieurs des autres. J'aimerais, éventuellement, en discuter avec nos agents envoyés dans d'autres régions menacées de Shikasta. Je suggère que les résultats de ces discussions, qui fourniront de précieuses indications concernant la mentalité de la nouvelle race de Shikastiens, fassent l'objet d'un rapport supplémentaire.

Bien avant le début de l'inondation, la tribu davidique se trouvait déjà à l'abri sur une montagne. Le déluge se déclencha partout à la fois sur Shikasta, comme j'ai cru le comprendre d'après certaines discussions informelles entre nos envoyés. Dans la région concernée par ce rapport, la pluie tomba continuellement pendant près de deux mois. A l'exception des sommets, tout fut inondé. Le début du déluge fut si brusque qu'aucun animal, supérieur ou inférieur, n'eut le temps de fuir vers les hautes terres. Rien ne survécut. Bien sûr, les eaux, en s'écoulant vers les océans, en firent monter le niveau. Toutes les grandes mers intérieures ont débordé et elles garderont désormais leurs vastes dimensions.

L'état d'esprit des individus rescapés était pitoyable. Il fallut conclure un « pacte » avec eux, leur promettre que ce châtiment céleste ne se reproduirait plus jamais. De leur côté, ils devaient comprendre que le déluge les punissait de s'être abandonnés à la méchanceté et aux pratiques mauvaises. Ils devraient toujours être prêts à écouter les instructions qui leur viendraient de nous, leurs amis. Ces instructions leur parviendraient chaque fois que cela serait nécessaire.

Lorsque la terre sécha, ils reçurent l'ordre de rentrer sur leurs anciens territoires. Ils devraient désormais vivre dans la sobriété et la modération, sans s'opprimer les uns les autres et en gardiens de leurs troupeaux qu'ils ne devraient ni maltraiter ni opprimer. Ils pourraient offrir aux Dieux des sacrifices d'animaux — jamais de sacrifices humains — et ceci sans cruauté envers les animaux eux-mêmes. (Il était malheureusement nécessaire de leur donner cette permission : la diabolique influence de Shammat est trop forte.) Je leur laissai divers objets façonnés, comme j'en avais reçu l'ordre. Je leur dis que ces objets servaient à renforcer le lien entre eux et « ailleurs ».

Je termine ce rapport par une requête personnelle. Si cela ne semble pas trop déraisonnable, j'aimerais ne plus jamais être envoyé sur Shikasta.

TAUFIQ, ÉMISSAIRE 159, *communique* :

Depuis ma dernière visite, vingt et une cités se sont édifiées dans les anciennes zones inondées. Cinq d'entre elles sont importantes et comptent une population d'un quart de million d'habitants ou plus. Un commerce prospère existe entre les villes, jusqu'aux zones orientales du continent principal, et ses franges nord-ouest, les régions septentrionales du Continent Sud I et le continent nord indépendant.

Le niveau de vie est très élevé et dispendieux, les idéaux oubliés, excepté chez quelques rares individus.

Un brassage racial a eu lieu avec les produits des expériences des deux continents méridionaux. Les mérites, démérites et caractères généraux de ces Hybrides sont analysés dans le Rapport ci-joint, rédigé par la Mission des Experts Démographiques, c'est-à-dire par les Émissaires 153, 154 et 155.

Des facteurs adverses, le pire réside dans les accouplements qui se produisent avec l'espèce shammatienne — politique délibérée de la part de Shammat pour contrecarrer les progrès réalisés par nous grâce aux stimulations génétiques effectuées avant l'inondation.

Non seulement Shammat s'évertue constamment à persuader Shikasta de suivre les voies shammatiennes, mais elle déclare maintenant à ces malheureux que Shikasta est dépouillée de son héritage naturel par « les Dieux » qui l'exploitent et que, si certaines pratiques sont mises en honneur, alors les Shikastiens deviendront « comme des Dieux ».

Ceci fait l'objet d'une croyance populaire. L'on fomente partout des révoltes contre nous. Celles-ci prendront la forme de tentatives collectives de la part des Shikastiens pour se « transcender » au moyen de pratiques suggérées par les espions de Shammat. On se rassemble pour se livrer à des « pratiques élevées » dont les vibrations sont canalisées vers Shammat. On organise des massacres collectifs et rituels d'animaux. On pratique également plusieurs versions fallacieuses de l'Art des Pierres, suggérées par Shammat.

J'appuie la recommandation faite par 153, 154 et 155 de détruire leurs centres linguistiques.

Les représentants de chaque région de Shikasta connue de ses habitants ont l'intention de se rassembler dans la Zone des Villes pour conférer sur les moyens de « devenir des Dieux ». Shammat présidera à leur insu.

TAUFIQ, ÉMISSAIRE 160, *communique* :

L'urgence de la situation a de nouveau nécessité l'usage de vaisseaux spatiaux. Nous assistâmes tous les six à la conférence, nous prétendant délégués des confins des franges nord-ouest. Les individus présents étaient de types si variés que cela ne présenta aucune difficulté. Les techniques recommandées opérèrent efficacement. En conséquence, leurs systèmes de communication se sont détraqués et huit langues principales existent à présent sur Shikasta. Celles-ci deviendront des centaines, des dizaines de milliers de langues et de dialectes du fait de l'inéluctable loi shikastienne de division et de subdivision.

Je réitère ma demande de transfert de Shikasta vers toute autre branche du Service Colonial.

TAUFIQ, ÉMISSAIRE 192, *communique* :

A la suite des rapports envoyés par nos agents locaux suivant lesquels la Zone des Villes est, pour le moment, impropre à la réalisation de nos projets, des investigations ont été faites dans les franges nord-ouest et dans les franges extrême-orientales. Les franges nord-ouest sont faiblement peuplées par suite de la rigueur du climat et de l'appauvrissement de l'environnement postérieur à la période glaciaire. Nous avons installé quelques agents locaux ayant pour fonction de créer et d'entretenir des Alignements de Pierres en nombre suffisant pour stabiliser nos courants. Même chose dans la partie extrême-orientale. Mais, là, les conditions climatiques sont bonnes, le sol riche et la population en augmentation constante. Nous y avons édifié quelques petites villes sur le modèle canopéen, choisi des habitants de type approprié pour y vivre et placé des Alignements de Pierres et d'arbres dans les zones adéquates.

J'ai visité moi-même la Zone des Villes et confirme que l'influence de

Shammat y est si forte qu'on ne peut rien en attendre. J'ai inspecté trois de ces villes en profondeur et n'y ai trouvé qu'une centaine d'individus capables d'une quelconque réaction aux vibrations canopéennes.

Notre émissaire signale — comme certains ambassadeurs précédents — que les races qui reçoivent des stimulations génétiques, tout en voyant croître leur efficacité et leur capacité de contacts avec Canopus, sont en même temps plus faciles à corrompre que la moyenne.

Cependant, puisque les contacts établis par nous dans la région des franges nord-ouest et des franges extrême-orientales se rompront dans neuf cent cinquante (de leurs) années à partir d'aujourd'hui, il est recommandé de tenter un autre renforcement génétique sur les candidats appropriés de la Zone des Villes dans quatre cents ans environ. Une nouvelle lignée de qualité aura ainsi le temps de se développer mais non d'être corrompue par Shammat. Ceci, évidemment, selon nos prévisions optimistes habituelles. J'attire l'attention des eugénistes sur cette remarque.

TAUFIQ et JOHOR, ÉMISSAIRES 276 et 277, *communiquent :*
(Mission commune.)

TAUFIQ :

J'ai visité les franges nord-ouest. Nos agents, après avoir érigé les Pierres et en avoir enseigné l'Art aux autochtones, sont tous partis, la plupart vers la planète 35, comme ils avaient mission de le faire. Quelques-uns se sont rendus dans la zone des Villes pour apprendre à des candidats adéquats à maintenir le contact.

Les franges nord-ouest sont maigrement peuplées d'individus de souche indigène. Ceux-ci pratiquent l'agriculture et l'élevage mais à un niveau rudimentaire. Notre personnel a rejeté l'idée d'un enseignement poussé car ceci a trop souvent conduit, dans le passé, à des résultats opposés aux intentions de départ : accumulation excessive de richesses, par exemple, et oppression du prochain. (Voir, plus loin, les remarques concernant les franges extrême-orientales.) L'unité de base est la tribu. Le paysage est encore pauvre et peu accueillant. Les habitants sont très vigoureux. Quelques accouplements — non programmés — ont eu lieu entre notre personnel et eux. Leurs femmes, du genre robuste, sont plaisantes à regarder. Leur progéniture est capable d'améliorer la race de façon imprévisible. Les autochtones sont petits, noirs de cheveux et nerveux. Les gènes importés ont tendance à produire des types grands, à la peau très claire, aux yeux bleus ou gris (Planète 14).

J'ai visité les territoires extrême-orientaux. Les villages accumulateurs ont été abandonnés sur notre ordre. Ils seront bientôt en ruines. Quelques individus avaient pris l'habitude de visiter ces endroits en secret dans « un but sacré » — l'histoire se répète. Ils ont été mis en garde. Notre émissaire permanent a essayé les menaces et les promesses. Ces pratiques avaient déjà entraîné une détérioration des mentalités. Ces remarques concernent les zones immédiatement adjacentes aux villages accumulateurs.

Autrement, nous avons ici une grande civilisation déjà parvenue au niveau G. Elle ne cesse de croître et d'annexer des territoires, y compris les îles des franges sud-ouest. L'agriculture y est stable et prospère. Les villes y sont beaucoup plus que des centres commerciaux. Il existe une vaste classe dominante, autrefois active et consciente de ses devoirs, maintenant éprise de luxe et décadente. Cette civilisation tout entière sera bientôt étouffée par une culture vigoureuse, plus primitive, originaire du nord, du nord-ouest et des régions désertes où il n'existe aucune trace de nos anciennes Villes Mathématiques ni des cités plus récentes qui prospéraient avant la période glaciaire. La culture décadente en sera donc revitalisée. Quelques individus sélectionnés ont appris l'art du contact. Ce sont tous des fermiers et des marchands ; personne, dans la classe dirigeante dégénérée, n'avait les qualités requises. Des mesures ont été prises pour s'assurer que les individus initiés seront absents lorsque l'invasion aura lieu et reviendront ensuite reprendre les positions qui leur ont été assignées.

Un tremblement de terre vient de dévaster l'île principale des franges orientales. Il ne subsiste rien des villes. Mais il reste encore assez d'agriculture pour recréer un embryon de civilisation.

J'ai rencontré les représentants de Sirius. Ils m'ont annoncé le succès de leurs expériences. Le continent sud I leur a été particulièrement utile. Les animaux qui y avaient été introduits au cours de la dernière expérience ont évolué rapidement et de façon satisfaisante ; ils ont été ramenés, tous en même temps, sur la Planète 3, par train spatial.

Ils indiquent que quelques accouplements non programmés ont eu lieu entre leurs représentants et ces animaux.

Votre émissaire peut-il se permettre de saisir cette occasion pour suggérer aux eugénistes canopéens, lorsque ceux-ci feront leurs prévisions concernant Shikasta, de tenir compte des tendances sexuelles des

Shikastiens ? J'ai toujours pensé — et l'ai dit plus d'une fois — que, lorsque l'on mettait l'accent sur la sexualité afin d'assurer la survie de l'espèce, on le faisait peut-être de façon excessive. Votre émissaire en a discuté avec les représentants siriens. Ayant longtemps vécu sur Shikasta, ceux-ci sont de mon avis. Ils ont soulevé le même problème auprès de leurs eugénistes. Je voudrais faire remarquer qu'il existe peu d'exemples, dans l'histoire canopéenne ou sirienne, d'individus ou de races introduits, parfois pour de très courtes périodes, sans que des accouplements non programmés eussent lieu.

Votre émissaire peut-il se permettre de saisir cette occasion pour suggérer à une délégation d'eugénistes de se rendre sur Shikasta afin d'y observer eux-mêmes les conditions ambiantes ?

JOHOR :

Trente mille ans se sont écoulés depuis mon passage à Shikasta. 31 505 pour être exact.

Comme il fait sombre ici ! Comme il est pénible de se mouvoir, on se sent attiré vers la terre, écrasé, accablé.

L'air que l'on respire est si rare et insuffisant, et si maigres les réserves de SAF.

En retrouvant Shikasta — et mes souvenirs — j'ai l'impression que tout a rapetissé. Ces gens sont-ils réellement les descendants des grands Géants à l'allure royale, des Indigènes magnifiques ? C'est ainsi qu'ils m'apparaissent à présent, au cœur de cette époque mesquine, parmi ces êtres amoindris qui vivent huit cents ans quand jadis leur espérance de vie faisait plusieurs fois cela. Leur existence : une fuite éperdue, quelques pauvres halètements dans lesquels ils essaient frénétiquement de faire tenir toute une vie... A peine né vient l'âge adulte, la vieillesse puis la mort.

Ici, les gens, qui ont tant de mal à se maintenir en vie, acquièrent tous un air de souffrance résignée qui se mue facilement en horreur à l'instant où les contrastes deviennent trop évidents. Et ce n'est qu'avec le plus grand effort que nous nous retenons de saisir chaque sensation qui nous semble promettre ou avoir un sens, ou même une utilité, comme ces créatures qui, à défaut de substance, courent après des ombres, après tout ce qui semble leur rappeler — car le souvenir est toujours là, quelque part, au plus profond d'eux-mêmes — la vérité canopéenne. Ils fixent le soleil comme s'ils voulaient l'attirer à eux, ils se promènent sous une lune beaucoup plus lointaine que je ne me la rappelle, et, pleins de désir et de nostalgie, lèvent les bras vers le soleil et veulent se baigner dans les rayons de lune ou les boire. Un trait de lumière sur un arbre ou sur l'eau, la fugace et pathétique beauté de leurs petits, tout cela les torture, de façon inconsciente ou semi-consciente, et ils composent des légendes et des chants, toujours poursuivis par la soif d'autre chose, une soif qu'aucun d'eux ne saurait définir. Pourtant, leurs petites vies en sont prisonnières, ils sont les sujets d'un roi, d'un royaume invisible, en même temps qu'ils rendent hommage à Shammat qui étanche leur soif d'illusions.

Je suis allé dans la Zone des Villes où j'ai passé, autrefois, la plus grande partie de mon temps. Là où se trouvaient la Ville Ronde, la Ville Carrée, la Ville en Croissant et toutes les autres merveilles, des villes sont nées puis sont mortes, puis sont nées de nouveau maintes et maintes fois... L'eau de la fonte des glaces, les trains de glace eux-mêmes, ont tout submergé, broyé, anéanti. Et pourtant le pays est vert et fertile de nouveau, excepté là où les déserts croissent, avancent et recouvrent tout alentour. Il y a des forêts et des plaines verdoyantes, des troupeaux d'animaux... Je me rappelle les superbes bêtes de Rohanda, les merveilleux ancêtres de ces petits animaux d'aujourd'hui, de ces lions miniatures, de ces daims minuscules, de ces éléphants modèles réduits qui semblent immenses à ce peuple rabougri ; pourtant, aux yeux de ceux qui ont connu les grandes et sages bêtes de jadis, ils sont charmants, sans plus, de vrais jouets d'enfants. Les enfants d'aujourd'hui sont pathétiques. Autrefois, la progéniture des Géants, comme celle des Indigènes, naissait après mûre réflexion ; chaque enfant était *choisi* et naissait de parents jugés supérieurs... chacun avait devant lui une longue, longue vie, avec le temps de grandir, le temps de jouer, le temps de penser, le temps d'approfondir sa vraie personnalité et de devenir réellement lui-même. Maintenant, ces délicieux petits naissent par hasard, de n'importe quels accouplements, n'importe quels parents, bien ou mal traités selon la chance ; ils meurent aussi facilement qu'ils naissent et, de toute façon, si tôt après leur naissance ! Et pourtant chaque enfant, absolument chacun, a absolument toutes les possibilités, oui, encore maintenant, de passer d'un bond de sa misérable condition de sous-homme à celle d'homme véritable. Chacun d'eux a cette possibilité et si peu sont capables de faire ce bond !

Je n'aime pas m'occuper de ces nourrissons, de ces enfants : c'est trop triste.

130

Et leurs femmes, qui donnent naissance à tant de possibilités et qui en sont à peine conscientes — quand elles le sont !

Avant que nous en ayons terminé avec la longue et triste histoire de Shikasta, combien de choses, plus effrayantes encore, doivent arriver !

Viendra un temps où ces petites vies formeront de glorieux souvenirs, un temps où une existence de deux cents ans apparaîtra comme une chose merveilleuse.

Je vous trouve généreux de permettre à vos émissaires d'exprimer des sentiments subjectifs. Je sens sourdre en moi une douleur que vous serez encore plus généreux de ne pas prendre comme une *plainte*. Les enfants de la fatalité n'ont pas droit aux plaintes, tant que les grands corps célestes se meuvent dans leur orbite...

Moi, Johor, de ce lieu de ténèbres, de Shikasta la maudite, j'élève la voix, non pour me plaindre mais pour pleurer, comme ces pauvres créatures pleurent leurs morts dont la vie fut si brève qu'un mouton ou un daim de jadis auraient vécu plus pleinement, plus longtemps et respiré plus librement qu'eux.

Aujourd'hui, je me suis promené dans les rues de la ville qui se trouve à l'endroit où se dressait autrefois la Ville Ronde. C'est une agglomération de rues, de bâtiments, de marchés construits n'importe comment, n'importe où, sans aucun talent, aucune symétrie ni technique, sans la moindre idée de la façon de construire des cités. Tout en marchant, je dévisageais les marchands, les tenanciers de bordels, les agents de change, et voyais comment ces victimes se traitent les unes les autres ; on dirait qu'elles ressentent leur destin comme un droit à tricher, à mentir, à tuer, à considérer chaque passant comme une possibilité de profit, à vivre comme si chacun se trouvait isolé en territoire ennemi sans espoir de salut.

Cependant, quelques-uns sont différents, ils savent qu'un jour ou l'autre, d'une manière ou d'une autre, viendra le salut.

Je me suis assis exactement là où je m'étais assis autrefois avec Jarsum et les autres, le jour où ils avaient entendu leur condamnation et celle de Rohanda. Là où se dressait le bâtiment, entouré des alignements et des pierres aux tons chauds de la cité, s'étire maintenant une rue étroite, bordée de taudis de boue séchée, et chaque visage que je rencontrai était déformé, intérieurement et extérieurement.

Pas une paire d'yeux ici qui vous regardât avec franchise, sans crainte ni soupçon, en signe de reconnaissance.

C'est une ville terrible. Et nos émissaires disent qu'elles sont toutes les

131

mêmes, ces grandes cités, occupées à faire la guerre, à mentir, à conclure des traités qui se défont dans la traîtrise, à dérober les biens du prochain, à se voler mutuellement leurs troupeaux, à capturer leurs voisins pour en faire des esclaves.

Il y a les riches — mais ils sont peu nombreux — et les innombrables esclaves et serviteurs qu'ils possèdent et utilisent.

Les femmes sont esclaves de leur beauté et préfèrent à leurs enfants l'admiration des hommes.

Les hommes traitent les femmes selon leur degré de beauté et les enfants selon la façon dont ceux-ci se feront une place, un nom et une fortune dans la société.

Leur sexualité est dévoyée et dégénérée : leur désespoir devant le pauvre rêve de leur existence, de la naissance à la mort, à la fois affame et attise leur désir.

Que faire d'eux ?

Que faire ?

Ce qu'il a fallu faire déjà si souvent avec les enfants de Shammat, Shammat l'avilie, Shammat l'avilissante.

Mon ami Taufiq est parti pour les franges nord-ouest en disant qu'il ne voulait pas revoir ici ce qu'il a déjà vu.

Votre agent permanent Ussel et moi-même, après avoir quitté les villes, nous sommes mêlés aux bergers des plaines, allant de troupeau en troupeau, de tribu en tribu. Ce sont des gens simples, qui ont la franchise des êtres proches des exigences de la nature. Je rencontrai des descendants de la souche davidique, empreints d'honnêteté, d'hospitalité et, par-dessus tout, d'une soif d'autre chose.

Ayant fait la connaissance d'une tribu qui présentait tous ces traits de caractère, nous demeurâmes quelque temps avec elle comme simples voyageurs puis, quand ils eurent accepté leur propre sympathie à notre égard qui se manifesta sous forme de confiance et du désir de nous voir rester plus longtemps avec eux, nous leur révélâmes que nous venions d'« ailleurs » et que nous étions en mission. Ils nous appelèrent alors Seigneurs, Dieux, Maîtres. Ces termes demeurent dans leurs chansons et leurs légendes.

Nous leur déclarâmes que s'ils acceptaient d'observer certaines pratiques qui devaient être très strictement suivies et modifiées selon la nécessité, et de garder dans la tribu et parmi leurs descendants la conviction que ces pratiques étaient exigées par les Seigneurs, les Dieux, alors ils échapperaient à la dégénérescence des cités (qu'ils haïssent et qu'ils craignent) et ils auraient des enfants sains et robustes qui ne deviendraient ni voleurs, ni menteurs, ni criminels. Cette force et cette santé, qui forment le lien avec les sources de la connaissance détenue par les Dieux, resteraient parmi eux tant qu'ils seraient prêts à agir selon nos désirs.

Nous renouvelâmes nos conseils sur la manière de mener une vie sage et paisible sur Shikasta : modération, rejet de luxe, simplicité des mœurs, amour du prochain, qu'ils ne devraient jamais exploiter ni opprimer, amour des animaux et de la terre, et par-dessus tout, un soin tranquille de la chose, à nos yeux, la plus précieuse : l'obéissance ; ainsi qu'un empressement de tous les instants à se conformer à nos désirs.

Nous déclarâmes au membre le plus respecté de la tribu, un mâle déjà âgé, selon leurs critères, que dans ses veines coulait « le sang des Dieux » et que ses descendants resteraient proches des Dieux s'ils suivaient toujours le droit chemin.

Nous décidâmes qu'il aurait deux fils, tous deux irradiés par les vibrations canopéennes.

Nous retournâmes dans les villes pour voir si nous en trouverions une suffisamment peuplée pour pouvoir être rachetée. Aucune ne put être sauvée. Dans chacune, nous trouvâmes quelques individus capables de nous entendre et à ceux-ci nous ordonnâmes de partir immédiatement avec tous ceux qui accepteraient de les écouter.

Nous repartîmes voir notre vieillard au milieu de ses troupeaux ; ses fils, à présent, étaient nés et nous lui déclarâmes qu'à l'exception de sa famille, de sa tribu et de certains autres, personne ne survivrait car les villes seraient détruites en punition de leur méchanceté. Elles étaient devenues les victimes des ennemis du Seigneur qui, depuis toujours, œuvraient contre Lui pour capter le cœur et l'âme de nos créatures.

Il nous implora.

D'autres, parmi les quelques bonnes âmes que nous avions trouvées dans les villes, nous implorèrent également.

Je ne désire pas en écrire davantage sur ce sujet.

Après nous être assurés de la sécurité de ceux qui pouvaient être sauvés, nous envoyâmes des signaux à la flotte spatiale et les villes, en un instant, furent toutes ensemble rayées de la mémoire des hommes.

Des déserts s'étendent là où se dressaient autrefois des cités florissantes.

Les terres riches, fertiles et grouillantes de vie, avec leurs cités populeuses et corrompues, ne sont plus, à présent, qu'un désert où miroite et grésille la chaleur. Il n'y a plus ni arbres, ni herbe, ni verdure d'aucune sorte.

De nouveau, j'ai vu s'enfuir d'immenses troupeaux d'animaux, galopant, la tête rejetée en arrière, en poussant de grands cris – loin des habitations des hommes.

Histoire de Shikasta, **vol. 997**, *Période des Conseilleurs Publics.* **Extraits du chapitre récapitulatif.**

Si nous pouvons dater la fin de cette période avec précision, à une année près, il n'est pas si facile toutefois d'en situer le début. Par exemple, classerons-nous Taufiq et Johor parmi les conseilleurs *publics* ? Au cours de chacune de leurs visites, ils ont conseillé — peut-être réveillé convient-il mieux ici — tous les individus capables d'écouter ce qu'on leur disait. Les visites de toutes sortes ont continué sans répit, dès le recul des glaces, et si la plupart étaient « secrètes », c'est-à-dire que les individus contactés ignoraient que la personne qui se trouvait parmi eux venait d'un autre système planétaire, il y avait toujours, quelque part sur Shikasta, un émissaire ou un agent de quelque classe ou calibre occupé ouvertement à expliquer, exhorter, réveiller les souvenirs. L'on peut donc dire que Shikasta a toujours eu des conseilleurs publics, sauf vers la fin, pendant un très court intervalle de mille cinq cents (de leurs) années.

Mais ce volume couvre la période qui commence approximativement mille ans avant la première destruction — c'est-à-dire l'inondation des cités de la zone favorisée et privilégiée située autour et au sud des Grandes Mers — et s'achève mille cinq cents ans avant la fin. Une lecture attentive des différents textes disponibles éclairera les raisons pour lesquelles nous avons toujours considéré cette période comme digne d'un constant envoi d'émissaires. L'on ne peut pas dire qu'il y ait jamais eu, de notre part, un changement de politique à l'égard de Shikasta ; ceci est et sera toujours impossible : notre politique à long terme reste inchangée. L'on ne peut pas dire non plus que la dégénérescence générale de la race ou des races shikastiennes n'ait pas été prévue. La différence entre cette période et d'autres se situe plutôt sur le plan de l'intensité, de l'échelle. Quand on a été contraint de tolérer jusqu'à l'extrême limite une civilisation après l'autre, une culture après l'autre, du fait de leur bas niveau de performance (selon les critères canopéens) pour leur permettre ensuite, soit de dégénérer et de sombrer sous le poids de leur propre corruption, soit d'être délibérément détruites par nous pour le danger qu'elles représentaient pour Shikasta, pour nous-mêmes ou d'autres colonies canopéennes — quand les choses en arrivent là, et sur une grande échelle, sur de vastes zones du continent principal, il faut alors considérer cette culture comme comportant une différence de nature et de degré avec une civilisation dont les populations sont éparpillées, parfois à peine indépendantes sur le plan économique et dans laquelle une seule cité vouée principalement au commerce — et non des groupes de cités formant un empire — représente à elle seule une ou même plusieurs zones où un ou deux de nos agents peuvent atteindre tous les habitants d'une grande partie de Shikasta simplement, sans grand effort, au cours d'une visite limitée dans le temps.

Sur les milliers et les milliers d'années qu'a duré la Période des Sermonnaires ou Conseilleurs, nous observons la répétition constante de la même série d'événements :

Nous avons découvert, ou il nous a été rapporté, que le lien entre Canopus et Shikasta faiblissait au-delà des limites permises.

Suivaient des rapports signalant qu'une culture, une tribu ou des groupes d'individus d'un intérêt vital pour nous s'écartaient du contrat établi.

Il était donc urgent de renforcer ce lien, ce contact, en remettant les individus sur le droit chemin, régénérant et revitalisant ainsi des régions, des cultures ou des cités entières.

Nous envoyions alors un technicien ou deux, ou plusieurs. Il arrivait parfois que tous, sauf un ou deux, travaillent discrètement à l'insu des populations.

Il fallait en faire naître un par le truchement de la Zone Six et le faire élever normalement par des parents appropriés de façon que ce qui était dit — par lui généralement — prît effet.

Un mot sur le choix du sexe. Évidemment, chez nous, les individus adultes sont androgynes, pour employer une terminologie aussi shikastienne que possible : nous n'avons pas de caractéristiques affectives, physiques ni psychologiques appartenant plus à un sexe qu'à l'autre, comme c'est le cas sur les planètes moins évoluées. Parmi nos émissaires, beaucoup se sont manifestés comme ressortissant au genre « femelle », mais depuis la rupture de l'Alliance avant laquelle mâles et femelles étaient égaux sur tout Shikasta et aucun des deux sexes n'exploitait l'autre, depuis ce temps, donc, les femelles ont toujours vécu dans la soumission ; ceci a créé des problèmes qui, dans l'ensemble, sont considérés par nos émissaires comme des difficultés inutiles venant s'ajouter à des tâches déjà assez ardues. [Voir chapitre 9 de ce volume,

135

« Incarnation féminine de nos Émissaires dans un but culturel local ».]

A mesure que notre émissaire ou représentant atteignait l'âge adulte au sein de la civilisation choisie, il ou elle, se faisait remarquer par un certain niveau de perception et de clairvoyance dans son comportement, contrastant presque toujours avec les idées et pratiques locales.

Les individus attirés vers notre émissaire par une certaine sympathie ou, comme c'était souvent le cas, par un antagonisme de départ qui se muait peu à peu en compréhension puis en sympathie, formaient une cellule, un noyau qui pouvait servir à renforcer et à maintenir le lien, le contact.

Dans les premiers temps, ces individus étaient nombreux et donnaient naissance à des cultures très fortes, ou bien, mêlés à des populations entières, constituaient un ferment assez actif pour faire lever la masse et l'entraîner vers un mode de vie vertueux et honnête, conforme aux besoins de Canopus. Par la suite, le développement généralisé des populations provoquant une diminution du volume de Substance-absolue-de-Fraternité, et la puissance de Shammat allant grandissant, de moins en moins d'individus se montrèrent capables de réagir positive-ment, ou — après une réaction initiale — capables de maintenir cette réaction sous forme d'un contact vivant et constamment renouvelé avec nous, Canopus. Dans une ville dont l'ensemble de la population avait sombré dans un total égoïsme, il était courant de voir un ou deux de nos auxiliaires de liaison s'évertuer à survivre. Parfois, des civilisations entières n'avaient pas, n'avaient jamais eu ce « ferment », ou bien, si nous avions tout de même réussi à ensemencer certains individus, ceux-ci étaient rapidement éliminés ou assassinés ou bien encore écrasés sous le poids des pressions auxquelles ils étaient soumis. Parfois, ce n'était qu'enfermés dans des asiles ou déportés vers des régions désertiques que ces individus éminents pouvaient espérer survivre.

Il nous est arrivé de voir certains de nos émissaires — quelques-uns seulement — succomber à ces pressions soit temporairement, soit de façon permanente. Dans le dernier cas, ils subissaient de longues périodes de réhabilitation dès leur retour sur Canopus ou étaient envoyés vers une colonie adéquate pour se remettre.

Pendant toute la période étudiée, les religions les plus variées firent leur apparition. Celles qui nous intéressent davantage ici sont nées du mode de vie ou des propos de nos émissaires. En règle générale, c'est ce qui s'est passé : chacun de nos conseillers publics a laissé derrière lui une religion ou un culte ; beaucoup d'anonymes l'ont fait également.

136

Ces religions présentaient deux aspects principaux. L'un positif qui, au mieux, entraînait une stabilisation de la culture empêchant les pires excès de brutalité, d'exploitation et de cupidité. L'autre négatif, où l'on voyait les prêtres manipuler les lois et les règlements avec une rigidité répressive, permettant ou exacerbant même parfois les excès de brutalité, d'exploitation et de cupidité. Ces prêtres déformèrent — si tant est qu'ils le comprenaient — ce qui restait des instructions de nos émissaires et créèrent un corps d'individus s'identifiant parfaitement à leur éthique, leurs règles et leurs croyances inventées de toutes pièces, et qui ont toujours été les pires ennemis de nos émissaires.

Les religions ont de tout temps constitué le premier obstacle à nos efforts pour maintenir Shikasta dans notre système.

Elles se sont souvent montrées les agents empressés de Shammat.

A aucun moment de cette période il ne fut possible à un de nos émissaires d'aborder une région de Shikasta sans avoir à berner, à écarter ou, d'une façon ou d'une autre, à neutraliser ces représentants de « Dieu » ou des « dieux » selon la formulation du moment. Nos envoyés ont souvent été persécutés, assassinés ou pire : tout ce qui, dans leur enseignement, était vital et indispensable en ce temps et en ce lieu particuliers, était délibérément défiguré. Maintes fois, l'emprise d'une « religion » sur une culture, ou même sur tout un continent, était si forte que nos agents n'avaient absolument aucune influence et devaient s'en aller travailler dans un autre endroit de Shikasta où les conditions étaient moins monolithiques, peut-être même — selon les idées reçues — plus primitives. Maintes fois dans l'histoire de Shikasta notre lien a été sauvegardé par une culture ou sous-culture considérée comme méprisable par le pouvoir en place — lui-même la plupart du temps militaire et religieux à la fois — l'armée utilisant les prêtres ou les prêtres l'armée.

En ce qui concerne de longues périodes de l'histoire de Shikasta, nous pouvons résumer ainsi la véritable situation : dans tel ou tel endroit quelques centaines ou même une poignée d'individus surent, au prix d'immenses efforts, modeler leur vie sur les exigences canopéennes, sauvant ainsi l'avenir de la planète.

Plus ce processus se prolongeait, plus il était difficile à nos agents de se frayer un chemin à travers le réseau des affirmations subjectives et objectives des visiteurs précédents. Shikasta était une *olla podrida* de cultes, de croyances, de religions, de principes et de convictions ; cela n'en finissait pas et chacun de nos émissaires devait tenir compte du fait que même avant qu'il — ou elle — fût mort, ses instructions auraient

137

déjà pris le chemin de l'imaginaire ou se seraient muées en un dogme inflexible : chacun savait que telle méthode nouvellement conçue, moderne, souple, adaptée à une phase bien particulière, serait, avant même qu'il eût terminé son travail, happée par la loi shikastienne et deviendrait mécanique, inutile. Lui — ou elle — devrait se battre non seulement contre des centaines d'anciennes formulations fossilisées, mais contre les siennes propres... Pour reprendre les mots de l'un de nos émissaires : tout se passait comme s'il courait de toutes ses forces pour garder son avance sur ses propres paroles et ses propres actions qui se dressaient sans cesse derrière lui et se muaient en ennemies ; ce qui vivait et fonctionnait encore quelques minutes auparavant était déjà mort et utilisé par les morts, par les représentants et les captifs de Shammat qui, à cette époque en particulier, atteignit des sommets de bestialité et d'agressivité destructrice presque exclusivement dirigées contre ce qui émanait de Shikasta. Les représentants de Shammat étaient continuelle-ment sur Shikasta, tout comme les nôtres. Shammat conquit des cultures, des civilisations entières, si bien que celles-ci nous échappaient sans cesse, Shammat considérait que sa mainmise colonialiste sur Shikasta avait réussi. Non, pas entièrement, pas totalement. Ce n'était pas possible.

Les grandes religions des derniers jours furent toutes fondées par des émissaires de Rang I. La dernière d'entre elles demeura un peu moins morcelée, un peu moins sectaire que les autres. Au niveau populaire, c'était une religion simple, sentimentale, dont les fondements reposaient sur une sainte écriture dont le niveau de compréhension le plus bas — celui auquel cette religion s'était stabilisée — n'était que menaces et promesses : c'était tout ce à quoi les Shikastiens étaient désormais capables de réagir. Très peu d'entre eux, d'ailleurs, étaient capables d'appréhender quoi que ce soit, excepté ce qui concernait les gains ou les pertes personnels. Ou bien, si ces individus, à la fin d'un long et laborieux apprentissage auprès de leurs maîtres, parvenaient à comprendre que ce que l'on attendait d'eux, ou d'elles, ne s'exprimait pas en termes de gain ou de perte, c'était forcément à un stade ultérieur, car les premiers stades de perméabilité aux attractions canopéennes étaient toujours considérés de la façon dont on considérait *tout* sur Shikasta à cette époque, c'est-à-dire comme un don, une faveur.

L'idée de Devoir, en ces derniers temps, avait été oubliée. Ce qu'était le Devoir, l'on n'en savait plus rien. Qu'ils Devaient quelque chose était pour les Shikastiens une étrange, une incroyable nouvelle qu'ils étaient incapables de saisir et de retenir. Ils étaient conçus uniquement pour prendre. Ou recevoir. Ils n'étaient que bouches ouvertes et mains tendues pour saisir des présents. Ils n'étaient qu'avidité et cupidité — Ah ! Shammat, Shammat !

Aux premiers jours de l'après-désastre, au contraire, il suffisait que l'un de nous entrât dans un village, un campement et s'assît pour leur parler de leur passé, de ce qu'ils étaient autrefois, de ce qu'ils deviendraient un jour, par leurs seuls efforts et leurs soins assidus bien sûr, leur dire qu'ils avaient un dû envers Canopus qui les avait fait naître, les soutiendrait dans leur longue épreuve et les protégeait déjà contre Shammat — qu'ils étaient faits d'une substance autre que la substance shikastienne et qui, un jour, les rachèterait ; il suffisait souvent de leur dire cela pour qu'ils entreprissent de s'adapter aux nécessités nouvelles.

Mais à mesure que le temps passait, l'on pouvait de moins en moins espérer ce résultat. Vers la fin, un agent abordait sa tâche en sachant qu'il lui faudrait non pas un jour, un mois ou une année mais peut-être une vie entière pour stabiliser quelques individus afin de les rendre capables d'écouter.

Les récits, rapports et mémoires de nos messagers révèlent des efforts toujours plus pénibles et plus durs pour un rendement de plus en plus faible.

Quelques poignées d'individus rendus au souvenir étaient la récompense des efforts de douzaines et de douzaines de nos missionnaires de tous rangs, de tous ordres et degrés d'expérience, sur une douzaine de planètes. Ces poignées, ces quelques individus suffisaient à maintenir le lien, l'Alliance. Mais à quel prix !

Combien Shikasta a coûté à Canopus !

Combien de fois nos émissaires sont-ils revenus de leur mission sur Shikasta, stupéfaits de voir à quoi tenait le lien, effarés de ce qu'ils avaient découvert.

Il faut dire que plus d'une fois des discussions eurent lieu pour savoir si Shikasta était digne de tous ces efforts. La question fut débattue en séance plénière. Une tendance — minoritaire — se dégagea en faveur de l'abandon pur et simple de Shikasta. Voilà pourquoi Shikasta occupe une position unique parmi les planètes colonisées ; le service y est volontaire, excepté pour les individus qui s'en sont occupés depuis le début.

JOHOR *communique* :

Voici le rapport demandé concernant des individus qui, si Taufiq n'avait pas été capturé, se seraient trouvés dans une situation fort différente, et des événements qui se seraient produits différemment. Je ne soulignerai pas toujours, parfois même je ne mentionnerai pas, le rôle exact qu'aurait pu jouer John Brent-Oxford.

Pour les rencontrer, j'entrai sur Shikasta par divers endroits de la Zone Six mais en me servant la plupart du temps de l'habitat des Géants.

INDIVIDU N° UN

Bien que née dans un pays aux vastes ciels et aux amples paysages, elle souffrait, depuis ses premières années, d'un sentiment de claustration. Il lui semblait qu'elle aurait dû pouvoir trouver en elle-même le souvenir d'une vie plus large, de ciels plus profonds. Mais elle n'avait pas ce souvenir. La société qui l'entourait lui paraissait mesquine, frivole jusqu'à la caricature. Enfant, elle ne pouvait croire que les adultes étaient sérieux lorsqu'ils s'adonnaient à leurs jeux. Tout ce qu'ils disaient, tout ce qu'ils faisaient lui semblait une répétition, une reprise, comme s'il se fût agi de pantins jouant dans une pièce cent fois représentée. Atteinte d'une énorme claustrophobie, elle refusa toutes les possibilités qui s'offraient à elle et dès qu'elle fut économiquement indépendante elle quitta sa famille et cette société. Elle se souciait peu de la façon dont elle gagnerait sa vie. Elle se rendit dans une autre ville du même continent mais là encore, elle eut l'impression de retrouver la même chose. Non seulement les structures de pensée et de comportement étaient les mêmes mais les gens qu'elle rencontrait étaient souvent des amis ou des parents de ceux qu'elle avait quittés. Elle alla dans une autre ville, puis une autre, puis sur un continent différent. Alors qu'elle se heurtait — pensait-elle — à une conspiration générale visant à faire croire que cette culture était différente de celle qu'elle venait de quitter et méritait des centaines de livres et traités politiques, psychologiques, économiques, sociologiques, philosophiques et religieux, à ses yeux celle-ci ressemblait à la précédente. Une langue, ou des langues différentes. Un peu plus libérale peut-être, en un sens, dans la façon de traiter les femmes, par exemple. Pire dans un autre : les enfants étaient malheureux. Les animaux étaient respectés ici mais pas là, et ainsi de suite. Cependant, les aspects du servage humain — c'est ainsi qu'elle le voyait — ne lui semblaient pas varier beaucoup. Où qu'elle aille, elle ne rencontrait jamais de gens nouveaux. Tel homme, rencontré dans la plus imprévue des circonstances, par hasard dans une laverie automatique ou à un arrêt d'autobus, se révélait être parent d'une connaissance habitant une autre ville, ou l'ami d'une famille qu'elle avait connue étant enfant. Elle déménagea de nouveau, choisissant une « vieille » société, comme l'appelaient les Shikastiens : plus complexe, plus structurée et plus variée que celles qu'elle avait connues. Ici aussi on proclamait des différences là où elle ne voyait que ressemblances. Elle gagna sa vie comme elle put, sans jamais se lier et refusant de se marier ; elles avorta trois fois car les hommes ne lui paraissaient pas d'une nature assez originale pour que leur progéniture soit digne de naître. Et elle ne rencontrait toujours pas de gens neufs et différents. Elle se sentit prise dans les mailles de quelque réseau, de quelque trame invisible qu'elle voyait, dans ses moments d'humeur noire, comme une vaste toile d'araignée dans laquelle les gens et les événements étaient tous liés les uns aux autres, et d'où, quoi qu'elle fît, rien, jamais, ne viendrait la délivrer. Et elle ne pouvait parler de ce qu'elle ressentait car elle n'eût pas été comprise. Ce qu'elle voyait, les autres ne le voyaient pas. Ce qu'elle entendait, les autres ne l'entendaient pas.

Elle était dans un certain pays des franges nord-ouest. Elle s'avisa un jour que son installation dans ce pays qu'il lui avait coûté tant d'efforts pour bien choisir, ce grand exil qu'elle s'était infligé n'avait pas du tout été voulu par *elle* mais par son père. Il avait toujours voulu vivre dans ce pays, dans cette ville, d'une certaine manière. Si elle n'avait pas reproduit son mode de vie rêvé — à présent démodé — elle vivait de façon équivalente. Peu de temps après cette découverte, rendant un jour visite à un médecin, elle se trouva devant une porte, dans une rue où elle n'était jamais allée et se rappela que l'adresse était celle d'une de ses tantes qui avait habité là ; elle lui avait même envoyé des lettres de son pays natal.

Elle partit de nouveau, cette fois pour l'extrême nord du Continent indépendant. Elle s'installa dans une petite ville qui, la majeure partie de l'année, était enfouie sous la neige. Personne n'y venait par plaisir. C'était une ville ouvrière, et elle avait un emploi dans une boutique qui vendait des marchandises aux trappeurs et aux rares Indiens survivants. Elle ne pouvait se trouver une situation plus éloignée de tout ce que ses parents ou sa famille eussent souhaité pour elle. Un jour entra dans la

141

boutique un homme qu'elle connaissait. C'était un médecin qu'elle avait vu pour la dernière fois quinze ans auparavant dans sa ville natale. Ils avaient été liés très peu de temps par une de ces histoires impersonnelles typiques de l'époque.

Elle s'enfuit de nouveau vers les franges nord-ouest. Elle vécut au cœur d'une vaste cité informe et tentaculaire de plusieurs millions d'habitants, et un jour qu'elle descendait de l'autobus sur une impulsion et entrait dans un petit restaurant pour y boire une tasse de thé, elle ressentit une impression de déjà vu. Elle fut accueillie par une jeune fille qui travaillait là comme serveuse : c'était la sœur du médecin !

Le monde s'était finalement refermé sur elle, clac ! comme une paire de menottes. Elle poussa un hurlement, sauta sur ses pieds, cassa des tasses et des soucoupes, et renversa des tables.

La police arriva. On l'emmena à l'hôpital. Était-elle folle ou non — sur ce point l'opinion des médecins différait ; le restaurant porta plainte contre elle. L'avocat qui aurait su s'occuper d'elle était absent. Sinon, l'affaire aurait pu avoir des conséquences dépassant de beaucoup ses origines, et influencer des gens et des événements...

On la garda à l'hôpital plus longtemps, pensait-elle, qu'il n'était nécessaire ; les choses traînaient en longueur et s'éternisaient. Enfin, la cour lui infligea une amende qu'une bonne âme paya pour elle. Une fois libérée, elle eut l'impression d'être dans une prison plus horrible que toutes celles inventées par les hommes.

Si John (ou Taufiq) l'avait défendue, il aurait su la persuader de mettre un terme à ses pérégrinations afin de se rendre compte de ce qui l'emprisonnait.

J'imaginai une alternative : une attaque passagère de paralysie diagnostiquée d'origine hystérique.

Incapable de s'enfuir, elle se débattit intérieurement quelque temps puis, comme un faucon pris au piège s'affaisse au milieu de ses plumes ébouriffées et de ses ailes maladroitement déployées, fixant son assaillant de ses yeux étincelants, elle apprit, elle aussi, à regarder sans ciller ce qu'elle redoutait le plus.

INDIVIDU N° DEUX

La standardisation des schémas intellectuels et émotionnels avait atteint son point culminant. Le principal mécanisme en était une formule fournissant une base d'endoctrinement identique à chaque unité de logement ou de travail, qu'elle se composât d'une seule personne, d'une famille ou d'une institution — et ceci dans tout le pays. Ces programmes étaient standardisés spécialement au niveau des enfants. Au mieux, ils renforçaient une éthique dérisoire — la bonté envers les animaux par exemple — mais le pire tenait à leur répétition infinie.

Le ventriloquisme était à la mode. Un individu présentant un aspect et une personnalité affables et conformes à la norme se faisait une seconde personnalité qu'il arborait comme poupée de ventriloque. Tantôt cette autre personnalité était de la même espèce que celle de l'individu en question, tantôt elle proposait des variations sur un thème animal. L'une d'elles, très populaire, était un chien, d'apparence attachante, expert dans l'art de commettre impunément des tours pendables. A chaque épisode de son histoire, l'animal volait, mentait, trichait, donnait le change, trompait, se vantait, flattait et manipulait. Il était aussi extraordinairement gourmand. Cette créature n'était pas un criminel ni un monstre de première grandeur, ce n'était qu'un petit filou et si l'on en acceptait les prémisses, le spectacle était fort divertissant. Certes, on ne pouvait le trouver amusant qu'en un temps de corruption. quasi générale.

Les enfants s'identifiaient à ces personnages « irréels » qui n'étaient jamais considérés que comme des poupées, des pantins et qu'il était commode de prendre comme seconde personnalité, parce qu'ils n'exigeaient jamais le degré d'autocritique requis par des créatures « réelles » comme eux-mêmes.

Un groupe d'enfants fort négligés par leurs parents, livrés presque entièrement à eux-mêmes, se créèrent un monde dans lequel chacun était ce pantin, le jeune chien au nom flatteur et révélateur : Charlie l'Artiste. Ces enfants vivaient de plus en plus à l'intérieur du monde qu'ils avaient inventé, prenant, à l'instar de leur modèle, de petites habitudes de ruse, de tricherie et de mensonge, ceci d'une façon motivée et structurée car tout ce qu'ils avaient à faire, chaque après-midi, c'était de presser un bouton pour voir une émission faite sur mesure pour leur personnalité de rechange. Puis ils se mirent à commettre des délits plus complexes. Ils eurent bientôt un chef. C'était une enfant, une fillette de onze ans, intelligente et débrouillarde. C'est elle qui maintenait la cohésion du groupe, qui s'assurait que chacun regardait les épisodes successifs de l'histoire du ventriloque et qui traduisait en actes les messages de Charlie l'Artiste. Ceci continua pendant trois ans, et les enfants devinrent de jeunes adultes de treize, quatorze et quinze ans. Leurs délits, à une époque où presque tous s'adonnaient à une forme ou

143

une autre de tricherie ou de vol, n'avaient rien d'extraordinaire. Ils chapardaient dans les magasins, pénétraient dans les maisons par effraction et ne manquaient jamais ni d'argent ni d'objets. Après chaque exploit, la bande se rassemblait pour un rituel au cours duquel ce qu'ils avaient fait était joué selon un schéma propre à chaque type d'activité.

Alors qu'ils étaient en train de s'introduire dans une maison, un meurtre fut commis, presque par accident.

Ils furent pris et certains détails du rituel rendus publics. Les photographies des jeunes criminels et de la pièce qu'ils utilisaient — dans une maison vide, décorée de portraits et de modèles réduits de Charlie l'Artiste — furent reproduites partout. Lorsque médecins et psychiatres examinèrent les adolescents, ils découvrirent qu'ils ne s'identifiaient que la moitié du temps au pantin et que chacun d'eux avait une personnalité normale, avec ses propres objectifs, croyances et critères, très différente de l'autre, qui était une personnalité de groupe.

Ce fut la jeune fille qui fit remarquer que moins d'un mois auparavant, on avait montré Charlie l'Artiste en train de tourmenter et de torturer une pauvre vieille folle avant de la jeter à terre et de l'abandonner inanimée ; ceci sous l'œil — bien sûr désapprobateur — de son créateur ou *alter ego* qui incarnait toujours, sans succès, la Conscience en face des excès — ou des succès — de cette deuxième personnalité.

La bande fut jugée, d'une manière encore jamais utilisée à cette époque-là, à titre d'exemple, car les délinquances juvéniles étaient devenues si importantes que les gens, à présent, craignaient les enfants plutôt que les adultes.

La fille se trouvait dans une position particulière en tant que chef avoué — ou plutôt revendiqué — car elle était fière de son rôle de mère vis-à-vis du groupe.

Si Taufiq s'était trouvé là où il devait, son rôle eût été de défendre les enfants ; il en aurait fait des victimes de l'endoctrinement. Que cet endoctrinement fût délibéré de la part des autorités ou le résultat de l'ignorance, cela n'était pas, ne pouvait pas être, aurait-il déclaré, l'affaire des enfants qui, eux, en supportaient les conséquences. En d'autres termes, Taufiq-John aurait suscité une large campagne pour amener un public extraordinairement relâché et indifférent à reconnaître où, quand et comment les méthodes d'endoctrinement les plus perfectionnées qu'on ait jamais conçues étaient utilisées sur une population captive de leurs charmes.

144

En outre, si Taufiq avait pu s'intégrer à ces événements, sa personnalité toute particulière aurait influencé ces jeunes gens de manière déterminante. Tous avaient été négligés, aucun n'avait eu devant les yeux un modèle d'identification valable. Il aurait pu les diriger dans des voies qui leur auraient permis, à la longue, d'atteindre une liberté intérieure suffisante pour choisir réellement le chemin à suivre.

A présent, ce qu'aurait pu réaliser un seul individu allait être l'œuvre de plusieurs. Je décidai qu'un groupe d'avocats qui n'avaient jamais été attirés par des affaires de responsabilité publique prendraient le procès en main : on pouvait espérer qu'ils accompliraient, jusqu'à un certain point du moins, l'indispensable. Pour ce qui était d'influencer les adolescents, je veillai à ce que chacun d'entre eux entrât en contact avec ceux qui pouvaient, dans une certaine mesure, les aider : un responsable de l'aide à l'enfance présentant certaines caractéristiques par exemple, un gardien de prison — car trois d'entre eux furent incarcérés — un médecin et des assistantes sociales.

L'action engagée en faveur de ces jeunes gens me prit plus de temps que je ne l'avais prévu. Ce ne fut pas la plus réussie de mes entreprises. La fille ne parvint jamais à se remettre d'un séjour en prison, bien fait pour endurcir et déformer : à sa sortie, elle était devenue une véritable criminelle et ne tarda pas à faire un transfert affectif sur l'une des sectes politiques extrémistes qui fleurissaient alors un peu partout ; elle trouva la mort dans un coup de main que l'on pourrait définir comme en partie terroriste, en partie dicté par l'appât du gain. Elle n'avait pas vingt ans. L'on réserva donc sa réhabilitation jusqu'au moment où elle serait entrée en Zone Six.

INDIVIDU Nº TROIS *(chef syndicaliste)*

Type courant pendant toute la durée du Siècle de la Destruction sur l'ensemble de Shikasta ; mais la variation dont je rends compte ici est le produit des franges nord-ouest et joua un rôle clef dans les structures de la société, un rôle stabilisateur. Ceci fut ressenti par beaucoup comme un cruel paradoxe puisque leur naissance idéologique se faisait presque toujours au niveau d'une philosophie désireuse de transformer complètement et rapidement la société en une sorte de « paradis » plus ou moins influencé par la littérature « sacrée » de l'endroit.

Cet individu naquit dans le chaos intensifié par la Première Guerre mondiale. Une petite partie de la société vivait dans l'affluence tandis que la majorité connaissait la pauvreté. Il passa ses toutes premières années, son enfance puis son adolescence, parmi ceux qui souffraient de la faim et du froid, étaient mal logés et souvent sans travail. Trois membres de sa proche famille moururent de malnutrition. Sa mère n'avait pas trente ans qu'elle était déjà usée par le travail et la fatigue.

A partir du moment où il prit conscience de sa situation, c'est-à-dire très tôt, il vécut dans un état d'angoisse et d'incrédulité devant la misère qui l'entourait. Gamin chétif, il errait par les rues, malgré le froid, la faim et l'amertume devant tant d'injustice, par ses visions et ses rêves. Chaque homme, chaque femme, chaque enfant malingre qu'il rencontrait lui semblait avoir une personnalité double, une personnalité de rechange... que pouvait être, qu'avait pu être ?... Il contemplait, exalté, le visage de l'un d'eux et s'adressait à lui en silence : « Pauvre créature harassée, tu pourrais être un autre, ce n'est pas ta faute... » Il observait sa sœur, jeune fille épuisée par l'anémie qui travaillait depuis l'âge de quatorze ans, et lui disait intérieurement : « Tu ne sais pas ce que tu es, ce que tu pourrais être », et c'était comme s'il l'avait prise dans ses bras, elle ainsi que les pauvres et les malheureux du monde entier. Il caressait du regard les corps tordus et déformés, il soutenait les affamés et les désespérés auxquels il murmurait tout bas : « Tu as en toi le pouvoir d'être une créature fantastique ! Oui, tu es une merveille, un prodige, et tu ne le sais pas ! » Et il prenait intérieurement, envers eux et envers lui-même, les engagements les plus formels et les plus véhéments.

Il n'arrivait pas à comprendre, tout simplement, que ces terribles privations fussent possibles dans un pays — il voyait le problème à l'échelle de son propre pays, de sa ville même, car « le monde » pour lui, c'était uniquement des noms dans les journaux — qui se disait riche et se trouvait à la tête d'un empire de dimensions mondiales.

Il était mieux informé que ses amis car son père représentait ses camarades ouvriers dans la mesure où sa dure existence lui en laissait le temps et la force. Il y avait chez lui des idées et des livres autres que ceux qui traitaient des problèmes de nourriture et d'habillement de la famille.

Il passa cinq ans à l'armée pendant la Première Guerre mondiale. Lui qui avait toujours ressenti un si grand étonnement, une si grande difficulté à croire que les gens pouvaient infliger aux autres de telles souffrances, il changea. Il n'était plus incrédule : comme soldat, il voyagea beaucoup et reconnut partout les conditions dans lesquelles il avait été élevé. La guerre lui apprit à penser à l'échelle de la planète tout entière et en termes de forces réciproques — dans une certaine mesure du moins — car il était encore incapable, par exemple, d'étendre sa compassion aux gens de couleur, incapable de rejeter les influences de son éducation qui lui avait enseigné à se considérer comme supérieur.

Il était, lui aussi, contaminé, comme chacun à l'intérieur et à l'extérieur de l'armée, par la brutalité et la grossièreté générales. Il acceptait comme « inhérentes à la nature humaine » des choses qu'il aurait rejetées étant enfant. Mais il avait la tête pleine de projets et rêvait, une fois revenu chez lui, d'élever l'âme de ses semblables, de les secourir, de les aider à vivre, de les protéger des réalités qu'il se sentait, contrairement à eux, capable de supporter.

De retour au pays, après la guerre, il se mit à « parler au nom des travailleurs » comme l'on disait, et se fit très vite remarquer.

La période qui suivit immédiatement la Deuxième Guerre mondiale fut dure, besogneuse, grise et terne. Les nations des franges nord-ouest étaient ruinées, physiquement et moralement. [**Voir** *Histoire de Shikasta,* **vol. 3014,** *Période intermédiaire entre la Deuxième et la Troisième Guerre mondiale,* **chapitre récapitulatif.**] Le continent nord indépendant, devenu très fort, était prêt à aider les nations des franges nord-ouest à condition qu'elles devinssent des alliées serviles et dociles du bloc militaire qu'il dominait. La richesse affluait du bloc militaire vers les franges nord-ouest et, environ quinze ans après la fin de la Deuxième Guerre mondiale, s'ouvrit une courte période de prospérité sur toute cette partie du globe. Ce phénomène, paradoxal en un temps paradoxal, démoralisa profondément des populations déjà découragées et dépourvues d'idéal.

Le système économique reposait sur la consommation, par chaque individu, d'une gamme de denrées inimaginable, d'articles superflus : nourriture, boisson, vêtements, gadgets, engins de toute espèce. Chaque habitant des franges nord-ouest était soumis, à toute heure du jour, à une propagande plus puissante que jamais, conçue pour faire naître en lui le besoin d'acheter, de consommer, de gaspiller, de détruire et de jeter, ceci en un temps où l'ensemble du globe commençait déjà à manquer de ressources et où la majorité des habitants de Shikasta, démunis, mouraient de faim.

L'individu qui nous occupe était alors, à l'âge de quarante ans, un personnage influent au sein d'une organisation de travailleurs.

Son rôle était, d'abord, d'éviter aux gens qu'il représentait de recevoir un salaire insuffisant pour vivre décemment (objectif minimal) ; ensuite, d'obtenir pour eux « une part du gâteau aussi grosse que possible » ; enfin — mais cet objectif était depuis longtemps dépassé — de renverser le système économique pour lui substituer la loi des travailleurs. Il opposait souvent sa perception actuelle des choses à celle de l'enfant qu'il était autrefois, à l'époque où des rues, des quartiers, des villes entières, affamées, dépérissaient. Cette vague de prospérité soudaine, artificielle et sans fondement, et qui devait bientôt disparaître, était tout à fait enivrante. Brusquement, tout semblait possible. Il voyait, à portée de la main, des expériences, des modes de vie qu'il n'aurait jamais crus accessibles aux gens de sa classe. Il ne s'agissait plus d'avoir un « salaire décent » — ce slogan lui semblait à présent mesquin et timoré — mais d'obtenir le plus possible. Cette attitude était sans cesse encouragée par tout ce qu'il voyait autour de lui. Certes, les travailleurs étaient loin d'avoir ce dont jouissaient encore les riches, mais des millions d'individus recevaient davantage que ce qu'il semblait autrefois possible d'obtenir sans quelque brutal bouleversement de la société ou une révolution... dans cette atmosphère où toutes les ambitions semblaient permises, il n'y avait, en apparence, aucune raison pour que les travailleurs du pays n'exigent pas en retour le paiement exact des souffrances de leurs parents, de leurs grands-parents et arrière-grands-parents, ainsi que des humiliations de leur propre enfance. La vengeance était de toute évidence le mobile de leurs actions.

Mais il n'était pas dans la nature des choses que l'Ère d'Abondance durât longtemps. Qu'il fallait en chercher les raisons non à l'échelon local mais global, cela, notre homme le comprenait. Il continuait à examiner les événements avec plus de largeur de vue que les autres. Il était très isolé. On l'appelait « l'oiseau rare ». Là où existent des groupes d'individus très unis, cimentés par une lutte défensive contre des forces ennemies, les idiosyncrasies des individus sont appréciées, prisées, révérées.

On l'admirait parce qu'il défendait des points de vue minoritaires, parce qu'il était calme, attentif, réfléchi, et souvent critique.

Tel était son rôle.

Il était intègre.

Il en était fier, encore à présent, mais il voyait bien que tous les mots peuvent prendre un double sens. Il voyait que les gens étaient empressés à le complimenter de son intégrité. Il s'était rendu compte que les individus sont tout disposés à complimenter les autres ainsi qu'ils le désirent et qu'il s'agissait là d'une flatterie de commande.

L'« intégrité » était son avantage en nature.

Pas le seul d'ailleurs. Il avait un certain nombre d'avantages du fait même de sa position de représentant des travailleurs. Pourquoi pas après tout ? Ce n'était rien, en comparaison de ce que touchaient ses « supérieurs » comme on lui avait appris à les appeler, étant enfant, à son corps défendant. Et de toute façon tout le monde le faisait. Faisait quoi ? Oh ! pas grand-chose ! Des miettes de ceci, de cela qui tombaient du gâteau. Où était le mal ? Pour commencer, on pouvait dire que cette « gratte » ne lui était pas personnellement destinée, loin de là, mais rendait honneur à sa position et par conséquent aux travailleurs eux-mêmes. Il méditait, secrètement, sur la corruption : où commençait-elle ? Où finissait-elle ? Il semblait passer des heures, perdu dans des définitions, l'évaluation de ses propres actes, le doute.

Il avait presque cinquante ans, les deux tiers de sa vie étaient derrière lui et ses enfants avaient atteint l'âge adulte. Ceux-ci le consternaient. Ils ne s'intéressaient qu'à leur bonheur personnel, leur plaisir, leurs possessions, leur confort. Quand il les critiquait, il pensait faire ce que les parents avaient toujours fait avec leurs enfants. (A juste titre, se disait-il obstinément, à l'insu de sa femme qui le trouvait irritable et difficile à vivre.) En même temps, il était fier d'eux car, par un processus inévitable qu'il comprenait parfaitement, ils avaient atteint un échelon supérieur à celui qu'il occupait dans cette société divisée en classes — de la même façon, leurs enfants, ses petits-enfants à lui, pouvaient espérer grimper encore un échelon —, mais cet orgueil venait d'une partie de lui-même qu'il jugeait vile. Il était déchiré : ravi qu'ils exigeassent de la vie ce qu'il n'arrivait pas à considérer comme son dû, il regrettait que ce fût au prix d'une ascension dans une société qu'il méprisait toujours autant.

Lorsqu'il critiquait ses enfants, il critiquait également les jeunes membres de son propre syndicat, c'est-à-dire toute une génération — chose dangereuse car la traîtrise et la malhonnêteté couvaient. Mais il ne pouvait s'empêcher de penser ainsi. L'incrédulité qui avait dominé son enfance revenait, transformée. Comment les gens pouvaient-ils oublier à ce point et, en véritables voleurs, considérer tout ce qui passait sur leur chemin comme leur dû, chapardant tout ce qu'ils pouvaient chaque fois qu'ils le pouvaient (tout le monde le savait y compris eux-mêmes). Ils voyaient dans ces chapardages et ce laisser-aller une espèce d'ingéniosité de leur part, une façon de faire encore mieux que les autres. Ils étaient tous irréfléchis, irresponsables, frivoles, incapables de percevoir que cette ère de confort, voire de richesse, tenait à quelque bouleversement passager de la jonglerie économique internationale. Pourtant, ils étaient tous les fils et les filles de gens si déshérités qu'ils étaient allés plus d'une fois au lit le ventre creux et si rachitiques qu'il suffisait de regarder une foule de travailleurs pour déceler des grands-parents et des parents qui étaient de véritables nains comparés à leur progéniture. L'histoire des classes populaires de ce pays avait toujours été une suite de misères et de privations. L'avaient-ils oublié ? Comment était-ce possible ?

En même temps, il était des plus actifs, siégeant dans des comités, discutant avec les employeurs, voyageant et faisant des discours, assistant à des conférences.

Que faisait-il exactement ?

Où en était-il à présent par rapport à ses rêves de la fin de la Deuxième Guerre mondiale ?

Il se trouvait, à l'occasion d'une réunion ou d'une conférence, avec des hommes et des femmes qu'il connaissait parfois depuis son enfance. Il les observait, espérant que personne ne le voyait, et se sentait de plus en plus loin d'eux.

Toute sa vie, il avait mis au point et peaufiné une pratique consistant à conserver toujours proches et intacts certains souvenirs de son enfance, véritables régulateurs de conscience, critères lui permettant de juger les événements présents. Après la guerre, au moment où il commença à travailler dans les comités, il avait gardé à l'esprit un souvenir précis et vivace, entretenu par tout ce qu'il voyait autour de lui. Un cousin à lui vendait jadis des légumes sur le trottoir. Ses efforts pour survivre avaient été si terribles qu'ils l'avaient prématurément épuisé. Il restait debout près de sa brouette toute la journée et même le soir, par tous les temps, toussant et tremblant de froid, arrivant à peine à subsister. Mais c'était son attitude qui était restée fixée dans sa mémoire — celle d'un écolier jeté si souvent à terre par des brutes qu'il sait que ses efforts pour se relever seront suivis d'autres coups qui le jetteront de nouveau à terre. C'était là pure bravade, fanfaronnade, dont chaque geste disait : tu ne m'attraperas pas aussi facilement que tu le crois, je suis grand, je suis fort, je domine la situation... c'est ainsi qu'il fanfaronnait, pauvre victime. Pour le petit garçon qui l'observait, c'était horrible ; et maintenant il voyait les mêmes gestes, la même fanfaronnade chez les gens qui l'entouraient, et cette fois encore c'était horrible.

Puis vinrent les jours faciles, le temps de l'« opulence ».

Adolescent, il connaissait bien ses opposants, les « ennemis de classe ». Ils avaient pour trait distinctif de ne jamais dire la vérité. De mentir. De tricher. Lorsqu'il s'agissait de défendre leurs positions, leurs possessions, ils étaient prêts à n'importe quel tour de passe-passe, à n'importe quelle mesquinerie. Dans toutes les confrontations entre les représentants des « classes dominantes » et les hommes qui parlaient au nom de millions de pauvres diables, ils arboraient le visage calme et doux des grands menteurs fiers de l'être. Adolescent, il s'était vu sous les traits d'un combattant armé de vérité et de faits bravant ces hordes de voleurs et de menteurs.

Et maintenant ? Il regardait un homme amène, souriant et aimable présenter une affaire et il se souvenait...

Lui et les siens n'étaient pas des vainqueurs, absolument pas, ils étaient encore les vaincus car ils étaient devenus semblables à leurs « supérieurs ». Lui et les siens étaient devenus captifs de tout ce qu'ils auraient dû haïr, qu'ils *avaient* haï puis avaient oublié de haïr. Dans les premiers temps, ils *avaient* scruté le visage de leurs oppresseurs, de ceux qui brutalisaient, bluffaient et trichaient, et ils s'étaient sentis supérieurs parce qu'ils étaient honnêtes et s'en tenaient à la vérité. Et voilà qu'eux aussi, à présent bluffaient, brutalisaient et trichaient, comme tout le monde. Qui ne le faisait pas ? Qui ne mentait pas, ne volait pas, ne chapardait pas, s'appropriant tout ce sur quoi il pouvait mettre la main ? Pourquoi donc auraient-ils été différents ?

Ces réflexions étaient une sorte de trahison.

A force de penser ainsi, puis de ne pas vouloir penser ainsi, d'avoir honte de lui-même puis de se dire qu'il avait raison et qu'il devait s'accrocher de toutes ses forces à ses convictions, il eut une dépression nerveuse. Les collègues inquiets — et soulagés — lui accordèrent un congé d'un an. Cela faisait des mois qu'il assistait en silence aux différentes délibérations puis sortait tout à coup quelque chose comme : « Ne devrions-nous pas revenir à nos premiers principes ? » ou bien : « Pourquoi tolérons-nous tant de vol et de malhonnêteté ? » Ou bien encore : « Oui mais ce n'est pas vrai n'est-ce pas ? », tout cela avec un visage ravagé et des yeux secs et rougis par l'insomnie.

Il rentra chez lui retrouver sa femme qui travaillait toute la journée à des tâches qu'il jugeait superflues et dégradantes. Elle travaillait parce que, disait-elle, elle n'arrivait pas à joindre les deux bouts, mais il lui dit qu'il gagnait suffisamment d'argent pour mener une vie que leurs parents respectifs auraient trouvée luxueuse. Pourquoi ne s'emploierait-elle pas à quelque chose de sérieux ?

Quoi, par exemple ?

Eh bien ! elle pouvait prendre des cours du soir, ou acquérir de véritables compétences.

151

Quelles compétences ? Et pour quoi faire ?

Elle pouvait aussi fonder une association visant à améliorer la situation des femmes.

Mais elle continua à gagner de l'argent pour pouvoir remplir la maison de meubles qu'il trouvait prétentieux. Elle ne pouvait s'empêcher de remplacer sans cesse vêtements et rideaux ni de bourrer le congélateur d'une profusion de nourriture.

Il partit faire un long voyage à pied, tout seul, visita de vieux amis qu'il n'avait pas revus depuis des années. Mais ils étaient tous possédés, lui semblait-il, comme dans les contes de fées, par un esprit mauvais car il ne retrouvait plus en eux ce qu'ils avaient été. Ou ce qu'il avait peut-être *pensé* qu'ils étaient ?

Par monts et par vaux, tout seul, il ne cessait de revenir sur son enfance, au temps où tous ceux qu'il voyait lui semblaient l'ombre de ce qu'ils auraient pu être — car il voyait nettement leur personnalité possible, ce qu'ils auraient dû être, pu être, ce qu'ils *auraient* été si... ou bien tout cela n'était-il que le fruit de son imagination ?

Il rendit visite à l'une de ses sœurs, pas celle qu'il avait aimée et consolée en silence par la pensée, de l'horreur de sa vie car elle était morte de tuberculose, mais une autre, beaucoup plus jeune que lui. Il trouva une femme fatiguée. C'était ce qui frappait chez elle. Elle donnait tous ses soins à son mari, un homme agréable, taciturne, qui semblait las lui aussi et ne paraissait pas faire grand cas d'elle en dehors des services qu'elle lui rendait. Ils se couchaient tous les deux de bonne heure. Elle parlait beaucoup de ses chats. Sa fille était partie pour l'Australie avec sa famille. Elle se tourmentait au sujet d'une moquette qui avait, pensait-elle, besoin d'être remplacée, mais elle n'arrivait pas à envisager la chose, avec tout le tracas que cela comportait : il faudrait se débarrasser de l'ancienne et il y aurait les allées et venues des ouvriers. Elle ne savait guère parler d'autre chose. A l'exception de la guerre, dont elle se souvenait avec attendrissement parce que « tout le monde était si gentil ».

Lorsqu'il rentra de sa longue randonnée il déclara à sa femme qu'il allait se poursuivre en justice.

« Tu vas quoi ?

— Je vais me poursuivre devant les tribunaux.

— Tu es devenu fou, c'est sûr », répondit-elle avec justesse. Puis elle s'en alla confier à ses amies et collègues qu'il n'était pas encore remis de « ce qui le rongeait ».

Il assista à une réunion de son syndicat et informa ses camarades qu'il allait se poursuivre devant les tribunaux, « en notre nom à tous » et réclama leur aide.

Ils cédèrent à son caprice.

Mais il ne trouva personne pour prendre son affaire en main.

En ce temps-là, les procès exemplaires n'étaient pas rares. Il arrivait qu'un groupe de gens poursuive en justice un procédé ou une institution qui leur semblait inadéquat ou malhonnête.

Ce que voulait notre homme, c'était organiser un procès dans lequel son moi adolescent aurait poursuivi son moi adulte, aurait demandé ce qu'il était advenu de ses idéaux, de sa vision, de sa capacité à voir les individus comme infiniment capables de s'améliorer, de sa haine de la mesquinerie et de la lâcheté, et par-dessus tout de sa haine du mensonge, des discours trompeurs, de la malhonnêteté des tables de conférences et des comités, des proclamations officielles et des apparences officielles.

Il aurait voulu que le *merveilleux* jeune homme, ardent, fougueux et passionné se dressât en plein tribunal pour dénoncer et mettre en pièces l'abominable instrument, le pantin malhonnête et mielleux qu'il était devenu.

Il consulta un homme de loi après l'autre. Individuellement. Puis des organisations. Il existait alors des centaines de petits groupements politiques dont les ambitions, ou tout au moins les formulations, étaient différentes.

Les grands partis politiques, les grands syndicats, tous les organes du gouvernement, étaient devenus si énormes et si lourds à manier, si empêtrés dans la bureaucratie que rien ne se faisait excepté par le truchement des groupes de pression en continuelle formation ou transformation : le gouvernement suivait les groupes de pression, l'administration suivait les groupes de pression car le gouvernement ne pouvait prendre aucune initiative, il ne pouvait que réagir. Mais tous ces groupes, aux objectifs parfois admirables, avaient des idéologies, des allégeances, et aucun n'avait envie de prendre en main cette affaire bizarre et saugrenue, aucun ne voyant cet incorruptible et *intègre* jeune homme comme lui le voyait. Ils cédèrent à son caprice. Cependant, à plusieurs reprises, il se rendit compte qu'il n'allait pas tarder à se retrouver à quelque tribune en train de défendre des causes partisanes. Il allait de groupe en groupe et se perdait en discussions, controverses et mises au point interminables et acerbes. Au début, il était prêt à considérer cette acrimonie comme un signe de force intérieure, d'« intégrité », mais cela ne dura pas. Il se demandait si ce qu'il admirait en lui-même, quand il était jeune, ce n'était pas l'intolérance, c'est-à-dire l'énergie qui résulte de l'identification à un objectif limité.

Il eut bientôt une crise cardiaque, puis une autre, et mourut.

Si Taufiq avait été là, l'affaire aurait été parfaitement adaptée à ses compétences.

Il n'aurait pas toléré un « procès » saugrenu ni grotesque, ni attaché à sa propre publicité. Il aurait capté l'imagination de toute une génération en mettant en lumière des questions et des doutes profonds, il aurait surtout entraîné, chez les jeunes, une compréhension plus profonde des brusques changements et bouleversements d'un passé récent qui leur semblait si lointain.

INDIVIDU N° QUATRE *(Terroriste de Type 3)*

[L'on trouvera la liste des différents types de terroristes apparus pendant cette période dans *Histoire de Shikasta,* **vol. 3014,** *Période intermédiaire entre la Deuxième et la Troisième Guerre mondiale.***]**

Pendant son bref moment de célébrité, cette jeune femme fut connue de ses collègues et du monde entier sous le nom de La Marque.

Elle avait passé son enfance dans les camps de concentration où ses parents étaient morts. S'il restait encore des survivants dans sa famille, elle ne faisait aucun effort pour savoir ce qu'ils étaient devenus. Elle trouva un foyer auprès de parents adoptifs envers lesquels elle se montra correcte, docile, sans plus — une ombre. Pour elle, ils n'existaient pas. Seuls existaient à ses yeux ceux qui avaient séjourné dans les camps. Avec eux elle gardait un lien. Ils étaient ses amis parce qu'ils connaissaient, comme elle, « la réalité du monde ». Elle était en partie juive mais ne s'identifiait pas particulièrement au fait qu'elle l'était. Dès qu'elle atteignit l'âge adulte, des pressions s'exercèrent sur elle, l'exhortant à la normalité. Elle y répondit en prenant le nom de La Marque : elle avait refusé de faire disparaître le tatouage des camps. Elle avait maintenant des chemises et des sweaters avec sa marque dessus, en noir. Quand elle était au lit avec ses « amants », où elle défiait le monde de cette manière froide et indifférente qui était la sienne, elle prenait la main de l'homme ou de la femme avec qui elle se trouvait (elle était bisexuelle) et la plaçait en souriant sur la marque de son avant-bras.

Elle rechercha de plus en plus la société de ceux qui avaient été dans les camps de concentration, les camps de réfugiés et les prisons. Plusieurs fois, elle passa secrètement des frontières pour pénétrer dans des camps et des prisons — exploits jugés « impossibles ». C'était en tentant l'impossible qu'elle vivait vraiment. Jamais autrement. Elle s'assigna des exploits encore plus difficiles. Elle vécut même pendant un an comme détenue dans une maison de correction d'un pays des franges nord-ouest. Les autres détenues pensaient qu'elle était engagée dans quelque tâche politique ; en réalité, elle se mettait elle-même à l'épreuve. Dans quel but ? Son « rôle historique » n'avait pas encore été « inventé par l'histoire » : son vocabulaire se composait de slogans et clichés politiques empruntés la plupart du temps à la gauche et du jargon des camps de concentration et des prisons. A ce stade, elle n'envisageait pas pour elle-même d'avenir bien défini. N'habitant nulle part, elle allait d'un appartement à l'autre dans une douzaine de grandes villes des franges nord-ouest. Ceux-ci appartenaient à des êtres comme elle dont certains avaient des métiers ordinaires et d'autres gagnaient leur argent illégalement, d'une manière ou d'une autre. L'argent ne l'intéressait pas. Elle portait toujours des pantalons et une chemise ou un sweater, et si ces vêtements ne portaient pas la marque, elle l'arborait sur un bracelet d'argent.

C'était une jeune fille trapue, sans charme ni rien qui la fît remarquer ; cependant les gens se surprenaient à la regarder, gênés par cette présence froide et observatrice. Elle était toujours maîtresse d'elle-même et hostile, excepté quand elle était avec ses *alter ego,* les rescapés des camps, auxquels elle manifestait une affection maladroite et puérile. Seul, un autre connaissait le détail de ses exploits dans les camps et les prisons. C'était un homme appelé « X ».

Lorsque les groupes terroristes surgirent un peu partout, composés pour la plupart d'individus plus jeunes qu'elle, La Marque était devenue presque une légende. Ils y virent un danger — celui de « l'exhibitionnisme » — et la tinrent à distance, mais dans le réseau d'appartements et de maisons où ils évoluaient, elle venait de partir, ou allait bientôt être là, quelqu'un la connaissait ou elle avait aidé quelqu'un. Un homme, respecté parmi eux, et qui était sur le point de mettre sur pied, de façon efficace et formelle, un groupe dont il serait le « leader » — selon l'acception particulière qu'ils donnaient à ce terme — tout en refusant de parler d'elle laissa entendre qu'elle était la plus douée et la plus brave de tous les gens qu'il avait connus. Il insista pour qu'elle devînt membre de son groupe — ceci en dépit d'une certaine opposition.

Il avait dit un jour que c'était une championne du déguisement.

Elle arriva un après-midi dans un appartement d'une ville industrielle du nord des franges nord-ouest. Il faisait un froid glacial, il neigeait et un vent glacé soufflait. Quatre personnes de moins de trente ans, deux

155

hommes et deux femmes, virent entrer une femme blonde, bronzée, un peu trop bien nourrie, vêtue d'un manteau de fourrure vulgaire et coûteux, arborant le sourire détendu et affable des privilégiés et nantis de ce monde. Cette dame de la bourgeoisie s'assit en faisant mille manières et en surveillant son sac coûteux mais légèrement élimé comme c'est le cas chez les gens qui prennent grand soin de leurs affaires. L'assistance éclata de rire. Elle devint pour chacun une sœur aînée, une camarade astucieuse, qui avait toujours fait — avec succès — des choses qu'ils n'auraient jamais imaginées possibles. Ce cercle de hors-la-loi était toute sa famille et le resterait jusqu'à la mort car ils étaient bien incapables de quitter ce milieu et de retourner à la vie normale — ce qu'aucun d'eux ne désirait ni ne concevait d'ailleurs. Ses défis à elle-même, ses exploits, elle en faisait part aux autres qui en discutaient et en tiraient toutes sortes d'enseignements pratiques.

Ce groupe de terroristes était l'un des plus prospères. Il fonctionna pendant plus de dix ans avant que La Marque ne fût capturée, en compagnie de huit autres. Leurs objectifs étaient toujours les mêmes : un exploit difficile et dangereux exigeant des trésors d'adresse, de bravoure et de ruse. C'étaient tous des individus qui avaient besoin de connaître le danger pour se sentir vivre. C'étaient des socialistes « de gauche » en quelque sorte mais qui ne se soucièrent jamais de définir quelque « ligne » politique ou dogme que ce soit. S'ils utilisaient le vocabulaire de la gauche internationale, c'était sans passion.

Ils ne recherchaient ni ne convoitaient la publicité mais l'utilisaient.

La plupart de leurs dangereuses entreprises étaient anonymes et n'atteignaient ni les journaux ni la télévision.

Il leur arrivait de faire chanter une grande firme internationale ou un individu pour en tirer de l'argent. De grosses sommes parvenaient aux organisations de réfugiés, de prisonniers évadés ou clandestins, ou au « réseau ». De jeunes réfugiés vivant dans des camps se trouvaient mystérieusement pourvus d'une bourse leur permettant d'entrer à l'université ou en apprentissage. Des appartements et des maisons surgissaient dans un pays ou un autre, parfois à l'autre bout du monde pour les besoins du « réseau ». Des organisations semblables à la leur et temporairement en difficulté recevaient une aide. Ils faisaient chanter et kidnappaient aussi pour obtenir des informations. Ils voulaient connaître par exemple dans le détail la façon dont telle entreprise fonctionnait, ou bien les contacts et relations de telle firme multinationale. Ils cherchaient — et obtenaient — des informations concernant des

156

installations militaires secrètes. Ils acquéraient le matériel nécessaire à la fabrication de divers types de bombes, d'armes et en faisaient profiter d'autres groupes. Si l'on avait demandé à l'un de ces jeunes pourquoi il ou elle n'utilisait pas tous ces talents « pour le bien public », la réponse eût été : « Mais c'est ce que je fais ! », car ils se considéraient tous comme les membres d'un gouvernement mondial d'opposition.

Lorsqu'ils furent pris, ce fut par hasard — inutile ici de dire comment.

La Marque et ses associés furent emprisonnés sous des inculpations multiples. Des meurtres avaient été commis, mais pas pour le plaisir de tuer. Le *plaisir* — si tant est que l'on puisse employer ce mot pour décrire le frisson d'excitation sublime, intense, fugace qu'ils recherchaient, ou qu'ils se fabriquaient, plutôt — ne venait pas du seul acte brutal qui consiste à torturer quelqu'un, mais de l'exploit dans son ensemble — de sa conception, de son organisation, de la lente montée de la tension et de la scrupuleuse attention aux mille détails de l'opération.

INDIVIDU N° CINQ *(Terroriste de Type 12)*

X était le fils de parents riches, des industriels qui avaient fait fortune dans la fabrication des armes et diverses industries liées à la guerre : la Première Guerre mondiale jeta les bases de cette fortune. Son père et sa mère avaient tous deux été mariés plusieurs fois ; il n'avait donc pas eu de vie de famille et était affectivement indépendant dès son plus jeune âge. Il parlait plusieurs langues et pouvait se considérer citoyen de plusieurs pays. Était-il italien, allemand, juif, arménien ou égyptien ? L'un ou l'autre, selon son plaisir.

Homme de talent et de ressources, il aurait pu devenir un rouage efficace de la machine de mort qui lui revenait de droit. Mais il ne voulait ni ne pouvait être l'héritier de qui que ce fût.

Il avait quinze ans lorsqu'il réussit plusieurs affaires de chantage — tours de passe-passe affectifs — parmi les diverses entreprises de sa nombreuse parenté. Ces coups de main prouvaient une calme et froide clairvoyance et une indifférence totale aux sentiments. Il était de ceux qui sont incapables de séparer un individu de son environnement. L'homme qui était son vrai père (bien qu'il ne le regardât pas comme tel et appelât « père » un homme rencontré une demi-douzaine de fois, par hasard, et dont les conversations avaient illuminé sa vie), un homme ordinaire, tourmenté, anxieux, qui mourut vers la cinquantaine d'une crise cardiaque, l'un des hommes les plus riches du monde, lui

157

apparaissait comme un monstre par le milieu même dans lequel il était né. X n'avait jamais remis cette attitude en question : cela lui était impossible. Pour lui, un homme ou une femme *était* son milieu, ses actions. Ainsi la culpabilité n'existait pas pour lui, c'était un mot qu'il ne comprenait pas, même au prix d'un effort d'imagination. Il n'avait jamais tenté de comprendre les gens qui avaient reçu la même éducation que lui : ils étaient tous pourris, mauvais. Son vrai milieu, sa famille, c'était le « réseau ».

Sa rencontre avec La Marque eut une grande importance. Il avait douze ans de moins qu'elle. Il s'absorba aussi totalement dans ses aventures que d'autres l'auraient fait dans l'étude de « Dieu » ou de quelque absolu.

Il y avait eu d'abord cet homme rencontré par hasard, dont les affirmations impitoyables lui apparaissaient comme l'essence même de la sagesse. Puis il y eut La Marque.

Quand ils eurent des relations sexuelles — c'est-à-dire presque aussitôt car, pour elle, le sexe était une faim qu'il fallait calmer, sans plus —, il se sentit conforté dans la perception qu'il avait de lui-même : la froide efficacité de la chose, jamais loin de la perversité, lui sembla une définition de l'essence même de la vie.

Il n'avait jamais ressenti la moindre chaleur envers quiconque, simplement de l'admiration, c'est-à-dire, selon ses termes, une volonté de comprendre l'excellence.

Il ne voulait ni ne réclamait l'attention du public, de la presse ni de tout autre instrument de propagande : il méprisait le monde. Mais lorsqu'il avait réussi, avec ou sans le « réseau » (il travaillait souvent seul ou avec La Marque), un coup toujours dirigé contre l'empire de l'un de ses parents, il laissait sa marque, de façon qu'ils sachent qui ils devaient remercier ; c'était un X comme celui que forment les illettrés.

Lorsqu'il était au lit avec La Marque, il traçait souvent un X en travers de son matricule de déportée qui apparaissait en relief sur son avant-bras, et cela particulièrement au moment de l'orgasme.

Il ne fut jamais pris. Plus tard, il entra dans les forces de police internationales qui aidèrent à gouverner Shikasta dans ses derniers moments.

INDIVIDU N° SIX *(Terroriste de Type 8)*

Les parents de cet individu vécurent dans toutes sortes de camps pendant la durée de la Deuxième Guerre mondiale. Le père était juif. Le fait qu'ils eussent survécu tenait de l'« impossible ». Il existe des milliers de documents attestant ces survies « impossibles », chacune un exemple de volonté de survivre, de force intérieure, d'ingéniosité, de courage — et de chance. Ces deux-ci ne quittèrent pas le monde des camps : ils demeurèrent dans un camp de travail forcé dans la partie orientale des franges nord-ouest pendant près de cinq ans après la fin de la guerre. Il n'y avait pas de place pour eux. A ce moment-là, l'individu qui nous intéresse était déjà né dans des conditions atroces de famine et de froid : des conditions *impossibles*. Il était malingre, fragile mais viable. Il n'y eut pas d'autre enfant : la vitalité des parents avait été minée par leurs efforts pour s'installer, avec l'aide d'organisations charitables officielles, et former une cellule familiale dans une petite ville où le père devint ouvrier d'usine. Ils étaient économes, prudents, méfiants, ménageant chaque ressource ; ce genre d'individus connaît le prix des choses, le prix de la vie. L'amour qu'ils portaient à leur enfant était un sentiment de gratitude envers la vie qui continuait : rien à voir avec un amour insouciant, animal, instinctif. Pour eux, il était quelque chose qu'ils avaient sauvé — contre toute vraisemblance — du désastre.

Les parents ne se liaient pas facilement : leurs souffrances les avaient coupés de ceux qui les entouraient et qui avaient tous été presque anéantis par la guerre mais dont très peu avaient été dans les camps. Les parents ne parlaient pas souvent des années passées là-bas, mais lorsque cela leur arrivait, leurs paroles saisissaient l'enfant avec la force d'une autre réalité. Qu'avaient à voir les deux chambres dans lesquelles ils vivaient, pauvres mais chaudes et sûres, avec le cauchemar qu'ils décrivaient ? Parfois, à ce moment de leur vie, les jeunes, en proie à des bouleversements glandulaires, se figent dans une opposition à leurs parents avec une violence qui préserve intacte, pour le reste de leur existence, leur tendance à l'antagonisme.

L'enfant regardait ses parents avec effarement. *Comment était-ce possible ?* pensait-il.

Je reviens ici sur l'incrédulité mentionnée dans mon rapport sur l'Individu N° Trois. Celui-ci avait passé des années de sa vie à observer les privations des gens qui l'entouraient en se disant : *comment est-ce possible ? Je ne peux pas y croire,* ce qui signifiait en partie : pourquoi supportent-ils cela ? mais aussi : comment les êtres humains peuvent-ils se traiter mutuellement de la sorte ? Je refuse d'y croire.

Chez l'Individu N° Six, l'incrédulité allait beaucoup plus loin que chez l'Individu N° Trois qui voyait autour de lui des rues, une ville, et avait du mal à imaginer les franges nord-ouest, sans parler du continent central ni du monde ! Il lui avait fallu des années de guerre pour élargir ses frontières.

Mais l'Individu Nº Six sentait *qu'il était* la guerre ; la guerre avait été un événement global qui avait imprimé dans son esprit sa vision de la vie : un réseau de processus enchevêtrés et interdépendants.

A partir du moment où il commença à penser par lui-même, il fut incapable de voir les événements passés comme l'avait fait la génération précédente. Il n'y avait pas plus de « nation coupable » que de pays vaincus ou vainqueurs. Une seule nation ne pouvait être responsable de ses actes puisque les groupes de nations étaient un tout et agissaient comme un tout. L'aire géographique appelée « Allemagne » — le nom était devenu synonyme de cruauté — ne pouvait être tenue entièrement responsable des meurtres et des brutalités qu'elle avait perpétrés sur des millions de personnes : comment cela pouvait-il être quand il suffisait de passer un jour dans une bibliothèque, en tête à tête avec les faits, pour s'apercevoir que la « Deuxième Guerre mondiale » avait eu des causes multiples, était l'expression de l'ensemble des franges nord-ouest et une suite de la « Première Guerre mondiale » ? *Comment se pouvait-il* que ces vieilles gens vissent les choses d'une façon aussi fragmentaire, comme des enfants ou des idiots ? Ils étaient faibles d'esprit, stupides ! Et surtout, *ils n'avaient pas l'air de se rendre compte du tout de ce qu'ils étaient vraiment.*

Ce garçon de quinze ans s'imposa un mode de vie bouleversant pour ses parents. Il n'avait pas de chambre à lui mais un lit pliant dans la cuisine ; il recouvrit celui-ci de ce qu'on fournissait dans les camps : une couverture mince et sale. Il se rasa le crâne et le garda ainsi. Un jour par semaine, il mangeait la nourriture des camps aux derniers temps de la guerre : de l'eau grasse chaude, des épluchures de pommes de terre et des détritus de poubelles. Il avait soin — c'était même chez lui une obsession — de se préparer lui-même sa « nourriture » et de poser sur la table, aux heures des repas, cette infâme pitance qu'il mangeait respectueusement, comme un sacrement. Pendant ce temps, ses parents prenaient leurs repas frugaux car leurs estomacs délabrés ne pouvaient plus absorber des quantités normales de nourriture. Il leur lisait des passages de biographies, des rapports sur les conditions de vie dans les camps, sur les négociations ou le manque de négociations qui avaient conduit à la « Deuxième Guerre mondiale » ; sans jamais oublier de souligner les causes multiples de cet événement : si telle nation avait fait cela, alors ceci ne serait pas arrivé, si telle ou telle mise en garde avait été suivie... telle ou telle démarche entreprise... tel homme d'État écouté...

Pour ces pauvres gens, c'était comme si le cauchemar auquel ils avaient par miracle échappé s'abattait de nouveau sur eux. Ils s'étaient trouvé un endroit sûr où ils pouvaient se croire à l'abri du danger car le mal était l'apanage de l'autre endroit, de l'autre nation ; la cruauté appartenait au passé, à l'histoire ; la terreur pouvait revenir, mais, Dieu merci, c'était pour l'avenir, et à ce moment-là, avec un peu de chance ils seraient morts et enterrés... et voilà que leur refuge était violé non par l'histoire ou l'avenir mais par leur précieuse progéniture — tout ce qu'ils avaient pu sauver de l'holocauste.

Le père l'implora de porter ses vérités ailleurs.

« Ce que je dis est-il vrai ou non ? rétorqua le garçon d'un air de défi.

— Oui... non... ça m'est égal, pour l'amour de *Dieu*... !

— Ça t'est égal !

— Écoute, tu ne sais pas ce que ta mère a souffert, ne sois pas trop dur envers elle ! »

Le garçon, pour ajouter à la sévère discipline, portait, certains jours de la semaine, des haillons dégoûtants. Il avait couvert les murs de la cuisine qui, après tout, était la seule pièce où il fût chez lui et qu'il pouvait donc considérer comme sienne, de centaines de photos des camps, et pas seulement ceux des franges nord-ouest ; bientôt se trouvèrent illustrées sur toute la surface des murs les atrocités infligées à l'homme par l'homme.

Il restait assis tranquillement à table tandis que son père et sa mère avalaient en hâte leur repas dans un silence qui le suppliait de ne pas « recommencer » — mais il recommençait inlassablement, récitant des faits, des chiffres, des litanies d'exterminations, de morts par mauvais traitements et de tortures dans les pays communistes, dans les pays non communistes, dans n'importe quel pays, n'importe où.

[Voir *Histoire de Shikasta*, vol. 3011, *L'Age de l'Idéologie*, « Autoportraits des nations ». Zones géographiques ou associations temporaires de peuples à des fins de défense ou d'agression. Telle entité capable de se croire différente, meilleure, plus « civilisée » que les autres, quand, en réalité, vues de l'extérieur, elles se valent toutes. Voir également vol. 3010, *Psychologie des masses,* « Mécanismes d'autodéfense ».]

Par une suite de hasards, il était devenu impossible au jeune homme de s'identifier aux mythes nationaux et à l'autosatisfaction générale. Il lui était littéralement impossible de comprendre comment les autres y parvenaient. Il était convaincu qu'ils simulaient ou qu'ils étaient délibérément lâches. Il appartenait à la génération — à la portion de cette génération, plutôt — qui ne voyait dans un journal qu'un écran de mensonges, réduisait n'importe quel documentaire ou nouvelle télévisée à ce qu'était *probablement* la vérité, ressassant, comme un croyant les ruses du Démon, que ce que l'on faisait avaler au monde ou à une nation, n'était qu'une infime partie de la véritable information et enfin savait qu'à aucun moment, en aucun endroit du monde, les populations ne connaissaient la vérité : la réalité des faits ne pénétrait que lentement dans la conscience publique — beaucoup plus tard, ou parfois jamais.

Tout ceci était bien car c'était un pas pour se libérer des miasmes de Shikasta.

Mais lui n'en tirait rien car il n'y avait en lui aucune bonté.

Les parents ne pouvaient plus le supporter. La mère, qui n'était pas encore vieille selon les critères courants, se sentait usée ; elle tomba malade et eut une crise cardiaque. Le père se fâcha, implora, utilisa même des mots comme : aie pitié de nous, je t'en prie, aie pitié de nous.

L'ange de la Vertu, implacable et vengeur, demeura dans la misérable maison qui abritait la famille, scrutant ses parents d'un œil plein de dégoût incrédule : est-il possible que vous soyez ainsi ?

A la fin, son père lui dit que s'il ne pouvait traiter sa mère — « et moi aussi, je l'avoue ! » — avec plus de douceur, il valait mieux qu'il quittât la maison.

Le garçon avait seize ans. Ils me chassent ! Il exulta, car tout ce qu'il savait se trouvait ainsi confirmé.

Il se trouva une chambre chez un camarade d'école et ne vit plus ses parents.

A l'école, il s'acharna à déranger par sa seule présence. C'était une école de village comme les autres qui n'offrait à ses élèves ni des maîtres ni un enseignement extraordinaires. Assis au fond de la classe, il émettait des ondes malveillantes, bras croisés, jambes étendues d'un côté, fixant sans ciller une cible, puis une autre. Il se levait parfois, après avoir sagement levé la main pour demander la permission et disait : « N'est-il pas vrai que... ? Vous ne savez peut-être pas... Vous connaissez, bien sûr, le rapport gouvernemental n° X, Y, Z... Je suppose que tel ou tel livre sera au programme de cet enseignement. Non ? Comment est-ce possible ? »

Les professeurs le craignaient, la plupart des élèves aussi, quoique certains d'entre eux aient pour lui de l'admiration. A cette époque, où toutes sortes de groupes politiques extrémistes tourmentaient les autorités et où « la jeunesse » constituait par définition une menace, il n'avait pas encore dix-sept ans que son nom était déjà connu de la police, car le directeur de l'école l'avait signalé avec l'air de quelqu'un qui se prémunit contre une probabilité prochaine.

Il se tourna vers différents groupes, tout d'abord de droite ou sans affiliation à un parti, puis rencontra un groupe de la gauche révolutionnaire. Celui-ci, cependant, avait des allégeances très spécifiques : ce pays-ci était bon, celui-là mauvais, ce dogme aberrant, cet autre « correct ». Alors il recommença à dire : « Sûrement vous n'ignorez pas que... N'avez-vous pas lu... ? Ne savez-vous pas que... ? » Il voyait bien qu'il lui faudrait former son propre groupe, mais il n'était pas pressé. Pour survivre, il chapardait et participait à de petits coups de main. Peu lui importait la façon dont il arrivait à passer deux mois dans un appartement ici ou là, à manger gratuitement pendant une semaine ou à se procurer une petite amie. Il était complètement amoral, c'en était même touchant. Accusé de mensonge ou de vol, il se permettait même parfois un sourire qui trahissait son dégoût pour tout ce qui l'entourait. Il ne s'était pas encore fait de réputation parmi les groupes politiques, mais dans l'ensemble, on le trouvait astucieux, habile à se procurer des moyens d'existence selon des procédés qui leur en imposaient, mais trop insouciant.

Lorsque son groupe d'une douzaine de jeunes gens et de jeunes filles se concrétisa enfin, ce ne fut pas sur la base d'une idéologie politique particulière. Chacun avait été formé par des années de privation affective ou physique et directement affecté par la guerre. Aucun ne savait faire autre chose que fixer le monde d'un œil froid et haineux : *Voici ce que vous êtes.* Ils ne rêvaient pas d'utopies futures : leur imagination n'était pas tournée vers l'avenir, à la différence des révolutionnaires ou des mystiques qui les avaient précédés. Pour eux, ce n'était pas « l'année prochaine, ou dans la prochaine décennie, ou au siècle prochain nous créerons un paradis sur terre... » mais seulement : « *Voici ce que vous êtes.* » Lorsqu'on se serait débarrassé de ce système hypocrite, malhonnête, misérable et stupide, alors chacun se rendrait compte...

C'était à eux de démasquer le système et de le montrer tel qu'il était.

Ils avaient une conviction et pas de programme. Ils détenaient la vérité mais qu'en faire ? Ils avaient un vocabulaire mais pas de langage.

Ils observaient les exploits des guérilleros, les hauts faits des terroristes.

Ils virent que ce qu'il fallait, c'était mettre en lumière situations et événements.

Ils organisèrent l'enlèvement d'un certain politicien qui avait participé à une transaction qu'ils désapprouvaient et exigèrent la libération d'un prisonnier qui leur semblait innocent. Ils indiquèrent en détail les raisons pour lesquelles le prisonnier était innocent ; lorsqu'ils apprirent qu'il ne serait pas libéré ils abattirent leur otage et l'abandonnèrent sur la grand-place de la ville. *Voilà ce que vous êtes*, pensaient-ils en assassinant l'homme, en réalité, le monde.

Le meurtre n'avait pas été prémédité. Les détails de l'enlèvement avaient été conçus avec soin mais ils n'avaient pas imaginé qu'ils tueraient le politicien, persuadés qu'ils étaient que les autorités leur remettraient leur « innocent ». Il y avait quelque chose d'inconsidéré, de bâclé dans toute cette affaire et plusieurs membres du groupe exigèrent une approche plus sérieuse, des analyses et une remise en question.

Notre Individu N° Six les écouta, avec son éternel sourire insouciant, mais il y avait dans ses yeux noirs une lueur meurtrière. « Bien sûr, qu'attendre d'autre de gens comme vous ? » semblait-il dire.

Deux des protestataires furent victimes d'« accidents» dans les jours qui suivirent. Il commandait à présent un groupe qui ne le regardait plus comme « insouciant », en tout cas plus comme avant.

Ils étaient neuf, dont trois femmes.

L'une d'elles se considérait comme lui appartenant, mais lui refusait cette vue des choses. Ils se livraient à des pratiques sexuelles collectives de toutes sortes, violentes, ingénieuses, pour lesquelles ils employaient des drogues et des engins variés. Des bâtons de gélignite par exemple. Quatre membres du groupe explosèrent pendant une de ces orgies. Il n'en recruta pas d'autres.

Les quatre qui restaient s'aperçurent qu'il avait aimé la publicité faite autour de l'affaire. Il insista pour organiser un « service funèbre », ce qui, bien que la police ignorât quel groupe était responsable de ce mini-massacre, attirait sur eux l'attention et risquait de les faire arrêter. Ils laissèrent des élégies funèbres, des poèmes et des dessins de caractère héroïque dans le hangar où le « requiem socialiste » avait eu lieu.

Ils se rendaient compte à présent qu'il était fou mais il était trop tard pour quitter le groupe.

Ils organisèrent un autre enlèvement. Cette fois leur imprudence confinait au mépris ; ils furent pris et traînés en justice. Ce procès mina le pays, si grand était leur mépris de la loi et des processus légaux.

A cette époque, presque tous les habitants des franges nord-ouest considéraient les tribunaux comme une faible — oh si frêle — barrière entre eux et l'anarchie pure et simple.

Tous savaient que la « civilisation » reposait sur les bases les plus fragiles. Le regard que portaient les gens d'âge sur ce qui se passait dans le monde n'était pas moins effrayé, à sa manière, que celui de jeunes comme l'Individu N° Six et son groupe ou d'autres terroristes, mais il avait des effets opposés. Ils savaient que la moindre pression, ne fût-ce qu'un accident, un acte involontaire, pouvait anéantir l'édifice... et pendant ce temps ces fous, ces jeunes idiots, étaient prêts à tout risquer — bien plus, *cherchaient* à l'anéantir, *étaient résolus* à tout détruire et à tout gâcher. Si des gens comme l'Individu N° Six « ne pouvaient y croire », les citoyens ordinaires, eux non plus, « ne pouvaient y croire » : ils ne se comprenaient pas les uns les autres.

Lorsque les cinq passèrent en jugement et se retrouvèrent dans le box des accusés, chargés de chaînes et derrière la barrière protectrice de barreaux supplémentaires, ils atteignirent le point culminant de leur carrière, le summum de leur réussite. « Voilà ce que vous êtes, disaient-ils au monde entier. Ces chaînes barbares, ces barreaux, le fait que vous allez nous condamner à passer le reste de notre vie derrière des barreaux — voilà ce que *vous* êtes. Regardez votre image dans un miroir — regardez-*nous* ! »

En prison et au tribunal, ils étaient fous de joie, triomphants, chantant et riant comme à une kermesse.

Environ un an après leur condamnation, l'Individu N° Six et deux autres s'évadèrent. Chacun alla son chemin. L'individu N° Six s'empâta, se mit à porter une perruque et prit l'aspect d'un honnête employé de bureau. Il ne chercha à entrer en contact ni avec ceux qui s'étaient évadés ni avec ceux qui étaient toujours en prison. A peine y pensait-il : c'était le passé !

Il recherchait délibérément le danger, bavardant avec des policiers dans la rue, entrant dans les commissariats pour signaler de petits délits comme le vol d'une bicyclette par exemple. Il fut arrêté pour excès de vitesse. Il comparut même devant les juges comme inculpé. Tout cela avec un secret et vibrant mépris : voilà ce que vous êtes : stupides et incompétents...

Il retourna dans la ville où il avait grandi, prit un petit travail facile et s'organisa une vie sans dissimulation, excepté son changement de nom et d'aspect. Les gens le reconnurent et l'on parla de lui. Quand il le sut il en fut ravi.

Son père était maintenant dans une institution de vieillards et d'handicapés car sa mère était morte. Apprenant que son fils habitait la ville, il se mit à errer dans les rues dans l'espoir de le voir. Ce qui arriva. L'Individu N° Six lui fit alors un signe de la main, joyeux, amical, mais qui voulait dire : « ne m'importune surtout pas », et passa son chemin.

Il s'attendait à ce que, une fois repris comme cela ne pouvait manquer d'arriver, il connaîtrait la même publicité que lors de son premier procès. Il attendait avec impatience le moment où il se trouverait enchaîné comme un chien derrière de doubles barreaux. Mais, lorsqu'il fut arrêté, il fut renvoyé en prison pour y faire son temps.

L'exaltation et la folie — qui l'avaient porté toujours plus haut dès le premier instant où il avait compris ce qu'était le monde, où « ses yeux s'étaient dessillés » — le quittèrent soudain et il se suicida.

INDIVIDU N° SEPT *(Terroriste de Type 5)*

Celle-ci était la fille de parents fortunés, fabricants d'un produit mondialement connu mais parfaitement inutile, ne servant à rien sinon au commandement économique : tu consommeras.

Elle avait un frère, mais comme ils fréquentaient tous deux des écoles différentes et qu'il n'apparaissait pas important qu'ils se rencontrassent, elle eut très peu de rapports avec lui après la petite enfance. Elle se sentait malheureuse, démunie, sans savoir ce qui n'allait pas. Lorsqu'elle atteignit l'âge de l'adolescence, elle vit qu'il n'existait aucun point d'ancrage dans la famille, aucun centre de responsabilité : ni son père, ni sa mère, ni son frère — dont le destin tout tracé était de succéder à son père — ne dominaient les circonstances de leur vie. Ils demeuraient passifs en face des événements, des idées, des modes, de la conduite à tenir. Lorsqu'elle en eut pris conscience — elle ne comprenait pas qu'il lui ait fallu tant de temps pour cela — elle s'aperçut qu'elle était la seule de sa famille à penser de la sorte. Car il ne venait jamais à l'esprit d'aucun d'eux de dire « non ». Elle se voyait, elle et les siens, comme de vieux journaux, des détritus balayés par le vent le long des rues.

Elle ne les haïssait pas. Elle ne les méprisait pas. Elle les trouvait inutiles, inintéressants.

166

Elle passa trois ans à l'université. Elle y aima la double vie des jeunes de sa classe : démocratique et frugale sur le campus, luxueuse à la maison — celle des privilégiés auxquels tout est possible.

Elle n'avait pas d'intérêt pour ce qu'on lui enseignait, seulement pour les gens qu'elle rencontrait. Elle fréquenta tour à tour diverses sectes politiques, toutes de gauche. Elle utilisait avec elles le vocabulaire rituel obligatoire, le même dans toutes, bien qu'elles fussent parfois ennemies les unes des autres.

Ce qu'elles avaient en commun, c'était l'idée que « le système » était condamné et serait un jour remplacé par des êtres comme eux, des êtres différents.

Ces groupes, qui existaient par centaines dans les franges nord-ouest — nous ne parlerons pas ici des autres parties du monde — avaient toute liberté pour établir leurs propres programmes, leur base de pensée, sans référence à la réalité objective. (La jeune fille ne se rendit jamais compte, par exemple, que pendant les années qu'elle passa parmi ces groupes, elle ne fit qu'accepter passivement, comme elle l'avait toujours fait dans sa famille.) [Voir *Histoire de Shikasta,* vol. 3011, *L'Ère de l'Idéologie,* « **Pathologie des groupes politiques** ».]

Dès que les grandes religions perdirent leur pouvoir, non seulement dans les franges nord-ouest mais sur l'ensemble de Shikasta, on observa, parmi les jeunes, un phénomène périodique ; au moment où ils atteignaient l'âge adulte et considéraient leurs aînés d'un regard froid et hostile, résultat du glissement de la civilisation dans la barbarie, des groupes, frappés pour la première fois par la « vérité », se mettaient à tout rejeter autour d'eux et à chercher, dans une idéologie politique (sur le plan émotionnel, ceci était identique à la réaction des groupes qui se faisaient et se défaisaient sous les dictatures religieuses), des solutions à leur situation, solutions qu'ils croyaient toujours neuves.

Ces groupes naissaient en une nuit, à la suite d'une vision fulgurante du monde qu'ils croyaient originale, et en l'espace de quelques jours ils avaient leur philosophie, leur code éthique, leur liste d'ennemis et d'alliés personnels, intergroupes, nationaux et internationaux. Pendant des semaines, des mois, des années même, ces jeunes gens vivaient enfermés dans un cocon d'idées pures, car le sens de tout cela, c'était qu'ils détenaient la vérité. Puis le groupe se subdivisait, de la même façon qu'un tronc se ramifie, qu'un éclair se dédouble et que les cellules vivantes se divisent. Mais l'identification affective de ces jeunes au groupe était telle qu'elle interdisait tout examen de la dynamique qui doit le régir. Si les études des psychologues, des chercheurs de tout poil,

167

et des observateurs des mécanismes sociaux, devenaient chaque jour plus pénétrantes, plus complètes, plus exactes, leurs conclusions n'étaient jamais appliquées aux groupes politiques, pas plus qu'il n'avait jamais été possible d'examiner d'un œil rationnel les comportements religieux des sociétés soumises à la dictature des dévots, ni aux groupes religieux d'appliquer à eux-mêmes ces idées. La politique avait rejoint le sacré, le tabou. L'examen historique le plus superficiel prouvait que chaque groupe, sans exception, était, comme les amibes, voué à la division et à la subdivision, et ne pouvait l'éviter mais que lorsque cela se produisait c'était toujours aux cris de « traître », « trahison », « sédition » et autres vaines clameurs. Si un membre d'un groupe suggérait que les lois reconnues ailleurs devaient sûrement leur convenir, il était considéré comme traître et aussitôt rejeté, comme dans les anciens groupes religieux, accompagné de malédictions, de violentes dénonciations et de réactions passionnelles, sans parler de tortures physiques et même de mort. C'est ainsi que dans cette société divisée à l'infini, dans laquelle différents modes de pensée existaient librement côte à côte sans se gêner le moins du monde, des mécanismes tels que les parlements, les conseils, les partis politiques et les groupes défendant des idées minoritaires, échappait à toute analyse, étaient tabous, inaccessibles à l'examen objectif et rationnel, tandis qu'à un autre échelon de la société, psychologues et sociologues recevaient récompenses et louanges pour des travaux dont les conclusions, si on les avait appliquées, auraient anéanti la structure tout entière.

Quand l'Individu N° Sept quitta l'université, rien de ce qu'elle avait appris ne lui semblait présenter le moindre intérêt. Sa famille pensait qu'elle épouserait un homme comme son père ou son frère ou qu'elle prendrait un emploi facile. Il lui sembla tout à coup qu'elle n'était rien et qu'elle n'avait aucun avenir devant elle.

C'était l'époque où des « manifestations » avaient lieu en grand nombre et où la populace descendait sans cesse dans la rue pour hurler les exigences du jour.

Elle avait pris part à des manifestations lorsqu'elle était à l'université et, en y repensant, il lui semblait que pendant ces heures passées à courir, à psalmodier des slogans, à crier et à chanter au milieu de foules énormes, elle avait vécu plus intensément et plus authentiquement que tout le reste du temps.

Elle prit l'habitude de s'échapper de la maison lors des manifestations, afin de goûter quelques heures d'ivresse. L'occasion ni la cause n'avaient d'importance. Un jour, au premier rang d'une foule aux prises avec la police, elle se trouva engagée dans un corps à corps avec un policier, un jeune homme, qui l'empoigna en l'insultant et la lança comme un paquet de chiffons à un autre policier qui, à son tour, la lui renvoya. Elle se mit à hurler et à se débattre ; c'est alors qu'elle fut entraînée loin de la police, comme un trophée, et se retrouva avec un homme dont elle savait que c'était un « chef ».

C'était un homme d'un type courant à l'époque : borné, mal informé, dogmatique, sans humour, un fanatique qui ne pouvait survivre qu'au sein d'un groupe. Remplie d'une admiration sans réserve, elle fit l'amour avec lui ce soir-là avant de rentrer chez elle. Il n'éprouvait pour elle que de l'indifférence et lui présenta la chose comme une faveur.

Elle se mit en tête de conquérir le jeune homme. Elle voulait « lui appartenir ». Il fut flatté de découvrir qu'elle était la fille d'une des familles les plus riches de la ville, que dis-je, des franges nord-ouest. Mais il était sévère, brutal même envers elle et exigeait, comme marque de dévotion à la cause (et à lui-même car pour lui les deux ne faisaient qu'un) qu'elle se lançât dans des activités de plus en plus dangereuses : il ne s'agissait pas ici du type d'exploit ou de coup de main sérieux et soigneusement préparé propres aux terroristes de type 12 ou 3. Il exigeait qu'elle se trouve avec lui aux premières lignes des manifestations, qu'elle se précipite contre les forces de police, qu'elle crie et hurle plus fort que les autres filles, qu'elle se débatte entre les mains des policiers qui, en fait, aimaient s'affronter à ce genre de femme hystérique. Il exigeait d'elle, en réalité, qu'elle se dégrade volontairement toujours davantage.

Elle aimait cela. De plus en plus, sa vie se passait en démêlés avec la police. Comme il se faisait toujours arrêter, elle était toujours dans un commissariat ou un autre à lui fournir une caution, ou dans les cars de police avec lui, ou à distribuer des tracts sur lui et ses associés. Ses parents eurent vent de ses activités mais après en avoir débattu avec d'autres parents ils se consolèrent en se répétant la formule : il faut bien que jeunesse se passe. Elle était outrée de leur comportement : ils ne la prenaient pas au sérieux. Son amant, lui, la prenait au sérieux. La police aussi. Elle se laissa arrêter et passa quelques jours en prison. Une fois, deux fois, trois fois. Les parents insistant pour payer sa caution, elle laissait toujours « son homme » et ses camarades en prison et rentrait à la maison dans l'une des voitures de la famille, conduite par un chauffeur.

Elle changea de nom et partit de chez elle en disant qu'elle voulait vivre avec son amant, c'est-à-dire, en fait, dans un groupe d'une douzaine de jeunes gens. Elle accepta tout, même de vivre dans un taudis infâme, condamné depuis des années. L'inconfort et la crasse l'exaltaient. Elle se retrouva en train de faire la cuisine et le ménage et de servir son amant et ses amis. Ils y prenaient plaisir, connaissant son milieu familial ; elle sentait qu'elle était prise au sérieux, qu'elle était en train de se faire pardonner.

Ses parents retrouvèrent sa trace et vinrent la chercher mais elle les renvoya. Ils insistèrent pour lui ouvrir des comptes en banque, lui envoyer des messagers avec de l'argent, de la nourriture, des objets de toutes sortes et des vêtements. Ils lui donnaient ce qu'ils lui avaient toujours donné : *des objets.*

Son amant, assis à califourchon sur une mauvaise chaise, les bras croisés sur le dossier, l'observait avec un sourire froid et sarcastique, attendant de voir ce qu'elle allait faire.

Elle n'attachait pas assez de valeur à ce qu'elle savait n'avoir rien coûté à ses parents, pour le leur retourner ; elle dédiait les objets et l'argent à « la cause ».

Son amant restait indifférent à tout cela. Les mets délicats, les jolis vêtements, le confort et la chaleur lui paraissaient méprisables. Ses copains et lui parlaient longuement d'elle, de sa classe sociale, de sa situation économique, de sa psychologie, brassant en tous sens le jargon des manuels de propagande gauchiste. En les écoutant, elle se sentait indigne, mais prise au sérieux.

Il lui ordonna, à la prochaine « manif », d'attaquer un policier. Elle le fit sans sourciller. Jamais elle ne s'était sentie si comblée. Elle passa trois mois en prison pendant lesquels son amant lui rendit une seule fois visite. Il venait en voir d'autres plus souvent. Pourquoi ? se demandait-elle avec humilité. Tous n'appartenaient pas à la classe des pauvres et des ignorants ; l'un de ses associés était en réalité riche et instruit. Mais elle était fortunée, c'était sans doute pour cela. Ils étaient tous plus dignes qu'elle. En prison, parmi les autres prisonniers, la plupart de droit commun, elle rayonnait d'une conviction souriante, inaltérable, qui se manifestait sous forme d'humilité. Elle accomplissait toujours les besognes dont personne ne voulait. Les corvées repoussantes et les châtiments étaient pour elle un plaisir suprême. Dégoûtés, les prisonniers la baptisèrent la Sainte, mais elle l'entendait comme un compliment : « J'essaie d'être digne de devenir un vrai membre de — », et elle donnait le nom de son groupe politique. « Pour devenir une vraie socialiste, il faut souffrir et vouloir. »

170

Lorsqu'elle fut libérée, son amant vivait avec une autre femme. Elle l'accepta : bien sûr elle n'était pas digne de lui. Elle travailla pour eux, comme une servante. Elle s'allongeait devant la porte de la chambre dans laquelle son amant et la femme étaient enlacés, se comparant à un chien, exultant dans sa dégradation et marmonnant comme les phrases d'une litanie : « Je serai digne, je vaincrai, je leur montrerai, je, je... »

Elle prit un couteau de cuisine avant d'aller à la « manif » suivante, sans même regarder s'il était affûté : il lui suffisait de l'avoir. Enivrée, transportée, elle se battit, se débattit, Walkyrie à la chevelure blond sale flottant au vent, aux yeux bleus rougis, au sinistre sourire figé. (Dans sa famille, elle était célèbre pour son « beau visage doux ».) Elle attaqua un policier avec ses poings puis sortit le couteau émoussé (un hasard) et frappa à droite et à gauche, indistinctement. Mais on ne l'arrêtait pas. Les autres, si. Il y avait entre l'atmosphère, l'objectif même, de cette manifestation et son aspect, sa frénésie à elle, une telle disproportion que les policiers en étaient tout intrigués. Un responsable donna l'ordre qu'on ne l'arrêtât pas : manifestement, c'était une déséquilibrée. Dans un regain d'enthousiasme et d'effort elle se mit à hurler et à brandir le couteau en tous sens, pour s'apercevoir tout à coup que la manifestation touchait à sa fin et que les gens rentraient chez eux. *Elle n'était pas prise au sérieux.* Telle une enfant tenue à l'écart d'une fête, elle regardait les gens qu'on avait arrêtés s'empiler dans les fourgons de police, tenant le couteau comme si elle allait s'en servir pour couper des légumes ou de la viande.

Un groupe d'individus l'observait ; ce n'était pas la première fois : cela s'était produit lors de précédentes manifestations.

La jeune fille, comme une statue héroïque, sur un bord de trottoir, un couteau à la main, les cheveux en bataille autour d'un visage gonflé et rougi, pleurait de déception et de colère. Soudain elle vit en face d'elle un homme qui attendait qu'elle le remarquât. Il souriait d'un sourire *amical.* Ses yeux étaient « sévères » et « pénétrants » : il savait fort bien à quel type émotionnel elle appartenait.

« Je crois que tu devrais venir avec moi, dit-il.

— Pourquoi ? fit-elle avec une agressivité qui, cependant, trahissait un désir d'obéir.

— Tu peux nous être utile. »

Elle fit un pas vers lui, puis s'arrêta, perplexe.

« A quoi ?

— Tu peux être utile au socialisme. »

171

Sur son visage passa une expression signifiant : tu ne m'attraperas pas comme ça ; des mots et des expressions du *vocabulaire* tourbillonnaient dans sa tête.

« Tes capacités et tes qualités particulières sont exactement ce dont nous avons besoin », dit-il.

Elle le suivit.

Le groupe habitait un grand appartement délabré des faubourgs de la ville, dans un foyer de travailleurs ; c'était l'un des refuges de ces douze hommes et femmes dont le chef l'avait abordée. Alors que les conditions de pauvreté — exagérée et glorifiée — de son précédent logement étaient nécessaires au travail d'autodéfinition de l'autre groupe, ces gens étaient indifférents à la façon dont ils vivaient et passaient de l'opulence à l'inconfort et de l'inconfort au confort bourgeois en l'espace de quelques heures s'il le fallait, sans jamais prêter la moindre attention à ce qui les entourait. La jeune fille s'adapta immédiatement. Après être restée des jours entiers couchée en travers de la porte de son amant et de sa nouvelle maîtresse, exultant dans son malheur, elle ne pensait plus à cette vie *où on ne l'avait pas appréciée à sa juste valeur.* Elle ne vit pas immédiatement ce que l'on voulait d'elle, mais elle fut patiente, obéissante et douce, accomplissant toutes les tâches qui se présentaient à elle.

Ses nouveaux camarades étaient occupés à organiser un coup de main, mais elle ne savait pas lequel. On l'emmena bientôt dans un lieu où elle n'avait encore jamais été et reçut l'ordre de déshabiller et d'examiner une jeune femme amenée pour être « interrogée ». La fille était en fait une complice, mais juste avant le début de l'« examen » ils dirent à l'Individu N° Sept « qu'on avait là un cas difficile » et « qu'il n'y avait pas à prendre de gants avec elle ».

Seule avec sa victime, qui semblait égarée et démoralisée, la jeune fille se sentit transportée par cette exaltation tant recherchée qu'elle avait connue lors de ses combats avec la police, cette sensation du danger. Elle « examina » la captive qui, à ses yeux, portait toutes les marques d'une stupidité et d'une corruption effarantes. La torture n'était pas loin et elle en eut du plaisir.

Elle fut félicitée pour son travail par ce groupe de jeunes révolutionnaires sévères, sérieux et responsables. C'est ainsi qu'ils se décrivaient. Mais elle ne les avait pas encore entendu définir un credo, un engagement particulier. En fait, elle ne devait jamais le connaître.

On lui ordonna de ne pas sortir, de se tenir cachée : elle était trop précieuse pour qu'ils prennent le risque de la perdre. Quand le groupe

172

déménageait, elle avait toujours les yeux bandés. Elle acceptait cela avec une joie humble : sans doute était-ce nécessaire.

Le groupe ajoutait à l'enlèvement d'individus riches et connus un certain raffinement consistant à kidnapper, à torturer ou à menacer de torture leurs proches : maîtresses, sœurs, épouses et filles. Toujours des femmes. La fille eut pour tâche de torturer, légèrement au début, puis sérieusement par la suite, une jeune femme après l'autre.

Elle aimait cela. Elle avait accepté sa situation. Les mouvements de sa conscience, elle les faisait taire par : ils ont une plus grande expérience que moi, ils valent mieux que moi et tout ceci est nécessaire.

Bien qu'elle ignorât toujours leurs allégeances, elle se consolait par des expressions qu'elle connaissait par cœur, depuis qu'elle était — comme elle disait — devenue mûre politiquement.

Aux moments où le plaisir la tenait, soit parce qu'une confrontation venait de se terminer, soit qu'on lui en eût promis une, elle se demandait si elle n'avait pas été physiquement droguée, si ses nouveaux amis ne lui faisaient pas ingurgiter des stimulants, tant elle se sentait vive, alerte et pleine d'énergie.

Le groupe subsista trois ans avant de se faire prendre par la police, et la fille se suicida quand son arrestation fut certaine. Le motif sous-jacent de son acte était la conclusion du diktat selon lequel elle ne devait jamais être visible, ni sortir, ni se faire voir, ni même savoir où elle se trouvait. Elle sentit que sous la torture — car elle vivait à présent en esprit dans un monde où la torture n'était pas seulement possible mais inévitable — elle « les trahirait ». Son suicide fut donc à ses propres yeux un acte d'héroïsme et de sacrifice au service du socialisme.

On aura remarqué qu'aucun des individus présentés ici ne peut être associé à une injustice particulière ; aucun n'avait souffert aux mains d'un régime arbitraire et tyrannique, aucun ne s'était vu chasser de son pays ni persécuter pour son appartenance à une race méprisée ou asservie ; aucun, enfin, n'avait été maintenu dans la pauvreté par des individus irresponsables, égoïstes ou cruels.

Il me fut impossible d'entrer en relation avec l'individu suivant par l'intermédiaire des Géants ni de leurs semblables. Je cherchais depuis quelque temps quelqu'un qui pût m'être utile, et pendant mes allées et venues à Shikasta j'avais rencontré une vieille amie, Ranee, qui attendait aux abords de la Zone Six, à l'endroit où se forment les files de gens qui espèrent y rentrer. Je lui avais dit que j'aurais très bientôt

173

besoin de passer quelque temps avec elle et lui en avais donné la raison. La cherchant à présent parmi la foule, je ne la vis pas et m'aperçus que celle-ci était moins dense, moins nombreuse. J'appris que l'on parlait d'une catastrophe ou d'un terrible danger en Zone Six et que tous ceux qui étaient capables de comprendre étaient partis aider les gens à s'enfuir. Ceux qui continuaient à faire la queue avaient mis tous leurs espoirs dans une rentrée prochaine et se précipitaient en foule chaque fois que les portes s'ouvraient, se poussant, se bousculant, les yeux fixés sur ces portes : je ne pus donc rien obtenir de plus.

Je les laissai et seul dans le soir qui tombait, je poursuivis mon chemin dans les broussailles et l'herbe clairsemée du haut plateau. Je me sentais mal à l'aise et attribuai d'abord mon état à l'angoisse du danger imminent, mais bientôt cette impression de menace fut si forte que je quittai la savane pour grimper sur une petite corniche, escaladant péniblement un rocher après l'autre dans le noir. Je m'adossai à un pan de roc et tournai le visage dans la direction où je pensais voir poindre l'aube. C'était le silence. Pas tout à fait, cependant. J'entendais un léger murmure, comme celui de la mer... la mer là où il n'y en avait pas, où il ne pouvait pas y en avoir. Un fouillis d'étoiles illuminait le ciel et leur pâle clarté découvrait de maigres buissons et des affleurements de pierre. Rien n'expliquait ce bruissement que je ne me rappelais pas avoir entendu auparavant. Et pourtant il murmurait : « danger », « danger » ; je demeurai où j'étais, tournant la tête à droite et à gauche, les sens en alerte, scrutant l'obscurité comme un animal averti d'un péril qu'il ne comprend pas. Lorsque la lumière envahit le ciel et que les étoiles s'éteignirent, le bruit était toujours là, encore plus fort. Je descendis de la corniche et marchai jusqu'au bord du désert d'où montait un sifflement, continu et strident. Pourtant, il n'y avait pas un souffle d'air pour faire voler le sable. Tout était immobile et la rosée qui montait à mes pieds allégeait un peu mes pas sur le sol craquant. J'avançais, toujours plus lentement, car tous mes sens me criaient : « Attention. » Je pris soin de longer à ma droite la petite corniche qui m'avait abrité la nuit précédente. Elle s'étendait devant moi avant de rejoindre des pics noirs et déchiquetés qui se détachaient sombres, sinistres même, à l'horizon, dans l'aube grise et fraîche. Le murmure des sables se fit plus fort... non loin de moi, je vis de petits nuages de poussière qui disparurent aussitôt ; et pourtant il n'y avait pas de vent ! Les couches inférieures de nuages flottaient, noires et immobiles, tandis que les couches supérieures, de la couleur de l'aube, formaient une masse dense, elle aussi immobile. Un paysage sans vent, un ciel figé et ce chuchotement qui montait de partout ! Au loin, une petite tache suspendue dans l'air grandit soudain et tout près, les sables eurent comme un frisson. Je m'en éloignai et grimpai de nouveau sur la corniche ; là je me retournai pour regarder l'endroit d'où je venais. Au début, rien, puis, presque exactement là où j'étais quelques minutes avant, je vis les sables trembler. De nouveau, plus rien. Mais ce n'était pas un effet de mon imagination. A plusieurs endroits de la plaine de sable qui s'étendait à gauche de la corniche, je voyais à présent de petits nuages de sable suspendus dans les airs. Je n'avais pas encore regardé à ma droite, n'osant quitter des yeux l'endroit où j'étais auparavant car il me semblait essentiel de continuer à observer, comme si quelque chose, un animal, allait surgir dès que j'aurais détourné les yeux. Sans aucune raison, je restais là, pétrifié, à regarder l'endroit où les sables avaient bougé et tremblaient de nouveau. Ils se mouvaient, nettement, puis se figeaient, comme si un énorme bâton invisible les agitait... le sifflement doux m'emplissait les oreilles et je n'entendais plus que cela. J'attendis. Une zone, de la taille de mes deux bras tendus, bougea de nouveau sous l'effet du bâton invisible, avec le mouvement lent, hésitant d'un tourbillon, puis se figea. Un kilomètre plus loin, il me semblait voir comme un tournoiement sous l'un des nuages de sable. Mais je gardais les yeux fixés sur la naissance — car maintenant je savais ce que j'observais — du tourbillon de sable qui était tout près de moi. Lentement, avec des crissements, des arrêts et de nouveaux départs, le vortex se formait tandis que tout autour, à des distances variées, le sable frémissait, puis ne bougeait plus, puis recommençait... Le centre gravitait maintenant à un rythme lent et régulier et des grains de sable, projetés en l'air et de côté, étincelaient en tombant. Le soleil était-il donc là ? Levant les yeux, je vis le ciel en face de moi, d'un rouge violent, infernal, qui jetait sur la pâleur des sables une lumière pourpre.

Le tourbillon était achevé et gagnait les sables alentour ; chaque endroit où j'avais remarqué de petits mouvements commençait à présent à tourbillonner et à se creuser, puis recommençait au fur et à mesure que les tourbillons secondaires se formaient. Je vis que la plaine entière était couverte de ces endroits en mouvement et qu'au-dessus de chacun flottait un petit nuage qui s'agrandissait mais restait immobile car il n'y avait pas un souffle de vent. Alors, avec effort, je me forçai à détourner mon regard de cette plaine effroyable et perfide et regardai à ma droite. Là encore le désert, à perte de vue ; aucun mouvement n'y était perceptible. Les étendues désertiques étaient calmes et immobiles, enflammées par l'infernale rougeur du ciel ; cependant, un renard du

175

désert s'avança tout à coup vers moi, sa fourrure crème embrasée par la lumière. Il trotta jusqu'à la corniche rocheuse et disparut. Un autre arriva. Soudain je vis qu'une foule d'animaux fuyaient un danger situé derrière eux, loin derrière eux, car je ne voyais pas bouger les sables de ce côté de la corniche alors que de l'autre, toute la plaine tremblait, frémissait entre les tourbillons de sable. Très loin, au-dessus de cette plaine tranquille, je voyais que, sous le ciel tout bleu dans la lumière d'une radieuse matinée où les rouges et les roses s'évanouissaient rapidement, flottait, à basse altitude, une brume que je reconnaissais à présent.

J'avais compris ce qui se passait, ce qui allait se passer et je m'avançai en courant le long de la corniche dont je pensais, ou espérais, qu'elle ne céderait pas au mouvement des sables et qu'elle était solide sur sa base.

Je cherchai des yeux les rescapés de ces terribles tourbillons — ils avaient peut-être grimpé sur les rochers pour y trouver refuge — tout en pensant qu'ils étaient sur les montagnes qui me semblaient encore éloignées de l'endroit où j'étais. Cependant, je vis s'approcher un groupe de cinq personnes composé d'une femme, d'un homme et de deux adolescents, tous si hébétés, si abrutis par les dangers auxquels ils venaient d'échapper qu'ils ne me virent point. Ils étaient accompagnés d'une femme dont je me rappelais le visage pour l'avoir vue dans les files d'attente à la frontière. Je l'arrêtai et lui demandai ce qui se passait. « Dépêche-toi, me dit-elle, il y a encore des gens dans les sables. Mais il faut te dépêcher » ; et elle poursuivit son chemin le long de la corniche, criant à ses protégés de se hâter... Ils s'étaient arrêtés, la bouche ouverte, les yeux fixés sur les sables frémissants et tourbillonnants de la plaine à ma gauche, c'est-à-dire à leur droite, et paraissaient incapables de l'entendre. Elle dut les pousser et les bousculer pour les faire avancer. Je me remis à courir, toujours avec peine, grimpant en m'aidant des pieds et des mains, tombant sur les rochers ; plusieurs fois passèrent de petits groupes, chacun guidé par une personne que j'avais vue dans les files d'attente. Les rescapés vacillaient et tremblaient de tous leurs membres, fixant d'un œil vide le désert qu'on eût dit en fusion et il fallait constamment les rappeler à l'ordre et les inciter à regarder devant eux.

Quand j'atteignis enfin les contreforts des hautes montagnes qui s'élevaient toutes droites au beau milieu du désert, il était grand temps, car je m'étais rendu compte que si les larges étendues de sable qui se trouvaient à ma droite se mettaient en mouvement comme de l'autre côté, la corniche ne résisterait pas longtemps et serait bientôt engloutie. Je me retournai pour regarder ce que l'on voyait de la montagne et m'aperçus que d'un côté de la corniche il n'y avait plus un seul endroit immobile : le désert tout entier frissonnait, tourbillonnait, se liquéfiait. De l'autre côté, les choses paraissaient encore stables, et pourtant, en regardant aussi loin que je le pouvais, je vis des foules d'animaux et d'oiseaux qui arrivaient de l'autre côté du désert, les uns sautillant, les autres courant ou volant ; aucun ne regardait en arrière, aucun n'était affolé, accablé ni désorienté. Chacun cherchait son chemin de façon prudente et réfléchie à travers les dunes et les creux de sable jusqu'à la corniche : ils s'en retournaient probablement tous, à travers les rochers, vers le plateau d'où je venais. Mais passé un certain point, il n'y avait plus aucun mouvement d'animaux : j'assistais à l'ultime exode des rescapés ; derrière eux les sables étaient immobiles. De tous côtés de l'horizon, les nuages de poussière montaient dans l'azur intense du ciel matinal.

Je ne savais que faire. Depuis un moment, je ne rencontrais plus de rescapés. Peut-être étaient-ils tous à l'abri, peut-être n'en restait-il plus à sauver ? Je me dirigeai vers les flancs cailouteux et crevassés de la montagne, à ma droite, et en atteignant un petit affleurement de pierres jeunes, aiguës, déchiquetées et de buissons secs, je vis la plaine, au-dessous de moi, et distinguai soudain, droit devant, l'apparition de nouveaux remous, la naissance de tourbillons de sable. Je vis, en bas également, un petit amas de roches noires et sur ces roches, deux personnes. Elles me tournaient le dos et fixaient, droit devant elles, l'étendue de la plaine. Il me semblait les reconnaître. Je redescendis en courant vers eux, l'esprit plein de pensées diverses. D'abord je me disais que l'un des symptômes du choc subi par ces pauvres créatures était qu'elles étaient réduites à ne rien pouvoir faire qu'écarquiller les yeux, hypnotisées, incapables de bouger. Ensuite, que j'arriverais *sûrement* à les rejoindre à temps, mais réussirais-je à les emmener, ça c'était une autre affaire ! Je pensais que ces deux-là étaient mon vieil ami Ben et ma vieille amie Rilla, sains et saufs, même s'ils ne savaient plus où ils étaient.

Tandis que j'atteignais le désert et me précipitais vers eux, je sentais les sables trembler sous mes pieds. J'avançais en chancelant et en les appelant à grands cris mais ils ne m'entendaient pas ou, s'ils m'entendaient, ils étaient incapables de bouger. Lorsque j'arrivai enfin au petit affleurement de pierre sur lequel ils se tenaient, je vis qu'un tourbillon s'était formé non loin de là. Je sautai d'un bond sur le rocher et criai

Rilla ! Ben ! Ils étaient là, debout, frissonnant comme des chiens mouillés et transis, le regard ailleurs : ils continuaient à fixer le désert qui se dissolvait en tourbillons. Je criai de nouveau et ils tournèrent vers moi leurs yeux vides sans me reconnaître. Je les saisis et les secouai et ils n'opposèrent aucune résistance. Je les giflai en criant et leurs yeux, tournés vers moi, semblaient refléter l'ombre d'une question indignée, d'un « Pourquoi fais-tu cela ? ». Mais déjà ils avaient détourné la tête et regardaient de nouveau fixement devant eux, pétrifiés.

Je fis le tour du rocher de façon à me trouver en face d'eux. « Je suis Johor, leur dis-je, votre ami Johor. » Ben sembla revenir là lui mais tendait déjà la tête de côté pour regarder le sable que je l'empêchais de voir. Rilla, apparemment, ne m'avait pas vu. Je sortis la Signature de ma poche et la brandis devant leurs regards hébétés. Les deux paires d'yeux s'y attachèrent tandis que je descendais, et ils me suivirent. Ils me suivaient ! — mais comme des somnambules. Tout en leur montrant la Signature et en marchant à reculons devant eux, j'atteignis le désert qui frémissait à présent tout entier dans un sifflement modulé et leur criai : « Suivez-moi, suivez-moi ! » sans cesser d'agiter la Signature de façon à la faire étinceler de tous ses feux. Je marchais aussi vite que je le pouvais, d'abord à reculons, puis, voyant le terrible danger qui nous menaçait, car nous étions entourés de toutes parts de tourbillons naissants, je me tournai de côté et c'est de cette façon que je les forçai à avancer. Ils trébuchaient, tombaient et semblaient tout le temps éprouver le besoin impérieux de regarder en arrière, mais je les faisais avancer grâce au pouvoir de la Signature. Nous nous trouvâmes enfin sur les pentes stables de la montagne. Là ils se retournèrent, le regard fixe, agrippés l'un à l'autre. Je m'arrêtai avec eux, affecté, moi aussi, par la fascination de l'horrible spectacle. L'endroit que nous étions parvenus à atteindre pour y trouver refuge n'était à présent que mouvement et instabilité continuels ; à perte de vue les sables blonds bougeaient. Et nous étions là, immobiles — car j'étais aussi égaré qu'eux —, regardant tous les trois, hébétés, l'immense tourbillon, car la plaine était devenue une énorme centrifugeuse tournoyant autour d'un centre qui se creusait, se creusait encore, puis disparaissait. Une force effrayante, toute-puissante, aspirait et entraînait ce désert, se nourrissant des énergies et des forces libérées ; je ne pouvais détacher mon regard : il me semblait que mes yeux eux-mêmes étaient aspirés, que mon esprit s'enfuyait, attiré par le tournoiement général. C'est alors que, du ciel, descendit à tire-d'ailes un aigle noir qui poussait de grands cris pour nous prévenir : Fuye-e-e-z... Fuye-e-e-z... Fuye-e-e-z !... et le claquement précipité de ses ailes au-dessus de moi me ramena à la réalité. J'avais laissé tomber la Signature et dus me mettre à quatre pattes pour la chercher ; elle luisait sous un rocher. Il me fallut secouer et gifler Ben et Rilla pour les réveiller et de nouveau faire passer la Signature devant leurs yeux pour les tirer de leur contemplation hypnotique. Au-dessus de nous, l'aigle qui nous avait sauvés de la mort décrivait de larges cercles et scrutait les airs pour voir si nous étions vraiment bien éveillés, puis quand il se rendit compte que nous l'étions, il dirigea son vol vers l'est où le sol s'élevait au-dessus du niveau des sables pour gagner des zones de broussailles, d'herbes et de rochers bas, loin de la plaine funeste dont il nous fallait à tout prix nous éloigner le plus vite possible. Ben et Rilla étaient passifs, abrutis, tandis que je guidais leurs pas et que l'aigle nous montrait le chemin. Je n'essayai pas de leur parler, me demandant ce qu'il fallait faire, car nous marchions dans la direction opposée aux frontières de la Zone Six et de Shikasta, où nous devions nous rendre. Mais je continuai de suivre l'aigle, il le fallait. S'il avait su me tirer de ma transe, je ne pouvais que lui faire confiance... et au bout de plusieurs heures de marche pénible et trébuchante aux côtés de mes deux compagnons hébétés, le grand oiseau poussa soudain un cri pour attirer mon attention et décrivit un long et profond arc de cercle vers la gauche ; je compris que c'était dans cette direction qu'il nous fallait avancer. Nous marchâmes donc toute la journée, jusqu'au soir, nous fiant à l'oiseau car je ne savais pas où nous étions. Rilla et Ben parlaient un peu à présent : de petites phrases maladroites et des mots sans suite. Nous trouvâmes un endroit abrité pour la nuit et je les fis s'asseoir tranquillement à côté de moi pour se reposer. Ils s'endormirent enfin et je grimpai sur un escarpement d'où je voyais, derrière moi, les broussailles du plateau qui s'étendaient jusqu'au désert. A la lumière des étoiles j'aperçus un seul grand tourbillon qui emplissait tout l'espace ; l'arête de la corniche rocheuse, engloutie, avait complètement disparu. Rien ne subsistait que le tournoiement immense dont le tonnerre assourdissant faisait trembler le sol sous mes pieds. A tâtons dans les ténèbres, je revins vers mes amis auprès desquels je demeurai jusqu'à l'aube. Alors, l'aigle, qui perchait sur un grand pic rocheux, me salua par un cri dans lequel je détectai une nuance d'urgence. Je compris qu'il nous fallait repartir. J'éveillai Ben et Rilla et tout le jour nous suivîmes l'oiseau à travers les hautes terres qui entourent les plaines de sable que nous essayions de contourner. Nous ne les voyions pas mais nous entendions le mugissement de la terre furieuse et violentée. Vers le soir, je reconnus l'endroit où nous étions. J'avais pris du retard dans le travail qui m'attendait sur Shikasta ;

il était urgent et nécessaire que j'y retourne. Cependant, je ne pouvais laisser Ben et Rilla seuls. En marchant, ils tournaient la tête sans arrêt pour écouter ce mugissement lointain pareil à celui d'une mer qui ne cesserait de s'écraser sur un rivage agité et mouvant. Je savais que, laissés à eux-mêmes, ils dériveraient de nouveau vers les sables. Je ne pouvais pas non plus leur laisser la Signature car ils étaient irresponsables. Après tout, je l'avais moi-même égarée et pourtant, à côté d'eux, l'on pouvait dire que j'avais conservé tous mes esprits. Je signifiai à l'aigle par des cris que j'avais besoin de son aide et, comme il volait en cercles au-dessus de nous, lui demandai de diriger Ben et Rilla. Je leur montrai de nouveau la Signature et leur dis que l'oiseau était l'un de ses serviteurs et qu'ils devaient suivre ses instructions. J'ajoutai que je les reverrais à la frontière de Shikasta et qu'ils ne devaient pas désespérer. Implorant, je leur fis comprendre ce que je pus, puis continuai seul mon chemin, à vive allure. Je me retournai quelque temps après et les vis qui avançaient lentement d'un pas chancelant, les yeux levés vers l'aigle qui planait et tournoyait, suspendu dans les airs, avançant toujours plus loin, toujours plus loin, devant eux.

Je découvris Ranee en compagnie d'un groupe qu'elle avait sauvé des tourbillons, non loin de la frontière. Je lui demandai si je pouvais voyager avec elle de façon à prendre contact comme je le devais, et elle accepta. Je l'accompagnai donc. Ses ouailles, aussi choquées et égarées que les pauvres Ben et Rilla, semblaient tout de même progresser lentement quand Ranee leur parlait d'une voix basse, pondérée, envoûtante, comme une mère qui, parlant à son enfant pour l'éveiller d'un cauchemar, explique et apaise.

INDIVIDU N° HUIT

Son type et sa situation étaient endémiques sur Shikasta, apparaissant et réapparaissant sans cesse depuis que les inégalités de statut et de possibilités avaient fait leur apparition. Du fait que les femmes étaient menacées et nécessitaient une aide pour leur progéniture en bas âge (je répète des évidences puisque les faits de base sont ceux qu'on néglige le plus souvent) du fait, donc, de cette dépendance des femmes, elles se sont toujours trouvées dans des situations qui ne leur laissaient d'autre choix que d'être servantes.

Mot noble.

Noble condition.

Sur Shikasta, une race dominatrice à une époque donnée peut très bien être subalterne à une autre. Une race ou un peuple réduit à l'esclavage à une certaine époque, en un certain lieu, peut très bien, quelques décennies plus tard, en dominer d'autres. Les rôles des femmes ont évolué en conséquence et chaque fois qu'un peuple, un pays, une race, *touche le fond,* ses femmes, doublement accablées, sont utilisées comme servantes par celles qui dominent à ce moment-là.

Il arrive que ce genre de femme, au détriment de ses propres enfants qu'elle est réduite à abandonner, soit le support, l'épine dorsale, le soutien, la subsistance d'une famille entière, parfois pendant toute sa vie, sa vie *de travailleuse,* car cette servante peut être renvoyée quand elle est vieille, sans rien de plus que ce qu'elle avait au départ. Et pourtant, elle a pu être le lien qui a cimenté toute la famille.

Une créature négligée, sinon méprisée, que l'on regarde en tout comme inférieure, dont l'on considère la fonction plutôt que la personnalité — voilà ce qu'est une *servante,* alors qu'elle est, en réalité, le pivot de la famille, son centre de gravité ; c'est une situation qui se recrée sans cesse, à n'importe quelle époque, dans n'importe quelle civilisation, en n'importe quel lieu.

L'exemple qui m'intéresse ici se situe dans une île à l'extrême ouest des franges nord-ouest, un endroit désolé, très exploité depuis des siècles par d'autres pays.

Une famille fière de son « sang » mais plutôt désargentée employait une pauvre fille du village. Étant donné les conditions économiques qui régnaient sur cette île, il n'avait jamais été facile de s'y marier, mais si cette fille ne l'avait pas fait — ne l'avait même jamais envisagé — c'est que, depuis l'âge de quinze ans, les besoins de cette famille l'avaient complètement absorbée sur le plan affectif. Elle faisait le ménage de la maison — qui était grande —, la cuisine, et s'occupait des enfants au fur et à mesure qu'ils naissaient. Elle travaillait plus durement qu'une esclave et acceptait des gages minimes parce qu'elle savait la famille démunie, parce qu'on ne lui avait jamais appris à attendre beaucoup, et parce qu'elle aimait ces gens. Il lui arrivait de dépenser les gages d'un mois pour acheter un jouet à un enfant ou une robe à une petite fille qu'elle chérissait.

Plusieurs fois, le père et la mère se querellèrent et se séparèrent ; ce fut elle qui s'occupa des enfants et maintint un semblant de foyer jusqu'à ce que les parents soient de nouveau unis.

Les enfants — au nombre de cinq — grandirent tandis qu'elle vieillissait. Ils quittèrent la maison et l'île pour d'autres contrées. Les parents, maintenant âgés, vivaient dans une grande maison qui se délabrait, seuls, sans rien en commun sinon le souvenir de la famille disparue. C'est pourquoi ils décidèrent d'émigrer. Un soir, ils déclarèrent à leur servante qui avait trimé cinquante ans pour eux qu'ils n'avaient plus besoin de ses services.

Ils partirent, lui laissant le soin de nettoyer et de fermer la maison qui devait être vendue et de regagner à pied son village où elle n'avait plus aucun lien, si ce n'est une sœur veuve qui accepta de mauvaise grâce de la loger. La servante ne possédait rien hormis ses vêtements — pour la plupart de vieilles frusques que lui avait données la famille.

Il lui fallut plusieurs mois pour comprendre ce qui lui était arrivé. Elle ne s'était jamais considérée comme exploitée ni maltraitée. Elle avait aimé la famille, chaque membre de la famille, et leur vie avait été sa vie. Ils n'avaient jamais eu d'affection pour elle mais elle avait cru qu'ils en avaient « à leur manière ». Elle les avait souvent trouvés insouciants, irréfléchis mais ils l'avaient charmée, ravie ! Un baiser d'une petite fille, un sourire de la « dame », un « je ne sais pas ce que nous ferions sans vous » l'avaient comblée.

Elle était abasourdie, mélancolique et constamment au bord des larmes « sans raison, vraiment » !

La sœur parla avec indignation, ici et là, du traitement infligé à sa sœur. Une jeune femme, qui avait des ambitions de journaliste, écrivit son histoire qui parut dans un journal local et fut par la suite publiée dans un grand journal de l'île voisine.

La servante fut attristée par ces événements. Elle redoutait que la famille ne la trouvât ingrate.

Elle reçut une lettre de reproches des employeurs. Ils habitaient maintenant une île ensoleillée où, étant donné la situation économique, les servantes se trouvaient à profusion. L'histoire de ses malheurs se répandit dans le village. L'auteur de l'article qui craignait que ses brillants débuts de carrière ne soient stoppés net présenta l'affaire à un avocat. La sœur, à son tour, consulta son propre avocat — l'île était connue pour son goût de la chicane, comme c'est le cas pour toutes les régions demeurées pauvres et exploitées par les autres.

La servante devint l'objet de remarques hargneuses, hostiles et de chamailleries tandis qu'elle restait passive, sans savoir ce qui lui était arrivé, ni comment cela lui était arrivé.

Elle écrivit une lettre incohérente à ses anciens patrons, émaillée de : « Je n'en savais rien du tout ! » « Ils l'ont fait sans m'en parler. »

Ceux-ci prirent l'avis d'un homme de loi. Qui aurait dû être Taufiq. Convenablement traitée, cette affaire aurait mis en lumière nombre de cas semblables d'exploitation. Il aurait souligné, par exemple, que cette situation, celle d'une femme ayant servi une famille durant de longues années pour être ensuite remerciée sans plus de considération qu'un animal — moins même, dans certains cas — était chose courante à l'époque ; il aurait été à même de citer une douzaine de pays et d'évoquer le témoignage de diverses races et cultures.

Un procès eut lieu, malgré tout, mais d'un genre que l'on trouve déplacé, embarrassant — conflit d'intérêts personnels et de malhonnêteté, sans réel point de convergence ni grande portée.

Ma responsabilité n'allait pas au-delà de la servante elle-même — une vieille amie sans qu'elle s'en doutât bien sûr — et des deux filles qui avaient du remords de ce qui s'était passé. Elles n'avaient jamais pensé à la vieille servante autrement qu'en termes sentimentaux depuis qu'elles avaient quitté la maison, mais l'article du journal et des lettres larmoyantes de leurs parents les firent réfléchir. Toutes deux étaient ouvertes aux bonnes influences que je me chargeai d'exercer sur elles et organisèrent leur vie en conséquence.

Quant à la servante, sa détresse était extrême. Elle avait l'impression qu'elle était dans son tort et qu'on lui avait fait du tort. Sa vie avec sa sœur ne réussissait ni à l'une ni à l'autre. Elle ne tarda pas à mourir.

Je la confiai à Ranee, en Zone Six, car elle était déjà apte à revenir sur Shikasta « pour un nouvel essai ».

Tandis que j'étais absorbé dans ces tâches, je me préoccupais de plus en plus des problèmes que soulève la bonne rédaction d'un rapport : ayant été récemment le conseiller d'individus volontaires pour servir sur Shikasta pendant sa dernière et terrible phase, j'étais à même d'opposer leurs espérances et les idées qu'ils se faisaient de Shikasta, à la réalité. Il est aisé de noter les *faits* mais pas les atmosphères ni les émanations de certaines structures mentales. Je savais que mes notes et mes rapports étaient lus par des esprits très éloignés en vérité de la situation shikastienne. J'imaginai donc certains matériaux supplémentaires pour compléter ces derniers.

ILLUSTRATIONS : La situation sur Shikasta
[A son retour de Shikasta, Johor déposa aux archives quelques aperçus et notes qu'il avait rédigés en dehors de son mandat. Il était persuadé, comme il est dit plus haut, que les étudiants de cette malheureuse planète et de son histoire utiliseraient avec profit l'illustration de conduites extrêmes dues à une très faible concentration de SAF. L'émissaire Johor s'excusait presque de ces ébauches qu'il avait,

de son propre aveu, écrites parfois aussi bien pour son usage personnel, pour clarifier ses idées, que pour aider les autres. De notre côté, il nous faut faire remarquer — et nous le faisons avec l'entière permission de l'émissaire Johor — que celui-ci était depuis un certain temps soumis aux influences shikastiennes lorsqu'il rédigea ces notes, influences qui conduisent immanquablement à la sensiblerie. *Les Archivistes.*]

Sur cette île située à l'extrême ouest des franges nord-ouest (et mentionnée dans le cas de l'Individu N° Huit) — qui, nous l'avons déjà dit, subit toutes sortes de conquêtes, de colonisations et d'invasions pendant des siècles et des siècles, et de la part de nombreux peuples — une ère de pauvreté, de famine même, ruina l'économie, forçant des millions d'individus à émigrer et intensifiant toutes sortes de misères. Un certain adolescent se retrouva sans travail ni ressources, excepté une. Il avait été élevé dans un taudis mais des grands-parents vivant à la campagne avaient toujours fourni la famille en pommes de terre et en lait ; il était devenu grand, large d'épaules, fort... et stupide. Il n'eut pas l'idée d'émigrer pour commencer une nouvelle vie. Étant donné son physique, l'armée des derniers conquérants de l'île le recruta, lui procura un uniforme éclatant, des repas réguliers et des perspectives de voyages. Cette armée, comme toutes celles des franges nord-ouest, était hiérarchisée, dirigée par des officiers prétentieux et arrogants ; lui se trouvait tout en bas de l'échelle sans espoir d'être jamais mieux traité que les animaux domestiques de la caste dominante. Pendant vingt ans, on l'envoya d'un bout à l'autre de Shikasta, dans des régions faisant partie d'un empire (éphémère) qui n'allait pas tarder à s'effondrer mais qui était alors à son zénith. La fonction de cette victime était de faire la police parmi une multitude de victimes. De la partie extrême-orientale du continent principal jusqu'au nord du continent sud I, le pauvre diable était employé à traiter avec arrogance des peuples appartenant à des civilisations et des cultures plus anciennes, plus complexes, plus tolérantes et plus humaines que la sienne. Il était perpétuellement pris de boisson : il avait bu dès l'enfance pour oublier les rigueurs de sa propre existence. Il avait une face rougeaude, luisante de transpiration et une expression butée qui disait sa détermination à ne jamais penser par lui-même : toute sa vie, les quelques faibles tentatives effectuées dans cette direction avaient été aussitôt punies. Parfois, un officier écrivait à sa famille sous sa dictée et ses lettres contenaient toujours ces mots : « Ici, on n'a qu'à tendre le pied pour que les noirs cirent vos bottes. »

184

Dans chaque lieu où il séjournait — et qu'il ne connaissait jamais que de nom avant d'y arriver — il ne manquait pas une occasion de s'asseoir sur une chaise dans un endroit public, tendant un pied, puis l'autre, un sourire fat, prétentieux et condescendant sur le visage, tandis qu'un homme, réduit par la pauvreté à l'état d'ombre, s'accroupissait devant lui pour cirer ses chaussures noires.

Il paradait dans les quartiers soumis à sa surveillance en compagnie d'un camarade — véritables géants atteignant parfois deux fois la taille des indigènes, vêtus d'uniformes écarlates, couverts de galons et de médailles ; et cette face rouge, avec son sourire fat, hurlant des ordres et des insultes, le mépris et l'aversion écrits sur ce visage de barbare, devinrent, dans tous les pays où il passa, le symbole de la brutalité, de l'ignorance et de la tyrannie. Pour eux, il symbolisait l'empire. Et lorsque l'empire s'effondra, en partie à cause de l'extrême aversion ressentie par les colonisés pour leurs colonisateurs, cette tête de taureau cramoisie resta gravée dans des millions de mémoires — image de la haine et de la peur.

Mais le climat des pays où il avait bu et mangé avec excès pendant vingt ans lui valut une congestion cérébrale : il n'avait que quarante ans. On le renvoya dans son île natale où la pauvreté avait empiré depuis qu'il l'avait quittée et où la révolte et la guerre civile couvaient. Il décida de s'installer dans le pays de ses conquérants et travailla comme porteur dans un marché à la viande. Il épousa une paysanne qui exerçait le métier de nourrice, dix-huit heures par jour, six jours et demi par semaine pour sa nourriture, un toit et un salaire de misère. Elle n'avait jamais eu aucun espoir d'échapper à sa condition excepté par le mariage, et elle fut bien aise d'épouser ce robuste soldat qui mesurait soixante centimètres de plus qu'elle, plastronnait en uniforme écarlate et n'allait pas tarder à être mis à la retraite.

Cette pension dérisoire signifiait pour elle la sécurité, le havre ; et c'est vrai qu'elle suffisait à écarter la menace d'une misère noire aggravée par son ivrognerie.

Sept enfants naquirent, dont quatre survécurent.

La femme et les enfants attendaient le soir, assis dans leur misérable logement, qu'il montât les escaliers en trébuchant et en s'affalant à chaque marche avec l'espoir que les choses ne se passeraient pas trop mal cette fois, que l'homme ne vociférerait pas en menaçant de les battre, pour éclater ensuite en sanglots et s'endormir à force de pleurer, assis sur une chaise, d'un sommeil entrecoupé de larmes ; mais qu'au contraire, d'humeur joyeuse, il s'assiérait au haut bout de la table, en

185

maître du logis, ses grandes jambes étalées, son visage bouffi et rougeaud empreint de suffisance et qu'il leur dirait : « Là-bas, j'avais qu'à tendre le pied et les noirs, y's'bagarraient pour me cirer mes souliers. » Ou bien : « On avait qu'à se montrer et les négros, y's'cavalaient. »

Il mourut dans un hospice pour indigents... Assis dans son lit, le dos appuyé à des oreillers, ses médailles épinglées à son pyjama, son énorme face crevant d'apoplexie, ses petits yeux bleus écarquillés sortant des replis de peau cramoisie, il eut ces derniers mots : « On avait qu'à se montrer et les négros, y's'carapataient vite fait. »

ILLUSTRATIONS : La situation sur Shikasta

Cet incident particulier, qui se produisit dans la partie méridionale du continent sud I, se répéta de cent manières différentes pendant la période où les franges nord-ouest utilisèrent une technologie avancée pour conquérir d'autres régions de Shikasta dans le but de leur voler leurs matériaux, leur main-d'œuvre et leur sol. La zone géographique en question était privilégiée par la nature car, située en altitude, elle était bien arrosée et boisée et jouissait d'un climat sec et très sain. Le sol était fertile et faisait vivre une grande variété d'animaux. Très peu peuplée, elle était habitée par une tribu d'indigènes de nature agréable : pacifique, aimable, rieuse, conteurs nés et habiles artisans. Tous les habitants du continent sud I baignaient dans la musique : les chants, les danses et la fabrication d'innombrables instruments de musique formaient la base de leur vie. Ils vivaient en parfait équilibre avec leur environnement, ne prenant que ce qu'ils pouvaient rendre. Leur « religion » était une expression de cette unité dans laquelle ils vivaient avec la terre, leur médecine une extension et une expression de leur religion et leurs sages, hommes et femmes, savaient guérir les maladies de l'esprit. Ce merveilleux état de choses fut de courte durée : tout le continent sud I avait été envahi pendant des siècles par des peuples à la recherche d'esclaves, mais le trafic s'était arrêté et il y avait eu une période sans envahisseurs extérieurs ni guerres intestines.

Cette tribu avait eu vent de rumeurs concernant les conquérants blancs qui faisaient des esclaves et volaient la terre : il y avait eu des explorateurs, des voyageurs de tout poil dont certains « religieux ». Leurs sages, hommes et femmes, en voyants et prophètes qu'ils étaient, avaient prédit que cette région, elle aussi, serait visitée par les blancs et qu'il leur faudrait se battre pour survivre. Mais le tempérament de cette tribu n'était pas tourné vers l'angoisse ni le pressentiment du malheur.

Un jour, apparut une longue cohorte d'hommes blancs, à cheval et en chariot. Les noirs, qui les regardaient, furent stupéfaits de l'aspect de ces envahisseurs et de leurs chevaux. Quelqu'un se mit à rire. Bientôt ils riaient tous à en perdre haleine. Tout en eux leur semblait comique. D'abord leur couleur, pâle et maladive. Puis leurs vêtements : eux-mêmes n'avaient pas grand-chose sur le dos puisque leur climat béni le leur permettait. Mais les intrus, eux, étaient surchargés de grappes, de protubérances et d'excroissances diverses et portaient sur la tête des objets extraordinaires. Et puis leur raideur solennelle, leur manque de grâce ! *Ils ne savaient pas se mouvoir.* Jamais auparavant les noirs n'avaient pensé à leurs propres talents mais à présent chacun, se regardait, regardait les autres, observait comme ils se tenaient bien, comme ils marchaient bien, comme ils s'asseyaient et dansaient bien. Les rythmes changeants du paysage dont ils faisaient partie guidaient leurs mouvements, mais ces nouveaux venus, qu'ils observaient avec une telle perplexité, un tel amusement, étaient incapables d'étendre un bras ou de faire un pas ; ils étaient aussi maladroits que si on leur avait jeté un sort. Et leur attirail ! Quelle sorte de gens étaient-ils donc qu'ils ne pouvaient se déplacer sans tous ces bagages sur tous ces chariots, tirés par tous ces bœufs ? Pourquoi avaient-ils besoin de tout cela ? Qu'en faisaient-ils ?

Ils étaient confondus d'étonnement. Le soir venu, ils virent ces bâtons ambulants engoncés dans leurs vêtements, debout, raides, les bras le long du corps, qui émettaient des sons... mais quels sons étaient-ce donc ? Il n'y avait là aucune musique, aucun rythme, on eût dit des hurlements de hyènes.

Il y avait les chevaux. Ces gens ne connaissaient pas les chevaux, excepté par ouï-dire. Ce type de « daims » utilisé pour tirer les chariots les intriguait et la façon dont on les montait leur donnait envie d'en faire autant. Et puis il y avait les fusils, qui tuaient à distance. Ils commencèrent par rire, puis ressentirent de l'admiration ; la peur ne vint que plus tard.

Lorsque des émissaires envoyés par la colonne d'envahisseurs leur demandèrent la permission d'utiliser leur terre, ils l'accordèrent de bon cœur. L'idée de posséder la terre leur était étrangère ; la terre appartenait à elle-même, c'était la substance même des hommes et des bêtes qui y vivaient, elle était imprégnée du Grand Esprit qui était la source de toute vie.

En moins de deux années ils furent dépossédés de leurs terres et de leurs chasses traditionnelles, eux-mêmes traqués comme des bêtes. Mais surtout, ils se voyaient traités avec une froideur, un mépris qu'ils ne comprenaient pas, qu'ils ne connaissaient pas et qui étouffèrent la vitalité de ces créatures aimables et chaleureuses. Ils savaient aussi peu se défendre contre cette sécheresse que les autres peuples « primitifs » contre les maladies apportées par les blancs.

Leurs sages, hommes et femmes, ne pouvaient se mettre d'accord sur la conduite à suivre ni sur la suite probable des événements. La seule chose évidente, c'est qu'ils devaient se battre pour ce qui leur avait été volé. Tout se passait comme si l'invasion de ces étrangers avait tué les sentiments naturels des indigènes, tari la source de leurs intuitions et de leurs instincts. Comment devaient-ils se battre ? Quand ? Où ? Et surtout, *pourquoi* ? Quand le pays était si grand, qu'il y avait tant de place. Mais les envahisseurs semblaient déjà être partout.

Voyant qu'il ne leur resterait bientôt plus rien, les tribus conquises se révoltèrent. Les envahisseurs, utilisant la technologie de leur propre civilisation, écrasèrent la révolte avec une cruauté et une barbarie extrêmes.

Il nous faut ici décrire la froide aversion et le dégoût ressentis par les blancs à l'égard des noirs et qui demeurèrent leur principale caractéristique jusqu'au jour où — peu de temps après, mais pas avant que la civilisation qu'ils dominaient ne fût anéantie, en ruines — ils furent eux-mêmes chassés. Rien n'est plus stupéfiant que cette aversion méprisante caractéristique des blancs, maintes fois décrite par les peuples conquis et aussi, d'ailleurs, par de nombreux individus appartenant à la race des conquérants, car tous les blancs ne méprisaient pas les noirs, certains les aimaient et les admiraient, mais ceux-là étaient considérés comme des traîtres par les leurs.

Nous trouvons peut-être une explication de ce phénomène dans l'œuvre de l'un des grands experts de Shikasta : Marcel Proust, sociologue et anthropologue : la servante d'une riche famille a reçu l'ordre de préparer une volaille pour le repas du soir. Elle poursuit l'oiseau dans toute la basse-cour, marmonnant : Sale Bête, Horrible Animal, et autres imprécations du même genre, avant de l'attraper et de le tuer.

Ainsi d'un tortionnaire néophyte qui doit infliger humiliation et souffrances à un individu dont il ne sait rien, excepté qu'il est l'ennemi. En face de lui, ou d'elle, debout, allongée ou assise, se trouve une créature étonnée et terrorisée, comme lui ; mais il existe un remède : le tortionnaire va se hisser à la hauteur de sa tâche en traitant sa victime de tous les noms qui lui viennent à l'esprit. Bientôt, cet individu qui lui ressemble devient un horrible animal, une sale bête, et le travail peut commencer. L'on peut considérer ce processus comme une épreuve infligée par l'esprit de fraternité (SAF) sur des natures incomplètement endurcies.

Il en va de même pour les conquérants d'un pays qui se persuadent que ceux dont ils sont en train de voler la terre sont sales, primitifs, cruels, communistes, fascistes, capitalistes, amis des nègres, petits blancs pauvres — enfin, tout ce qui leur passe par la tête.

C'est ainsi qu'on a rarement vu, dans l'histoire de Shikasta, une race ou un peuple conquérir une race de gens aimables, agréables et civilisés parfaitement capables de s'occuper de leurs propres affaires.

Les blancs qui exercèrent leur domination sur le continent sud I, utilisant toute espèce de ruse, de mensonge, de brutalité, de barbarie, de cruauté et de cupidité pour se saisir de tout ce qui passait à leur portée, étaient incapables de parler à un noir autrement que du ton glacial, coupant et méprisant dont on s'adresse à un homme ou à une femme arriéré et primitif.

Leur religion renforçait leurs défauts. De toutes les grandes religions, la plus hypocrite, la plus inflexible, la moins apte à s'analyser, celle des franges nord-ouest — souvent imposée par la force à des peuples en parfaite harmonie avec eux-mêmes et leur croyance dans le Grand Esprit dont ils se sentaient les enfants — était encadrée par des individus peu enclins à douter de leurs compétences et de leurs droits. Pour ajouter encore à la confusion et aux dégâts causés par ces individus, certains d'entre eux étaient souvent d'une grande bravoure et d'une grande dévotion, d'une parfaite probité et d'une capacité — pour ne pas dire d'une soif — d'abnégation. Le fait qu'ils fussent, eux aussi, des *victimes*, victimes de la religion la plus sectaire que Shikasta ait jamais connue, n'aide en rien le chroniqueur de ces événements.

Mais quelles qu'en fussent les raisons, les motifs, les prétextes et les rationalisations, le trait prépondérant de ces conquérants était leur carapace d'hypocrisie, leur certitude d'avoir raison. A cause de leur empire. A cause de leur religion.

Trente ans après l'asservissement de cette région, voici ce que l'on voyait : la terre, berceau de gens qui n'y avaient laissé aucune empreinte, aucune marque de déprédation, avait été distribuée en parcelles à des fermiers blancs, à des conditions avantageuses, dans le seul but de la rendre inaccessible aux noirs qui avaient été déportés, à

189

coups de fusil et de fouet, vers des réserves spéciales situées dans les zones les plus pauvres, avec interdiction d'en sortir excepté pour chercher du travail. D'immenses domaines de plusieurs dizaines d'hectares, souvent entre les mains d'une seule famille, avaient été largement dépouillés de leurs arbres que l'on brûlait dans les fourneaux des mines, défigurés par des exploitations et prospections minières, menacés par l'érosion et dévorés par le feu.

Sur chaque domaine, l'on trouvait des enclos réservés aux ouvriers agricoles noirs que les impôts forçaient à travailler à l'extérieur. Les noirs ne pouvaient être qu'ouvriers ou serviteurs.

Leurs maîtres, venus des franges nord-ouest, représentaient les extrêmes de leurs sociétés d'origine. C'étaient souvent les plus entreprenants, qui n'avaient pas la place d'exercer leurs talents et leurs énergies au milieu d'une population en augmentation constante. Ou bien des criminels qui espéraient échapper ainsi à l'attention de la police, ou encore des individus de tendances criminelles qui savaient trouver là-bas l'occasion de les pratiquer. C'étaient aussi des imbéciles ou des handicapés, incapables de se mesurer à leurs pairs... Tous ces gens, bons ou méchants, compétents ou non, jouissaient d'un niveau de vie auquel ils n'auraient jamais pu prétendre dans leur propre pays et beaucoup d'entre eux devinrent fort riches.

Jetons un coup d'œil furtif sur un moment particulièrement éclairant de la vie des peuples asservis.

La scène se passe dans la ferme d'un blanc et plus particulièrement dans l'enclos réservé aux noirs. Celui-ci n'est qu'un ramassis de huttes de pisé couvertes de paille et qui prennent l'eau. Délabrées et sordides, elles sont la version pathétique des villages de ces populations à l'état naturel.

Un grand feu brûle au milieu de l'enclos, comme c'est la coutume dans les villages, mais il y a d'autres feux, plus petits, et pas seulement pour faire la cuisine : c'est qu'il n'y a pas ici une seule tribu, mais plusieurs, car les ouvriers sont venus d'une vaste zone comprenant de nombreuses tribus. L'on entend parler une douzaine de langues, car ce complexe, organisé sur le modèle du village dont la nature est de maintenir les gens unis, est divisé en factions, parfois hostiles. Près de l'un des petits feux, un groupe de jeunes gens est accroupi et écoute un ancien qui, avant l'arrivée des blancs, était chef de village. Un adolescent, assis à la lisière du groupe, joue du tam-tam en sourdine. L'on entend d'autres tam-tams un peu partout dans le complexe. De la brousse parviennent des bruits d'insectes et parfois d'animaux, mais le processus est déjà largement

190

entamé qui videra bientôt la région de la réserve naturelle d'animaux et d'oiseaux : les espèces sont en voie d'extinction.

Une rixe a éclaté cet après-midi-là entre deux jeunes gens de deux tribus différentes. Sa cause : la frustration.

Le fermier blanc a sermonné les deux noirs pour leur esprit belliqueux, leurs attitudes primitives. C'était une preuve d'arriération et de sauvagerie que de se battre, leur a-t-il dit. Les blancs sont là pour protéger les pauvres noirs attardés de cette bellicosité, par leur exemple civilisé et civilisateur.

L'ancien était assis, bien droit, le reflet des flammes jouant sur son visage empreint d'intérêt et de plaisir : il amusait les autres. Dans sa famille, ils étaient par tradition conteurs de la sous-tribu. Les jeunes riaient en l'écoutant.

L'ancien observait la culture blanche d'en bas, du regard aigu de l'esclave.

Il était en train d'énumérer les fermes de blancs et leurs propriétaires.

Ceci se passait environ cinq ans après la fin de la Première Guerre mondiale que l'on avait présentée aux populations noires comme destinée à préserver les vertus de la civilisation. Une demi-douzaine de fermiers de la région, qui avaient combattu de l'autre côté, présentaient leur participation au conflit comme la défense de ces vertus fondamentales.

« Dans la ferme, de l'autre côté de la colline, l'homme qui n'a qu'un bras...

— Oui, oui, c'est vrai, il n'a qu'un bras.

— Et dans la ferme de l'autre côté de la rivière, l'homme qui n'a qu'une jambe...

— Oui, oui, une jambe, une jambe.

— Et sur la route qui mène à la gare, l'homme qui a une plaque de métal pour retenir ses intestins.

— Oui, oui, quelle idée d'être obligé de retenir ses intestins avec un morceau de fer.

— Et à la ferme où ils cherchent de l'or, l'homme qui a un morceau de métal dans le crâne.

— Ah ! oui, c'est vrai, sa cervelle se répandrait partout sans ça.

— Et là où les deux rivières se rejoignent, le fermier n'a qu'un œil.

— C'est vrai, c'est vrai, il n'a qu'un œil.

— Et dans la ferme d'ici, cette ferme où nous sommes, sur cette terre

191

qui ne nous appartient pas, mais qui lui appartient, le fermier aussi n'a qu'une jambe.

— Ah, c'est terrible tous ces hommes, et tous blessés !

— Et à la ferme... »

Des avantages spéciaux avaient été offerts aux anciens combattants prêts à émigrer et à exploiter la région. Voilà pourquoi, aux yeux des noirs, les blancs étaient une armée d'invalides, semblables à une armée de locustes qui, après quelques heures à terre, se retrouvent sans pattes, sans ailes, par douzaines, incapables de s'envoler lorsque le gros du bataillon repart. Des locustes qui mangent tout, recouvrent tout, envahissent tout...

« — Les locustes ont mangé notre nourriture...

— Oui, oui, ils ont mangé notre nourriture.

— Les locustes noircissent nos champs.

— Ils noircissent nos champs de leurs bouches voraces.

— Les armées de locustes arrivent, elles arrivent, elles arrivent du nord, et dévorent nos vies jusqu'à la dernière miette... »

C'étaient les mots d'une mélopée très populaire dans les enclos.

Et les gens, ce soir-là, n'en finissaient pas de rire, à écouter l'ancien rassembler dans le même récit les blancs éclopés de la région, le sermon solennel du fermier estropié, les deux beaux jeunes gens et leur lutte brève dans le soir tombant. Ils riaient, riaient à en perdre le souffle, pâmés, pliés en deux, secoués d'un rire inextinguible.

Pendant ce temps, ce même soir, là-haut sur la colline où se trouvait la maison du fermier, l'homme qui n'avait plus qu'une jambe se préparait à aller au lit. Sa jambe avait été amputée à mi-cuisse. S'il était encore en vie, c'était grâce à sa blessure : toute sa compagnie avait été anéantie au cours d'une célèbre bataille, deux semaines après qu'il eut la chance d'avoir la jambe broyée par un éclat d'obus. Bien sûr, il s'était souvent demandé s'il n'aurait pas mieux fait de mourir en même temps que sa compagnie. Il avait été très malade et avait failli perdre la raison. Avant, c'était un homme qui vivait beaucoup par le corps, dansant, jouant au football et au cricket, chassant avec les fermiers du coin, marchant et montant à cheval. Cet homme actif avait dû envisager la vie avec une seule jambe. Il s'en tirait bien. Lorsqu'il se levait le matin, il serrait les lèvres en une expression que connaissait bien sa famille, une expression de patiente détermination. Il arrivait à se traîner jusqu'au bout du lit, soulevait son moignon et enfilait par-dessus un, deux, jusqu'à dix protège-moignons, selon le poids qu'il devait porter. Il adaptait le lourd cuissard de bois et de métal au moignon et se dressait en s'aidant du bord de la table. Une fois debout, il bouclait les courroies autour de sa taille et en travers d'une épaule.

La journée pouvait commencer. Il marchait, montait à cheval, descendait dans les mines et veillait des nuits entières pour contrôler la température des granges à tabac. Il clopinait à travers champs, le long des fossés d'écoulement et des talus de séparation ; il traversait les terres d'un pas mal assuré, gardant tant bien que mal son équilibre et trébuchant sur les grosses mottes fraîchement labourées. Il distribuait les rations, debout pendant des heures entières près des sacs et des coffres à grain.

C'était un homme qui luttait contre la pauvreté — à sa façon.

Le soir, il ôtait le membre de métal et de bois, et s'écroulait dans son lit en fermant les yeux et en poussant un profond soupir ; « Mon Dieu, murmurait-il, mon Dieu ! c'est fini pour aujourd'hui.»

Il s'endormait peu à peu en écoutant le son des tam-tams qui lui parvenait de l'enclos.

« Ils doivent danser, je suppose, se disait-il ; danser. Ils dansent à la moindre occasion. C'est un don. Et la musique ! Un don aussi. Ils ont battu le grain aujourd'hui, alors ils en font une danse ; ils dansent leur travail et composent un chant pour s'accompagner. »

ILLUSTRATIONS :La situation sur Shikasta
[Ce rapport établi par Johor nous semble un utile complément aux Illustrations. *Les Archivistes*.]

Certaines régions des franges nord-ouest sont restées relativement à l'écart de toute technologie et les gens y vivent encore (au moment où j'écris) à peu près comme ils l'ont toujours fait depuis des siècles. Nous avons choisi un village situé dans une zone d'extrême pauvreté parce qu'il s'y tient chaque année la Fête de l'Enfant. Cette fête a toujours attiré les gens de l'endroit et maintenant, en cette ère de tourisme, les touristes. Le village n'a pas d'hôtel pour loger les visiteurs ; alors ceux-ci s'installent chez des parents, mais il existe à présent un terrain de camping subventionné par l'État, et des boutiques ambulantes arrivent pour la durée de la fête. Une ville voisine espère bien en tirer des bénéfices et stocke des marchandises de toutes sortes.

L'Église est au centre de cette fête, mais tout le village est décoré : les boutiques, le café, la place du marché et aussi les maisons des villageois qui n'ont jamais abandonné leurs droits sur cette affaire.

Depuis le rapport de l'Agent 9, il y a quelque chose de nouveau. Le

193

soir précédant le grand événement il y a toujours un feu d'artifice et un bal sur la place et dans les rues avoisinantes. Les touristes sont là, à temps pour la partie — à leurs yeux la plus intéressante — de la fête et tranchent, par leurs beaux vêtements et l'avidité qui les caractérise sur les gens de l'endroit qui observent leurs riches invités avec une bonne humeur teintée d'ironie.

Cette nuit de danse et de beuverie se déroule sous les auspices des autorités séculières, mais les prêtres gardent la haute main sur la fête en apparaissant au crépuscule sur le parvis de l'église avec des engins qui distillent une fumée suave, et des chants solennels. Presque tous les gens passent la nuit à danser et à chanter, mais aux premières lueurs du jour ils sont censés être dans l'église, pleins d'humilité et prosternés dans des attitudes serviles, prêts à se faire menacer et réprimander par les prêtres.

Les « services » se succèdent toute la matinée, les fidèles se relayant dans l'église trop petite pour contenir tout le monde.

A midi tapant, une troupe de prêtres parés de toutes sortes d'atours et d'ornements déverrouille une porte derrière l'église et sort l'Enfant. C'est une statue grossière et criarde, sans aucune prétention au réalisme, avec des yeux écarquillés, des cheveux et une peau violemment coloriés, engoncée dans des dentelles et étoffes diverses. La statue est placée sur un petit brancard couvert de fleurs et de verdure et transportée hors de l'église par un groupe d'enfants choisis par les prêtres. Elle fait trois fois le tour de la place (un pauvre petit espace poussiéreux bordé de quelques arbres) portée par les enfants en tenue aussi extravagante que celle de la statue ; les autres, prêtres et villageois, chantent et psalmodient. La statue est placée sur une plate-forme sous le porche de l'église et gardée par des prêtres tandis que les chants continuent tout l'après-midi jusqu'au coucher du soleil.

Pendant ce temps, tous les enfants du village, y compris les porteurs de brancard, sont alignés par leurs parents selon les directives des prêtres et poussés deux par deux devant la statue tandis que les prêtres les « bénissent ». Après cela, on les récompense par un festin de gâteaux et de limonade, les meilleurs que l'on puisse trouver dans ce village misérable.

Voici quelques années, la fête était entièrement réservée aux enfants, mais la pression économique exercée par les touristes fait qu'il y a maintenant des divertissements, de la nourriture et des boissons pour les adultes. Cette année, pour la première fois, il y a eu des caméras de télévision et en conséquence, tout a été plus soigné qu'à l'accoutumée.

Une fois la statue rentrée et remise dans son placard, le bal recommence et dure jusqu'à minuit.

Cette fête est assez agréable et apporte une détente salutaire à des êtres dont la vie est bien rude.

Elle ne s'est guère perfectionnée depuis le rapport de l'Émissaire 76, il y a maintenant quatre cents ans de cela. Mais il faut s'attendre, tant que durera le tourisme, à voir chaque année de nouvelles prouesses d'imagination.

Cette fête ne présente, à notre avis, aucun intérêt.

Je ne pouvais m'empêcher de me demander, en contemplant ces scènes endiablées (mais contrôlées) ce qui se passerait si je m'avançais soudain au milieu des villageois pour retracer les origines de cette fête.

« Voici plus de mille ans un voyageur arriva dans le village. Les franges nord-ouest étaient encore primitives et considérées comme sauvages par d'autres régions plus développées — celles, par exemple, situées à l'autre extrémité de la grande mer intérieure qu'on appelle la Méditerranée. Ces cultures avancées envoyaient souvent vers le nord des gens qui, sous divers déguisements, allaient d'un endroit à l'autre pour promouvoir des techniques et des idées susceptibles d'améliorer les affreuses conditions de vie des habitants. Le voyageur en question arriva en compagnie de trois jeunes élèves auxquels il enseignait l'art de transmettre des idées avancées à des régions arriérées. En atteignant cet endroit misérable, ils découvrirent qu'il n'existait ici aucune influence civilisatrice, rien sur des milles à la ronde, à l'exception de quelques moines qui se tenaient farouchement à l'écart des basses préoccupations des villageois.

« L'atmosphère du village était adéquate et les habitants prêts à écouter parler de civilisations qu'ils avaient du mal à situer car ils connaissaient aussi peu de choses en géographie que sur leurs propres origines et leur propre avenir.

« Les voyageurs vécurent discrètement dans le village pendant plusieurs semaines. Ils dispensèrent un enseignement pratique sur la propreté, la nécessité de se baigner pour éviter les maladies, et d'avoir des réserves d'eau claire ; ils enseignèrent les soins aux malades, des rudiments de médecine, toutes choses dont les pauvres gens n'avaient qu'une faible idée. Lorsque les plus intelligents eurent assimilé suffisamment de choses pour pouvoir les transmettre aux autres, on en vint aux pratiques telles que la distillation, la teinture des étoffes, la conservation des aliments en prévision des famines et des disettes ainsi

195

que certaines techniques d'élevage et d'agriculture qu'ils ne connaissaient pas.

« Alors les voyageurs commencèrent à raconter aux villageois avec des mots simples, parfois même sous forme de légendes, d'anecdotes et de chansons, des bribes de leur histoire et du sens qu'ils devaient lui donner, et à leur dire ce qu'ils étaient réellement et ce qu'ils pouvaient devenir.

« Ces gens, dont les efforts pour se nourrir, se vêtir et se loger accaparaient toutes les énergies, écoutèrent sans réticence, et c'était déjà beaucoup, car des individus dont la vie est si précaire refusent souvent d'écouter. Une bonne nouvelle, un message d'espoir sont parfois trop pour eux.

« Le soir, au moment où le soleil déclinait et où les villageois rentraient des champs pour dîner et dormir, nos voyageurs s'asseyaient ici, sur cette place qui n'a guère changé depuis, et ils parlaient, racontaient des histoires et chantaient.

« La fumée s'élevait des cabanes et des maisons. Les enfants jouaient dans la poussière. Des chiens étiques et affamés grattaient la terre ou se battaient. Il y avait, ici et là, des ânes faméliques.

« Les villageois écoutaient, assis paisiblement dans la pénombre. Les femmes tenaient leurs enfants sur leurs genoux.

« L'une d'elles, assise sur une pierre, chantonnait tout en berçant son enfant.

« Le plus âgé des quatre voyageurs lui demanda la permission de lui prendre le bébé quelques minutes et elle accepta. Il s'assit avec l'enfant sur les genoux. Celui-ci somnolait et ses yeux se fermaient. L'homme baissa la voix pour ne pas l'éveiller et tous les villageois durent se pencher pour saisir ses paroles. Il leur demanda de regarder cet enfant, qu'ils connaissaient tous, que rien ne distinguait, un enfant comme les autres, dont la vie serait la vie de tous les gens d'ici, absolument semblable, comme le serait celle de ses enfants et des enfants de ses enfants...

« La femme se pencha alors pour dire en s'excusant que l'enfant était une fille.

« Mais cette enfant, continua le voyageur, n'était pas ce qu'elle semblait être, non ; il n'importait nullement d'ailleurs qu'elle fût une fille, car une fille était l'égale de son frère. Sans prêter la moindre attention à la légère réaction qui se produisit à ce moment-là, il poursuivit. Cet enfant, fille ou garçon, n'était pas ce qu'il semblait être. Non, ce qui importait, c'était qu'elle — ou il — fût l'égale de quiconque au village ou dans les villages alentour ou même dans la grande ville (que très peu d'entre eux connaissaient, mais dont ils avaient tous entendu parler) ou dans les villes au-delà des mers (dont ils avaient entendu parler par un garçon du village qui s'était fait marin et était revenu au pays leur raconter des histoires stupéfiantes et invraisemblables que, tout compte fait, ils avaient jugé plus sage de ne pas croire), ou que quiconque n'importe où. Ils ne le savaient pas, mais ce village qui leur semblait si grand, qui renfermait leurs vies et tout ce qu'ils connaissaient, n'était qu'une infime partie du vaste monde. Il leur fallait multiplier leur village par autant de fois qu'il y avait de grains de blé dans ce champ et les grandes villes par autant de fois qu'il y avait de pierres sur cette colline. La nuit était presque tombée, la lune se levait et sur la colline, les pierres blanches luisaient. Les villageois, assis, écoutaient, écoutaient sans se lasser ; ils avaient à présent confiance en ces gens qui étaient arrivés " comme des anges " parmi eux, leur avaient enseigné tant de choses utiles qui avaient déjà fait leurs preuves. Ils sentaient tous que ce qu'on leur disait était étonnant, merveilleux, mais si difficile, si dur à comprendre. Quand la ville voisine représentait la limite de leur imagination, comment pouvaient-ils croire en toutes ces villes aussi grandes et ces cités mille fois plus grandes qu'elle ?

« Il y avait des cités dans le monde... des cités peuplées d'autant de gens qu'il y avait d'étoiles au ciel. De gens ressemblant à des anges, car il ne faut pas croire que les voyageurs se distinguaient en quoi que ce soit des autres.

« Les villageois écoutaient de toutes leurs oreilles.

« Il y avait des cités de par le monde où les gens mangeaient à leur faim, et plus. Ils avaient assez de vêtements pour être toujours au chaud et au sec. Leurs maisons avaient plusieurs fois la taille des maisons du village. Oui, tout cela était vrai. Mais ce qui importait, c'est qu'il y avait assez de place et de temps dans la vie de ces gens merveilleux pour apprendre toutes sortes de choses, et pas seulement à faire le fromage ou à préserver les vaches du vertigo. Non, les gens avaient le loisir d'étudier, de penser et de rêver. Ils connaissaient toutes sortes de choses extraordinaires et véridiques — oui, véridiques, car tout ce que les villageois entendaient ce soir était vrai, parfaitement vrai.

« Ces gens, par exemple, savaient comment étudier les mouvements des étoiles, qui n'étaient pas aussi éloginées qu'ils le pensaient ici, dans ce village et dans d'autres aussi pauvres. Non, chaque étoile du ciel était un monde à elle seule ; chacune, sans exception, était faite de substances que les gens de là-bas connaissaient aussi bien qu'eux, ici, connaissaient

197

.

leurs mains, leurs pieds ou leurs cheveux. Ces étoiles, là-haut, étaient faites de terre — comme celle-ci —, de rochers — comme ceux-ci. Et d'eau. Et de feu, oui, de feu impétueux, tourbillonnant.

« Le lendemain soir, puis le surlendemain et le surlendemain encore, nos voyageurs s'assirent sur la place du village, puis empruntant un enfant à la foule, au hasard, en insistant sur le fait que peu importait qu'il fût garçon ou fille ou qu'il eût tel ou tel âge, ils présentaient l'enfant aux villageois et affirmaient que cet enfant, s'il devait leur être enlevé — non, non ils n'en avaient aucune intention (car la foule, grondeuse, s'agitait soudain) —, si l'enfant était assis là, sur leurs genoux, dans leurs bras, c'était simplement pour leur rappeler quelque chose ; si cet enfant donc, ou un autre, était emmené pour être élevé dans une de ces fabuleuses cités où les gens n'étaient pas obligés de consacrer chaque minute de leur vie au labeur, mais avaient le temps d'étudier et d'apprendre, alors cet enfant serait comme ces gens-là. Et si on l'emmenait faire un tour sur, disons, cette petite étoile, là-haut ? oui ! celle-là ! ou cette autre ! alors...

« Les gens levaient la tête en riant et contemplaient, bouche bée, le firmament qui, ce soir-là, était tout blanc d'étoiles.

« Oui, celle-ci. Si ce bébé endormi était emmené sur cette étoile-là, il deviendrait un bébé-étoile, un géant peut-être, qui sait ? Ou peut-être lui pousserait-il des ailes, des plumes ? On pouvait tout imaginer...

« Ils riaient. De grands éclats de rire fusaient. Mais c'étaient des rires émerveillés, confiants.

« Ou bien il vivrait sous l'eau, ou dans le feu peut-être !

« Mais c'était cette chose-là, toujours la même, qu'ils devaient se rappeler : que chaque enfant avait le pouvoir de devenir n'importe quoi. Un enfant était une merveille, un miracle ! Un enfant portait en lui toute l'histoire de la race humaine qui remontait loin, loin dans le temps, plus loin qu'ils ne pouvaient l'imaginer. Par exemple celle-ci, la petite Otilie, portait dans la substance de son corps et de ses pensées tout ce qui était déjà arrivé à tous les êtres humains. Tout comme une miche de pain porte en elle la substance de tous les grains de blé qui ont servi à la faire, mêlés à tous les grains de la moisson et à la substance du champ qui les a fait pousser, cet enfant contenait toute la moisson humaine dont il était lui-même pétri.

« Ces mots et ces idées, qui ne ressemblaient à rien de ce que ces gens avaient jamais entendu ni imaginé, leur étaient apportés, un soir après l'autre. A chaque fois on leur présentait un enfant.

« Rappelez-vous, rappelez-vous : dans longtemps, pas de votre vivant, ni de celui de vos enfants, ni même de vos petits-enfants — mais ce temps viendra —, votre labeur, vos souffrances et le fardeau de nos vies seront tous rachetés, porteront tous leurs fruits, et les enfants de ce village et du monde entier deviendront ce qui est en leur pouvoir de devenir... rappelez-vous, rappelez-vous ceci : tout se passera comme si des hommes descendaient de cette petite étoile, là-haut, qui scintille au-dessus des arbres noirs, oui, celle-là ! et emplissaient soudain ce village — si accablé de misère et de problèmes — de bonnes choses et d'espoir. Rappelez-vous : cet enfant que je tiens dans mes bras n'est pas ce qu'il paraît être. Il est davantage, il est tout et porte en lui tout le passé et tout l'avenir. Souvenez-vous-en.

« Un matin, de très bonne heure, une jeune fille arriva en courant à la cabane où dormaient les quatre hommes et frappa très fort à la porte. A bout de souffle, elle leur dit qu'elle travaillait au monastère comme fille de cuisine et que les moines, ayant entendu parler des voyageurs, avaient envoyé un messager " au roi lui-même " et que des soldats arrivaient. Oui, ils étaient en chemin...

« Lorsque les soldats arrivèrent, il n'y avait plus d'étrangers dans le village, ils s'étaient enfuis dans les sombres forêts, laissant derrière eux un alignement de pierres sur la colline, un collier au cou d'un enfant et quelques dessins exécutés avec des craies de couleur et de la terre sur les murs du seul bâtiment de pierre du village, qui se trouvait être un entrepôt. Les villageois leur dirent qu'il s'agissait d'une fausse rumeur, des commérages d'une petite sotte qui voulait se rendre importante, car bien sûr, c'était la fille qui avait parlé dans la cuisine du monastère puis avait eu peur des conséquences.

« Lorsque les soldats furent repartis, une troupe de moines arriva.

« Ils se rendaient généralement au village une fois par an. Ils méprisaient les villageois bien qu'ils ne leur soient guère supérieurs — presque aussi pauvres et ignorants. C'était au temps où des hommes, des femmes se rassemblaient dans des lieux abrités pour échapper aux brutalités de l'époque et se disaient moines ou nonnes.

« Les moines avaient reçu l'ordre des soldats, au nom du roi, de s'assurer qu'aucun vagabond indésirable ne trouvait refuge dans les villages.

« Ayant ainsi prévenu les villageois, les moines retournèrent à leurs garennes pierreuses, dans la montagne.

« Les villageois acquiescèrent à tout ce qui leur fut dit.

« Mais en réalité tout se passait comme si des étoiles étaient descendues du ciel pour vivre chez eux, la même vie qu'eux, puis avaient

199

disparu. Ils gardèrent jalousement le secret de ce qui s'était passé — prenant grand soin des techniques qu'ils avaient apprises et qui ne tardèrent pas à se répandre dans les villages avoisinants — et encore plus de ce qu'on leur avait dit.

« Ils soulevaient parfois un enfant de terre, le tenaient à bout de bras et se répétaient les uns aux autres ce dont ils se souvenaient.

« Aucun de ceux qui avaient vécu au village à ce moment-là n'oublia jamais cela. Les enfants que les étrangers avaient tenus furent considérés comme différents toute leur vie. Une chose étonnante s'était produite, chacun d'eux le savait et les villages alentour ne tardèrent pas à l'apprendre.

« Et les enfants des enfants qui avaient été tenus à bout de bras devant les villageois assemblés sur la place en gardèrent toujours quelque chose en eux ou sur eux.

« Seulement, l'on ne se souvenait plus exactement de ce qui avait été dit ou fait, ni qui était venu — des anges, c'était ça ?

« Un soir, à la fin d'une chaude et poussiéreuse journée d'été, tandis que les gens bavardaient, assis sur le pas de leur porte, que les enfants se poursuivaient, que les chiens grattaient le sol et que des ânes étiques essayaient de trouver de l'herbe verte là où il n'y en aurait pas avant plusieurs semaines, ils disaient : tu te rappelles ? — non ce n'était pas comme ça — si, ma mère m'a dit — mais ce n'était pas ce que... quand un homme, le fils de l'une des enfants tenues à bout de bras devant les villageois, prit son propre fils, l'assit bien en vue sur ses genoux et dit : " Voyons, essayons de nous rappeler exactement ce qui a été dit et nous nous le répéterons de façon à ne jamais l'oublier. "

« Chaque année, l'homme présentait son enfant à tous et chacun répétait à l'autre ce dont il se souvenait, regardant le firmament en riant et en hochant la tête : " Cette étoile-ci ! " " Non, cette étoile-là ! " " Des gens faits de feu ! " " Ou de plumes ! "

« Ceci resta secret, comme tant d'autres choses que l'on cachait aux moines et aux soldats mais la cérémonie, évidemment, finit par être connue. Au début, les moines l'interdirent et punirent les villageois, mais cela ne changea rien. Chaque année, un certain soir, dans l'une des maisons du village, on choisissait un enfant que l'on brandissait, tout en répétant les phrases que les villageois avaient jugé indispensable de retenir.

« A présent, ces paroles ressemblaient fort aux discours envieux des pauvres à l'égard des riches, dans tous les coins de Shikasta — ou d'ailleurs.

« " Je vaux autant que lui, mon enfant vaut autant que celui de ce riche, donnez-moi ces vêtements et je serai, moi aussi, une belle dame. "

« Les moines et les soldats emmenèrent plusieurs individus qui furent mis à mort pour rébellion, propos séditieux envers le roi et désobéissance aux moines.

« Puis les moines instituèrent, sur l'ordre d'autorités supérieures, la Cérémonie de l'Enfant qui eut lieu chaque année et qu'ils dirigeaient eux-mêmes. Une petite église fut construite dans ce village qui n'en avait jamais eue et fut ensuite bâtie et rebâtie plusieurs fois. L'Enfant était l'Enfant-Jésus disaient les moines, mais la cérémonie ne perdit jamais ses origines qui remontaient à cette visite rendue au village il y avait longtemps, si longtemps, car elle avait gardé assez de force pour permettre aux gens de s'accrocher obstinément à la conviction qu'*eux*, et non pas les moines, avaient été bénis, que c'était à *eux* et non aux moines qu'on avait montré l'Enfant. On, mais qui ? quoi ? des hommes descendus des étoiles ? non, non ce n'était pas possible. Des hommes venus de la lune ? Quelle sottise ! Pourtant, il y avait eu un homme, ou des hommes, et ceux-ci étaient venus, avaient promis, puis avaient été chassés...

« Un jour, ils reviendraient et ce serait la fin de nos tourments, de ce labeur et de cette noire misère qui nous maintient tous dans la poussière et nous empêche de nous redresser...

« Et voilà, bonnes gens et passants, prêtres et touristes, campeurs et habitants des villages voisins, voilà l'origine de la fête que vous célébrez chaque année. Voilà comment c'est arrivé. Et maintenant je me sauve car je tiens à la vie... »

[Pendant les transmissions correspondant à ce stade de son ambassade Johor, croyant (non sans raison) que notre Service Colonial ne se fait pas toujours une idée exacte de certaines difficultés locales, nous a fourni des informations factuelles que nous n'avions pas réclamées. La vision à long terme de l'entretien et du développement d'une planète ne nécessite ni ne réclame la sympathie ou l'empathie de visions immédiates et partiales. Cependant, on ne réside pas sur Shikasta (deux des Archivistes responsables de cette note ont eux-mêmes subi l'expérience shikastienne) sans éprouver de puissantes émotions dont il faut se défaire en partant. Nous soumettons aux étudiants ce document, ainsi qu'un autre, persuadés qu'ils les trouveront utiles à plus d'un titre. *Les Archivistes*.]

NOTES EXPLICATIVES SUPPLÉMENTAIRES.I.

Le Conflit des Générations, pour employer une expression shikastienne couramment utilisée à cette époque dans tous les contextes et par tous les types d'« experts ».

Ce phénomène, connu de chaque animal, a été exagéré et déformé pendant les derniers jours de Shikasta. Il arrive toujours un moment où une femelle repousse son petit qui a passé l'âge de téter et où un oiseau pousse un oiselet hors du nid. Chaque culture a fait, du moment où l'enfant est considéré comme adulte, une cérémonie publique ou privée : dans ce sens le « conflit des générations » doit être regardé comme un fait sociologique inné et, lorsqu'il ne s'exprime pas sous forme de rituel, comme un fait psychologique inné.

Il y a eu, sur Shikasta, des civilisations qui restèrent stables pendant des centaines, voire des milliers d'années — stables, évidemment, dans la limite des guerres, des épidémies et des désastres naturels qui sont le lot de Shikasta. La plupart de ces civilisations appartiennent à l'époque où les Shikastiens vivaient beaucoup plus longtemps qu'aujourd'hui, parfois dix, vingt fois plus, bien que l'espérance de vie n'ait jamais cessé de décroître plus ou moins vite, plus ou moins lentement selon les périodes. Un adolescent parvenu au seuil de l'âge adulte pouvait espérer vivre longtemps par rapport aux générations suivantes. Chaque jeune connaissait bien sûr le moment où il — ou elle — devait se battre pour acquérir son indépendance psychologique. Ceci entraînait parfois une courte période d'insécurité et quelques réajustements de la part des parents. Mais, en règle générale, les enfants vivaient de longues vies d'adultes à leurs côtés. L'enfance était une courte préparation à la vie. Les parents qui mettaient au monde, comme prévu, un, deux ou trois enfants ne faisaient qu'ajouter à une population au sein de laquelle ils espéraient jouir, parfois plusieurs centaines d'années, d'une affection toute particulière.

Tandis que l'espérance de vie des Shikastiens diminuait de façon si spectaculaire et si tragique, il restait, dans ce qu'ils appellent la « mémoire génétique », les mêmes espérances que lorsque les gens vivaient mille ans ou parfois même les deux mille ou trois mille ans de l'espèce fondatrice, celle des Hybrides. Tout adolescent espère jouir d'une existence infinie. La fin semble si éloignée que rares sont ceux qui parviennent *réellement* à envisager leur propre mort. Un individu programmé pour vivre, avec beaucoup de chance, quatre-vingts ans, a l'impression profonde qu'il vivra huit cents ans — ou huit mille.

C'est ce fait, insoupçonné des Shikastiens qui ont relégué leurs longues vies de jadis dans le domaine du mythe, qui est à l'origine de tant de leurs déséquilibres psychologiques. Mais je n'en examinerai ici qu'un seul, à savoir l'effet produit sur la relation entre les générations.

Les Shikastiens n'ignorent pas que le « temps » passe différemment pour les jeunes et les vieux. L'appréciation subjective de la fuite du « temps » est, chez l'enfant, très lente, interminable, presque éternelle. Un enfant distingue à peine la fin d'un jour de son commencement et c'est à ce moment-là que la mémoire génétique de l'antique longévité est la plus forte.

L'unité de « temps » est donc, chez l'enfant, différente de celle d'un jeune adulte, laquelle est elle-même différente de celle d'un homme mûr et de celle du vieillard. En généralisant, l'on peut dire que la vie d'un Shikastien, actuellement, décrit une courbe qui culmine à l'âge de la maturité, aux alentours de la cinquième décennie. Avant cela, un individu se trouve à la période où l'on dit « je vivrai mille ans » puis ensuite tout se passe comme si un voile se déchirait, et très vite, chacun d'eux comprend qu'étant jeune il a vécu dans une illusion.

Parvenu à l'âge mûr, un individu a derrière lui plus de la moitié de sa vie, du « temps imparti », ce qui, après de telles espérances d'éternité, lui apparaît comme un rêve précis, coloré mais court et chimérique. Et il — ou elle — sait maintenant que tout ce qui reste, c'est un autre rêve, tout aussi court et chimérique, et que lorsqu'il — ou elle — sera sur le point de mourir, c'est-à-dire bientôt — il ou elle évoquera des moments aussi irréels que ceux qu'on se rappelle au réveil, c'est-à-dire des événements et des atmosphères passionnants, agréables ou terrifiants à présent évanouis et à demi oubliés.

Les Shikastiens se tournent avec espoir vers leurs enfants, leur progéniture, leur descendance, mais leurs héritiers, eux, les regardent avec déception, ou pire encore.

L'une des raisons de cette attitude, c'est qu'on identifie les parents à l'horrible situation de Shikasta : la génération précédente représente le chaos et la terreur qui sont partout visibles. Il s'agit là d'un phénomène émotionnel et non intellectuel car la plupart des jeunes, si on leur posait une question comme : tenez-vous vraiment vos parents pour responsables du Siècle de la Destruction ? répondraient : bien sûr que non ! Mais ce qu'ils *ressentent* souvent, c'est une aversion, une hostilité soudaines envers les parents qui ont *permis* à tout ceci d'arriver.

Une autre raison réside dans le fait que les habitants de Shikasta étant, à présent, les enfants de la technologie et du matérialisme ont appris qu'ils avaient droit à tout, qu'ils pouvaient, qu'ils *devaient* tout avoir. Chaque jeune — je parle de la généralité et non des exceptions — confronte et accuse ses parents parce que s'étant vu tout promettre, il comprend bientôt que cela n'arrivera pas et cet obstacle, cette déception, ressentis comme une promesse violée, s'ajoutent à la réprobation dirigée contre les parents.

Ils ignorent leur propre histoire en tant qu'espèce et les vraies raisons de leur situation actuelle ; ils ne connaissent rien, ne comprennent rien, mais sont convaincus, du fait de l'éducation outrecuidante qu'ils ont reçue, qu'ils sont les héritiers intellectuels de toute la compréhension et de toute la connaissance du monde. Cependant, la culture s'est effondrée et les jeunes la détestent. Ils la rejettent tout en la saisissant à pleines mains, en la réclamant, en extrayant d'elle tout ce qu'ils peuvent. Et poussés par cette haine, même ce qu'il reste de bon et de sain dans les valeurs traditionnelles, ils le rejettent. Ainsi chacun se trouve soudain confronté à la vie, quasiment seul, sans règles, sans lois, sans même de directives qu'il puisse suivre en toute confiance. Comment attendre quoi que ce soit de bon de cette abominable anarchie qu'ils voient autour d'eux ? Et pourtant ils ont les capacités nécessaires pour juger et utiliser leur intelligence de certaines façons. C'est ce qu'on leur a appris. Ils ont les capacités nécessaires pour être indépendants et formuler des jugements personnels, et ils s'empressent de se tailler des territoires affectifs avec la parfaite dureté et l'égoïsme qui caractérisaient les franges nord-ouest lorsque ces animaux dominaient le monde, accaparant et détruisant tout sur leur passage — mais à présent il ne s'agit plus seulement des habitants des franges nord-ouest mais de tous en tout lieu. Car devant eux s'étend cette longue vie, sans fin, sans limites —, on aura bien le temps de redresser les erreurs, de prendre d'autres directions, de transformer le mal en bien...

Et les adultes les observent, désespérés.

Rien de ce que peuvent dire les adultes n'est *entendu* par ces nourrissons qui déambulent dans les brumes irisées de leurs illusions.

La plupart des adultes, en particulier ceux de l'hémisphère nord ou des classes aisées de tous les pays, ont vécu selon le principe qu'il n'y aurait *rien à payer,* et les voilà maintenant échoués, rejetés sur des rivages amers, entourés des conséquences de leurs pirateries de jeunesse. La plupart voudraient bien défaire ce qu'ils ont fait, voudraient « agir autrement si je redevenais jeune ». Ils brûlent de communiquer ce sentiment à leurs enfants. « Pour l'amour de Dieu, ne fais pas cela, sois prudent, tu as si peu de temps devant toi, si tu fais cela, alors ceci, ceci et ceci ne peut manquer d'arriver. »

Mais les jeunes « doivent apprendre par eux-mêmes ». C'est leur droit, le seul moyen pour eux de trouver leur identité ; c'est pour eux une nécessité vitale. (Comme ce le fut un jour pour leurs parents, qui savent combien il est vain d'insinuer qu'ils puissent avoir tort.) Abandonner ce *droit* à leur développement personnel, à leur expression personnelle, à leur découverte personnelle, signifierait pour eux se soumettre à des pressions qu'ils ressentent comme intolérables, corrompues et truquées.

Les vieux observent les jeunes avec anxiété, tristesse et crainte. Ce qu'ils ont appris, *c'est le prix des choses, ce qu'il faut payer*, c'est-à-dire les conséquences et le résultat des actes. Mais leurs vies auront été inutiles car rien de ce qu'ils ont appris ne peut être transmis. A quoi bon apprendre tant de choses, avec tant de peine, à un tel prix pour eux-mêmes et les autres (souvent la progéniture en question) si la génération suivante ne peut rien recevoir d'eux, rien accepter comme « donné », appris et déjà digéré ?

Et ces vieux qui ont l'expérience savent que les horreurs de toutes sortes sont possibles, inévitables même, mais les jeunes, eux, pensent que tout s'arrangera peut-être après tout.

Les vieux vivent dans l'attente et l'espoir que les jeunes reviendront à la raison et comprendront qu'il leur reste si peu de temps, et si peu de temps aussi à la planète : « Pour l'amour du ciel ! Le temps s'en va, le temps s'en va pour vous, comme pour nous, tandis que vous vous pavanez et jouez à vos petits jeux… »

Mais voilà les jeunes, avec leurs hordes, leurs gangs, leurs groupes, leurs cultes, leurs partis politiques et leurs sectes, vociférant des slogans, divisés à l'infini, opposés les uns aux autres, toujours dans leur droit, se bousculant pour prendre la première place. Voilà où ils en sont, eux — l'avenir ; mais l'avenir s'est condamné lui-même.

Les vieux n'ont pas d'avenir car, pour des créatures destinées à mourir avant même de revenir à la raison, ce sont les jeunes qui représentent l'avenir. Les vieux, évoquant leur petit coin de brume irisée, se disent : « Je n'ai pas vécu. » Et c'est vrai. Mais quand ils regardent leurs enfants, ils savent que ceux-ci ne vivront pas davantage.

C'est l'une des forces prépondérantes actuellement à l'œuvre sur Shikasta. Parmi ses innombrables divisions et subdivisions, peuples, races, sous-races, idées, croyances, religions, il y en a une qui opère dans chaque zone géographique : c'est le fossé qui sépare les jeunes des vieux.

JOHOR *communique :*

Voici une liste des individus dont j'avais mission de rendre compte. Je n'ai pas inclus ceux dont l'état m'a semblé satisfaisant et dont l'évolution se déroule comme prévu. J'en ai par contre ajouté certains dont nos agents pensaient qu'ils étaient peut-être en difficulté et dont Canopus ne connaît pas encore la situation. Leur nom ne figure donc pas sur la liste originale.

Ils apparaissent sur d'autres listes que les individus que j'avais pour mission de retrouver et d'aider du fait de la disparition de Taufiq, car ils ne sont pas de son ressort.

[Les Shikastiens passent une grande partie de leur temps à s'étonner de la conduite de leurs semblables et à la commenter. Ceci tient en partie à ce que leurs connaissances dans le domaine qu'ils appellent « psycho-logique » sont insuffisantes et en partie à ce qu'ils n'appliquent pas celles qu'ils possèdent.

La surprise, agréable ou non, ressentie par eux devant un événement quelconque se produit, pour une grande part, lorsqu'une pulsion intérieure cherche à sortir par le biais de rencontres ou de conflits de personnalités. La sagesse populaire résume cette évidence en disant que les gens sont souvent attirés vers ce qui risque de les faire souffrir.

Il est vrai que la force, l'énergie cachée qui entraîne Shikasta sur son dur et pénible chemin et que certains perçoivent comme un « guide » ou « un maître spirituel » ne considère ni le « bonheur » ni le « confort » lorsqu'elle travaille à amener un individu à se mieux connaître et à se mieux comprendre.

Il n'est pas nécessaire, la plupart du temps, de diriger un individu vers telle ou telle relation ou situation car les composantes de sa personna-lité, certains aspects dont il est inconscient, le poussent irrémédiable-ment, selon les lois de l'attraction ou de la répulsion, vers les lieux ou les gens qui lui sont profitables. Il arrive que deux personnes ou un groupe se rencontrent dans des circonstances impératives et fructueuses ; les spectateurs crient alors au « miracle » à l'« intervention divine ». Il arrive que les éléments d'un couple ou d'un groupe aient été attirés les uns vers les autres par-delà les océans ou au mépris de risques

« extraordinaires » par le besoin qu'ils avaient de l'autre, le besoin d'apprendre par l'autre. Mais ce phénomène, aux yeux du spectateur non averti, apparaît comme un conflit dénué de sens, inutile, comme un échec ou même encore comme quelque chose de néfaste.

Bien sûr, il arrive que ces rencontres soient parfois malvenues, inutiles et néfastes. Comment pourrait-il en être autrement sur cette pauvre planète parvenue au bout de son rouleau, au terme du long processus qui l'a conduite à une telle déchéance ?

Mais encore une fois, cela n'arrive pas souvent et les individus impliqués peuvent très bien penser ou dire aux autres — en se référant à ce moment vécu comme difficile, pénible, à la limite du supportable ou encore malvenu — que de choses j'ai apprises ! Pour rien au monde je n'aurais voulu manquer cela. *Les Archivistes.*]

33. Elle avait entrepris pour tâche de gérer une immense fortune familiale dont elle était la seule héritière. Elle n'était pas séduite par la richesse à laquelle elle restait indifférente, mais par les hommes qui convoitaient cette fortune. Elle se maria plusieurs fois, jamais de façon profitable pour elle-même, mais l'un des hommes qu'elle épousa profita si bien de l'expérience qu'un aspect de sa propre personnalité se développa pleinement et qu'il put alors en perfectionner un autre. Cependant, elle était incapable de sortir du cycle immuable qui consistait à « tomber amoureuse » puis à être déçue. A la suite de discussions avec l'Agent 15, il a été envisagé d'augmenter sa fortune dans des proportions radicales, grotesques même, de façon totalement inattendue pour elle, afin de mettre en lumière ses responsabilités. Il est probable que le choc qu'elle en éprouvera l'aidera à reprendre conscience de ses devoirs. L'Agent 15, qui en a la mission, organisera une rencontre entre elle et 44 qui se trouve toujours dans le marasme et dont l'influence sur elle sera, nous en sommes persuadés, positive.

44. En cas d'échec, l'Agent 15 l'occupera à autre chose. Mais la situation dans laquelle il se trouve ne peut empirer ; il faut prendre le risque d'une déception entraînée par une relation, même d'affaires, avec une femme aussi infantile.

14. Elle avait entrepris pour tâche de se dévouer à une mère veuve, paralysée et autoritaire. Elle avait commencé à le faire à trente ans. Cette tâche inexorable, opiniâtre, elle l'assuma jusqu'à ce qu'elle-même, parvenue au seuil de la vieillesse, fût victime d'une maladie qui la

laissa sans forces. Incapable de se sortir de la dépression qui s'ensuivit, elle envisagea de se suicider ou même d'abandonner sa mère, devenue sénile, dans une institution. J'ajoutai à son fardeau en la forçant à s'occuper d'une tante aussi handicapée que sa mère, mais dotée d'une nature vigoureuse, caustique et railleuse. 14 ne sombra pas pour autant mais stimulée, au contraire, par ce nouveau coup du sort, elle « se chargea » de rendre visite et de s'occuper d'autres vieux et vieilles du quartier. Elle est maintenant redevenue la personne qu'elle était auparavant, efficace et optimiste.

21. Cet homme, qui appartient à la race noire opprimée du continent sud I (partie sud), s'était fixé pour but de combattre la répression en faveur de ses semblables. Il se tourna très tôt vers l'action politique comme nous l'avions prévu et décidé, car il n'y avait, à cette époque et dans ce pays, aucune autre façon d'exprimer son indépendance d'esprit et sa dignité. Il fut emprisonné, torturé et en resta estropié. C'est à ce moment-là qu'il perdit sa route et se laissa aller au dépit et au découragement. Il rentra en lui-même et rechercha la solitude. Ses compagnons l'appelaient Le Hargneux. S'il avait continué dans cette voie, il n'aurait pas tardé à rencontrer la mort. Il gagnait sa vie en vendant des légumes dans une municipalité « noire » où il fut de nouveau arrêté au cours d'une manifestation pour les droits civiques et injustement emprisonné. Ceci ne fit qu'augmenter sa fureur. Chacun se rendait compte à la prison qu'il ne durerait pas longtemps, car il combattait les autorités et ses camarades de toutes les façons possibles et imaginables. Je fis en sorte qu'il fût mis avec un homme aussi infirme que lui, aussi injustement traité que lui, mais qui acceptait son sort grâce à l'une des très nombreuses religions locales. Les deux hommes, devenus amis, servirent leur peine côte à côte. Maintenant sortis de prison, ils sont toujours amis et travaillent pour l'amélioration des conditions de vie des nombreux enfants infirmes et handicapés de la municipalité « noire » en question.

42. L'entreprise était ici de mener une existence aussi normale, aussi saine et aussi ordinaire que possible en des temps aussi abominables et de rappeler à ceux que la guerre, la pauvreté ou les hasards de la politique avaient placés dans des situations extraordinaires, les possibilités d'une vie simple, familiale et, particulièrement, la façon dont les parents peuvent soigner et guider leurs enfants. Il fut élevé par une mère qui, devenue veuve brutalement, s'était consolée en se jetant sur la

nourriture ; incapable de se rien refuser, elle lui apprit à ne rien se refuser. Il était obsédé par la nourriture. Ceci n'a rien d'extraordinaire : la nourriture a pris une importance qui stupéfie tous ceux d'entre nous qui visitent Shikasta. Plusieurs facteurs sont responsables de cette situation. Premièrement, un nombre infini de gens n'ont pas assez à manger, ce qui crée chez eux l'obsession de la nourriture, et s'ils arrivent à se sortir de la pauvreté, manger devient plus qu'une nécessité. Deuxièmement, les guerres ont imposé à de vastes régions de Shikasta des périodes pendant lesquelles la nourriture devient quelque chose dont on rêve, que l'on désire frénétiquement, et lorsqu'elle revient, ces habitudes demeurent. Troisièmement, comme il a été exposé plus haut, dans de vastes régions de Shikasta, l'économie est axée sur la consommation, si bien que chaque individu, à chaque instant du jour, est contraint de penser à la nourriture et à la boisson, et rares sont ceux qui ont la force de résister. Et puis, bien sûr, il y a Shammat, Shammat la cupide, dont le poison travaille le corps et l'esprit de tous les Shikastiens. Cette situation a atteint de telles proportions que personne ne trouve choquant, dans un monde où la plupart des habitants meurent de faim, ou presque, de voir un individu se rendre d'une ville à l'autre, d'un pays à l'autre ou même d'un continent à l'autre pour le plaisir de bien manger, attiré par la cuisine renommée de certains endroits. Dans la description des attraits d'une ville viennent en premier les plats que l'on y trouve et même les détails de leur préparation.

Au moment de se marier, 42 choisit une femme qui, à l'instar de presque toutes celles qu'il avait rencontrées, pensait davantage à la nourriture qu'à tout le reste. Leur ménage était dominé par l'achat, la préparation et la consommation des aliments. Leurs enfants furent élevés dans la conviction que la nourriture était la chose la plus importante au monde. L'Agent 9, dans le rapport qui précède celui-ci, a expliqué comment il fut décidé que 42 perdrait brutalement son gagne-pain et serait placé dans un endroit où il pourrait choisir, s'il le voulait, de diriger un restaurant. Notre intention était de l'amener à considérer les processus de préparation et de consommation des aliments sous un jour plus objectif. Mais sa femme, ses enfants, lui-même et quelques-uns de leurs amis se mirent à penser de façon obsessionnelle à un restaurant célèbre non seulement dans leur pays mais dans plusieurs autres. L'idée de la nourriture ne les quittait jamais, et, de toute évidence, les choses allaient de mal en pis. J'ai donc pris des dispositions pour qu'une agence internationale, informée de ses grandes connaissances en matière de nutrition, l'invitât à devenir conseiller d'un programme nutritionnel dans certaines zones particulièrement pauvres du continent sud I. Je pense que sa femme et lui accepteront l'invitation et qu'un contact non seulement quotidien mais de tous les instants avec la faim sous son pire aspect les fera peut-être sortir de cette obsession. Ceci ne résout pas le problème des enfants qui s'ajoute à ma mission et j'ai demandé à l'Agent 20 d'intervenir.

17. Elle avait décidé de risquer son équilibre mental — en un temps où de plus en plus de gens deviennent fous, vivent au bord de la folie ou sont susceptibles de faire plusieurs « dépressions nerveuses » dans leur vie — pour pouvoir explorer et codifier à loisir ces divers domaines, pour le bénéfice d'autrui, mais c'était plus qu'elle n'en pouvait supporter. Elle fut soumise à des pressions plus nombreuses et plus graves que nous ne l'avions prévu car elle perdit sa mère de bonne heure. Certains ont appris auprès d'elle les possibilités, les risques et les enseignements du déséquilibre mental mais elle-même n'a pas su préserver son équilibre. Une grande partie de sa vie s'est déroulée dans des hôpitaux psychiatriques ou dans des situations protégées, aux frais des autres — à la fois sur le plan financier et sentimental. Un rapport précédent qui décrivait son état et suggérait une intervention effective n'a pas eu de résultats concluants. Je la rencontrai dans un hôpital psychiatrique où elle avait choisi d'entrer et la trouvai opiniâtre et récalcitrante ; pour survivre, même avec la prise fragile et intermittente qu'elle a encore sur la réalité, cette opiniâtreté et cette méfiance lui sont nécessaires : elle a trop souvent été traitée avec stupidité et brutalité. J'ai pris des dispositions pour qu'un docteur de ma connaissance, doué d'une perspicacité inhabituelle dans ce domaine et qui travaille obscurément et sans bruit à l'intérieur de sa profession, la contacte et travaille en collaboration avec elle, lui suggérant divers moyens de décrire ses expériences pour en faire profiter les autres. Ceci leur rendra service à tous les deux mais je n'ai pas grand espoir.

NOTE : J'avais tort. Voir ci-joint document supplémentaire intitulé Lynda Coldridge.

4. En un temps où il est convenu que l'information concernant les découvertes scientifiques doit être accessible à tous, mais où, en réalité, de vastes pans de la recherche ayant trait surtout — mais pas toujours — à la chose militaire restent secrets si bien que le public ne connaît qu'une partie des horreurs qu'on lui concocte, cet homme entreprit de travailler au sein d'un établissement scientifique de recherche militaire. Il réussit

merveilleusement dans ses recherches et devint très vite célèbre dans sa branche, bien que son nom ne fût connu que dans les limites d'un petit cercle de confrères. Il occupa, et occupe encore, un poste clé. Peu à peu, il fut hanté par la nature horrible du travail qu'il faisait. Il en résulta une névrose ; le conflit entre les notions de « pays », de « science », de « famille » etc. qu'il fut incapable de résoudre eut raison de lui et il tomba malade. Il souffrit en secret pendant des années, car il n'avait personne à qui exposer sa situation. Tout en gardant ses aptitudes au travail et en faisant même avancer la recherche dans un domaine qu'il considère de plus en plus comme criminel, il vit un cauchemar de culpabilité. Je pris les dispositions nécessaires pour lui faire rencontrer, lors d'une conférence internationale sur un autre sujet, un homme qui travaille dans le même domaine que lui mais pour un pays « ennemi » — je mets ce mot entre guillemets car il est des époques où les pays ennemis deviennent parfois alliés en une nuit ou sont secrètement alliés sur certains plans et en guerre sur d'autres. Les deux hommes, pareillement écrasés par le poids du lourd fardeau de leur savoir, se reconnurent immédiatement et furent attirés l'un vers l'autre par leurs véritables préoccupations intérieures. Ils ont décidé de permettre la fuite de certaines informations, parmi les plus redoutables, de façon à les rendre moins funestes et à en retarder l'utilisation. Notre homme a donc repris le chemin qu'il avait choisi. Il passera de plus en plus de temps à disséminer ces informations secrètes, jusqu'au moment où il sera arrêté et emprisonné.

Suivent maintenant les individus dont la situation m'a été signalée comme nécessitant une aide. Je les énumère selon le système n° 3.

1(5). Le trait dominant de cet individu était un sens critique précis et aigu. Diverses influences étant venues, dans l'enfance, renforcer cette disposition, toutes les situations dans lesquelles il se trouvait, il les « perçait à jour » immédiatement. Révolté contre sa situation familiale dans laquelle il ne voyait qu'hypocrisie, il quitta très tôt son milieu d'origine et se maria de bonne heure. Il eut trois enfants, et se trouvant enterré dans « la médiocrité et l'hypocrisie », s'en alla vivre diverses liaisons non conventionnelles avec des femmes dont il eut trois enfants illégitimes. Il se remaria, eut deux autres enfants, mais le mariage ne dura pas. Il se remaria encore une fois, divorça, avec un enfant. A l'âge de cinquante-cinq ans, il était seul, très diminué et rendu improductif par le sentiment de sa culpabilité. Il a toujours gagné sa vie à la frontière des

211

arts, souvent comme critique et satiriste. Mais son sens du ridicule, qui ne lui a jamais permis de s'abandonner totalement à quelque situation que ce soit, s'est toujours doublé d'un cœur tendre et généreux, lequel trait se trouve renforcé par le remords, ce qui le fait constamment osciller entre le « oui » et le « non ».

Après en avoir discuté avec l'Agent 20, nous avons pris des dispositions pour que l'une de ses enfants l'appelât à son aide. Il l'a prise chez lui et s'en occupe complètement. Certains de ses autres enfants l'ayant appris lui ont demandé refuge. En un temps où les enfants fuient fréquemment leurs parents, comme si demeurer avec eux revenait à perpétuer en eux-mêmes tous les vices de Shikasta, il est courant de voir les adolescents quitter la maison à la recherche de parents d'adoption. Dans le cas présent, il est père d'adoption, car il n'avait pas vu un seul de ses rejetons depuis des années. Soudain envahi par des enfants, des adolescents et de jeunes adultes assaillis de problèmes divers, il s'est installé dans une grande maison à la campagne. Son attitude à l'égard des « liens », des « devoirs », des « conventions », des « fausses allégeances » et des « hypocrisies » étant bien connue, il est cité en exemple. Contrairement à un homme ordinaire, conventionnel, dont les enfants ont tous quitté la maison au moment où il entre dans sa cinquième décennie, il s'est retrouvé chargé de responsabilités tardives. Une ancienne maîtresse étant tombée malade, il l'a recueillie chez lui. Une autre, en dépression, a suivi. Le mari de l'une de ses ex-femmes se débattant au milieu de difficultés financières, il l'a secouru. Notre homme, qui a maintenant, d'une manière ou d'une autre, la responsabilité d'une vingtaine de personnes, est tout à fait guéri de son état d'apathie malsaine. D'abord, son sens critique lui est à présent d'un grand secours pour diagnostiquer les maux et les besoins de ses protégés. Comme sa charge est très lourde, j'ai pris des dispositions pour que l'Agent 20 le suive de près, avec les moyens nécessaires pour intervenir en cas de besoin.

1(13). Cet homme, après s'être âprement battu pendant son enfance et son adolescence contre la pauvreté et le manque d'éducation, devint journaliste. Pendant de nombreuses années, il fut regardé d'un mauvais œil par les autorités car il était de ceux qui — avec une tendance à la critique et à l'analyse assez semblable à celle de 1(5) — essayaient de présenter au public une image factuelle des événements et des processus, très différente de celle de la majorité au pouvoir. Ceci d'un point de vue apolitique, bien qu'on le traitât de socialiste à une époque où cela était démodé et mal vu. Comme c'est souvent le cas sur Shikasta, les opinions qu'il soutenait depuis trente ans, aux côtés d'une minorité d'hommes et de femmes qui souffraient pour leurs idées, furent soudain majoritaires, et du jour au lendemain — ou presque — il devint un héros, surtout aux yeux des jeunes. Il existe des endroits, sur Shikasta, où les critiques de la société sont poursuivis et persécutés toute leur vie. D'autres où ils sont absorbés dans le système. A maintes reprises, l'on a vu des gens, toujours en alerte sur le plan des idées, toujours forcés de défendre, d'aiguiser et d'affiner leur perception des événements, se trouver soudain sous les feux des machines à publicité, transformés en héros nationaux, figés, en fait, dans une attitude officielle. Jour après jour, on neutralise des gens de valeur, on en fait, bien souvent, des personnages comiques, au prix — pour le moins — de leur dynamisme et de leur force. L'homme qui nous occupe tomba dans le piège, car il n'avait pas compris qu'il ne faisait que répéter, sans relâche, de vieilles attitudes. J'ai pris des mesures pour qu'il rencontre une femme du continent sud I qui a dû se battre si âprement toute sa vie, pour survivre, qu'elle a de l'énergie pour deux. En l'épousant, il sera revivifié et forcé d'abandonner ses structures de pensée actuelles. Leurs enfants seront des individus remarquables et j'ai pris des dispositions pour les faire suivre par l'Agent 20.

1(9). Cette femme a toujours été hypersensible aux influences de toutes sortes, dénuée de force intérieure et incapable de s'autodéfinir. Elle a été protégée par une famille autoritaire puis par un mari dominateur. Lorsque celui-ci mourut, elle sombra dans des dépressions et des mélancolies dont elle finit par ne plus pouvoir se passer. Cet état attira de la Zone Six des vampires d'une espèce virulente et tenace. Il était évident qu'elle ne survivrait pas longtemps et qu'en Zone Six aucune créature bénéfique ne l'attendait. J'hésitais à tenter pour elle un autre mariage quand il arriva qu'une femme, douée d'une grande force de caractère et d'une grande énergie, capable d'écarter tous les miasmes et influences débilitants, ne savait plus que faire de sa vie. Elles habitent maintenant ensemble et l'énergie qui en résulte a réussi à repousser les funestes créatures de la Zone Six.

DOCUMENT LYNDA COLDRIDGE
(RAPPORT N° 17)

J'écris ceci à l'intention du docteur Hebert. Je ne cesse de lui dire que je ne sais pas écrire, que je n'écris jamais, que je n'ai jamais écrit. Mais il me dit qu'il le faut. Alors j'écris. Il dit que si d'autres me lisent, cela les aidera. Mais la raison pour laquelle il veut que j'écrive c'est que cela m'aidera, *moi.* C'est ce qu'il pense. Il lira ceci en premier et saura ainsi ce que *moi,* je pense. Bien que je ne cesse de le lui dire. Le docteur Hebert est gentil. (Vous êtes gentil, docteur Hebert !) Mais vous n'écoutez pas. Tous les docteurs sont comme ça. (Pas seulement les docteurs.) Je parle souvent pendant des heures au docteur Hebert. Mais il veut que je consigne mes pensées par écrit. Ça me semble bizarre. *Dingue.* Mais c'est *moi* qui suis dingue, pas le docteur Hebert. Le docteur Hebert sait tout de ma vie. Il en sait davantage que n'importe quel autre docteur. Plus que Mark. Évidemment, ça va de soi. Ou Martha. Ou même plus que Sandra et Dorothy autrefois. Le docteur Hebert dit qu'il est important pour lui de me connaître. Il dit que j'ai subi tous les traitements utilisés dans les hôpitaux psychiatriques. Il dit que j'y ai survécu. Je lui raconte ce que j'étais quand j'étais petite fille. C'est *alors* que j'étais folle. Selon leurs idées. Et puis je lui raconte la façon dont j'étais folle quand on a commencé à me faire suivre des traitements et à m'hospitaliser. Parce que les deux types de folie ne sont pas les mêmes, il y a des différences. Vous comprenez, docteur Hebert ? (Vous me dites que je devrais vous appeler John mais je ne vois pas pourquoi. Le fait de vous appeler John ne me rend pas normale et vous déséquilibré.) Quand j'étais jeune, toutes sortes de choses me passaient par la tête et je sais maintenant que j'étais folle. Parce que tant de gens me l'ont dit ! mais c'était merveilleux. J'y pense souvent. Je n'ai jamais rien connu d'aussi agréable depuis (quelquefois pourtant ça revient, par éclairs, mais j'en parlerai après, si j'arrive jusque-là). Quand *ils* ont commencé à utiliser les machines et les piqûres et toutes ces *horreurs,* ce qui était dans ma tête a changé. Mais ils ne voulaient pas l'admettre. Et vous, docteur Hebert ? et vous ? Moi je vous le *dis.* Avec des mots. Des mots, mais sur le papier. Bon, je vais recommencer, à partir d'ici, parce que je m'embrouille. Je voulais dire quelque chose d'autre d'abord.

Le docteur Hebert a toutes sortes d'idées. Certaines sont bonnes.

J'applaudis. Je vous applaudis, docteur Hebert. Clap, clap. Aujour-d'hui, je suis d'humeur puérile. Le docteur Hebert dit que je me sens inutile. (C'est vrai, je le suis. Tout le monde s'en apercevrait au premier coup d'œil.) Il dit que je peux être utile aux gens qui viennent de tomber fous et qui ne comprennent pas ce qui leur arrive. Il dit que je devrais aller les voir et leur dire : voici ce qui vous arrive. Il dit qu'ils se sentiraient mieux. Et que je me sentirais mieux parce qu'eux-mêmes se sentiraient mieux. Mais ce qu'il ne comprend pas, c'est que ce qui les ferait se sentir mieux c'est qu'ils se sentiraient mieux réellement, c'est-à-dire que ça s'arrêterait, ça s'en irait, ils ne seraient plus dingues. Il dit que je devrais aller voir quelque pauvre cinglé qui tremble, qui pleure et qui entend des voix, des voix qui sortent quelquefois des murs, ou qui voit des choses horribles qui n'existent pas (mais dans le fond, elles existent peut-être !) et que je devrais lui dire... A la ligne. Écoutez, je devrais lui dire. N'ayez pas peur. Voilà ce qui se passe. (Je parle maintenant au pauvre cinglé.) Nos sens sont faits pour une étroite bande de sons ou d'images. Sans cesse des sons nous arrivent de toutes parts, en cascade. Mais nous sommes des machines réglées pour en percevoir, disons, cinq pour cent, c'est tout. Si la machine se dérègle, alors nous en entendons plus qu'il n'est nécessaire. Nous en voyons plus qu'il n'est nécessaire. En fait, votre machine s'est déréglée. Au lieu de voir juste le jour et la nuit et votre cousine Fanny et le chat et votre mari qui vous aime — ce qui vous suffit pour vivre — vous voyez beaucoup plus, à savoir, toutes ces horreurs et toutes ces couleurs et ces images et ces choses bizarres. La raison pour laquelle ce sont des horreurs, terribles à regarder, c'est que votre machine déforme ce qui existe et qui est vraiment agréable. (Dit le docteur Hebert, mais il est vraiment gentil. Vous êtes gentil, docteur Hebert, et de toute façon comment le savez-vous ?) Et au lieu d'entendre votre mari ou votre femme, vous dire qu'ils vous aiment, ou un autobus qui passe, vous entendez ce que pense réellement votre mari. Comme, par exemple, tu n'es qu'une vieille caricature. Ou ce que pensent vos enfants. Ou le chien. (J'entends ce que pense le chien du gardien. Je le préfère à la plupart des gens. Est-ce qu'il me préfère à la plupart des chiens ? Je le lui demanderai. Si les gens savaient ce que pensent les chiens, ils seraient surpris. Et c'est tant mieux.) Donc, si je dis tout ça aux pauvres cinglés, ils reprendront courage et se sentiront mieux. Dit le docteur Hebert. Tout comprendre, c'est tout pardonner. Mais je dis au docteur Hebert, ce n'est pas vrai. Si vous entendez des voix au point que parfois il vous semble qu'il y en a des centaines qui vous martèlent la tête, vous vous fichez bien de savoir

215

pourquoi. On peut fort bien vivre sans idées originales sur les pourcentages, croyez-moi. Vous avez envie qu'elles s'arrêtent. Et si vous voyez sans cesse des monstres et des choses horribles, vous avez envie qu'ils s'en aillent. Est-ce que ça leur redonnerait courage, je veux dire, de savoir que nous (les gens et les chiens aussi, pour autant que je sache) sommes faits pour ne voir que tante Fanny et le chat et la rue parce qu'en dehors de ça, il n'y a que des horreurs ? (Docteur Hebert, *pourquoi* êtes-vous donc si sûr que les horreurs n'existent pas ? Hein, *pourquoi ?* Je voudrais bien le savoir. Je veux dire, dans quel monde vivez-vous donc, docteur Hebert ? Je n'ai pas l'impression que ce soit le même que le mien. Après tout, ça va de soi, puisque vous n'êtes pas fou et que je le suis.) Bon, je recommence. Là où vous vous trompez, c'est lorsque vous dites que les gens se sentiraient mieux si vous ou moi leur disions ce genre de choses. Parce que presque tout le monde a appris, étant enfant, à croire que cinq pour cent, c'est tout ce qu'il y a. Que cinq pour cent représentent l'univers. Et que si les gens pensent autrement, ils sont bizarres. Et si la machine se détraque et que, depuis, dix pour cent apparaissent, alors ces gens seront non seulement terrorisés par les voix qui sortent de leur coude ou de la poignée de la porte et par ce qu'elles disent — presque toujours des bêtises, d'ailleurs — mais ils sauront également qu'ils sont *mauvais. Pervers.* Parce qu'on ne peut pas changer les idées des gens. Pas aussi simplement ni aussi rapidement que ça. En fait, non seulement les pauvres cinglés doivent supporter ces voix *stupides* dont ils savent bien qu'elles sont stupides — ce qui est déjà assez terrible — mais en plus, ces voix leur disent qu'ils sont pervers et dégoûtants. Presque toujours. Et par-dessus le marché, il leur faut supporter le fait de savoir qu'ils perçoivent plus de cinq pour cent, *ce qui est mauvais par définition.* Étant enfants, il est plus que probable qu'ils voyaient et entendaient davantage que les fameux cinq pour cent ; ils voyaient, par exemple, des amis que les autres ne voyaient pas ; et lorsqu'ils racontaient ça à leurs parents, ceux-ci les traitaient de menteurs et de pervers. Je commence à m'énerver. J'arrête.

La nuit dernière on a amené une pauvre cinglée. Elle était terrifiée. Le docteur Hebert m'a demandé de rester avec elle. C'est ce que j'ai fait. C'est une schizophrène. Ça va de soi, je suppose. Elle aimait un homme et ils devaient se marier cette semaine. Il a rompu. Ça l'a bouleversée. Elle ne mangeait plus, elle ne dormait plus. Elle pleurait tout le temps. Hier, elle traversait Waterloo Bridge à pied quand soudain elle s'est vue, à six mètres au-dessous, en train de traverser le pont. Ça m'arrive

216

souvent. Voilà ce que ça signifie. En nous, il y a plusieurs individus emboîtés les uns dans les autres, comme des poupées gigognes. Notre corps constitue la poupée extérieure. Ou intérieure, comme vous préférez. Si vous recevez un choc comme celui de vous entendre dire, par exemple, par votre ami : non je ne t'épouse pas, j'épouse ton amie Arabella, alors tout peut arriver. J'aime m'observer de l'extérieur. Ça enlève toute son importance à cette vie qui n'en finit pas, qui n'en finit pas, qui n'en finit pas... Je regarde la pauvre vieille peau que je suis (le docteur Hebert me dit de mettre mes jolies robes et de me maquiller). Mais il ne se rend pas compte, vous ne vous rendez pas compte, docteur Hebert que la poupée extérieure, qui regarde la pauvre vieille peau de Lynda, s'en fiche complètement. Ce que je suis réellement, ce n'est pas la pauvre vieille peau de Lynda, le squelette qui tremble et frissonne. De l'extérieur, je la regarde et je me dis : eh ! bien, pleure si tu veux, pourquoi pas ? Je m'en fiche. Mais cette pauvre cinglée d'hier soir. Elle s'appelle Anne. Je suppose, docteur Hebert, que vous êtes persuadé qu'elle se sentirait mieux si je lui disais : tu es une série de poupées gigognes et lorsque tu as traversé Waterloo Bridge, malade et misérable, elles se sont un peu dissociées et l'une d'elles s'est mise à regarder les autres, ou l'autre. Il faut en prendre l'habitude docteur Hebert, et c'est dur. Il ne suffit pas de dire ça comme si l'on annonçait une bonne nouvelle. Si elle est croyante, alors oui, peut-être. L'âme. Mais notre Anne n'est pas croyante, je lui ai posé la question. Si elle l'était, elle aurait peut-être déjà entendu parler de ça. Je parlerais d'âme et non de poupée gigogne. Mais la plupart des croyants pensent de toute façon à la moins importante des poupées gigognes, à la manière de l'enterrer, de lui faire sa toilette et à la manière dont elle se sentira dans la tombe, à la possibilité de l'incinérer, que sais-je ? Alors, s'ils sont comme ça, le mot âme ne serait guère utile, sans parler de poupée gigogne. Des mots. Poupée gigogne, *mauvais*. Âme, *bon*. S'ils sont chrétiens. Parfois un pauvre cinglé arrive et je bavarde avec lui — ou elle. Ce sont les enfants les mieux. Je veux dire que souvent ils n'ont pas peur quand ils se voient marcher devant eux ou quelque chose du genre. Pour certains, c'est une seconde nature. Un jeu. Mais ils sont obligés de se taire. Enfant, c'est ce que je faisais. Mes parents se disputaient. Lorsqu'ils commençaient, je m'emmenais loin d'eux. Évidemment, ils pensaient que j'étais là, près d'eux, mais je n'y étais plus. Je restais assise sur une chaise, à sourire bêtement, mais en fait j'étais dehors, occupée à autre chose. Maintenant j'arrête.

217

Anne va très mal. Je reste à ses côtés. Elle est absolument angoissée. Elle entend les voix habituelles qui lui disent qu'elle est mauvaise, perverse et tout le reste. Elle voit aussi sans cesse son ami qui va épouser Arabella. Elle les voit parler. Faire l'amour. Elle me l'a dit. Elle a peur de le dire au docteur Hebert. Je lui ai recommandé de ne pas en parler au docteur Hebert. C'est moi qui vais le dire au docteur Hebert. Il y a le docteur Hebert, bien sûr, mais il y a d'autres médecins ici. Ainsi le docteur Hebert le saura et pas les autres. J'ai dit à Anne que ce qui se passait, c'est qu'elle utilisait un don de « double vue », qu'elle avait dû entendre parler de ça. Je lui ai dit que beaucoup de gens l'avaient. Je lui ai demandé si elle avait des visions quand elle était enfant. Elle m'a dit que oui. Je lui ai dit que c'était comme jouer du piano ou monter à bicyclette. L'entraînement perfectionne. Je lui ai dit tout ça. C'était la seule chose à faire. Le don de double vue, c'est tout ! C'est ce qu'elle avait fait quand elle s'était regardée marcher à six mètres au-dessous d'elle, sans s'émouvoir pour autant ! Eh bien ! ça ne l'a pas du tout soulagée. Car lorsque ces choses se produisent avec une intensité suffisante pour rendre les gens malades, c'est que les six pour cent de je ne sais quoi sont *une longueur d'onde*. Un voltage. C'est mille volts au lieu d'un seul. Ce n'est pas seulement qu'on est normal et que, tout à coup, on se met à se regarder de l'extérieur ou à entendre des voix — ce qui peut ressembler à une espèce de glissement latéral ou vertical sans augmentation de voltage — mais qu'à d'autres moments, ou chez d'autres gens, le voltage augmente brusquement et qu'on a alors l'impression qu'on va éclater. Les cinq pour cent d'images, de sons, etc. représentent des *énergies*. C'est ça le problème. Un trop haut voltage dans la vision et l'audition. S'il augmente tant soit peu, la machine vole en éclats. C'est ça le problème. C'est ça le problème, docteur Hebert. Anne voudrait que ça s'arrête. Elle ne peut plus le supporter.

Hier soir, le docteur Hebert et moi avons tenu séance, comme d'habitude. Après le couvre-feu. Dans son bureau. Il était de nuit. Il avait lu tout ce qui précède. Il a eu une idée rationnelle. Celle-ci. Quand quelqu'un, disons une Écossaise des Highlands, semblable à la vieille nourrice que j'ai eue autrefois, a un don de double vue et dit : un étranger grand et brun croisera votre chemin et que ça arrive, ou bien : quelqu'un mourra cette semaine et que ça arrive, alors cette personne ne vole pas en éclats parce que le voltage est trop fort. Ou des enfants qui se regardent, du haut d'un arbre, assis, en train de jouer dans la poussière. Ils ne volent pas en éclats. Ils ne tremblent pas en pleurant et en criant et en souhaitant que tout s'arrête ; au contraire, cela leur semble la chose la plus normale au monde.

La réponse, c'est que certains sont *nés* pour recevoir, non pas cinq, mais six pour cent. Ou sept. Ou même plus. Mais si vous êtes une personne à cinq pour cent et que soudain un choc vous fait passer de cinq à six alors vous êtes « fou ». Je suis sûre que je suis née pour percevoir six pour cent et pas folle du tout. Mais on a fait de moi une folle parce que j'ai raconté ce que je savais. Si je m'étais tue, j'aurais vécu en paix. Avec Mark. Pauvre Mark. Pauvre, pauvre Mark. Il est en Afrique du Nord avec Rita. Il m'écrit. Il m'aime. Il aime Rita. Il aime Martha. L'amour, l'amour, l'amour. Si j'avais aimé qu'il me mange de caresses et qu'il me fourre les mains et le reste dans le corps, je suppose que ça aurait voulu dire que je l'aimais. C'est comme ça qu'il voyait les choses.

Mes conversations avec le docteur Hebert ressemblent à celles que j'avais avec Martha. Pas aussi longues, bien sûr, pas des nuits ou des jours entiers, parce que le docteur Hebert a beaucoup de travail. Il faut qu'il s'occupe d'un tas de choses. Mais nous parlons des mêmes sujets. Le docteur Hebert dit que j'ai appris beaucoup de choses et que je ne m'en sers pas. Il dit : à quoi bon avoir, Martha et moi, découvert tant de choses. Si nous n'en faisons rien. Mais faire *quoi* ? Écrire une lettre au *Times* (c'est Mark qui parle). Haranguer les foules (Arthur Phoebe). Je lui ai dit que la prochaine fois que Martha m'écrirait, je lui demanderais de venir me voir, comme ça, Martha et lui pourraient parler. Martha vit dans une communauté. J'y suis allée pour voir Francis. Il n'y a rien à redire, je suppose. Mais pourquoi les gens se rassemblent-ils à un certain endroit pour vivre ensemble ? Comme des chiots dans un panier, à se lécher mutuellement. Lap, lap. Qui se ressemble s'assemble, de toute façon. C'est ce que je pense. Ils n'ont pas besoin de se léchoter tout le temps.

Le docteur Hebert veut venir voir Martha et Francis avec moi et parler toute la nuit. Je veux bien, ça m'est égal.

Le docteur Hebert veut que je travaille tous les jours en utilisant mes « facultés ». Je lui dis (comme je vous le dis à vous) que parfois mes « facultés » sont grandes et parfois elles ne le sont pas et que de toute façon à quoi ça rime de parler de « chaque jour » comme si je travaillais dans un bureau. Mais il tient à ce que je travaille de neuf heures à cinq heures ou peut-être de deux à quatre. Du lundi au vendredi ? Aurai-je mes samedis et mes dimanches libres ? Il dit que les gens qui arrivent et qui ne sont pas trop angoissés devraient se joindre. Se joindre à quoi ? Il est très curieux de « ce que je sais ». Et si ce que je sais n'était pas joli, joli ? Et si je savais ce qui va arriver et que je n'avais pas du tout envie de savoir ? Le docteur Hebert parle à son aise de ceci ou cela. Je lui demande (je vous demande encore une fois, docteur Hebert) pourquoi supposez-vous que nous sommes tous, ou presque tous, faits pour percevoir cinq pour cent et que quelques-uns sont faits pour percevoir six pour cent et même parfois sept ou huit ? (Mais ceux-là, nous ne les connaissons pas, n'est-ce pas ? Ils doivent être comme des Dieux ! — si l'on adopte votre point de vue.) Croyez-vous que cela puisse s'expliquer par le fait que, quelle que soit l'entité qui règle les pauvres petites machines que nous sommes, il ou elle sait ce que nous pouvons supporter ? Parce que moi, docteur Hebert, je ne peux pas le supporter et j'essaie de toutes mes forces de ne pas penser à ce que je sais.

Quand j'ai écrit ce qui précède, j'ai oublié de mentionner quelque chose d'important. Si nous sommes une série de poupées gigognes, l'une à l'intérieur de l'autre, alors c'est ça, le monde ? J'écris ceci parce que c'est très important. Quand je me regarde de l'extérieur, j'ai envie de rire. Je vois Lynda, le squelette aux doigts sanguinolents. Mais ça, ce n'est pas la personne qui regarde. Peu importe la vieille peau dans sa robe pas très jolie. (Je n'ai encore pas pu entrer dans la salle de repassage ce matin parce que la clé avait été perdue, docteur Hebert, si vous voulez vraiment que l'on soit jolie par amour-propre.) Il y a donc peut-être un autre monde qui regarde ce lieu horrible qu'est notre monde, cet *enfer*. Vous saviez que c'était un enfer, docteur Hebert ? Vous le savez ? Quand je l'ai dit, vous avez souri. Vous avez pensé, c'est sa maladie. Mais c'est l'enfer, docteur Hebert. Bon, supposons que ce que je pense soit vrai, et qu'il existe un autre monde, une espèce de réplique allégée de cette lourde masse de misère si pesante, dans la chaîne de *gravité,* oui, de gravité — elle est si *lourde* et si dense — supposons donc que cet autre monde s'enlève comme un gant et se retourne pour regarder l'*enfer* en haussant les épaules. Un autre monde, encore un autre et ainsi de suite. Des poupées gigognes. Ça vous amuse ? Je vois comme un sourire sur votre visage, alors je suppose que vous trouvez ça drôle.

Quelquefois, Martha et moi, on passait des heures à rire, assises l'une en face de l'autre. Quelquefois, Dorothy riait. Mais pas souvent. Sandra ne riait jamais, absolument jamais. Mais Dorothy s'est suicidée et l'état de Sandra s'est amélioré. Personne n'aimait Sandra. Les gens la trouvaient vulgaire. C'est vrai, elle l'était. Mais après avoir traîné dans tous ces hôpitaux, je n'y fais plus attention. Depuis des années et des années. Ce qui compte, c'est que quand on dit quelque chose, on soit compris. Mark était mon mari. Il ne l'est plus parce que je lui ai dit de divorcer de façon que Rita puisse avoir des enfants normalement. Mark m'aimait. Il m'aimait. Il me rendait folle à m'aimer comme ça. Je l'écoutais me dire combien il m'aimait. Il voulait toujours enrouler mes cheveux sales, gras et puants autour de ses doigts. L'amour. Lynda chérie, je t'aime. Mais il ne comprenait jamais rien de ce que je lui disais. Pendant ce temps-là, il était amoureux de Martha. Eh bien ! bonne chance à tous les deux ! Je le pensais alors et je le pense encore. Et puis Rita est arrivée. Bisous, bisous, lap, lap, et que je te lèche et que je te suçote. Rita n'a jamais compris un mot de ce que Mark lui disait. Mais ça ne fait rien : quand c'était Rita et Mark la maison était agréable, différente d'avant. Alors c'est pour ça que je n'essaie plus de comprendre les choses du sexe. L'amour, comme on dit. C'est une perte de temps. Je ne suis pas équipée pour, ça se voit.

Le docteur Hebert a enregistré ce que je lui ai dit au sujet des heures de bureau, de neuf à cinq heures. Il veut que je vienne le voir quand j'en ai envie ; comme ça, pas de gaspillage, et il pourra faire ses expériences sur moi. Il n'a pas dit expériences parce qu'il croit que j'ai peur de ce genre de choses. Docteur Hebert, vous ne m'écoutez pas quand je vous parle. Je ne peux plus avoir peur car lorsque quelque chose d'affreux arrive, je quitte simplement mon corps et je m'en vais autre part. Ça ne me gêne pas que vous vouliez faire des expériences. Mais ça ne changera rien. Vous voulez convaincre vos confrères ? C'est ça que vous voulez ? Je n'accepte pas de servir de cobaye à des conférences ou des réunions de médecins. Non, non. Ce que vous ne comprenez pas, c'est que les gens ne croient jamais à ces choses-là. Jusqu'au jour où ils les vivent. Et quand ils les vivent, alors ils deviennent des gens que les autres gens ne croient pas. Pas de veine ! Martha et Francis disent que l'armée effectue des recherches dans ce domaine et qu'elle s'en sert. Pourquoi n'interrogez-vous pas l'armée ? Elle ne dit pas la vérité aux gens ordinaires. C'est la mort qui compte.

Le docteur Hebert est muté dans un autre hôpital. Il dit que je peux partir avec lui. C'est ce que je vais faire. Je veux rester dans les hôpitaux. Ils m'ont dit que je pouvais sortir et vivre normalement, mais je suis trop détériorée et je m'en tiendrai à ça. Je pourrais vivre dans la communauté, mais il faudrait que je me tienne bien tout le temps. Et que je te lèche et que je te suçote. Je pars d'ici la semaine prochaine pour suivre le docteur Hebert. Un hôpital en vaut un autre. Le docteur Hebert dit qu'il veut continuer à travailler avec moi.

Depuis le docteur Hebert, j'ai quelquefois été, pendant de courts instants, comme quand j'étais jeune. Avant qu'ils ne me mettent le grappin dessus pour me fourrer dans les hôpitaux. Enfant, les voix que j'entendais étaient amicales. C'était comme si des amis me parlaient. Ils disaient : Mais oui, Lynda, vas-y, c'est bien, fais ça. Ou fais ci. Ou bien : tu as pensé à faire ça ? parce que tu le peux, tu n'as qu'à essayer. Lynda, Lynda, ne sois pas triste. Ne sois pas malheureuse. Un jour où je pleurais, je pleurais, parce que mes parents n'arrêtaient pas de se disputer, la voix lança, à travers mes larmes et mes plaintes : *qu'est-ce qu'il y a, Lynda,* avec l'air de dire, en voilà des histoires pour rien. Depuis, je me suis toujours rappelé cette gentillesse en me demandant où elle avait bien pu passer. Depuis les médecins, tout ce que j'ai entendu, c'étaient des voix qui disaient que j'étais perverse, horrible, cruelle. Mais maintenant ça revient. C'est parce que le docteur Hebert est bon. Je veux dire bon en lui-même, pas seulement dans ses propos. Les mots ne sont rien. La chose qui compte, la chose gentille dans une personne ou un lieu, c'est la *douceur.* Une espèce de douceur et d'intimité. Je n'arrête pas de dire au docteur Hebert que les voix qui tourmentent les pauvres cinglés en leur disant qu'ils sont horribles et tout ça et qu'elles vont les punir pourraient aussi bien leur dire : je suis ton amie, aie confiance en moi.

ILLUSTRATIONS : La situation sur Shikasta
Ceci se passait dans une région de Shikasta dominée par une religion obscurantiste qui étendait son ignorance et son fanatisme à tous les aspects de la vie et qui affirmait, comme une vérité absolue, que « Dieu » créa l'humanité à un certain moment, voici environ quatre mille ans. Toute autre croyance entraînait des représailles incluant l'ostracisme social, l'impossibilité de gagner sa vie, la réputation d'« impiété » et de perversion totale. La réaction à cette étroitesse et ce dogmatisme rarement égalés, même sur Shikasta, se manifesta chez certains intellectuels travaillant dans le domaine de l'histoire, de la biologie et de l'évolution humaines et qui offraient la contre-proposition suivante : les peuples de la planète ont évolué, lentement, au cours de nombreux millénaires, à partir du royaume animal, certains types de singes étant

considérés comme les ancêtres de tous les Shikastiens. La religion riposta avec violence et les autorités civiles, qu'à cette époque il était difficile de distinguer en fait — sinon en théorie — de la religion, se montrèrent ombrageuses, virulentes, répressives et arbitraires.

Cette poignée d'individus résista avec courage et énergie, opposant à la « superstition », le « rationalisme », la « libre-pensée » et la « science ». D'une façon ou d'une autre, ils payèrent tous le prix de leur attitude.

Je présente ici l'histoire de l'un d'entre eux, « un tout petit combattant dans la lutte pour la libre recherche » comme il se décrivait lui-même. Il n'était pas issu d'une famille riche et était lui-même très pauvre. C'était un enseignant de la plus haute qualité, dont la passion avait été — et était toujours — de donner aux jeunes le désir de vivre une vie utile, loin des tyrannies de l'ignorance, et d'être toujours prêts à suivre les *faits*, où qu'ils puissent les conduire.

Il habitait une petite ville dont l'opinion publique était entièrement soumise à la religion. Il commença à enseigner aux enfants confiés à ses soins le nouveau « savoir » selon lequel l'humanité tout entière descendait des animaux. Après avoir reçu un blâme il perdit son poste. La jeune fille qu'il avait espéré épouser lui promit de le défendre mais succomba aux pressions de sa famille. Soutenu par sa conscience, il apprit seul la menuiserie et au prix d'énormes difficultés — car la plupart des habitants l'avaient mis en quarantaine — il gagna péniblement sa vie. Au bout d'un moment, les prêtres le privèrent même de cela. Il dut quitter sa ville natale pour une grande cité où personne ne connaissait son histoire. Il trouva du travail comme charpentier. Il se constitua une bibliothèque consacrée au « nouveau savoir » avec toutes sortes de livres sur la libre-pensée, des ouvrages scientifiques, certains traitant de génétique, domaine où la science avançait alors à grands pas. Cette bibliothèque, il la dédia à tous les esprits frères et en particulier aux jeunes, beaucoup plus nombreux dans la grande cité que dans une petite ville où « tout le monde connaissait tout le monde ». Plus d'une fois, sa bibliothèque, ses idées, ses audacieuses conversations avec tous ceux qui voulaient bien l'écouter lui valurent la visite des autorités religieuses. Un jour, elle fut incendiée par des bigots du coin. Il dut déménager deux fois. Il ne se maria pas. Il vécut soixante ans dans la pauvreté et la solitude, toujours soutenu par la conviction qu'il avait raison, que « l'avenir m'absoudra » et que « je me suis battu pour la vérité ».

Cette résistance de sa part et de celle de quelques esprits courageux ouverts aux courants de pensée et aux découvertes de l'époque —

223

certains d'entre eux justes et valables mais généralement transformés par la populace goguenarde en slogans du genre : « Si vous voulez être un singe personne ne vous en empêche ! » — cette résistance, donc, marqua le début d'un vaste et irrésistible mouvement visant à empêcher cette religion pernicieuse de tenir à la gorge des régions entières de Shikasta. Dans certains endroits, cela faisait plusieurs centaines d'années qu'elle exerçait sa tyrannie.

Notre homme, devenu vieux, ne pouvait entrer dans les boutiques ni s'asseoir sur un banc au soleil sans être tourmenté par des enfants et parfois des adultes qui vociféraient : « Singe ! Singe ! tu n'es qu'un Singe ! » Mais lui les regardait en souriant, le dos bien droit, la tête haute, intrépide, soutenu par la Vérité.

L'Agent 20, JOHOR, sollicité de faire un rapport, nous a communiqué ceci.

Je me trouve dans une vaste cité du continent nord indépendant, où l'on rencontre côte à côte la plus grande richesse et la plus grande pauvreté. C'est une zone d'habitation où de hauts immeubles abritent une multitude de gens. Tous les hommes et de nombreuses femmes partent chaque jour travailler. Ici, il n'y a pas de misère effroyable, pas de lutte pour manger et avoir chaud, mais la pauvreté est d'un type courant dans les parties riches de Shikasta : on dépense des trésors d'énergie pour maintenir un certain niveau de vie arbitrairement dicté par les besoins de l'économie. La vie de famille a disparu. Les couples restent rarement longtemps ensemble. Les enfants, laissés à eux-mêmes dès la petite enfance et privés d'affection, forment des gangs et ne tardent pas à devenir des criminels. Les experts se penchent sur ce problème et déclarent que la solution réside dans une plus grande attention de la part des parents. Des personnages faisant autorité exhortent ces derniers dans ce sens, mais sans grands résultats.

Un aspect intéressant de ce phénomène, c'est que des scènes de vie familiale idéalisée apparaissent souvent dans les divers médias de propagande, mais celles-ci évoquent un passé révolu et ne s'appliquent guère à l'époque actuelle ; elles sont cependant très populaires. Le contraste entre la tendresse et le sérieux des adultes dans ces contes et ce que l'on observe chaque jour ajoute au cynisme et à l'aliénation des jeunes.

Il est inutile d'aborder ces gangs d'enfants — qui deviennent rapidement de jeunes adultes — en tant qu'individu. En tant que tel, mes possibilités sont limitées.

Les relations avec les adultes, les mères en particulier, donnent de meilleurs résultats, mais il est souvent trop tard.

Je me suis parfois demandé si parmi les quelques milliers de familles entassées dans ces immenses bâtiments, il y en avait une seule qui ait l'énergie morale ou même la conviction nécessaires pour élever sa progéniture aussi bien qu'un animal.

Et je ne parle pas de la cruauté qui se cache ici, physique et mentale, dont sont victimes même les tout petits, mais de l'indifférence et du manque d'intérêt.

J'habite une chambre dans une vieille maison située dans une rue adjacente aux hectares d'asphalte nu où se pressent les grands immeubles. Difficile de trouver un jardin ou des arbres, mais ma chambre, située au rez-de-chaussée, donne sur une petite languette de terre où poussent quelques fleurs. Il y a deux arbres : un assez petit et un très beau.

La femme qui habite la chambre de l'autre côté du couloir s'occupe des fleurs et a des chats. Comme tant de femmes, elle tire beaucoup de plaisir et d'intérêt de toutes petites choses.

Une chatte, qu'elle avait recueillie un soir d'hiver, mit au monde quatre chatons. Elle en donna trois. La chatte, déjà vieille, mourut. Il restait un petit chat, une chatte en fait, blanc et noir, jolie et mignonne, mais stupide. Je pense même qu'elle était faible d'esprit. Elle dormait presque tout le temps, était très timide et ne sortait pas. Lorsqu'elle fut en chaleur, elle s'accoupla avec un gros chat noir qui avait fait clairement savoir aux autres chats que le jardin était son territoire. La femme était sûre qu'il avait une maison, mais elle le nourrissait quand il paraissait avoir faim. Elle n'en voulait pas dans sa chambre, mais quand la chatte eut ses deux premiers chatons, un mâle tigré et une femelle noire, le père demanda à entrer avec une telle insistance qu'elle céda ; il restait assis près du panier dans lequel se trouvait la famille, rendait visite à la mère chatte, encore toute petite, et léchait parfois les chatons.

La femme, intriguée par son comportement paternel, m'appela pour me montrer la chose. Nous appelions la chatte sa « femme » en souriant, mais, parfois, la femme paraissait gênée et riait d'un rire qui exprimait sa honte de la race humaine.

La petite chatte noir et blanc était une bonne mère en matière de nourriture. Et elle gardait ses chatons très propres. Mais elle semblait incapable de leur apprendre à utiliser une caisse pour faire leurs besoins. Ce fut le chat qui s'en chargea. Il les conduisit à la caisse, les fit s'asseoir dedans et les récompensa d'une version mâle du « roucoulement »

225

qu'émet une chatte pour encourager ses petits. Il faisait entendre un ronronnement rauque qui nous amusait, puis léchait les chatons.

Il n'était pas beau du tout. Nous pensions qu'il devait être très vieux parce qu'il était tout en os, qu'il avait les oreilles déchiquetées et le poil triste, malgré la nourriture qu'on lui donnait dans sa nouvelle maison car c'était devenu sa maison. Il n'était ni envahissant ni gourmand. Il attendait notre retour et, ses yeux jaunes fixés sur notre visage, comme un humain, il nous faisait comprendre qu'il voulait entrer.

Quant à la nourriture, il l'attendait, assis tranquillement à côté de sa « femme » pendant que celle-ci mangeait, jamais beaucoup d'ailleurs, sans s'occuper de ses chatons, comme si elle ne les voyait pas qui se pressaient avec elle autour de l'assiette. Quand elle était rassasiée, elle retournait dans son panier. Le chat, lui, attendait que les chatons eussent fini de manger, puis s'approchait à son tour. Souvent, il ne restait pas grand-chose, mais il ne réclamait pas. Il léchait le plat consciencieusement, s'asseyait à côté des chatons ou bien les regardait se pelotonner l'un contre l'autre et s'allongeait près d'eux, en montant la garde.

Lorsque le moment fut venu de faire connaître le jardin aux petits chats, la mère n'eut pas l'air de s'en apercevoir. Elle ne fit aucun effort pour les emmener dehors. Il y avait des marches pour descendre au jardin. Le matou s'assit en bas des marches et appela les petits de son étrange feulement ; ils accoururent vers lui. Il leur fit faire le tour du jardin, lentement, tandis qu'ils jouaient, le taquinaient et se taquinaient mutuellement. Il leur fit connaître chaque chose, chaque recoin, puis leur montra comment recouvrir proprement leurs excréments.

La femme regardait la scène de sa fenêtre et moi de la mienne.

Il y avait un jeune chat dans une maison voisine. C'était un grimpeur né. Il était toujours en haut d'un arbre, ou sur le faîte d'un toit le long duquel il avançait précautionneusement, une patte après l'autre, pour garder l'équilibre.

Les chatons, à la vue de ce héros intrépide en haut de son arbre, s'élancèrent à sa suite mais furent incapables de redescendre. Lui, sans faire le moins du monde attention à eux, sauta du haut du grand arbre dans les branches du petit et de là sur le sol où il disparut.

Les petits chats, affolés, criaient et pleuraient.

Le chat noir, qui avait observé la scène des marches où il était assis, se dirigea pensivement vers le gros arbre au pied duquel il s'assit puis leva la tête pour juger de la situation.

Au-dessus de lui, les chatons, accrochés au tronc de toutes leurs

226

griffes, la fourrure ébouriffée, continuaient à pousser des cris plaintifs et terrifiés.

Il leur indiqua la façon de redescendre sans danger mais eux, affolés, ne l'écoutaient pas.

Il grimpa alors dans l'arbre et en ramena un au sol, puis grimpa de nouveau et ramena le second.

Il les chapitra sur leur imprudence à coups de feulements rauques et de tapes sur les oreilles.

Puis il se dirigea vers le petit arbre, les appela et grimpa lentement, se retournant pour les attendre. Le petit tigré intrépide monta d'abord puis la jolie petite noire. Lorsque l'arbre se mit à osciller sous son poids, le gros chat gronda, les forçant à lever les yeux vers lui, et recommença à redescendre lentement, à reculons. Alors, eux, en poussant force plaintes et cris apeurés, firent de même. Non loin du sol, ils sautèrent et se poursuivirent en courant autour du jardin, soulagés que la leçon se soit bien terminée. Mais il les appela de nouveau et grimpa à mi-hauteur du gros arbre. Ils refusèrent de le suivre. Il restait là, embrassant le tronc de ses quatre pattes, les regardant du haut de son perchoir et leur enjoignant de le suivre. Mais non, pas aujourd'hui. Le lendemain, la leçon reprit et bientôt les chatons furent capables d'escalader le gros arbre et de redescendre sains et saufs.

Il restait toute la journée dans le jardin à les surveiller, puis quand ils rentraient voir leur mère, il s'allongeait sur le mur ou les suivait. Il s'asseyait auprès de sa « femme », pelotonnée dans son panier, et la regardait. Il semblait s'interroger sur elle. Cette jeune bête était comme une vieille femme, sans autre énergie que pour ses besoins vitaux, ou comme une jeune qui aurait été très malade et ferait de la neurasthénie. Rien en elle qui rappelât le joyeux bouillonnement d'énergie que l'on voit dans une jeune mère chatte. Parfois il approchait son horrible vieille tête de la sienne, la reniflait, la léchait même, mais elle ne réagissait pas.

Les chatons grandirent et partirent vers d'autres maisons.

L'automne arriva. Un chasseur intrépide envoya au chat noir un coup de fusil de chasse qui lui fit une mauvaise blessure. Celle-ci mit longtemps à se cicatriser et le laissa boiteux. Mais de toute façon il avait toujours eu une raideur dans la marche due, pensions-nous, à l'âge.

Quand l'hiver arriva, il fit ce qu'il ne faisait jamais avant. Il s'asseyait sur les marches et regardait la fenêtre de la femme ou la mienne en miaulant silencieusement. Si la femme le laisait entrer, il s'asseyait un moment près de la chatte et si celle-ci ne faisait pas attention à lui, il allait s'allonger tout seul dans un coin. Mais la femme n'en voulait pas chez elle, alors c'est à moi qu'il adressait ses appels silencieux. Dans ma chambre, il attendait que je lui mette une couverture près du poêle et dormait là. Le matin, il allait à la porte, me remerciait d'un de ses feulements rauques, se frottait poliment à mes jambes et sortait. L'hiver fut rude. Parfois il était si ankylosé qu'il avait du mal à se traîner dehors, alors il restait dans ma chambre, sur sa couverture. Il sortait péniblement quelques minutes pour faire ses besoins. Cela semblait arriver de plus en plus souvent. Je lui mis une caisse dans la chambre, car dehors la couche de neige était épaisse. Il l'utilisait souvent. Il avait attrapé froid aux reins, pensais-je. Et puis il était vieux, après tout. Au terme d'une discussion avec la femme, nous décidâmes qu'à son âge, il ne fallait pas le tourmenter avec des vétérinaires ni essayer de le garder en vie à tout prix. On lui donna pourtant des médicaments.

Il était d'une maigreur extrême et ne mangeait plus.

Une ou deux fois, il alla rendre visite à sa « femme » qui parut très contente de le voir. Mais lorsqu'il regagna ma chambre, c'est à peine si elle sembla s'en apercevoir.

On voyait qu'il souffrait. Lorsqu'il s'installait sur sa couverture il le faisait doucement, un muscle après l'autre, retenant avec peine un gémissement.

Parfois, quand il se tournait, il retenait son souffle puis expirait avec précaution, me regardant de ses yeux jaunes comme pour dire : ce n'est pas ma faute.

Je me demandai un moment s'il n'avait pas peur, le pauvre, que je le jette dehors, dans la neige, s'il devenait gênant, mais je me rendis bientôt compte que c'était là, en vérité, la force de caractère d'une noble créature qui dominait sa douleur.

Sa présence dans ma chambre était une force tranquille et chaleureuse et je portais la main vers lui avec douceur, sachant qu'il redoutait les mouvements brusques et soudains ; il émettait alors un bref grognement de remerciement et de reconnaissance.

Son état ne s'améliorait pas. Alors, un jour, je l'enveloppai délicatement dans une couverture et l'emmenai chez le vétérinaire qui diagnostiqua un cancer.

Il me dit aussi que ce n'était pas là un vieux matou mais un jeune chat perdu qui avait dû se battre pour survivre et qui avait attrapé des rhumatismes à force de coucher dehors au froid et à l'humidité.

JOHOR :
INFORMATIONS EXPLICATIVES COMPLÉMENTAIRES. II.

[Ceci doit être considéré, en un sens, comme la suite des Informations Explicatives Complémentaires. I. *Les Archivistes*.]

Voilà bien longtemps que les Shikastiens sont incapables de supporter la vie sans l'aide d'une drogue quelconque. En regardant loin, loin derrière moi, je vois qu'à partir du moment — ou presque — où l'approvisionnement en SAF cessa, ils furent constamment obligés d'adoucir la dureté de leur sort. Évidemment, il a toujours existé des individus, peu nombreux, pour lesquels ceci n'est pas vrai.

L'alcool et les hallucinogènes, les dérivés de l'opium, le cacao, le tabac, les substances chimiques, la caféine, y a-t-il une seule époque à laquelle ils n'aient pas été utilisés ? Y a-t-il quelqu'un qui ne les ait jamais utilisés ? Je commence par les plus connus, ceux qui consolent de façon évidente et qui adoucissent la réalité ; point n'est besoin d'empiéter sur des domaines étudiés par mes collègues et sur lesquels nos archives regorgent de renseignements.

Quant à la liste des soutiens affectifs, elle est sans fin...

Mais maintenant, en cette époque où nous vivons, rares sont ceux qui ont gardé leur force et leur efficacité. Il m'est facile d'expliquer le sens exact de mes propos en disant qu'à l'occasion de ma présente visite à Shikasta, je pourrais employer les mêmes *mots* qu'autrefois pour décrire — disons — une religion mais qu'il manquerait alors un facteur essentiel : une certaine sensation, une atmosphère.

Les religions de Shikasta, si elles ont perdu leur pouvoir de tyrannie, n'en sont pas moins nombreuses : de nouvelles sectes prolifèrent, en particulier les sectes extasogènes. Mais une chose s'est produite : les cieux de Shikasta ont reculé ; les Shikastiens ont envoyé des hommes sur leur lune et des engins sur les autres planètes ; la plupart des gens croient que des vaisseaux spatiaux, venus d'autres planètes, rendent parfois visite à Shikasta. Les mots, les langages de la religion — et toutes les religions reposent sur des mots images qui font appel aux sentiments — ont pris une importance et un poids nouveaux, tout en étant devenus transparents, insaisissables. Un Shikastien qui dit Étoile, Galaxie, Univers, Ciel ou

229

Firmament utilise les mêmes mots mais ne pense pas les mêmes choses que ses grands-parents, voilà un siècle. Une certaine solidité, une certaine certitude ont disparu. La religion, de tout temps le plus puissant gommeur de la réalité, a perdu ses certitudes. Il n'y a pas si longtemps, disons cent ans, les adeptes d'une religion pouvaient croire que celle-ci était supérieure à toutes les autres et qu'eux seuls, sur la planète, pouvaient espérer être « sauvés ». Mais de nos jours, ils ne peuvent garder cet état d'esprit que dans la mesure où ils se bouchent les yeux devant leur propre histoire.

Les nationalismes de Shikasta, cette nouvelle et pernicieuse croyance qui capte une grande partie des énergies autrefois canalisées par les religions, sont devenus très puissants et de nouvelles nations naissent chaque jour. Avec elles, toute une génération de jeunes, hommes et femmes, sont prêts à sacrifier leur vie à cette chimère. Et tandis que très récemment encore, pas plus d'une ou deux générations avant nous, un Shikastien pouvait, pendant toute son existence, penser en termes de village ou de ville — incapable qu'il était de saisir le concept de « nation » — maintenant, si le mot « nation » a une force dévorante, l'idée de monde l'a également, de monde vu comme un ensemble dont tous les éléments sont interdépendants. Mourir pour un pays n'a plus le sens qu'il avait jadis. Récemment encore, il y a, disons, cent ans, cinquante même, les membres d'une nation pouvaient croire que leur petit coin de Shikasta était supérieur à tous les autres, plus noble, plus libre et plus généreux. Mais ces derniers temps, même la nation la plus égocentrique, la plus orgueilleuse, a dû admettre qu'elle était pareille aux autres et que chaque nation ment, torture, trompe son peuple, le saigne à blanc au profit d'une classe dirigeante… et finit par s'effondrer, comme cela est inévitable en ces terribles et ultimes moments.

La politique et les partis politiques, qui suscitent les mêmes émotions que les religions d'hier et d'aujourd'hui, engendrent sans cesse de nouvelles croyances. Il n'y a pas si longtemps, les membres d'une secte politique pouvaient croire en la pureté, la noblesse et la supériorité de celle-ci, mais il y a eu tant de trahisons et de déceptions, de mensonges et de revirements, tant de meurtres, de tortures et de folie que même ses plus farouches défenseurs connaissent des moments de doute.

La science, cette dernière-née des religions, aussi sectaire et rigide que les autres, a créé un style de vie, une technologie et des tournures d'esprit de plus en plus haïs et suspects. Il y a peu de temps encore, le « savant », persuadé qu'il était le grand prêtre, le dépositaire de toute pensée, de tout savoir et de tout progrès humains, se comportait avec l'arrogance correspondante. Mais il commence à présent à percevoir son insignifiance, et la terre polluée, défigurée, se dresse contre lui comme témoin à charge.

Partout, les idées, les structures mentales et les croyances qui ont fait vivre des peuples pendant des siècles et des siècles s'émiettent, se dissolvent, disparaissent.

Que reste-t-il ?

Il est vrai que la capacité des Shikastiens à colmater les brèches dans le mur de leurs certitudes est immense. Leur existence vulnérable et douloureuse, soumise aux millions de risques qui échappent à leur contrôle et à leur influence, leur impuissance face aux orages cosmiques qui les secouent, les violences et les discordances de leurs esprits malades, tout ceci leur est intolérable. Alors, ils ferment les yeux et prient, ou inventent une nouvelle formule de laboratoire.

Chacune de ces alliances d'un individu avec un ensemble plus grand que lui, de ces identifications d'un individu à une structure mentale plus vaste que la sienne n'étaient que drogues, étais, hochets pour endormir les enfants. Plus fortes encore que l'alcool, l'opium et le reste, les voilà à présent qui s'en vont, s'amenuisent, se dissolvent, et les batailles insensées et furieuses, fanatiques, éperdues, qui se livrent au nom de telle ou telle croyance ou conviction, cette furie même, sont une façon de faire taire les incertitudes et d'engourdir les terreurs de l'isolement.

Quels autres moyens les Shikastiens ont-ils trouvés pour oublier la conscience qu'ils ont de leur situation qui sans cesse, sans relâche, tel un raz-de-marée, menace de surgir des profondeurs et de les engloutir ? Ont-ils quelque chose à agripper comme on agrippe une couverture dans une nuit glaciale ?

Il existe toutes sortes de plaisirs, implantés en eux dans l'intérêt de la survivance de la race, comme le besoin de nourriture ou de sexe qui, étant donné que la race entière est menacée, se déchaîne en un effort instinctif pour sauver et préserver.

Mais il y a autre chose de plus fort que tout le reste : c'est le bien-être, la force qui renouvelle et régénère, la force cicatrisante de la nature, la sensation qu'on ne fait qu'un avec les autres créatures de Shikasta, avec son sol et ses plantes.

Le plus humble, le plus opprimé, le plus misérable des Shikastiens regarde le vent qui agite une plante et sourit ; sème une graine et la regarde pousser ; regarde, campé sur ses jambes, le mouvement des nuages. Ou bien la nuit, dans son lit, écoute avec plaisir le vent mugissant qui ne peut pas — cette fois du moins — l'atteindre là où il est. Voilà où la

231

force n'a jamais cessé de jaillir, irrésistible, dans toutes les créatures de Shikasta.

Contraint de se replier sans cesse davantage sur lui-même — ou elle-même —, privé de confort, de sécurité, ne connaissant peut-être que le froid et la faim, dépouillé de sa foi dans les mots « pays », « religion », « progrès », destitué de ses certitudes, pas un Shikastien qui ne pose son regard sur une parcelle de terre, fût-elle jonchée de détritus, polluée, encastrée entre des taudis, sans penser : mais oui, tout ceci revivra, il y a assez de force ici pour anéantir toute cette horreur et nous guérir de cette abomination — une ou deux saisons et tout ceci reviendra à la vie. A la guerre, un soldat qui regarde le tank se dresser sur une crête avant de foncer sur lui, voit, en mourant, l'herbe, les arbres, un oiseau qui passe en décrivant un arc dans le ciel, et connaît l'immortalité.

C'est là-dessus, précisément, que je veux insister.

Ceci, bien sûr, ne s'applique qu'à quelques Shikastiens, à ceux dotés d'une vue plus aiguë, de nerfs plus solides que les autres, mais il y en a chaque jour davantage — il y en aura bientôt des multitudes... Là où était jadis le plus profond, le plus constant, le plus ferme soutien, il n'y a plus rien aujourd'hui.

C'est la pépinière de la vie elle-même qui est empoisonnée, les semences de la vie, la source qui alimente le puits.

Tous ses supports en partie — parfois même en totalité — disparus, tel homme tend la main pour se retenir à un rebord de pierre tiédi par le soleil ; sa main lui transmet un message de solidité mais son esprit un message de destruction, car cette substance vivante, faite de terre, ne sera bientôt plus qu'une poussière d'atomes : il le sait, son intelligence le lui dit : il y aura bientôt la guerre, il est déjà en pleine guerre, et l'endroit où il se tient à présent ne sera plus qu'un champ dévasté, un amoncellement de gravats ; cette substance solide, faite de terre, ne sera plus qu'une couche de poussière sur des ruines.

Elle tend la main vers l'enfant qui joue sur le tapis mais tout en sentant contre elle la tiédeur de son jeune visage, elle sait qu'il est promis à l'holocauste, et que si, par miracle, il en réchappe, la substance même de sa postérité est déjà menacée, tandis qu'ils sont là, tous les deux, l'un contre l'autre, et que palpite entre eux, au rythme du rire enfantin, la chaleur de leur vie éphémère.

Il regarde l'enfant et pense à la nature, ce feu créateur qui fait naître de nouvelles formes à la cadence du pouls qui bat. Il le faut, car il sait que l'espèce diminue sur toute la surface de Shikasta, que la réserve de structures génétiques est en train de diminuer pour disparaître sans retour... Mais il ne peut s'abandonner longtemps à des réflexions sur le grand créateur et la nature, alors il contemple par la fenêtre un paysage qu'il a vu cent fois, sous cent aspects différents, mais qui lui semble, à présent, s'amenuiser et s'évanouir. Il pense : après tout, les glaces s'étendaient bien jusqu'ici, il n'y a pas si longtemps, dix mille ans peut-être, et voilà que tout a repris forme ! Mais une période glaciaire n'est rien, elle ne dure que quelques milliers d'années — les glaces viennent puis s'en vont. Elles détruisent et tuent mais elles ne polluent ni ne corrompent la substance même de la vie.

Elle pense : après tout, il y a les animaux, les nobles et sages animaux avec leur langage que nous ne comprenons pas, leur bonté réciproque, leur amitié à notre égard, et elle tend la main pour sentir la vivante chaleur de sa petite chatte, tout en sachant qu'en ce moment même ils sont massacrés, décimés, exterminés par la folie, la stupidité et la cupidité, ah oui ! une cupidité sans bornes et sans limites. Mais elle ne peut s'abandonner longtemps aux idées habituelles sur le grand réservoir de la nature et lorsque sa chatte met bas, elle se penche au-dessus du panier et scrute la portée, cherchant les mutations qui, elle le sait, opèrent déjà et ne tarderont pas à apparaître.

Il pense, debout, chancelant parmi les étoiles, une espèce parmi des millions d'autres — il n'y a pas longtemps qu'il le sait — tout étourdi par la solitude de son état, que ces pensées sont trop élevées pour lui ; il sent le besoin de jeter ses bras autour de la femme qu'il aime et de sentir les siens autour de lui, mais quand ils se tournent l'un vers l'autre, une tension, une crainte les saisit, car cette étreinte peut engendrer des monstres.

Elle est là, pareille à elle-même depuis des millénaires, coupant le pain, disposant des légumes en dés sur une assiette, ajoutant une bouteille de vin, mais elle pense que rien, dans ce repas, n'est sain, que les poisons de leur civilisation sont dans chaque bouchée et qu'ils vont remplir leur bouche de toutes sortes de morts. En un geste instinctif de sauvegarde et de renouveau, elle tend un morceau de pain à son enfant, mais elle le fait sans conviction, car elle sait ce qu'elle est peut-être en train de donner à l'enfant.

Quand il est au travail — s'il en a un — car il est peut-être de ceux qui ne font que survivre, inutiles, qui ne grandissent ni ne s'épanouissent à travers leur métier, il se réconforte sans cesse — car le besoin vient de loin — en pensant que ce travail qu'il fait profite aux autres, qu'il le relie aux autres, que lui-même fait partie du réseau fécond et vivant de tous les travailleurs de la terre... mais quelque chose le freine, l'arrête : cette pensée ne peut plus vivre en lui, il se sent frustré et furieux, puis accablé, incrédule ; il ne sait pas pourquoi, elle ne sait pas pourquoi, mais c'est comme s'ils déversaient le meilleur d'eux-mêmes dans le néant.

Elle et lui mettent de l'ordre dans leur logement ; ils rangent et nettoient leur maison, debout au milieu de monceaux de verre, de plastique, de papier, de boîtes et de conteneurs de toutes sortes — les ordures de leur civilisation qui est, ils le savent, les champs, la nourriture et le travail d'hommes et de femmes. Des ordures, des ordures partout, à emporter et à jeter dans des décharges en tas immenses qui recouvriront un peu plus la terre et pollueront un peu plus l'eau. C'est avec une irritation et un dégoût croissants, incontrôlables, qu'ils débarrassent et rangent leurs petites pièces. Un récipient qui a contenu de la nourriture est mis au rebut, alors que, sur une grande partie de Shikasta, il serait gardé précieusement et utilisé par des millions d'êtres humains au bord de la famine. Mais il n'y a rien à faire. La même chose recommence sans cesse et rien ne semble pouvoir l'arrêter. Et c'est la rage, la frustration, le dégoût d'eux-mêmes et de leur société, la colère, qui se déchaîne contre l'autre, contre les voisins, contre l'enfant. Rien de ce qu'ils touchent, voient, ou manipulent ne les soutient, ils ne peuvent nulle part se réfugier dans le simple bon sens de la nature. Il a vu un jour un plant de potiron embrasser de ses larges feuilles, de ses fleurs jaunes et de ses magnifiques globes dorés un gros tas d'ordures où les mouches grésillaient et bourdonnaient ; sur le moment il y prêta à peine attention, mais à présent son imagination puise dans cette image apaisement et réconfort. Elle observe une voisine qui essaie de brûler des morceaux de plastique dans son jardin, et tandis que les vapeurs chimiques empestent tout alentour, elle ferme les yeux et pense aux débris de poterie dont on se débarrasse à coups de balai par la porte de derrière, dans les villages, et qui, redevenus poussière, retournent à la terre.

Tout au long de son histoire, l'homme s'est toujours fortifié à la vue des feuilles d'automne qui s'enfoncent dans la terre avec laquelle elles ne formeront qu'un, d'un mur croulant caressé par le soleil, ou d'os blanchis au bord d'un ruisseau.

Les voilà tous les deux, elle et lui, perchés au-dessus de la cité, le regard tourné vers les machines destructrices qui vont et viennent à grand bruit dans les airs, sur terre et sous terre... et le rythme de leur respiration soudain s'accélère et s'altère à la pensée que l'air qu'ils respirent signifie corrosion et destruction.

Ils tournent des manettes et des robinets, et l'eau jaillit librement des murs, mais en se penchant pour boire ou se laver, ils éprouvent une réticence instinctive et doivent se contraindre. L'eau, au goût fade et

234

légèrement corrompu, a traversé cent fois leurs intestins et leur vessie, et ils savent qu'un jour viendra où ils ne pourront plus la boire et qu'ayant mis des récipients dehors pour recueillir l'eau de pluie, ils la trouveront, elle aussi, infecte car elle se sera chargée des produits chimiques contenus dans l'atmosphère.

Accoudés tous deux à leur fenêtre, ils contemplent un vol d'oiseaux, et ils ont l'impression de leur faire de tristes adieux, accompagnés de muettes excuses, empoisonnées et meutrières, au nom de l'espèce qu'ils représentent : la mort, voilà ce qu'ils ont apporté à ces créatures, la mort et le poison, voilà leurs présents, et la courbe gracieuse des oiseaux suspendus dans les airs ne les ravit ni ne les rassérène : c'est un spectacle dont ils apprennent aussi à détourner les yeux avec tristesse.

Cet homme et cette femme, inquiets, irritables, accablés de douleur, dormant trop pour oublier leur situation ou bien incapables de dormir, cherchant partout un peu de bien, un soutien qui ne se dérobe pas dès qu'ils tendront la main pour s'en saisir et ne se transforme pas insensiblement en reproche ou en néant ; l'un d'eux ramasse une feuille sur le trottoir, la ramène à la maison et la contemple avec étonnement. Elle repose dans le creux de sa main, d'un jaune rutilant, incurvée, arquée, comme sculptée, aérienne comme une plume, prête à flotter, à glisser dans les airs ; elle est là, si légère qu'un souffle la déplace dans cette paume ouverte, un peu moite, et l'esprit méditatif qui la contemple voit ses grosses nervures, la myriade de veines qui se divisent et se subdivisent, ses capillaires, les minuscules zones de chair qui ne sont pas — comme le croit l'œil pensif qui les regarde — des fragments de substance indifférenciée reliant des artères et des veines imperceptibles mais, si l'on pouvait les voir, autant de mondes hautement structurés, sources mêmes d'une vie cellulaire et chimique microscopique, des virus et des bactéries, un véritable univers enclos en chaque point de la feuille. Étendue, captive, aussi parfaite de forme que la voile d'un vaisseau gonflée par le vent ou la coquille d'un escargot, elle s'enfonce déjà dans la terre. Mais ce que l'œil regarde, ce n'est pas cette courbe d'une exquise perfection : qu'inter-vienne en effet le plus léger changement dans l'angle de vision, l'on voit ce fragment de substance qui s'amincit et s'effrite, attaqué par mille forces de croissance et de mort. Voici ce qu'un œil conçu de façon légèrement, très légèrement différente, verrait en regardant par la fenêtre cet arbre qui a perdu sa feuille sur le trottoir — car c'est l'automne et l'arbre sent le besoin impérieux de conserver toute son énergie en prévision de l'hiver qui arrive — non pas un arbre, donc, mais une masse de matière bouillonnante, belliqueuse, soumise à d'énormes poussées de tension, de croissance et de destruction, des myriades d'espèces de plus en plus petites qui se dévorent mutuellement, chacune se nourrissant de l'autre, sans cesse — voilà ce qu'est un arbre en réalité — et cet homme, cette femme qui se penchent, attentifs, sur la feuille, voient la nature comme un grand brasier créateur dans le creuset duquel les espèces naissent et meurent et renaissent à chaque souffle... chaque vie... chaque culture... chaque monde... l'esprit, brutalement délogé de sa place confortable à l'intérieur des cycles bien visibles de croissance, de renouveau et de désintégration, des simplicités de la naissance et de la mort, se trouve contraint de reculer toujours plus loin et de rentrer en lui-même, cherchant à se reposer — timidement, sans grand espoir — là où il n'est pas de repos, dans la pensée que toujours, à toutes les époques, il y a eu des espèces, des créatures, de nouvelles formes de vie, composant des ensembles harmonieux de parties interdépendantes, qui, patatras ! sont emportés continuellement — patatras, les empires, les civilisations s'écroulent, et les explosions qui se préparent dévasteront les mers et les océans, les îles et les cités, créant des déserts délétères là où une vie inventive, multiple, bouillonnait auparavant et où le cœur et l'esprit venaient se délasser, mais ne peuvent plus le faire à présent, car ils doivent avancer comme la colombe lâchée par Noé, pour, après de longs tours et détours, voir le sommet d'une montagne émerger, au loin, des étendues d'eau corrompue, et, s'y étant arrêtés, porter leurs regards autour d'eux sur... sur rien, car il n'y aura plus rien, rien que les vastes étendues de mort et de destruction ; alors ils ne pourront rester là, car ils savent que demain, la semaine prochaine ou dans mille ans, cette cime, elle aussi, basculera au passage d'une comète ou à l'arrivée d'un météorite.

L'homme et la femme, assis humblement dans un coin de la pièce, contemplent, médusés, cette chose d'une perfection indescriptible, cette feuille de châtaignier dorée par l'automne, qui vient de tomber de l'arbre en voltigeant ; ils vont peut-être accomplir l'un des gestes qui montent en eux, irrépressibles, et qu'ils seraient incapables de justifier, de discuter ou de renier ; ils vont peut-être refermer la main dessus, la réduire en une poussière qu'ils jetteront par la fenêtre, la regardant descendre lentement et tomber sur le trottoir, car il est doux de penser que les pluies prochaines filtreront cette poudre de feuille dans le sol jusqu'aux racines de l'arbre si bien que l'année prochaine au moins, elle brillera de nouveau dans les airs. Ou bien la femme posera la feuille délicatement sur une assiette de faïence bleue qu'elle placera sur une table, allant peut-être même jusqu'à s'incliner devant elle, avec une certaine ironie et ce besoin de justification qui sous-tend les pensées et les actions de tous les Shikastiens d'aujourd'hui ; elle pensera peut-être que les lois qui ont créé cette forme doivent être, ne peuvent qu'être, sont certainement plus puissantes que les forces mauvaises qui dénaturent et corrompent la substance vitale. Ou bien l'homme, jetant un coup d'œil par la fenêtre et se forçant à voir l'arbre dans son autre réalité, celle du combat furieux et frénétique entre manger et être mangé, verra peut-être soudain, l'espace d'un instant — si rapidement que le temps qu'il appelle sa femme : Vite, vite, viens voir ! il sera déjà trop tard — derrière la lutte éperdue, l'agitation et la voracité qui représentent une réalité, et derrière l'arbre tout bête, l'arbre-en-automne, qui en est une autre, une troisième, celle d'un arbre de lumière pure, haute et chatoyante, une gerbe de soleil. Un monde, puis un monde, puis un autre, une autre réalité...

Et quand la nuit tombe, il lève les yeux vers le ciel et voit une petite tache de lumière — une galaxie qui a explosé voici des millions d'années, et l'oppression qui pesait sur son cœur relâche son étreinte et il se met à rire, appelle sa femme et lui dit : regarde, nous voyons ici quelque chose qui a cessé d'exister voici des millions d'années — et elle voit, elle aussi, la même chose, et rit avec lui.

Voici donc l'état d'esprit des Shikastiens d'aujourd'hui, de quelques-uns pour l'instant, mais il y en aura de plus en plus, bientôt des multitudes.

Rien de ce qu'ils touchent et voient n'a de substance, aussi se nourrissent-ils en imagination du chaos, puisant leurs forces dans les potentialités d'une destruction créatrice. Ils sont sevrés de tout, excepté de la certitude que l'univers est un grand brasier créateur dont ils ne sont que les manifestations passagères.

Créatures dégradées, diminuées, déchues de leurs origines, dégéné-rées, pratiquement anéanties, animaux tombés bien bas en regard de ce qui avait été envisagé pour eux par leurs créateurs — les voici refoulés, détournés de tout ce qu'ils avaient, de tout ce qu'ils possédaient ; ils n'ont plus leur place nulle part, si ce n'est dans l'ignoble marais de la patience. Une patience ironique et humble, qui apprend à regarder une feuille — perfection d'un jour — et à y voir une explosion de galaxies et le champ de bataille des espèces vivantes. En cette fin atroce et abjecte de leur histoire, tandis qu'ils courent, se bousculent et se battent comme des fous parmi leurs misérables engins qui s'écroulent de partout, les Shikastiens atteignent par l'esprit à des sommets d'héroïsme et de — j'emploierai ici le mot *foi*. Après mûre réflexion. Avec prudence. Avec une déférence circonspecte mêlée d'espoir.

237

JOHOR *poursuit :*

Les mises en garde selon lesquelles il serait dangereux de s'attarder ici ont été bien reçues. Avant de mettre le pied sur Shikasta au niveau nécessaire, il me faut procéder à une dernière vérification concernant deux couples de parents possibles suggérés par l'Agent 19. Il est encore plus difficile que je ne l'avais prévu de choisir des circonstances me permettant d'évoluer rapidement et de devenir à la longue indépendant, sans subir des atteintes me mettant dans l'incapacité d'agir.

JOHOR *communique :*

Il est malaisé de choisir entre les deux couples.

Premier couple. Lui est fermier agronome et ne sera jamais au chômage. Elle a le même emploi. Ils ont déjà deux enfants. Il s'agit là d'un couple sain, intelligent, à l'esprit pratique, responsable à l'égard de sa progéniture ; il risque fort peu de se séparer. Mais il y a un point noir : tous deux sont originaires d'une certaine île des franges nord-ouest et présentent une répugnance ou une impossibilité caractéristique à s'adapter à d'autres races ou peuples. Comme je n'ai, évidemment, en considération des tâches importantes qui m'attendent, pas d'autre choix que de prendre des parents qui soient de race blanche, tout au moins en partie, ce problème doit être circonscrit. Par, je pense :

Le second couple. Ils réunissent à eux deux de nombreuses aptitudes fort utiles. Ses parents à lui sont venus du continent principal pendant la Deuxième Guerre mondiale et lui ont enseigné plusieurs langues, étant enfant. Ils avaient l'énergie que l'on trouve souvent chez les immigrants et les réfugiés. Cette énergie, il l'a, lui aussi. Il est médecin, administrateur et musicien. Sa mère, à elle, est originaire des îles situées à l'extrême-ouest des franges nord-ouest ; sortant « du peuple », elle a été très handicapée par ses origines au sein d'une société de classes ; elle a su surmonter ce handicap dans une certaine mesure grâce à son énergie et à ses capacités. Elle a donc veillé à ce que sa fille reçût une aussi bonne éducation que possible. Son père est un sang-mêlé, ce qui constitue très probablement un avantage. Cette femme a par conséquent une hérédité aussi riche d'énergie et d'efforts que son mari. Elle fait des études de médecine et de sociologie, et écrit des ouvrages didactiques. Ce couple est peu susceptible de divorcer. Grâce à leurs antécédents cosmopolites, ils seront aptes à juger de la situation mondiale avec compétence et une vue dénuée de partialité nationaliste. Ils sont sains, équilibrés et feront sans doute des parents responsables. Ils n'ont pas encore d'enfants pour l'instant. Ils sont, par goût et par profession, susceptibles de voyager.

Ce couple me paraît convenir parfaitement.

JOHOR *communique* :

J'avais pris tant de force aux Géants que je ne pensais voir aucun vestige de cette triste demeure ni de ses pitoyables habitants. J'avançais aussi vite que je le pouvais parmi les nuages de sable. Je m'aperçus que le désert devenait plus profond et plus vaste, les rochers plus menaçants et plus noirs ; aucune verdure nulle part, aucune vie ; tout comme sur Shikasta, où les déserts s'étendaient à l'emplacement des forêts abattues ou mortes de maladie. Les bâtiments des Géants étaient comme un mirage de tours, de créneaux, de parvis, de murs écroulés, miroitant confusément au soleil — illusions et fantômes, tous, tous sans exception — et je les traversai comme je l'aurais fait d'une bulle de savon. Dans la grande salle, trônes, dais, bannières, couronnes et sceptres m'apparaissaient dans une vague lueur pour disparaître aussitôt, si bien que je me trouvais tantôt dans un rêve trompeur de salles et de princes, cherchant des yeux Jarsum ou quelque autre survivant éventuel, tantôt au milieu de sables arides qui s'envolaient et retombaient à mes pieds dans un léger chuintement pareil à un soupir. Lorsque la scène apparut, je vis les spectres transparents de mes vieux amis, entre autres Jarsum, mais ils disparurent et j'attendis qu'ils réapparaissent ; je tentai alors d'agripper au moins sa main, mais quand je me plaçai à l'endroit où il se trouvait un instant plus tôt, attendant qu'il revînt — ce qu'il fit —, ses grands yeux tournés vers moi pleins d'une horrible nostalgie, il était comme un reflet dans l'eau. « Jarsum, Jarsum, lui dis-je ou lui criai-je plutôt, à travers les reflets tremblotants et fugaces, Jarsum, tu ne le sais peut-être pas, mais tes compagnons et toi vous nous avez été utiles dans vos derniers moments, vous nous avez aidés, vous avez affermi et accéléré mes pas pendant toute la durée de ma tâche... » puis ce fut terminé, plus rien. Comme si une fontaine, après un ou deux hoquets, s'était arrêtée ; les dernières émanations de cette force qui les avait soutenus depuis ces lointains millénaires avaient diminué puis disparu et il n'y avait plus rien, il n'y aurait jamais plus rien.

Je partis et me dirigeai vers les frontières de Shikasta. J'ignorai délibérément plusieurs possibilités de m'introduire dans d'autres Zones, les Zones Quatre et Cinq en particulier, et me rappelant les joyeuses scènes auxquelles j'avais assisté ou même participé à l'occasion d'anciennes visites, je dus me faire violence pour me forcer à avancer.

En outre, il y avait une vilaine région de la Zone Six à traverser et je redoutais ce moment.

Tout autour des frontières de Shikasta se pressent des fantômes avides et aucun de nous n'aime entrer en contact avec eux.

Ce sont des âmes qui, une fois parties, n'ont pas su briser des liens avec Shikasta. Bien souvent, elles ne savent même pas qu'elles l'ont réellement quittée ; elles sont comme des poissons rouges qui se retrouvent mystérieusement à l'extérieur de leur bocal et rêvent d'y rentrer, ignorant comment ils en sont sortis et comment y retourner ; ou comme des affamés à un banquet dont les nourritures et les festivités sont réelles, tandis qu'eux ne sont que des rêves. Ces pauvres spectres s'attroupent tout autour de Shikasta, aussi serrés qu'un essaim d'abeilles. Certaines scènes et événements, certains lieux les attirent irrésistiblement. Ils entourent les orgueilleux et les assoiffés de pouvoir, convoitant leur part de ce qu'ils désirent le plus au monde, parce que de leur vivant ils furent puissants et orgueilleux et ne peuvent s'empêcher de soupirer après ces nourritures célestes, ou parce qu'ils furent battus et humiliés et qu'ils veulent à présent leur revanche. Oh ! tous ces vampires vengeurs et amers qui déferlent, attirés par la puissance et la gloire de Shikasta ! Quelles scènes de sadisme, de cruauté et de meurtre ! Là se pressent ceux qui, autrefois, se plongèrent délibérément dans les effluves des souffrances subies ou infligées, qui ne s'en rassasièrent jamais, qui veulent les ressentir encore, les infliger encore... Le sexe : ils se pressent et s'écrasent ici, car du sexe ils n'ont jamais assez, par définition, et la plupart des affamés qui sont ici sont ceux qui, de leur vivant, vivaient le plus du sexe. La nourriture : autour des cuisines et des endroits où l'on mange, accourent les gourmands dont la vie se passa à manger ou à penser à la nourriture. Ceux qui vécurent, préoccupés de leur propre beauté ou de la supériorité de leur famille, de leur race, de leur pays, ceux qui... Chaque passion gaspilleuse a ses courtisans empressés qui pullulent, invisibles, mais qui voient tout, affamés, insatisfaits, jamais rassasiés, insatiables...

Et il y a ceux qui soupirent après des plaisirs plus subtils, car tous ces frustrés, il s'en faut, ne pleurent pas après le sensationnel, la violence, l'obscénité ou la laideur.

240

Autour des lits où gisent, obsédés, les amants, quels êtres accomplis déambulent, savourant chaque caresse, chaque regard énamouré, chaque baiser. De toutes les drogues, c'est la plus puissante, et ces fantômes-ci ne sont ni sauvages ni brutaux — aucun désir ici de subir la douleur ni de l'infliger, personne ici n'arbore de panse rebondie ni de lit douillet — non, ceux-ci font partie des âmes les plus raffinées, les plus sensibles, les plus proches de Canopus, mais qui se sont laissées prendre dans les rets shikastiens et n'ont pas su s'en libérer avant de mourir. Parmi ces foules fascinées circulent des êtres affreux, incubes et succubes, toutes les variétés de vampires, de ceux qui ont appris à se repaître des énergies de Shikasta.

Autour des êtres accomplis et talentueux, de ceux qui sont devenus facilement ou grâce à d'heureuses circonstances, artistes de toutes sortes : conteurs d'histoires, musiciens, créateurs d'images ou de films. les âmes qui errent par ici sont les plus à plaindre de toutes. Car celles-ci savaient comment satisfaire les besoins de la pauvre humanité avec les nourritures artistiques (qui ne sont, bien sûr, qu'en partie nourritures, car elles ne sont que les ombres de ce qu'elles auraient pu être), mais n'ont pu le faire pour des raisons liées aux oppressions et aux risques inhérents à la nature même de Shikasta, qui est d'étouffer et de détruire toute créativité vitale. Ce ne sont pas là des âmes à craindre ni à éviter. Passant, par exemple, devant un savant en train de calculer la nature et la force des étoiles, ou une femme occupée à composer une histoire qui permettra peut-être à d'autres de voir plus clair dans une situation ou une passion, je reconnus des amis qui se pressaient en troupes avides. Pauvres fantômes ! « Avancez, avancez, leur dis-je, partez, ne vous laissez pas enchaîner à ces murs de verre, allez-vous-en, libérez-vous. Trouvez-vous un travail utile dans les autres zones ou rentrez à Shikasta par la porte étroite, voilà vos moyens d'évasion. Sinon vous allez peut-être languir, vous consumer et dépérir pendant des siècles et des siècles sans jamais connaître autre chose que la frustration, le vide et l'attente... » Mais elles ne m'entendent pas, ces créatures ensorcelées qui errent ici, les yeux fixés sur des scènes qui ont pour elles un attrait merveilleux, un éclat qui leur fait oublier tout ce qu'elles ont jamais vraiment su de la vérité.

Je traversai des foules d'âmes qui, connaissant les horribles épreuves qui menacent Shikasta, pensent avec angoisse à leurs enfants, leurs amis, leurs amants, soupirent et languissent autour des salles de conseil et de réunion où les puissants pérorent et décident — ou croient décider — de l'avenir de Shikasta. Je trouvai parmi eux de nombreux amis

241

d'autrefois. Ils me reconnurent, quelques-uns du moins. « Johor, me crièrent-ils, Johor, écoute, laisse-moi rentrer, laisse-moi leur dire, laisse-moi, laisse-moi, moi, moi, moi-oi-oi... » De longues plaintes et des gémissements s'élèvent tandis qu'ils écoutent les querelles infantiles des tables de conférences et les rivalités de force et de puissance, alors que menace la destruction après laquelle il ne restera plus rien de vivant sur aucun continent, qu'un animal malade ou un enfant fou. « Johor, Johor, criaient-ils en s'accrochant à moi et en me tirant en arrière, laisse-moi entrer, laisse-moi passer, laisse-moi me faufiler, que je puisse aller vers eux pour leur dire, pour les prévenir... »

« Partez, leur fis-je, allez-vous-en, quittez ces frontières. Vous avez joué votre rôle, que vous n'aviez pas choisi, et si vous n'avez pas agi comme vous l'auriez dû, tournez le dos à tout ce que vous ne pouvez pas changer. Ou bien, si vous voulez être de ceux qui peuvent réellement changer les choses, ne restez pas ici attroupés comme des petits enfants qui ne savent faire autre chose que de *s'imaginer* forts et capables dans un avenir qu'ils ne peuvent infléchir, des enfants qui n'existent que dans leur propre imagination. Vous ne pouvez pas aider vos familles, vos amis. Pas de cette façon. Revenez sur Shikasta, oui, mais par la porte étroite... »

Mais ils ne m'entendent pas, ils n'entendent que ce qu'ils veulent entendre. Ils retournent à leurs lamentations autour des tables de conférences et des salles de réunion.

Oh ! oui, les frontières de Shikasta sont terribles ; elles ne sont pas faites pour les gens facilement bouleversés ni facilement horrifiés. Beaucoup ont eu des défaillances, car leurs yeux étaient si pleins de ce qu'ils avaient vu qu'ils ne distinguaient plus ce qu'ils avaient à faire. Moi-même, me frayant un chemin à travers la foule, je me sentais pris de malaise et perdais mes forces parmi ces spectres irrités et faméliques — comme jadis, bien sûr ; mais le fait d'être capable d'identifier mes sensations me fut d'un grand secours, bien que cette visite fût bien plus éprouvante que la précédente. La situation est tellement pire aujourd'hui, pauvre Shikasta : ses drames se jouent sur une telle scène et devant un tel parterre de spectateurs !

Je quittai ces lieux et me dirigeai vers les poteaux d'entrée où les files se formaient. Je cherchai des yeux Ranee, qui avait de nouveau réussi à remonter la moitié de sa file, ayant perdu son tour lorsqu'elle s'était rendue sur les lieux de la catastrophe. Elle était seule. Je ne voyais ni Rilla ni Ben. Je lui demandai où ils étaient et elle me dit qu'elle les avait laissés non loin des files d'attente, l'un à côté de l'autre, puis regagné sa propre place. Je restai un moment avec elle, regardant de tous côtés, puis montai et descendis la file en m'enquérant de ce qu'ils étaient devenus. Je finis par apprendre qu'on avait aperçu un couple correspondant à ma description. Ils avaient pris leur place à la fin d'une longue file mais s'étaient éloignés, attirés ailleurs et on ne les avait pas revus depuis.

Que faire ? J'étais déjà en retard et très affaibli. Mais il me fallait partir à leur recherche.

Je n'eus pas besoin de m'enfoncer beaucoup dans les broussailles. Je vis, avant même d'approcher, des taches, des ballons de couleur qui flottaient et jouaient dans l'atmosphère et m'aperçus que je m'étais arrêté net, captivé, pour les regarder. On eût dit que ces légers ballons colorés étaient doués de vie et de volonté et pouvaient évoluer à leur guise, comme s'ils jouaient entre eux, se lutinant, s'échappant, puis se pourchassant et se cognant délicatement avant de s'éloigner de nouveau. Je me rendis compte que j'étais là depuis un moment, fasciné. Je me forçai à repartir. Je tombai bientôt sur Ben et Rilla, assis côte à côte sur le sable blanc et chaud, entre les broussailles, les yeux levés, souriants, béats, absents. « Rilla ! Ben ! » criai-je, une fois, deux fois. Il me fallut un moment pour détourner leur attention de ces ballons, de ces bulles merveilleuses qui fuyaient et se poursuivaient dans les airs, et qui, maintenant que je me trouvais immédiatement au-dessous, ressemblaient à des bulles de savon vivantes, des goutelettes irisées, transparentes, apparemment du moins, car, en regardant l'une d'elles, suspendue directement au-dessus de moi — peut-être pour m'observer, qui sait ? — je vis qu'à l'intérieur des surfaces transparentes allaient et venaient des espèces d'étincelles et d'éclairs qui changeaient sans cesse. Bientôt Ben et Rilla m'auraient de nouveau oublié ; je leur criai donc de se lever et de me suivre. Mais ils n'obéirent pas, du moins pas tout de suite. Ils regardaient en l'air, par terre, n'importe où, sauf à l'endroit où je me trouvais. Je vis que Rilla cachait quelque chose et entendis, ou plutôt sentis, une légère pulsation de douleur et de crainte. J'allai à elle, lui pris le poing et la forçai à l'ouvrir : elle avait capturé l'une de ces lumières, de ces bulles qui, enfermée dans sa main, avait perdu presque toute sa couleur et sa vitalité et n'était plus qu'une pauvre substance terne et souffreteuse qui palpitait fiévreusement comme si elle cherchait désespérément de l'air. Gardant ma main sous la sienne, je les élevai toutes les deux en même temps jusqu'à ce que nos paumes, l'une sur l'autre, fussent à la hauteur de nos yeux, renfermant la créature blessée qui reprenait des forces, revenait lentement à la vie et s'envola soudain

243

pour reprendre ses jeux parmi les autres. De nouveau, je me surpris à les contempler en extase, comme Ben et Rilla, car je n'avais jamais rien vu d'aussi joli ni d'aussi ravissant que ces jeux de lumières, de boules cristallines. Un bras passé autour de Ben et l'autre autour de Rilla je les entraînais loin de ces lieux, mais ils renâclaient et lambinaient, regardant sans cesse par-dessus leur épaule exactement comme ils l'avaient fait dans les tourbillons de sable. Au moment où nous nous éloignions de l'endroit enchanté, Rilla se prit à me morigéner : « Pourquoi as-tu été si long ! Je pensais que tu reviendrais me chercher plus tôt que cela ! » Je ne pus m'empêcher de rire de l'absurdité de ces propos et Ben se mit à rire également mais pas Rilla, qui ronchonnait encore quand nous approchâmes des longues files d'attente.

Je retrouvai Ranee et lui confiai Rilla en lui donnant des instructions précises, car je calculai qu'au moment où Ranee atteindrait les poteaux, il serait temps pour Rilla d'entrer.

Puis, prenant Ben par la main, tandis que Rilla se plaignait que je l'abandonnais au profit de Ben, je remontai les files avec lui, en le tenant ferme. Il avait soudain compris que son temps était venu et il avait peur. Je le sentais indécis.

Je lui dis : « Ben, il le faut. C'est maintenant. Fais-moi confiance. »

Il soupira, ferma les yeux et s'agrippa des deux mains à mon bras.

Derrière nous, les files de gens s'étiraient en serpentant à perte de vue. Je n'en voyais pas la fin. Autrefois, elles comptaient peut-être une douzaine ou une vingtaine d'âmes. Mais les guerres de Shikasta, les famines de Shikasta, les épidémies de Shikasta avaient exterminé les gens, et il y avait maintenant des possibilités sans fin… Certains, dans ces files d'attente, étaient déjà là quand je pénétrai en Zone Six au cours de cette même visite mais ayant, entre-temps, réussi à rentrer sur Shikasta et succombé à certains dangers : maladies, accidents, guerres, etc., ils étaient de nouveau ici. Combien de mâles visages je voyais là, tandis que, cramponné à Ben et lui à moi, nous avancions parmi des vapeurs colorées et tourbillonnantes. Laissant derrière nous les files d'âmes en attente qui disparaissaient dans des nuées de ténèbres, nous nous retrouvâmes tous les deux dans une brume irisée. Il régnait là un silence vibrant, une immobilité qui palpitait, palpitait, palpitait…

C'était le moment ou jamais de rester maître de soi car nous n'avions pour nous soutenir que l'empreinte de la Signature, qui apparaîtrait soudain comme une marque au fer rouge sur la peau et ne se verrait que sous l'effet de la chaleur ou de la pression. Tout se passait comme si nous avions délibérément choisi de disparaître, livrant notre vie même à une chose intangible, à laquelle nous n'avions d'autre alternative que de faire confiance.

Nous étions comme ces braves Shikastiens qui, persuadés de défendre une bonne et juste cause, décident de défier les autorités mauvaises et criminelles, sachant que le châtiment sera une destruction, par des docteurs pervers, de leur esprit et de leur propre conscience, ceci au moyen de drogues, de tortures psychologiques, de lésions cérébrales et de privations physiques. Mais ils sont convaincus, au plus profond d'eux-mêmes, qu'ils possèdent des ressources qui les soutiendront à travers toutes leurs épreuves. Nous étions comme des gens qui sauteraient de très haut dans un abîme de ténèbres empoisonnées, sûrs qu'on les arrêtera dans leur chute...

Dans une nuit tonnante, nous vîmes, placés côte à côte, deux caillots de substance effervescente ; je me glissai dans l'un, abandonnant, pour un temps, mon identité ; Ben se glissa dans l'autre et les deux âmes que nous étions attendirent, palpitantes, à l'intérieur d'un morceau de chair qui bourgeonnait rapidement. Notre esprit, tout notre être était vigilant et conscient, mais nos souvenirs, déjà évanouis, avaient disparu.

Je dois avouer — je ne peux faire autrement — que je suis en train de vivre des moments d'horrible frayeur. De panique, même. Les funestes émanations de Shikasta se referment sur moi et j'envoie ce rapport dans un dernier éclair de lucidité.

DOCUMENTS RELATIFS À GEORGE SHERBAN (JOHOR)

JOURNAL DE RACHEL SHERBAN

Je vois qu'il faut que je me lance. Plus j'y pense, plus cela devient difficile. Il faut s'en tenir aux faits. J'ai dit à George que je commençais à écrire et il m'a dit : sois sûre d'abord de tes faits.

J'ai deux frères, George et Benjamin, de deux ans plus âgés que moi. Ce sont des jumeaux. Mais pas des vrais. Moi, je suis Rachel. J'ai quatorze ans.

Notre père s'appelle Simon. Notre mère Olga. Notre nom est Sherban, mais avant, c'était Scherbansky. Notre grand-père le modifia quand il quitta la Pologne pour l'Angleterre pendant la dernière guerre (la Deuxième Guerre mondiale). Nos grands-parents racontent en riant que personne ne pouvait prononcer Scherbansky. Ça me mettait en colère, autrefois, quand ils disaient cela. Je ne trouve pas les Anglais drôles. En fait, je les trouve stupides. Mon grand-père est juif, pas ma grand-mère.

Je me rends compte que l'éducation que nous avons reçue est loin d'être ordinaire. Je découvre un tas de choses pour la première fois en réfléchissant à ce que j'écris. C'est ça justement l'intérêt, je pense.

Premièrement. Notre famille vivait en Angleterre où nous sommes nés tous les trois. Nos parents travaillaient tous deux dans un grand hôpital de Londres. Lui comme administrateur, elle comme médecin. Puis ils décidèrent de quitter l'Angleterre et trouvèrent du travail en Amérique. Parce que l'Angleterre était trop bureaucratique et sclérosée. Mais ils ne nous dirent pas que c'était pour ça qu'ils avaient quitté l'Angleterre avec l'intention de ne plus y revenir. Pour y travailler en tout cas. Après l'Amérique, nous sommes allés au Nigeria, puis au Kenya, puis au Maroc. C'est ici que nous sommes à présent. Généralement, nos parents travaillent ensemble dans un hôpital ou à un projet. Nous savons toujours ce qu'ils font. Ils nous disent ce qu'ils font, et pourquoi. Ils se donnent beaucoup de peine pour nous l'expliquer. Maintenant que j'y réfléchis, je m'aperçois que ce n'est pas courant chez les autres enfants. Parfois, ma mère, Olga, part travailler toute seule, de son côté. Je vais avec elle. Je l'ai toujours fait, même quand j'étais petite. C'est drôle, mais pour moi c'était tout naturel. Il faut que je lui demande pourquoi j'étais tellement avec elle. Je le lui ai demandé. Elle m'a dit : « Dans les pays qui n'ont pas encore sombré dans la bureaucratie, il existe une grande latitude. » Puis elle a ajouté : « De toute façon, ici on aime les enfants, ce n'est pas comme en Angleterre. »

Nos parents critiquent beaucoup l'Angleterre. Pourtant ils nous y ont pas mal envoyés.

J'ai appris toutes sortes de choses mais je n'ai jamais été régulièrement à l'école. Je parle le français, le russe, l'arabe et l'espagnol. Et l'anglais, bien sûr. Mon père m'a enseigné les mathématiques. Ma mère me dit quels livres lire. Je connais très bien la musique car ils sont toujours en train d'en faire.

Mes frères ont quelquefois accompagné ma mère, mais en ce moment ils vont surtout avec Simon. Lorsqu'il allait à des séminaires pour donner des cours ou des conférences, il les emmenait avec lui. Parfois nos parents nous mettaient à l'école pendant un ou deux ans d'affilée.

C'est ce qui s'est passé au Kenya. Je m'en rends compte maintenant. Le directeur était l'un de nos amis. Il n'arrêtait pas de nous changer de classe, disant que nous n'étions pas à notre place ou que nous avions sauté une classe ou je ne sais quoi. Mais ce qu'il voulait, en réalité, c'était veiller à ce que nous ayons l'occasion d'apprendre un tas de choses différentes. Il faisait la même chose avec les enfants qui venaient de l'étranger et avec quelques petits noirs aussi. C'est un Kikuyu. Nous avons appris beaucoup de géographie historique et de géographie économique avec lui. Mais nous avons toujours eu des précepteurs également. Un des avantages de ces méthodes d'éducation folles, c'est qu'on ne s'ennuie jamais. Mais pour être franche, j'avoue que souvent j'ai eu terriblement envie de rester au même endroit et d'avoir des amis pendant longtemps. Nous avons beaucoup d'amis, c'est vrai, mais ils sont souvent dans d'autres pays. La plupart du temps, en fait.

Nous, les enfants, nous avons été envoyés trois fois en vacances en Angleterre. Nous passons un moment à Londres, puis nous allons dans une famille du pays de Galles. Ce sont des fermiers. Nous apprenons à nous occuper des animaux et des récoltes. Mon frère George y est resté un an, de décembre à décembre, pour observer le cycle des saisons. Benjamin a critiqué George quand il est parti là-bas et lui-même n'y est pas allé bien qu'il en ait eu la possibilité. Il était dans une mauvaise passe à ce moment-là. Je veux dire encore plus que d'habitude !

J'ai souffert de l'absence de George. Je ne l'ai pas vu pendant un an.

Il faut, là encore, que je dise la vérité. J'ai toujours été très jalouse. Quand j'étais petite, j'étais jalouse des jumeaux. Ils étaient tout le temps ensemble ! Et ils ne faisaient pas attention à moi. George tout de même plus que Benjamin.

Étant plus jeune, Benjamin voulait toujours être avec George. Les gens croyaient que Benjamin était le plus jeune des deux. Ils sont tellement différents. Benjamin n'a ni l'assurance ni la gaieté de George. George était toujours en train de dire à Benjamin : mais si, tu peux faire ceci, tu peux faire cela. Souvent, Benjamin s'en allait bouder dans un coin. Quand il revenait il obligeait George à faire attention à lui.

Et George marchait. C'était ce qui me rendait jalouse.

C'est ce qui me rend encore jalouse.

Quand George a été absent pendant un an, j'ai cru que Benjamin ferait attention à moi, mais non, je me trompais. Dans le fond, je m'en moquais un peu parce que c'est vraiment de George que je veux me faire remarquer.

247

Je vais maintenant noter les faits *dont je me souviens concernant notre enfance.*

Je vais noter ce que je pense maintenant *des choses qui se sont produites alors. Non pas ce que j'en pensais alors.*

Quand nous étions à New York, nous habitions un petit appartement et nous, les enfants, dormions tous les trois dans la même chambre. Une nuit, je me suis réveillée et j'ai vu George, debout, qui regardait par la fenêtre. Nous habitions très haut, au douzième étage. Il avait l'air de parler à quelqu'un. Croyant qu'il jouait, j'ai voulu me joindre à lui. Il m'a dit de me tenir tranquille.

Le matin, au petit déjeuner, j'ai dit que cette nuit-là, George était à la fenêtre. Maman en a été très ennuyée.

Plus tard, George m'a dit : Rachel, ne leur raconte pas, ne leur raconte pas !

Lorsque maman ou papa m'ont interrogée, je leur ai dit que je plaisantais en racontant ça.

Mais souvent, quand je me réveillais, George était debout. Générale-ment à la fenêtre. Je ne faisais pas semblant de dormir. Je savais que cela ne le mettait pas en colère. Une fois, je lui ai demandé : à qui parles-tu ? Il m'a répondu qu'il ne savait pas. A un ami m'a-t-il dit. Il paraissait troublé. Pas malheureux.

Mais tout de même, quelquefois il était malheureux. Pas comme Benjamin. Quand Benjamin était de mauvaise humeur, il fallait que tout le monde fasse attention à lui et soit malheureux avec lui.

George, lui, devenait silencieux et partait dans un coin. Il faisait semblant de lire. Je voyais bien qu'il avait pleuré. Ou qu'il en avait envie. Il savait que je savais, comme il savait que je savais qu'il se réveillait souvent la nuit. Il se contentait de hocher la tête en me regardant. C'est tout. Pas comme Benjamin. Benjamin se disputait souvent avec moi ; parfois même il me battait.

Une fois, au Nigeria, il est arrivé quelque chose. Les garçons avaient leur chambre et moi la mienne. J'avais horreur de ça. George me manquait horriblement. Quand je partageais sa chambre, j'étais proche de lui. Plus maintenant. Une nuit, il entra dans ma chambre pendant que je dormais ; je m'éveillai. Il était assis par terre sur une natte de paille, appuyé contre ma moustiquaire. Je sortis la tête de la moustiquaire. Il y avait un clair de lune dehors et sur le plancher, et je vis que son visage brillait parce qu'il venait de pleurer. Sans bruit. Il me dit : Rachel, cet endroit est horrible, horrible, c'est un horrible... Sa voix s'étrangla et tout d'abord je ne compris pas. J'essayai de le consoler en lui disant : tu sais bien que les parents vont déménager encore une fois — ils nous avaient dit que nous allions partir pour le Kenya. Il ne répondit pas. Plus tard je me rendis compte qu'il ne parlait pas du Nigeria. Je vois maintenant qu'il était venu dans ma chambre parce qu'il se sentait seul, mais que je ne lui étais d'aucun secours.

Je me rends compte qu'il se sentait très seul. Je sais que Benjamin ne comprenait pas la moitié des choses qu'il lui racontait. Et ce n'est que maintenant que je comprends certaines d'entre elles.

Je viens de comprendre que si Benjamin était si irritable et bourru, c'est que souvent il savait que George voulait lui faire comprendre quelque chose qu'il n'arrivait pas à comprendre.

J'avais huit ans quand nous arrivâmes au Kenya.

George dormait dehors, sous la véranda. Le climat était différent de celui du Nigeria, plus sain. Il aimait dormir à la belle étoile. Je savais qu'il restait souvent éveillé et qu'il ne voulait pas que nos parents sachent à quel point. J'enjambais parfois la fenêtre de ma chambre qui donnait sur la véranda et le trouvais immuablement assis sur le mur, les yeux grands ouverts sur la nuit. C'était dans les collines qui entourent Nairobi. Notre maison dominait la campagne. C'était magnifique. Parfois, nous restions longtemps assis sur le mur, et il y avait souvent un clair de lune ou un demi-clair de lune. Une fois, un Africain passa en silence devant la maison et, nous voyant, s'arrêta pour nous regarder. Puis il nous dit : oh ! oh ! les petits, que faites-vous là ? Vous devriez dormir. Et il s'en alla en riant. George aimait ça. Quand je tombais de sommeil, George me descendait du mur. Il faisait semblant de chanceler sous mon poids mais il ne me trouvait pas vraiment lourde. Il traversait toute la véranda en me portant et nous étouffions à force de nous retenir de rire tout fort. Puis il m'aidait à enjamber la fenêtre de ma chambre. J'adorais ces moments passés avec George, même si nous ne parlions guère. Parfois, nous restions assis un long moment sans prononcer un seul mot.

Une fois, il me dit quelque chose dont je me souviens encore. L'après-midi, nos parents avaient eu des visiteurs. Tous des gens occupant des postes importants au Kenya. Il y avait des noirs, des blancs et des café-au-lait. Ce genre de chose ne me frappait pas parce qu'étant enfant j'avais l'habitude de voir des gens différents. Quelquefois, nous étions la seule famille blanche de la région mais je ne me rappelle pas y avoir jamais beaucoup prêté attention.

C'était une réception, on célébrait quelque chose. Nous, les enfants, nous aidions à servir la nourriture, les boissons et le reste. Nos parents nous faisaient toujours faire des choses comme ça. Souvent, Benjamin

249

rejimbait. Il disait que puisqu'on avait des serviteurs, pourquoi ne pas les laisser faire ?

Pendant la réception, George, interceptant mes pensées, me fit son sourire qui voulait dire : oui, je sais et je suis bien d'accord. Ce que je pensais, c'était : comme ils sont bêtes tous ces adultes, pas nos parents, mais les autres ! Ils paradaient comme le font tous les adultes.

Cette nuit-là, assis au clair de lune sur le mur, George me dit : il y avait trente personnes cet après-midi.

J'avais compris d'après sa voix ce qu'il voulait dire.

Je pensais — comme cela m'arrivait souvent alors — que je savais exactement ce qu'il voulait dire, et pas Benjamin, la plupart du temps. Mais il dit une chose à laquelle je ne m'attendais pas. Je me souviens de cette nuit-là parce que je pleurai longtemps, longtemps. Pour deux raisons. La première, c'est que je ne comprenais pas toujours ce qu'il pensait, pas plus que Benjamin. La deuxième, c'est que George se sentait si seul avec ce genre de réflexions.

George dit : tu sais, en passant les tasses de thé et les verres d'alcool, tout en disant s'il vous plaît et merci...

Je me mis à rire car je voyais parfaitement ce qu'il voulait dire.

Mais il dit : trente vessies pleines de pisse, trente culs pleins de merde, trente nez pleins de morve et des milliers de glandes sudoripares qui suent de la graisse...

Je fus bouleversée par sa voix dure, irritée. Quand j'entendais cette voix-là, je craignais toujours qu'il ne soit en colère après moi.

Il continua comme ça, longtemps. Une pièce pleine de merde et de pisse et de morve et de sueur. De cancers, de crises cardiaques, de bronchites et de pneumonies. Et cent cinquante litres de sang. Et s'il vous plaît, merci, oui, oui, Mrs. Amaldi, oh ! non, Mr. Volback, s'il vous plaît, Mrs. Sherban, oh ! mon Dieu, M. le Ministre Mobote, et je suis plus important que vous, monsieur-le-médecin-en-chef-de-première-classe.

Je voyais qu'il était furieux. Il s'agitait, comme ça lui arrivait quelquefois, faisant des nœuds avec son corps et entortillant ses jambes l'une autour de l'autre.

Il était hors de lui. Il se mit à pleurer.

Il dit : c'est un endroit horrible, horrible.

Je ne pouvais pas supporter ça, alors je retournai dans ma chambre et me mis à pleurer dans mon lit.

Le lendemain, il fut très gentil avec moi et joua longtemps avec moi, mais je ne savais pas si je devais m'en réjouir car il me traitait comme un bébé.

*Je n'ai pas encore noté les faits concernant notre apparence physique.
Nous sommes tous différents. C'est à cause du mélange des gènes, disent
nos parents.*

*George d'abord. Il est grand et mince. Il a les yeux noirs. Ses cheveux
sont noirs et raides. Il a la peau blanche mais pas comme les blancs
d'Europe. Elle tire sur l'ivoire. En Égypte et ici, au Maroc, il y a plein de
gens comme lui. C'est notre ancêtre indien qui apparaît en lui.*

*Benjamin, maintenant. Il tient de Simon. Il est plutôt lourd. Il grossit
facilement. Il a des cheveux châtains et des yeux gris-bleu. Ses cheveux
bouclent. Il a toujours un hâle cuivré.*

*Et moi. Je ressemble davantage à George. Malheureusement, je ne suis
pas mince. J'ai les cheveux noirs. Mes yeux sont bruns, comme ceux de
maman. J'ai un teint olivâtre, même quand je ne suis pas hâlée. En
Angleterre, personne ne me remarque parce que je n'ai rien d'extraordinaire. On pense que je suis espagnole ou portugaise. Ici personne ne me
remarque, parce que je n'ai rien d'extraordinaire. Tout le monde
remarque Benjamin.*

*Ce qui a tout changé pour nous, les enfants, c'est quand George a passé
un an dans la ferme du pays de Galles. Olga et Simon m'ont dit que j'avais
tort de « languir » après George. Et ils m'ont fait faire un tas de choses
cette année-là : deux langues — le français et l'espagnol — et des leçons de
guitare. Mais je ne languissais pas. Je m'ennuyais. Et quand il est revenu,
j'ai continué à m'ennuyer. Il avait treize ans quand il partit au pays de
Galles et quatorze quand il revint. Il était devenu adulte. Je ne le compris
pas alors, mais je le comprends à présent.*

*Pendant toute cette année-là, Benjamin a été difficile. Il ne travaillait
pas bien à l'école. Il avait souvent le cafard. Quand George est revenu, il a
essayé d'apprivoiser Benjamin et au bout d'un certain temps il y a réussi.
Mais je vois maintenant que George était devenu adulte et pas Benjamin.
Benjamin a toujours tout fait pour capter l'attention de George. Je ne crois
pas que nos parents se rendent compte à quel point. Ce n'est pas qu'ils
soient trop occupés pour s'en apercevoir. Enfin, quelquefois ils le sont.
En tout cas, ils passent un temps fou à penser à nous et à la façon de bien
nous éduquer. Mais une sœur voit des choses que les parents ne voient pas.
Je crois qu'ils ont oublié. Je crois qu'ils se souviennent de l'ensemble des
choses mais pas des détails quotidiens.*

*Je vois maintenant que l'une des raisons pour lesquelles ils ont envoyé
George à l'étranger, c'était qu'ils voulaient libérer Benjamin de George.
En dehors du fait d'enseigner à George le cycle des saisons. Mais ça n'a*

251

fait qu'empirer la situation, à mon avis. Benjamin avait l'impression qu'on favorisait George par rapport à lui. Mais il ne voulait pas aller au pays de Galles et méprisait George parce que là-bas il était valet de ferme. Benjamin est un peu snob.

Je vois qu'il y a un tas de faits que je n'avais jamais remarqués. Je me demande s'il faut passer sa vie entière à comprendre soudain des faits qui vous ont tout le temps paru évidents.

A son retour, George m'a demandé plusieurs fois : qu'est-ce qui s'est passé ? Qu'est-ce qui s'est passé ? dis-moi. Alors je lui ai dit pour l'espagnol et le français et je lui ai joué de la guitare.

Il était agacé mais ne voulait pas me le montrer. Il m'a dit : non, non je ne parle pas de toi en particulier. Alors je lui ai parlé de Benjamin, mais il savait tout ce qu'il y avait à savoir sur Benjamin — il passait tellement de temps avec lui. Il devint soudain très calme et je me rendis compte que ce n'était pas ça qu'il voulait ; alors je lui dis que maman organisait le nouveau grand hôpital et que papa l'aidait. C'était mieux, mais ça n'était pas encore ça, car il me dit : Rachel, notre famille n'est pas tout, nous ne sommes pas si importants que ça. Alors j'ai été prise de panique. Ça m'arrive toujours quand je sais que je l'ai déçu. J'ai continué à bavarder — parlant de maman et de papa, de ce qu'ils avaient dit, mais il n'écoutait plus. Il continua à être gentil avec moi, quand il en avait le temps. Mais il était inquiet, agité, à cette époque. Il ne pouvait rester en place. Il passait beaucoup de temps avec un groupe de garçons du collège ; ils étaient insupportables, bruyants — je ne reconnaissais pas George. Mais j'en comprenais assez pour savoir qu'ils parlaient de choses qui ne m'intéressaient pas à l'époque.

Je commençai à écouter mes parents quand ils discutaient de la situation mondiale et m'inscrivis aux cours d'Actualité qu'on donnait à l'école. J'écoutais beaucoup les nouvelles et les informations à la radio.

Je vois que notre famille est très différente, à cet égard, de la plupart des autres. Partout où nous allons, chacun défend passionnément un parti politique ou un autre. Ou fait semblant. Il est facile de voir quand les gens font semblant. Nos parents disent souvent qu'il ne faut pas blâmer les gens qui font semblant. C'est une manière de survivre et c'est plus important que d'agiter des drapeaux. Quelquefois, quand ils disent ça, les gens sont choqués. Mais je sais qu'ils pensent que la politique est une erreur. Ils pensent que les gens qui font de la politique font fausse route. Eux, tout ce qui les intéresse, c'est d'accomplir des choses comme organiser des hôpitaux et les faire marcher. Ils ne le disent pas souvent, excepté à nous ou à des amis proches. Ils ne le disent pas tellement, en fait, et c'est ce qu'ils ne disent pas *qui le montre. Mais la politique est terriblement importante partout et je vois bien que ça a dû être un gros problème pour eux, maintenant que j'y pense. Ça devait être comme au Moyen Age lorsqu'on disait qu'on était athée.*

Faits. L'Angleterre. *Les deux premières fois que nous y sommes allés, nous les enfants, c'était avant la Dictature et il n'y avait pas grand-chose de remarquable, sinon que rien ne marchait. Mais la troisième fois, la nourriture manquait, même à la ferme, et Mr. et Mrs. Jones étaient inquiets. J'ai interrogé plusieurs fois Olga et Simon, et ils disent que beaucoup de gens étaient en prison, que les gens se faisaient arrêter un beau jour et qu'on ne les revoyait plus. Eh bien ! il n'y a rien là de nouveau. Et les gens qui étaient sans travail, les jeunes en particulier, se déchaînaient. Ça se passait avant qu'on les enrôlât dans l'armée et qu'on les mît dans des camps. Au pays de Galles et en Écosse c'était la même chose, pourtant eux étaient indépendants. La Dictature essayait d'être purement anglaise et de ne pas accepter tant d'étrangers. Lorsque George alla faire son année à la ferme, ce fut difficile à organiser. Il était difficile de voyager après la Dictature et, de toute façon, les gens n'avaient pas l'argent nécessaire. Maman dit que ce n'est que grâce à des* contacts particuliers *qu'on l'a laissée entrer. Pourtant, nous sommes tous anglais. Ce que je veux dire, c'est que pour les visites, ça allait, bien que ce fût difficile, mais vivre là-bas pour un an était pratiquement impossible. J'ai souligné* contacts particuliers *parce que je me rends compte de plus en plus combien c'est important.*

L'Amérique. *Olga et Simon disent qu'elle est si riche, de toute façon, qu'on ne s'apercevait pas de la crise. Mais je me rappelle avoir vu des gens faire la queue pour de la nourriture. Et Olga dit que c'était la même chose qu'en Angleterre, les chômeurs traînaient dans les rues et provoquaient des émeutes où ils cassaient tout ; c'est au moment où nous étions là que commencèrent les camps, les uniformes et la discipline militaire. Au Nigeria, c'était différent parce que de toute façon les gens ont toujours été pauvres. Ça vaut peut-être mieux que d'avoir été riche et de devenir pauvre. Je viens juste d'avoir cette idée. Au Nigeria, nous voyions des affamés et des malades. Au moment où j'ai commencé à aller partout avec ma mère. Dans les hôpitaux et les camps d'hébergement. Il y avait une épidémie. Ma première. Je l'accompagnai. Bien sûr j'étais vaccinée contre* tout. *Mais on ne savait pas de quelle maladie il s'agissait. Encore aujourd'hui, elle dit que personne ne sait ce dont il s'agissait. Je trouve maintenant qu'elle était courageuse de m'emmener partout avec elle. Elle m'a dit quand je l'ai interrogée (à l'instant) qu'il faut que je sois préparée au danger et aux situations critiques. Et c'est l'une des raisons pour lesquelles nos parents nous ont emmenés, tous les trois, dans tant d'endroits, même dans des camps où régnaient maladies, épidémies et famine. Au Nigeria, il n'y avait pas autant de chômeurs parce que la plupart s'étaient accrochés à la terre d'une manière ou d'une autre. Au Kenya, ce n'était pas tellement différent : il y avait des pauvres et toutes sortes de maladies. Olga et Simon ont travaillé au sein d'une grosse équipe pendant six mois au profit de rescapés d'une grave famine. Ils s'occupaient de l'hygiène dans les camps. Il y avait là un tas de jeunes sans travail et on leur a mis un uniforme sur le dos. Quelles grosses armées tout le monde a aujourd'hui ! Je n'y avais jamais pensé de cette façon. Simplement à cause du chômage. En Égypte, c'était un peu différent. Ils sont très, très pauvres. Et là aussi, la maladie. Olga et Simon, comme d'habitude, au travail — les camps et les secours. Je me rappelle avoir regardé les gosses courir dans les rues en cassant tout, en hurlant et en mettant le feu ici et là. J'avais peur que notre immeuble, celui dans lequel se trouvait notre appartement, ne fût incendié. Deux l'avaient été dans notre rue. Toute la ville était pleine de bâtiments en flammes. Alors, encore des armées ! encore des uniformes ! Et maintenant le Maroc. C'est encore différent, mais pas tellement, quand on y réfléchit. Des mots différents mais les mêmes choses. Des pauvres. Des armées. Pas assez à manger.*

Je vois que je me suis éloignée de la politique. J'avais décidé de parler de tous les partis politiques. Des gouvernements. Mais il me semble que dans tous les pays où nous sommes allés, les mêmes choses se sont produites. Se produisent encore. L'Amérique est une Démocratie. La Grande-Bretagne est socialiste. Le Nigeria est une Dictature Éclairée. (Je viens de le demander à Olga et c'est ce qu'elle m'a dit.) Le Kenya est un Pays Libre en Voie de Développement. (Maman dit : une Oligarchie Éclairée.) Le Maroc est Islamique, Libre, Socialiste et en Voie de Développement. (Éclairé.) Je ne sais pas si c'est le genre de faits sur lesquels je devrais m'appesantir. Je ne peux pas croire que ça ait de l'importance. Mais cela semble prouver que notre éducation a été particulière, pour ne pas dire plus. Presque tout le monde se passionne pour un parti, quel qu'il soit. Quand nous avons des visiteurs, ils ont certaines choses à dire et les disent tous, l'un après l'autre. Souvent, George et moi, nous avons du mal à nous retenir de pouffer. Même une fois sortis de la pièce. Et ça recommence dans chaque pays, quel que soit le gouvernement en place. Évidemment, ni maman ni papa ne participent jamais à aucune activité politique mais ils n'en sont pas moins des Experts employés par le Gouvernement. Ce qui signifie, si on veut qu'ils soutiennent forcément le gouvernement en question. Ou qu'ils pourraient le faire. Et ça signifie aussi que les visiteurs doivent dire certaines choses à l'intention de maman et papa et des autres visiteurs. C'est mortellement ennuyeux. Bon, c'est tout ce que je dirai là-dessus.

Des contacts particuliers. Je vois que c'est important. Je vois que ça a toujours été important et que je ne l'avais pas compris. En écrivant, je n'arrête pas de me rendre compte d'un tas de choses. J'essaie de faire attention de tout noter comme je le vois maintenant, et non comme autrefois, mais c'est difficile parce que je retombe sans cesse dans cet état d'esprit.

La première chose à laquelle il faut que je pense, c'est Hasan. Peu de temps après que George fut revenu de son année à la ferme, Hasan arriva chez nous et George commença à passer de longues heures avec lui. Quand on y réfléchit, c'est arrivé d'une drôle de façon. Justement parce que rien ne semblait se passer. Hasan était un visiteur ordinaire. Il était membre de la Société Médicale. Mais il devint immédiatement l'ami de George. Et nous n'y prêtâmes aucune attention. Plus exactement, je n'y prêtai aucune attention parce que ça s'est toujours passé comme ça.

La première fois, c'était à New York. George ne devait pas avoir plus de sept ans. Il y avait une femme qui venait souvent à la maison et elle emmenait tout le temps George voir et faire des choses. Une ou deux fois, Benjamin les accompagna mais elle lui déplut. Je demandai à George ce qu'ils faisaient et il me dit : on parle. Ça ne me sembla pas bizarre sur le moment — maintenant si. Et en vacances, tous les trois, au pays de Galles. Il y avait un homme qui venait d'Écosse. Nous croyions que c'était un expert en agriculture. C'était peut-être vrai. Maintenant, je me le demande. Il emmena George camper une fois, et pêcher. Et faire d'autres choses. J'ai oublié lesquelles. Je n'y prêtai guère attention. Je le regrette bien. Benjamin partit camper une fois. Il n'aima pas beaucoup ça. Il trouvait toujours tout ennuyeux. C'était son genre. Je vois maintenant que ce n'était pas ce qu'il pensait, mais plutôt un genre. Pour se protéger. Ça fait un moment que je me demande si j'étais invitée à ces sorties. Pourquoi n'y allais-je pas, moi aussi ? Mais ce dont je me souviens, c'est que j'aimais tellement la ferme que je ne voulais jamais m'en éloigner d'un pas et on aurait bien pu m'inviter à n'importe quoi que je n'aurais pas quitté Mrs. Jones. Mais je me rappelle, par contre, une promenade avec George et cet homme. Je me souviens de certaines choses de lui. Que je saurais reconnaître à présent. Il s'appelait Martin. George l'aimait bien. Et puis il y eut le Nigeria. Quand l'épidémie se déclara, nos parents *furent très occupés, si bien que nous n'étions pas toujours avec eux. C'est à ce moment-là que nous commençâmes à avoir des précepteurs. L'un d'eux, originaire de Kano, nous enseignait les mathématiques, l'histoire et l'arabe. Et l'observation. Il insistait beaucoup là-dessus. Il était notre précepteur à tous les trois, mais je me rends compte maintenant que George s'en allait souvent avec lui. Au Kenya, nous avions des précepteurs tout en suivant également l'école. Là aussi, ce fut la même chose. C'était toujours George. Je le vois bien maintenant.*

J'ai interrogé maman à ce sujet. (Je viens juste de le faire.) Elle savait exactement ce que je voulais savoir dès que j'ouvris la bouche. Elle s'attendait à ce que je l'interroge un jour à ce sujet et se demandait ce qu'elle me répondrait. Je l'ai vu dès que j'ai commencé à parler. Elle s'est préparée soigneusement à répondre à toutes mes questions. Elle est toujours patiente quand on lui pose des questions. Je l'ai compris en écoutant d'autres mères répondre aux questions de leurs enfants. Quand on lui pose une question, maman nous fait bien comprendre qu'elle pense que c'est important et qu'elle nous prend au sérieux.

Je lui dis que j'écrivais ceci. Elle le savait. Je lui dis qu'il fallait que je sois sûre de mes faits. Je lui dis aussi qu'en écrivant, je comprenais un tas de choses. Elle n'en fut pas du tout surprise. Elle me parla longuement de Martin. Ce qu'il était, et tout ça. Et des précepteurs, et de la femme de New York. Mais quand elle eut fini de dire qu'ils étaient comme ci, comme ça, qu'ils faisaient tel ou tel genre de travail, elle me dit, comme si je lui avais posé exactement la question : Je ne sais pas, Rachel. *La façon dont elle me dit cela précisa dans mon esprit la question que je n'avais pas posée.*

Je vais noter où ceci se passe. Nous sommes dans une petite maison à toit plat. Nous la préférons au grand immeuble que nous habitions au début. Elle est située dans un quartier de la ville où il n'y a pratiquement que des gens du coin, c'est-à-dire des Indigènes. *Comme on les appelle. Ils sont adorables pour la plupart et plusieurs sont nos amis. De vrais amis, je veux dire. La nuit, nous dormons souvent sur le toit. C'est merveilleux. Nous sortons des matelas et, allongés, nous regardons les étoiles et nous parlons. Ce sont nos meilleurs moments à tous. Je suis si heureuse que je ne me tiens plus. La famille est enfin réunie ! Parce que ça n'arrive pas souvent. Papa, par exemple, est absent en ce moment ; il organise des hôpitaux avec une équipe de médecins. Docteurs Tous-Poils, comme Benjamin appelle les équipes de ce genre où il y a des gens de toutes les races. Papa travaille énormément. Ça va sans dire.*

Il y a plusieurs petites pièces autour d'une cour intérieure. Les pièces ont un sol en terre battue ; ce n'est pas le type de maison où habitent souvent « les gens comme nous ». Certains blancs disent que nous sommes « excentriques ». Moi, je préfère être excentrique et dormir sur le toit en regardant les étoiles et la lune.

Pour l'instant, maman est dans la cour, en train de rédiger un rapport pour l'OMS. La cour ne sert pas qu'à nous mais à plusieurs familles. Il y a beaucoup de bruit. Elle travaille au milieu de tout ça, avec les gosses qui jouent autour d'elle, etc. Il y a quelques lys dans un pot de terre cuite et un petit bassin plutôt crasseux et couvert de poussière, mais c'est mieux que rien.

Maman est assise sur un coussin au bord du bassin et elle écrit. Je me suis assise, moi aussi, au bord du bassin.

Je n'ai pas eu besoin de la pousser beaucoup après qu'elle m'eut dit : je ne sais pas, Rachel. Je me suis contentée de m'asseoir et d'attendre. Je pensais qu'elle ne dirait peut-être rien. Je la comprends dans ces cas-là. Nous sommes tellement ensemble que nous savons ce que l'autre pense. Je savais que maman savait que j'étais dans l'un de ces moments où l'on comprend tout, brusquement.

C'est elle qui me dit, à moi : eh ! bien qu'en penses-tu ?

Cela me surprit, je l'avoue. Elle dit cela d'une voix basse, pas effrayée, non, mais comme si elle ne savait vraiment que dire et comme si elle pensait vraiment que j'allais peut-être trouver quelque chose qui ne lui était pas venu à l'esprit.

Eh ! bien, Olga, lui dis-je, j'ai l'impression qu'il y a quelque chose de bizarre dans tout ça.

Oui, oui, fit-elle.

Nous restâmes longtemps immobiles. On ne pouvait pas dire que ce fût un moment adéquat pour parler de choses importantes. A cause des enfants, je veux dire. Par exemple, le bébé d'en face serait tombé dans le bassin si je ne l'avais pas retenu.

Ce n'est que maintenant que j'ai l'impression soudaine *qu'il se passait quelque chose, chaque fois.*

Oui, ça a commencé très tôt. George avait sept ans.

Oui, avec la femme, à New York.

Miriam.

Elle était juive ?

Oui.

Ce qu'ils étaient n'a jamais eu d'importance.

Non.

Alors je lui dis, de la même voix qu'elle avait en me parlant, mais dans

*mon cas c'était parce que j'étais un peu effrayée en réalité : George n'est
pas comme les autres en somme ?*

Voilà, ça doit être ça.

Qu'en pense Simon ?

*C'est lui qui s'en est aperçu le premier. J'étais terrifiée à un certain
moment, Rachel. Mais il m'a rassurée. Il m'a dit d'y réfléchir. C'est ce que
j'ai fait. Je n'ai jamais pensé à rien avec autant d'intensité. Je crois que
depuis ce temps-là, je ne pense qu'à cela. Oui, je peux le dire, Rachel.*

*Ce fut tout ce jour-là. Je reportai le bébé à sa mère. En tout cas, à vivre
de cette manière, on ne peut pas dire que nous ne soyons pas intimement
intégrés à la vie marocaine dans ce qu'elle a de plus spontané.*

Ça fait un moment que je suis assise à réfléchir.

*Cette pièce est ma chambre. Elle ressemble davantage à un cagibi qu'à
une chambre. Mais je l'aime. Elle est très fraîche parce qu'elle est faite en
pisé. Elle sent la terre. La terre mouillée, parce que je l'asperge d'eau, le
matin avant que le soleil chauffe. Et je jette de l'eau, matin et soir,
devant la porte pour coller la poussière ; ça sent merveilleusement
bon.*

*Quand je regarde par la porte, je vois du ciel bleu. C'est tout. Du ciel
bleu. Et chaud.*

Deux choses me préoccupent en ce moment.

La première. Benjamin. *L'une des raisons pour lesquelles Benjamin est
si difficile,* insupportable, *même, qu'il boude si souvent et qu'il essaie de
se disputer avec George, c'est qu'il est jaloux de ce que George fréquente
tellement Hasan. Pourtant Hasan lui a demandé plus d'une fois de venir
avec lui au café ou ailleurs mais Benjamin refuse toujours. C'est parce
qu'il pense qu'on l'endort à coups de séances au café et de promenades
nocturnes. Je le sais parce que je n'ai qu'à me regarder pour m'en rendre
compte. Je pense à George, qui a toutes sortes de rapports profonds avec
Hasan — je ne sais pas lesquels — et les cafés, ce n'est pas grand-chose à
côté. J'ai interrogé George plusieurs fois, le soir, quand nous sommes
allongés sur le toit mais il me répond : nous parlons, c'est tout.*

*Quand je pense à tous ces gens, partout, et à mes questions, je
m'aperçois qu'il m'a toujours répondu : nous parlons, c'est tout. Ou : il
me raconte des choses.*

Benjamin a refusé, dès le début, les contacts particuliers. *Depuis l'âge
de sept ans à New York, quand il n'aimait pas Miriam. C'est la vérité. Il a
toujours eu des possibilités, comme George, mais il les a toujours
refusées. Je ne peux pas m'empêcher d'y penser. J'y pense en ce moment et
j'y découvre quelque chose de si horrible que je suis dans tous mes états*

258

parce qu'évidemment je me dis : et moi, qu'est-ce que j'ai refusé ? A moi aussi on a tout proposé mais je me suis toujours trouvé une bonne raison pour ne pas accepter. Comme lorsque j'aimais tellement Mrs. Jones que je voulais rester à la maison avec elle, à faire de la cuisine et à nourrir les poules.

Benjamin. Ça a toujours été pareil. Ce qu'il a toujours voulu depuis le début, c'était quelque chose de plus que ce qu'on lui offrait. Il a toujours voulu être invité seul par Miriam, Hasan ou les autres. Je parie qu'il n'aurait pas trouvé Miriam ennuyeuse si elle l'avait invité tout seul. Et lorsque nous avions des précepteurs et que George sortait avec l'un d'eux, Benjamin ne les accompagnait jamais. Une fois, il a dit : qu'il est bête, ce noir ! Ce qui est drôle, c'est qu'il ne le pense absolument pas. Je veux dire, il ne pense pas que les noirs sont stupides et tout ça. Il dit ça pour faire du genre. Et c'est effrayant, quand on y pense. Je veux dire : tout le monde peut jouer la comédie, mais après, on ne peut plus s'en débarrasser. Comme le mime qui ne pouvait plus enlever son masque. Il y a quelque chose d'effrayant dans tout ça. En vérité, Benjamin n'aime pas vivre ici. Il est toujours en train de faire des plaisanteries sur « le quartier indigène ». Et pourtant, il adore dormir sur le toit, il est ami avec tous les gosses du coin et il est très gentil avec les petits. Et c'est sincère. Ce qu'il aimerait, c'est un charmant appartement moderne et sans âme, dans un charmant immeuble moderne et sans âme, avec des gens charmants et sans âme. Ce que je pense, maintenant que je pense vraiment, c'est que Benjamin dit ça simplement parce qu'on le traite comme les autres. Mais George a toujours été traité comme les autres. George s'est toujours contenté de ce qui existait. Il le voyait, mais pas Benjamin.

Pourtant ce n'était jamais grand-chose. Du moins pensions-nous à l'époque.

On pourrait même dire que rien n'est jamais arrivé. Qu'est-ce qui s'est passé, après tout ? George a fait des excursions, du camping, a été invité au salon de thé ou dans les musées par les uns et les autres. Ou bien un précepteur a dit : allons au parc, ou à la mosquée, ou ailleurs. Ou bien des conversations, assis au pied d'un arbre, sur un trottoir. Un jour j'ai vu George assis avec Ibrahim par terre, au pied d'un arbre. Il avait peut-être neuf ans. Ou dix. C'était au Nigeria. Ils parlaient. C'est tout. En les regardant, j'aurais voulu être avec eux. Mais je crois que j'ai dû dire non quand ils m'ont invitée. Je ne me rappelle pas mais c'est ce qui a dû se passer.

Qui sont ces gens ? C'est ça le problème. Quand cela fait un moment qu'ils viennent chez nous, je me dis : ça y est, ça recommence.

Quoi, ça ?

C'est ça, le problème.

C'est ça la deuxième chose qui me préoccupe. Qui *sont ces gens ? J'ai eu de l'amitié pour Hasan dès le début mais je le trouvais vieux. Je ne pense pas qu'il le soit. Maman dit qu'il a environ quarante-cinq ans. A peu près l'âge de Simon.*

Hasan parle beaucoup à George. Il passe plus de temps avec George qu'aucun des autres « contacts particuliers ».

George voit Hasan presque chaque jour. Il est allé avec Hasan à la Ville Sainte pendant une semaine. Maintenant que j'y pense vraiment. *Pas plus tard que le mois dernier. Quand George est rentré, j'ai remarqué que les parents ne lui ont pas demandé ce qui s'était passé là-bas. Ils traitent tous les deux George comme s'il était adulte. Il a seize ans. Ont-ils peur de lui ?* Ce n'est pas le mot juste. *Il y en a un, mais je ne le connais pas.*

Voici ce que je veux dire. Plus on pense à tout ça, plus c'est renversant. Mais pas de façon emphatique, comme quand on dit : ça, c'est renversant ! Je veux dire, l'esprit descend de plus en plus profond dans les choses.

Chaque jour j'ai davantage à penser. (J'écris ceci par petits bouts, un peu tous les jours.) Et entre-temps je réfléchis beaucoup et je pose des questions à maman. Quand George rentre, j'essaie de lui parler, mais ça n'arrive pas très souvent. Il n'est pas méchant avec moi, il ne me taquine pas comme il le faisait autrefois, avant d'être adulte.

Je voudrais revenir au temps où George n'était pas encore adulte. Je ne veux pas devenir adulte. Je veux rester petite fille. J'écris ceci parce que je suis supposée dire la vérité. Eh ! bien ça c'est la vérité. Parfois (c'est récent) je regarde vivre Simon et Olga ; comme leur vie est dure, tout le temps, je m'en rends compte ; ce n'est pas seulement qu'ils travaillent dur — je le comprends seulement maintenant — mais que leur vie est pesante. *Ça, c'est le mot* juste. *Pour une fois. Et je vois George en ce moment et je sais qu'il trouve la vie dure.*

Je dirais qu'il réfléchit avec fureur. A mon avis, c'est la chose primordiale. Il a quelquefois un air que je sens sur mon propre visage lorsque je reste assise à penser et à penser sans trêve. Comme si les choses se pressaient si fougueusement dans l'esprit qu'on a peur de ne pas pouvoir les retenir toutes. Que l'on sait *ne pas pouvoir toutes les retenir.*

Il s'isole beaucoup. Parfois il va dans la cour et tous les enfants de cette maison et de nombreuses maisons alentour sont là aussi. Il joue avec eux et leur raconte des histoires mais il réfléchit. Il ne tient pas en place. Aussitôt assis il se lève et s'en va comme si une épingle l'avait piqué. Dès que le soleil se couche, il monte sur le toit. Il en oublie de manger. Quelquefois je lui monte une assiette. Qu'il donne souvent aux gosses. Il va sans dire qu'ils sont tous affamés la plupart du temps. Adossé à un petit morceau de toit, une jambe tendue et les bras autour de l'autre genou fléchi, il reste assis à regarder par-dessus les toits et dans le ciel. Et il pense. Parfois, la nuit, je me réveille et je le vois assis, qui regarde le ciel. Et nos parents se réveillent aussi mais se rendorment aussitôt. J'en arrive à me demander s'ils savaient réellement que souvent il ne dormait pas la nuit quand il avait quatre ou cinq ans, sans parler de quand il en avait sept et que Miriam a fait son apparition. Ont-ils su tout cela ? J'ai essayé d'aborder le sujet avec maman, mais je vois qu'elle n'aime pas parler de ça. Je pense qu'elle était au courant dès le début, mais n'a compris ce qu'elle en pensait que plus tard, comme moi. Ça, déjà, en soi, c'est difficile. Pesant. Parce que si ce que nous pensons maintenant est différent de ce que nous pensions alors, il va de soi que ce que nous penserons dans un an sera encore différent. Ou même dans un mois, à voir comme mes pensées évoluent en ce moment ! Les pensées sont les dernières choses auxquelles on puisse se fier.

Et pourtant, malgré cela, quelque chose existe, à quoi l'on peut se fier. Derrière les pensées.

Malgré cet événement très étrange — quel qu'il soit — qui se produit en ce moment, notre vie de famille est tout à fait ordinaire et normale ; même Benjamin est normal, je suppose. Il existe d'autres familles avec des enfants pesants. Papa, lorsqu'il ne peut plus supporter Benjamin, dit qu'il est « pesant ».

Benjamin est vraiment insupportable. Mais je sais que ce qui le rend comme ça, c'est de ne pas comprendre où il a fait fausse route. Il doit savoir qu'il a dit « non » à ce que George fait en ce moment. Il doit y penser. Benjamin est peut-être « pesant » mais il n'est pas idiot. George le rend fou, absolument. Il ne fait que penser à ça.

Quand George est revenu de sa semaine à la Ville Sainte, il ne lui a pas posé une seule question mais n'a pas cessé de tourner autour de lui d'un air furibond. George est toujours gentil avec Benjamin. Enfin presque toujours. Comme avec moi. Mais je sais que, souvent, il est trop absorbé pour se rendre compte que nous sommes là. Et il voudrait nous voir ailleurs. Je tourne autour de George, moi aussi. Je suis toujours à l'affût d'un mot ou d'un regard de George, sans parler d'un sourire. Lorsqu'il n'était encore qu'un enfant, il avait un sourire merveilleux. Un sourire gentil, chaleureux. Mais il a moins envie de sourire à présent. Il marche tout voûté. On dirait qu'il a sur les épaules un poids invisible dont il fait de son mieux pour ne pas se débarrasser. Parfois, il a un air tourmenté.

Et puis, tout à coup, généralement quand nous sommes tous à table ou sur le toit, il devient très drôle, très animé, fait plein de tours amusants et se montre très tendre avec nous. J'observe maman et papa et je vois qu'ils sont soulagés. Ils adorent le voir comme ça. Et Benjamin redevient petit enfant et se met à crier et à rire trop fort, mais c'est de soulagement. Je suis pareille, je le crains.

J'espère que je ne pèse pas autant à Simon et Olga que Benjamin.

Je viens de fermer les yeux et de revoir l'expression de leur visage quand ils regardent Benjamin. C'est une expression de patience et d'humour. Quand ils regardent George, leur visage est doux et joyeux. C'est le mot exact. J'adore regarder leur visage quand George se met à être drôle et gentil. C'est tout à fait comme s'ils venaient de recevoir un merveilleux cadeau. Je ne crois pas qu'ils pensent que Benjamin et moi soyons de merveilleux cadeaux. Si j'en juge par leur visage.

Je m'aperçois que ce passage consacré aux faits ne parle que de George. Je ne savais pas, quand j'ai commencé, que ça se passerait comme ça.

C'est Hasan qui m'a dit que je devrais écrire ce journal.

Je n'avais pas réellement oublié que c'était Hasan, mais j'avais un peu relégué le souvenir dans un coin de mon esprit. Je ne serais pas du tout surprise de l'oublier complètement un jour.

C'est drôle de voir ce que nous nous rappelons et ce que nous choisissons d'oublier.

Voici comment c'est arrivé.

C'était juste après le coucher du soleil. La lune se levait. Les étoiles n'étaient pas encore toutes apparues. C'était merveilleux. On est bien au soir d'une chaude journée. La poussière sent fort et bon parce qu'on l'a aspergée d'eau. Les cris et les propos qui montent de la ville deviennent mystérieux. Et l'Appel à la Prière, aussi. J'adore ça. J'aurais horreur de partir d'ici. J'espère que nous n'y serons pas obligés d'ici longtemps. Mais je pense que ça ne durera pas. Et l'odeur des épices dans la nourriture. Je m'en enivre tous les soirs au coucher du soleil.

George était monté seul sur le toit. Ce fut plus fort que moi : j'y montai après lui. Il me sourit quand j'arrivai mais resta assis où il était et ne fit plus aucune attention à moi. J'étais malheureuse parce qu'il faisait comme si je n'existais pas. Peu de temps après, Hasan est monté. George ne sembla pas surpris de sa présence. Hasan s'assit à l'autre bout du toit. Il resta un certain temps silencieux. La chaleur montait de la terre du toit dans mon

*dos et mes pieds. Je ne me rappelle plus comment la conversation
s'engagea. Maintenant que j'y repense et que je relie ceci aux autres fois où
je me suis trouvée avec George et Hasan, je m'aperçois que, souvent, je ne
faisais pas attention au début des conversations. George et Hasan
parlaient, surtout Hasan, et George l'écoutait intensément. Il hochait
parfois la tête ou souriait comme lorsque quelque chose lui plaît. Ce
soir-là, je compris.* Je compris que j'étais en train de comprendre.
*J'aurais pu comprendre plus tôt que lorsque George est avec Hasan et
qu'Hasan parle, George entend des choses dans ce qu'il dit qui me
dépassent tout à fait.* Que je suis incapable d'entendre. *Au visage de
George, je voyais qu'il y avait beaucoup plus qu'il n'y paraissait dans les
choses très ordinaires qui se disaient. Et que j'étais incapable de saisir.
C'était trop rapide pour moi. Ça me passait au-dessus de la tête. En
apparence, la conversation n'avait pas grand intérêt. Je pensais, pour
calmer mon* angoisse, *qu'ils ne parlaient pas de choses bien importantes ni
extraordinaires. Et pourtant le visage de George ne cessait de s'éclairer au
fur et à mesure qu'il comprenait les choses que lui seul entendait.*

*J'étais si malheureuse et si frustrée que je me sentais au bord des
larmes.*

*Hasan s'en aperçut et garda un œil sur moi tout en continuant à parler à
George un moment. Puis il se tourna vers moi, de façon à me faire face, et
se mit à me parler, pas de la même façon, de façon plus simple. Il me
demanda si je tenais un journal ou quelque chose comme ça. Je lui dis que
je tenais un petit journal dans lequel je notais des choses comme : j'ai pris
une leçon d'arabe ou de guitare, ou : je suis allée au collège. Il me dit qu'il
aimerait que j'écrive l'histoire de mon enfance.*

*Il faut maintenant que j'avoue quelque chose. La vérité. Quand il m'a
dit ça, comme ça, en passant, j'ai été submergée d'une énorme vague de
colère. Il n'était ni mon précepteur ni rien ! Qu'est-ce qui lui prenait, de
me dire de faire ci ou ça, comme s'il en avait le* droit ! *Mais tout en
ressentant cette colère, je pensais que s'il m'avait demandé de passer tous
les après-midi avec lui, à parler, sans que George soit là, je n'aurais
ressenti ni colère ni dépit. Au contraire !*

Je savais qu'il comprenait exactement mes sentiments.

*Alors il me fit un petit signe de tête comme pour dire : ça peut attendre,
ne t'en fais pas.*

*Puis il continua à parler à George de cette façon qui me passait
au-dessus de la tête.*

*J'aurais voulu qu'il me parlât de nouveau, qu'il me posât des questions.
Je mourais d'envie qu'il me répétât qu'il voulait que j'écrive quelque*

chose pour lui. J'avais toutes sortes d'idées en tête. Je pourrais lui écrire le compte rendu de quand j'avais accompagné Olga pendant l'épidémie virale et avais aidé à soigner les malades pendant tout un mois. J'aurais voulu qu'il me vît comme quelqu'un de raisonnable et de responsable. Olga m'avait dit que je lui avais été très précieuse pendant l'épidémie parce qu'elle pouvait être sûre que je ferais exactement ce que j'avais dit que je ferais. J'étais fière à en mourir quand elle m'avait dit ça mais j'aurais voulu qu'Hasan me vît sous ce jour. Et quand ils recommencèrent à ne faire aucune attention à moi, je me mis à penser des choses bêtes et vulgaires, du genre : très bien, si tu penses que je ne suis qu'une petite bécasse, insipide et sans intérêt, attends, je vais l'être. Et je restai assise là, pleine d'ironie (exactement comme Benjamin), pensant que j'allais écrire des rédactions comme celles, complètement idiotes, qu'on m'avait demandé de rédiger dans certaines écoles, du type : qu'avez-vous-fait-pendant-vos-vacances ?

Tandis que je pensais à ça, je n'écoutais pas du tout George et Hasan, et pourtant, maintenant je donnerais n'importe quoi pour avoir de nouveau l'occasion d'être là, simplement assise, à essayer d'entendre. Je n'en avais jamais eu l'occasion auparavant. D'être avec George et Hasan pendant deux heures toute seule, pendant qu'ils parlaient. Qui me disait que je la retrouverais ? Et je gâchais celle qui m'était donnée. Je vois maintenant que tout ceci était calculé : j'avais toujours voulu frénétiquement être avec George et Hasan, faire toutes les choses exaltantes que j'imaginais qu'ils faisaient — je ne sais pas quoi d'ailleurs ! Et voilà que tout ce qui arrive, c'est qu'Hasan parle de cette manière ordinaire et pourtant spéciale, et que George le comprend. Il est fasciné. Il est si absorbé qu'on pourrait lui jeter un seau d'eau à la tête sans qu'il s'en aperçoive, ma parole.

Mais quand on m'offrit, à moi, la même chose, je ne sus pas écouter, mes émotions l'emportèrent. Et j'étais là, assise par terre, furieuse, folle du désir qu'ils me regardent et me parlent, comme un petit enfant.

Je vois maintenant que ceci avait été calculé de sorte que je me rende compte — qu'on me force à me rendre compte — de combien j'étais encore loin de pouvoir profiter des leçons d'Hasan.

En tout cas, puisque je dis la vérité, voilà ce que je fis. Je descendis du toit en trombe et cherchai une rédaction que j'avais écrite au cours de Composition anglaise. J'étais fière de cette rédaction. J'avais obtenu une bonne note. Mais maintenant je n'en suis plus si sûre. J'inclus ici la rédaction. Elle n'était pas longue. C'est parce que j'essayais de donner l'impression que de nobles sentiments me retenaient — ou quelque chose comme ça.

LE VIEIL HOMME ET LA VACHE MOURANTE

A la télévision, hier soir, j'ai vu quelque chose qui m'a émue et transformée à jamais.

La télévision était sur la place de la ville et beaucoup de gens la regardaient. C'étaient tous des pauvres qui n'ont jamais mangé à leur faim.

C'était une émission sur la famine au Sahel. Plusieurs famines, en réalité, parce qu'on avait pris des vues de différents programmes afin de constituer un compte rendu global.

L'une des prises de vue est restée dans ma mémoire.

Un vieil homme est assis près d'une vache.

Le vieil homme est extrêmement maigre. On voit ses côtes. Ses clavicules et le haut de ses bras sont ceux d'un squelette.

Mais il a une expression patiente et sage, et des yeux pensifs. Il est très digne.

La vache est si maigre que sa peau est tendue sur ses côtes et que les os de son bassin pointent horriblement. On voit déjà comment elle sera quand elle sera morte, dans quelques jours.

Mais quand elle regarde la caméra, son regard est patient et sage.

Il n'y a que de la poussière sur des kilomètres à la ronde. Non loin de là, un carré de tiges desséchées. C'était le millet, planté pour nourrir la famille pendant l'année. Mais la sécheresse l'a tué.

La vache a marché jusqu'à ce qu'elle chancelle et s'écroule sur le sol. Elle ne se relèvera plus. Elle va mourir là.

Le soleil incandescent se couche.

Le vieil homme a construit un petit toit pour protéger la vache du soleil. Avec quelques roseaux placés en travers de quatre bâtons. Ils donnent une ombre maigre.

La vache est son amie.

La vieil homme est assis près de la vache. Elle est dans l'ombre zébrée des roseaux mais lui est en plein soleil. Le vent les couvre tous deux de poussière.

Il n'y a pas assez d'eau pour tout le monde.

Le vieil homme a un peu d'eau dans un gobelet de métal. Parfois, la vache se met à haleter et laisse pendre sa langue ; alors il verse quelques gouttes d'eau dessus et en avale quelques gouttes lui-même.

Ils sont là, assis tous les deux. Il restera à côté de la vache jusqu'à ce qu'elle meure.

265

La vache sait qu'elle va mourir.

La vache pense qu'elle a toujours appartenu à cet homme et à sa famille. Mais la femme et les enfants sont morts. La vache se demande pourquoi elle est là, allongée, incapable de se lever, près du vieil homme, et pourquoi il y a de la poussière partout, pas de pluie, pas de nourriture et pas d'eau.

La vache ne comprend pas.

Le vieil homme ne comprend pas. Mais il dit que c'est la volonté d'Allah.

Moi, je ne pense pas que ce soit la volonté d'Allah.

Je pense que tout cela est horrible, horrible et qu'Allah nous punira tous d'avoir laissé le vieil homme mourir avec sa vache dans le désert brûlant.

Pourquoi, oh ! mon Dieu ?

Pourquoi, oh ! Allah ?

Je remontai donc sur le toit avec ceci en main, prête à le donner à Hasan. Il parlait à George et n'avait pas l'air décidé de faire attention à moi. Je me rassis donc.

A présent, le ciel était plein d'étoiles étincelantes et c'était le moment où tout le monde, dans les petites maisons, dînait. Je savais que notre souper n'allait pas tarder à être prêt.

Presque aussitôt, Olga cria en effet : le souper !

Hasan avait fini de parler et se leva. Il portait la djellaba blanche habituelle et paraissait très grand, un peu ténébreux. Mon cœur me faisait mal. Très mal. Je ne savais pas quoi faire. J'étais folle d'angoisse.

George, qui s'était levé, se tenait à côté d'Hasan. Je vis, à ma grande surprise, qu'il était presque aussi grand qu'Hasan.

Tous deux me regardaient, immobiles, grands et ténébreux au milieu des étoiles.

Hasan sourit. Je lui tendis ma rédaction mais il ne la prit pas. Évidemment. Il ne me l'avait pas demandée !

Alors je lui dis tout d'un trait : je veux bien le faire, je vais faire le journal, j'en ai envie, je vous assure.

Bon, dit-il seulement.

Et croyez-moi si vous voulez, je me sentis de nouveau furieuse parce qu'il n'avait pas pris ma fameuse rédaction. Ou comme s'il avait dû me complimenter ou sauter de joie ou je ne sais quoi parce que j'avais dit que je voulais bien faire le journal.

Je descendis la première par les escaliers extérieurs.

George me suivit. Puis Hasan. Je mourais d'envie qu'Hasan restât souper avec nous. Comme il l'avait fait plusieurs fois.

Mais arrivé en bas des marches, il nous dit bonne nuit. George lui dit bonne nuit et ce fut tout.

Benjamin n'était pas au souper, Dieu merci.

Voilà comment j'en suis arrivée à écrire ceci.

Maintenant je sais pourquoi il voulait que je l'écrive.

Ce passage-ci est écrit plusieurs semaines plus tard. Neuf, pour être exacte.

Deux faits. Tout d'abord, ça fait plusieurs fois que je me trouve — j'emploie ce mot parce que c'est toujours par hasard, apparemment — avec Hasan et George lorsqu'ils parlent. Ou plutôt qu'Hasan parle et que George écoute. Du moins, maintenant, je ne me mets plus dans tous mes états et je ne me torture plus intérieurement. Je peux écouter. Il m'est même arrivé d'avoir une idée de ce qu'ils disaient. Mais en vérité, je sais qu'après avoir assisté à une conversation comme celle-là, George a compris une chose et moi une autre. C'est inévitable avec ce genre de propos.

Ensuite, George a fait quelque chose que je n'aurais jamais, mais alors jamais imaginé de sa part. Il est devenu le chef de toute une bande de garçons du collège. Ils sont tout aussi bêtes, bruyants et infernaux que les autres bandes. Ils sont toujours en train de courir çà et là, de faire des discours et de se donner de l'importance.

George est avec eux.

Je trouve ça épouvantable.

Je sais que maman n'est pas contente, ni papa non plus.

Quant à Benjamin, évidemment, il boit du petit lait et se réjouit de pouvoir le mépriser.

Mais en même temps, George est toujours fourré avec Hasan. Je ne sais plus que penser.

J'écris ceci plus tard. Des mois plus tard.

George est allé en Inde rendre visite à la famille de grand-père.

Il est encore plus adulte qu'avant, si c'est possible, mais il dirige toujours cette bande épouvantable et il est bien davantage avec Hasan qu'avec nous.

267

Histoire de Shikasta, vol. 3014, *Période intermédiaire entre la Deuxième et la Troisième Guerre mondiale.* Différents types d'armées : Les Armées de la Jeunesse.

« L'actualité projette son ombre devant elle. » Cette observation shikastienne convient parfaitement à une époque où le rythme des événements s'accéléra de façon aussi considérable. On décelait aisément de petits signes avant-coureurs de phénomènes sociaux majeurs, non un ou deux siècles avant mais quelques années, quelques mois parfois. Jamais, sur Shikasta, il n'avait été plus facile de voir ce qui se préparait ; jamais il n'avait été aussi *facile,* pour les Shikastiens, de comprendre la simple vérité, qui était qu'ils ne contrôlaient plus les événements.

Déjà, pendant la huitième décennie, tous les gouvernements de Shikasta se préoccupaient, souvent dans la crainte et le secret, des conséquences du chômage généralisé, particulièrement chez les jeunes. Il était clair que des technologies nouvelles (et souvent imprévues) entraîneraient inévitablement le chômage universel — même en dehors de la crise économique mondiale imputable surtout à la dépense des richesses et des ressources de la planète pour les guerres et la préparation des guerres —, inévitablement, même si la population n'augmentait pas à l'allure qui était alors la sienne. (Les obstacles à cette augmentation, dus à la mortalité par famines, épidémies et catastrophes naturelles — ces dernières considérablement augmentées par les pressions cosmiques — n'exercèrent d'effets marquants que plus tard.)

Dès cette époque, la connaissance de la psychologie de masse, du contrôle des foules et de la psychologie des armées était très avancée dans les limites que Shikasta s'était imposées à elle-même. [Voir sous-section 3, « Les Changements de critères et de normes dans les domaines scientifiquement " respectables " et permis. Le Fanatisme scientifique analysé et comparé aux fanatismes politique et religieux dans plusieurs types de sociétés », vol. 3010, chapitre 9, « Résultats des recherches secrètes effectuées dans les établissements scientifiques de l'armée et leur impact sur la science dans les Secteurs Public et Révélé ».]

Tous les gouvernements avaient conscience des dilemmes devant lesquels ils se trouvaient et la plupart s'engagèrent, à des degrés divers, dans des discussions soutenues et permanentes avec des spécialistes des problèmes démographiques.

Dès la fin de la décennie, personne n'ignorait ce que l'on pouvait craindre de ces masses de jeunes en chômage chronique. Déjà, les grandes villes étaient désarmées devant la violence aveugle, sans objet, désordonnée de petits groupes de jeunes hommes et de jeunes femmes qui, « sans raison », détruisaient tout ce qu'ils pouvaient. Les installations qui donnaient aux grandes villes de Shikasta ne fût-ce qu'un semblant de confort — téléphones, transports en commun, parcs, bâtiments administratifs, tout ce qui, en fait, appartenait au domaine public — pouvaient être à tout moment détruits, dégradés ou temporairement détraqués. Les villes étaient devenues dangereuses la nuit car ces bandes de jeunes volaient, attaquaient, assassinaient, toujours de façon impulsive, sans haine, presque par jeu.

Le remède — à savoir une augmentation des forces de police — c'est-à-dire, en fait, une militarisation accrue, ne faisait que souligner la nature même du problème. Nous assistons ici à un effet de boule de neige : une plus grande surveillance policière, des peines plus lourdes et un entassement toujours plus grand de criminels dans des prisons déjà pleines à craquer entraînent inévitablement un accroissement de la surveillance et du pouvoir policier, des peines encore plus lourdes et une intensification des brutalités infligées à la population délinquante. Mais ceci n'était que le début du problème, ses premiers balbutiements. Des bandes de jeunes, la plupart — à cette époque du moins — des garçons, se déchaînant lors d'événements tels que matches sportifs et spectacles ; la violence occasionnelle, sporadique, apparemment gratuite, de la part de petits groupes d'individus : tous ces symptômes n'étaient qu'un faible avant-goût de l'avenir, un signe avant-coureur, bien que la vie publique des grandes villes eût déjà beaucoup changé et que les anciens pleurassent la disparition des normes et commodités de la vie citadine ; car il ne faut pas oublier que si, d'un côté, nous sommes en mesure d'évoquer et d'étudier un siècle de barbarie toujours plus grande et d'horreur accrue, de l'autre, une famille désireuse de vivre en paix et sans drame, pouvait facilement trouver une rue tranquille à condition d'avoir la chance d'habiter une région protégée et favorisée, et à condition de pouvoir adopter un certain état d'esprit permettant de réduire la guerre — et ses conséquences — à quelque chose de lointain qui ne la concernait pas ou à quelque chose qui lui était arrivé entre telle et telle date mais qui avait disparu.

Durant toute cette période de guerre quasi permanente où toute la richesse de Shikasta était investie dans la guerre, où chaque moyen d'information déversait des nouvelles de guerre ou de préparatifs de guerre, il était néanmoins possible, dans beaucoup de grandes villes, sur de courtes périodes et à condition d'accommoder sans cesse son esprit à la situation, de vivre dans un état de confortable illusion.

269

Mais cela n'était pas possible au niveau des gouvernements qui devaient faire face au problème des multitudes de gens, presque tous jeunes, qui n'avaient aucun espoir de travailler, qui n'avaient jamais travaillé et dont l'éducation ne les avait préparés qu'à l'oisiveté.

A un certain moment, leur nombre augmenterait dans de telles proportions qu'il faudrait s'attendre à des manifestations plus graves que des actes de violence isolés et spontanés ou de vandalisme occasionnel. En foule, en masse, comme à un signal donné, mais ne voyant là que l'effet du « hasard », ils déferleraient sur les villes, brisant tout sur leur passage, tuant — au hasard, sans raison — ceux qu'ils trouveraient dans les rues, puis, quand l'orgie de destruction serait terminée, reprendraient, mornes et hébétés, le chemin de la maison. Des hordes, de petites armées, des gangs ou même de petits groupes ravageraient les campagnes, tuant les animaux, renversant les machines agricoles, brûlant les récoltes, saccageant tout.

On voyait bien ce qu'il y avait à faire. Et on le fit. Nombre de ces pyromanes et vandales potentiels furent envoyés dans diverses organisations militaires portant des titres civils ; ce qui fut fait, en réalité, c'est ce qui se faisait toujours sur Shikasta en temps de troubles : on lançait le voleur sur les traces du voleur, les spoliateurs étaient contrôlés par d'autres spoliateurs habillés d'un uniforme et transformés en fonctionnaires.

Mais il y en aurait encore, encore et toujours davantage... en réalité, il y en aurait de plus en plus : des millions, et des millions, et des millions...

Les armées ont leur propre dynamisme, leur propre logique et leur vie propre.

Tout gouvernement qui fait endosser l'uniforme à des hommes ou des femmes et les garde dans un endroit où ils sont soumis à une intense discipline, sait qu'il devra continuellement et vigoureusement soumettre cette masse à l'exercice pour être sûr que *ses énergies sont canalisées dans la bonne direction*. Peu de Shikastiens, cependant, donnèrent à cette expression les dimensions qu'ils auraient pu, et dû, lui donner. Des masses d'individus militarisés ne sont plus des individus ; ils obéissent à des lois particulières et ne peuvent être laissés dans l'oisiveté, car ils se mettront bientôt à brûler, piller, saccager et violer, du fait même de leurs diverses tendances accumulées.

Les remèdes ne furent ni nombreux ni efficaces, en tout cas pas pour longtemps. L'un d'eux consistait à créer non pas une seule armée au service d'un seul slogan, d'un seul chef et d'une seule idée, mais le plus

270

grand nombre d'armées possible, revêtues de toutes sortes d'uniformes. Dans chaque zone géographique existaient des douzaines de sous-armées que l'on encourageait à se considérer comme différentes les unes des autres. Que l'on encourageait également à s'affronter de toutes les manières possibles et imaginables : sports, jeux d'équipe, simulacres de combats, expéditions, marches, ascensions, marathons. Tout Shikasta était envahi de jeunes gens athlétiques vêtus de milliers d'uniformes différents, qui rivalisaient entre eux fougueusement et bruyamment dans des activités que le gouvernement maintenait à grand-peine inoffensives.

Cependant les millions se multipliaient.

De plus en plus, la richesse de la planète servait à la guerre, à la stérilité.

Ces armées étaient nourries, chauffées, dorlotées tandis que les populations étaient de plus en plus démunies et que les ressources de la planète s'épuisaient. Terrorisés par leurs « protecteurs », entièrement dépendants des masses en uniforme, les civils, inorganisés, non militarisés, non institutionnalisés, sombraient irrémédiablement dans l'insignifiance et l'impuissance.

La coupure entre les jeunes — en uniforme ou espérant bientôt l'être — et les vieux, ou même les adultes, était presque totale. Les vieux devenaient de plus en plus invisibles aux jeunes.

Au sommet de cette pyramide siégeait la classe privilégiée des techniciens, organisateurs et tripoteurs, avec ou sans uniforme. Une classe cosmopolite d'experts en technologie, de planificateurs et d'organisateurs, vivant aux frais de la princesse, voyageait sans cesse, conférait sans cesse, et formait, d'un pays à l'autre, un réseau d'experts et d'administrateurs dont la conscience de la situation désespérée de Shikasta faisait perdre tout leur sens aux barrières idéologiques et nationales existant entre eux, tandis que dans les strates inférieures, ces barrières ne faisaient que s'intensifier, se renforcer. Car les populations trop nombreuses, entassées les unes sur les autres, avalaient avec l'air qu'elles respiraient toutes sortes de slogans et d'idéologies, auxquels elles ne pouvaient échapper.

Ces milliers d'armées de jeunes, avec leurs uniformes ou, tout au moins, leurs bannières et leurs insignes bigarrés ne représentaient qu'un des nombreux types d'armées existant sur Shikasta.

Dans chaque pays, l'on trouvait de petites armées spécialisées dont l'entraînement différait de celui des jeunes. Ces armées avaient pour fonction réelle de se battre. La technologie avancée avait rendu obsolètes

271

les grandes armées d'autrefois. Ces armées spécialisées étaient composées de mercenaires, c'est-à-dire d'individus recrutés parmi les volontaires doués pour tuer, ceux qui avaient déjà tué pendant les guerres précédentes ou ceux qui cherchaient un prétexte pour exercer leurs instincts barbares.

Bien que la plupart de ceux qui formaient les armées de la jeunesse n'aient reçu qu'une modeste éducation, et de toute façon sans rapport avec les problèmes auxquels ils se trouvaient désormais confrontés, ceci ne signifiait pas qu'ils n'aient pas été soigneusement endoctrinés par les médias de propagande, en particulier sur les vertus du conformisme. Les diverses formes d'endoctrinement ne coïncidaient pas toujours avec ce qu'on leur imposait à l'armée. Et il ne faut pas oublier que même les faits les plus simples et les plus fondamentaux enseignés à un jeune Shikastien dans la dernière partie du Siècle de la Destruction étaient forcément plus précis — plus proches de la réalité — que ce que l'on enseignait à son père et à son grand-père. Prenons un exemple : celui des cartes géographiques ordinaires, fabriquées en série et utilisées dans les écoles : les renseignements qu'elles contenaient dépassaient, en exactitude et en complexité, les rêves les plus fous des géographes des deux ou trois décennies précédentes, sans même remonter plus loin. Or, la géographie est la clé de toute compréhension des choses essentielles de la vie, à un point que la plupart des Shikastiens étaient loin d'imaginer. Même les plus sommairement instruits et les moins biens informés des jeunes connaissaient sur le bout du doigt des *faits* qui ne pouvaient que contredire d'une manière ou d'une autre, ouvertement ou implicitement, la propagande dont ils étaient submergés.

Ce que les Shikastiens, au début du Siècle de la Destruction, appelaient « double-entendre » devint rapidement la règle. D'un côté, les Shikastiens utilisaient les langages et dialectes de l'endoctrinement et les utilisaient avec habileté, par instinct de conservation, de l'autre ils utilisaient parallèlement les idées et le langage des *faits* des procédés utiles et de l'information pratique.

Inévitablement, quand les langues et les dialectes d'une culture cèdent la place à une évolution d'ordre pratique, ils deviennent répétitifs, formels — et grotesques. Les expressions, les mots, les associations de phrases se déroulent automatiquement, sans aucun effet ; ils ont perdu toute puissance, toute énergie.

Ce qui se passa bientôt fut ce que tous les gouvernements avaient prévu, redouté et essayé d'empêcher : les armées de la jeunesse se mirent à produire des chefs, mais pas ceux désignés par les autorités. Ces jeunes,

272

hommes et femmes, comprenaient bien, grâce à la qualité d'information encore disponible (malgré les efforts des gouvernements pour l'étouffer), les mécanismes des organisations auxquelles ils appartenaient et les méthodes utilisées pour les commander : leur asservissement, en réalité. C'est ce qu'ils expliquèrent aux masses qui leur obéissaient.

Très vite, les masses de jeunes dirigèrent ce qui, dans ce contexte, n'était ni plus ni moins que leur propre éducation. Ils avaient été dressés pour rivaliser entre eux et à devenir des ennemis formels ; ils n'étaient pas autorisés ou, du moins, pas encouragés à se fréquenter ni à se mêler les uns aux autres ; on leur avait appris à voir dans les uniformes et les décorations autres que les leurs la marque de l'étranger, de la chose à craindre ; leur existence même faisait trembler les gouvernements, l'organisation, l'agencement, en fait chaque moment de leur vie était un aspect de leur superfluité, de leur inutilité dans l'élaboration de la vraie richesse et de leur absence totale de valeur pour la société — tout ceci, ils se l'enseignèrent à eux-mêmes.

Mais le fait de comprendre leur situation ne l'améliorait pas pour autant.

Ils avaient le malheur d'être jeunes dans un monde où des masses d'individus toujours croissantes se battaient pour le peu de nourriture disponible, où il n'existait aucun espoir d'amélioration excepté par la mort d'un grand nombre d'entre eux, et où la guerre était inévitable.

D'un pays à l'autre, sur l'ensemble de Shikasta, circulaient les représentants des armées de la jeunesse, leurs propres représentants, conférant, expliquant, mettant sur pied des organisations et des contacts qui sapaient ou contredisaient totalement les oukases et les ordonnances de la couche dirigeante : celle des experts et des administrateurs. C'était comme si, de tous les coins de Shikasta, s'élevait une grande clameur de désespoir.

Que pouvait-on faire pour changer ce monde dont les jeunes avaient hérité ?

Ils étaient de plus en plus enfermés dans une aversion têtue et morose de leurs aînés qu'ils ne pouvaient juger que totalement coupables. Enfin conscients de leur pouvoir, ils se mirent donc à donner des ordres à leurs supérieurs et aux gouvernements, les dirigeants de Shikasta. Comme cela s'était maintes fois produit sur cette planète, les soldats étaient trop forts pour un État trop faible et corrompu. Néanmoins, cette fois, la chose se passait à l'échelle mondiale. Les gouvernements et leurs bandes d'experts militaires et techniques essayaient bien de faire croire que tel n'était pas le cas, dans l'espoir que quelque miracle — qui sait ? quelque nouvelle découverte technique peut-être — viendrait à leur secours.

Les armées couvraient toute la surface de Shikasta. Pendant ce temps, les épidémies faisaient rage parmi les hommes et ce qui restait de la population animale et de la flore. Pendant ce temps, les millions qui peuplaient la planète commençaient à diminuer sous l'effet des famines. Pendant ce temps, l'air et l'eau se remplissaient de poisons et de miasmes et plus aucun endroit n'en était protégé. Pendant ce temps enfin, toutes sortes de déséquilibres créés par une hubris démentielle engendraient toutes sortes de désastres naturels.

Parmi les multitudes œuvraient nos agents et nos employés, sans bruit, le plus souvent à l'abri des regards, parfois — mais c'était rare — publiquement : Canopus, comme elle l'avait toujours fait, mettait à exécution ses projets de sauvetage et de réforme.

Mais, là aussi, circulaient les agents de Shammat. Et de Sirius. Et des Trois Planètes — poursuivant toutes trois leurs intérêts personnels... à l'insu et loin des regards des habitants de Shikasta qui ne savaient pas s'ils devaient considérer ces étrangers comme des amis ou des ennemis.

JOURNAL DE RACHEL SHERBAN

Notre famille occupe les quatre petites pièces qui font le coin de cette maison de pisé, si le mot convient à une construction faite de petites pièces percées de portes qui donnent sur la rue et de portes intérieures qui donnent sur la cour centrale. Je ne peux imaginer une seule famille vivant ici, à moins de compter des douzaines de gens comme dans les romans russes. Donc, cette construction a été faite pour abriter plusieurs familles pauvres. Au-dessus des pièces se trouve notre petit carré de toit. Il y a six autres familles, chacune avec son petit carré de toit, séparé des autres carrés par des murets assez hauts pour cacher quelqu'un assis ou couché mais pas debout. Papa et maman ont une toute petite chambre. Benjamin et George une autre et moi mon cagibi. Et puis la pièce qui nous sert de salle à manger et de salon quand nous ne sommes pas sur le toit. L'endroit où l'on fait la cuisine se trouve dehors. C'est une espèce de fourneau en terre.

Nous sommes en bons termes avec toutes les familles mais Shireen et Naseem sont nos plus grands amis. Shireen raffole d'Olga et la sœur de Shireen, Fatima, m'adore.

Naseem a fréquenté l'école où il était bon élève. Il est intelligent. Il voulait devenir physicien. Ses parents se sont privés de tout pour qu'il puisse rester au collège mais ils n'ont pas pu l'empêcher de se marier, si bien qu'il avait une femme et un bébé avant l'âge de vingt ans. C'est une façon occidentale de voir les choses. Pour subvenir à leurs besoins, il travaille comme employé de bureau. Il dit qu'il a bien de la chance d'avoir ce travail. Au moins il est régulier. Je me demande souvent l'impression que ça lui fait d'être employé de bureau, de sept heures du matin à sept heures du soir, d'avoir une femme et cinq enfants à vingt-quatre ans.

Je passe une grande partie de mon temps avec Shireen et Fatima. Quand Naseem part travailler et que tous les hommes — sauf les vieux — quittent la maison, les femmes vont les unes chez les autres et les bébés et les enfants semblent appartenir à ce monde. Les femmes papotent, ricanent, se disputent et se réconcilient. Tout ça se passe en famille. Quelquefois, je trouve ça horrible, comme une école de filles. Des femmes ensemble ricanent toujours, deviennent infantiles et se font des petits plats. En Orient comme en Occident. Quand Shireen n'a rien à la maison que deux ou trois tomates, autant d'oignons ou une poignée de lentilles et n'a aucune idée de ce qu'elle va donner à manger à sa famille ce soir-là, ça ne l'empêche pas de faire une petite rissole de lentilles pour une grande amie à elle qui habite en face, dans la cour. Et celle-ci, à son tour, saupoudre de sucre un peu de yaourt et le donne à Shireen. C'est toujours la fête, même avec une cuillerée de yaourt et dix grains de sucre. Elles se gâtent mutuellement, se caressent et se font de petits cadeaux. Et pourtant elles n'ont rien. C'est charmant. C'est bien ça le mot ? Non, sans doute pas.

Shireen est toujours fatiguée. Elle a un ulcère à un sein qui se ferme et se rouvre sans cesse. Elle a une descente d'utérus. Certains jours, elle a l'air d'avoir quarante ans. Naseem est fatigué lorsqu'il rentre de son travail, alors ils se disputent et crient. Elle hurle. Il la bat. Puis il se met à pleurer. Alors elle pleure et le console. Les enfants pleurent. Ils ont faim. Fatima entre et sort précipitamment en poussant des exclamations et en invoquant Allah. Elle dit que Naseem est un démon. Puis que c'est Shireen. Puis elle les embrasse et ils pleurent encore un petit coup tous ensemble. Tout ça, c'est la pauvreté. Pas un de ces individus n'a jamais mangé à sa faim. Ils n'ont jamais reçu de soins médicaux. Ils ne comprennent pas ce que je veux dire quand je parle de soins médicaux. Ils croient que ça désigne le nouveau grand hôpital qui marche si mal que c'est un vrai mouroir, et qu'on va les traiter comme des idiots. Ils n'y mettent pas les pieds. Ils ne peuvent se payer que des remèdes de bonne femme quand ils sont

275

malades. Un docteur qui les suivrait réellement coûte trop cher. Shireen est de nouveau enceinte. Ils sont heureux. *Après s'être disputés je les entends rire. Puis suit une espèce de bonne humeur grondeuse et obscène. Ça veut dire qu'ils vont faire l'amour. J'ai vu Shireen avec des bleus sur les joues et sur le cou après avoir fait l'amour, alors Fatima, la sœur qui n'est pas mariée, ne peut s'empêcher de rougir et les matrones taquinent Shireen. Elle est* fière. *Bien qu'elle souffre toujours du dos et qu'elle soit toujours fatiguée, elle est enjouée et merveilleuse avec les enfants. Excepté quelquefois. Quand elle est si épuisée qu'elle s'assoit et se berce en pleurant et en gémissant. Alors Fatima la cajole et travaille davantage que d'habitude bien qu'elle travaille toujours très dur pour aider Shireen. Puis Naseem la caresse, puis il jure et s'emporte parce qu'elle est exténuée. Puis ils se querellent encore en riant. C'est mystérieux, cette suite de hauts et de bas. Je veux dire il y a un mystère là-dedans. Je n'y comprends rien du tout. Je les observe en essayant de comprendre. Ils ont du respect l'un pour l'autre. Et de la tendresse. Parce que leur vie est si dure, si horrible, et qu'il ne sera jamais physicien, jamais rien qu'un petit employé de bureau. Souvent ça le rend fou rien que d'y penser. Et elle, elle sera vieille à quarante ans. Et certains de leurs enfants seront morts. Maman dit que deux d'entre eux sont trop faibles et ne vivront pas. Du fait qu'aucun des enfants n'a mangé suffisamment de nourritures appropriées ils auront peut-être des lésions au cerveau, dit maman.*

Parfois, quand je vois une vieille femme, je pense qu'elle doit avoir au moins soixante-dix ans et je découvre qu'elle en a quarante, a eu dix enfants dont quatre sont morts et qu'elle est veuve.

Je ne supporte pas ça. Je ne le comprends pas.

Je suis occidentale et je crois en l'égalité des femmes. Je suis ainsi. Olga aussi. Mais quand Olga est avec Shireen et Fatima, elle est exactement comme elles. Elle rit, elle est gaie et familière avec elles. Elles s'amusent follement. Elles se divertissent d'un rien. Je les envie. Croyez-moi si vous voulez. On pense qu'elles sont misérables, opprimées. Et c'est vrai. Elles sont la lie de la lie. Et leurs maris aussi. Quand je compare ces existences qui ne tiennent que par un fil avec ce que je me rappelle bien de l'Amérique, j'ai envie de vomir. Quelle vulgarité ! Quand ces femmes mettent la main sur un vieux magazine américain, un magazine féminin, elles se jettent toutes dessus en riant et s'amusent comme des folles. Les vieux magazines tout déchirés, de ceux que l'on feuillette distraitement chez le dentiste en se disant : quel monceau de bêtises ! elles les manipulent avec le plus grand respect. Chaque réclame idiote leur donne de la joie pour plusieurs jours. Elles prennent une publicité, par exemple, et vont se planter devant le seul miroir du bâtiment. C'est une pauvre vieille chose toute craquelée et sa propriétaire trouve tout naturel que tout le monde s'en serve. Elles enfilent à l'une d'elles une robe bon marché, tentent de la rapprocher du modèle et éclatent de rire.

Je les regarde en pensant à la façon dont nous jetons tout au rebut : rien n'est jamais assez beau pour nous.

Parfois, elles disent qu'elles vont apprendre des langues étrangères comme moi, qui suis si intelligente. Alors elles s'assoient autour de moi et je commence à parler français ou espagnol. Tandis qu'elles m'écoutent, les enfants arrivent et réclament leur attention, alors une se lève, puis une autre. Assise au milieu d'elles, je leur livre mes merveilleuses expressions, qu'elles répètent. Mais à la leçon suivante, elles sont déjà moins nombreuses et à la suivante il n'y en a plus qu'une ou deux. Fatima apprend l'espagnol avec moi. Elle dit que ça pourrait l'aider à trouver un travail plus intéressant. Elles est femme de ménage. Si l'on peut appeler femme de ménage une gamine de dix-sept ans. Les leçons n'ont pas abouti à grand-chose mais elles auront été pour elle une distraction.

Shireen est ravie parce qu'elle attend un bébé, bien qu'elle n'ait même plus la force de se traîner et que cela signifie encore moins de nourriture à la maison. Mais elle se fait du souci parce qu'il est temps que Fatima se marie.

Fatima est très mince. Elle n'est pas jolie mais on la remarque. Elle sait se mettre en valeur. Elle utilise le khôl, le henné et le rouge. Elle a deux robes. Elle les lave et en prend soin. Benjamin dit qu'elles sont justes bonnes pour une vente de charité ! Évidemment, ça c'est bien de lui ! Je déteste que Benjamin côtoie ces gens-là. Ils sont tous si gracieux, si élégants et si agiles. Légers comme l'air parce qu'ils ne mangent pas à leur faim. Et Benjamin à côté ! Ce gros ours velu ! George va bien avec eux. Il est comme eux. Vif et mince.

Benjamin sait bien qu'il n'est pas à sa place parmi eux et qu'ils le trouvent bizarre. Alors il se tient à distance.

Shireen voudrait que Fatima épouse un ami de Naseem qui travaille dans le même bureau que lui. Naseem pense qu'il l'épousera. Ils en plaisantent. Naseem dit : aie un peu de cœur ! — ou quelque chose du genre — pourquoi veux-tu que le pauvre type se marie pour se mettre toute cette misère sur le dos ! Montrant Shireen et les cinq enfants. Il rit. Elle rit. Fatima rit. Si je suis là et que je ne ris pas, ils se retournent tous contre moi et me taquinent en me disant que j'ai l'air solennelle et maussade. Alors je finis par rire.

Puis une vague d'amertume et de tristesse submerge tout. C'est terrible à voir : une espèce d'irritation saisit Naseem et Shireen qui se haïssent tout à coup. Les enfants se mettent à pleurnicher et à geindre. La pièce semble pleine d'excréments et de vomi d'enfants. Et pire encore. De mouches. De détritus de nourriture. C'est horrible, sordide, abominable.

Puis Naseem dit en riant que son ami Yusuf préférerait peut-être m'épouser plutôt que Fatima parce qu'au moins je suis instruite et que je pourrais l'entretenir royalement. Sur quoi Fatima m'entraîne dans le cagibi qu'elle partage avec les trois aînés des enfants et décroche sa plus belle robe pendue à un crochet dans le mur de pisé. C'est une robe bleu marine de fin lainage, très usée. Elle sent Fatima et son parfum lourd et entêtant. La robe est ornée de jolies broderies multicolores. C'est Fatima qui a fait la robe et l'a brodée. Cette robe tient une grande place dans sa vie. Elle me met des boucles d'oreilles d'or qui me tombent jusqu'aux épaules puis des centaines de bracelets : en or, en verre, en cuivre jaune, en cuivre rouge et en plastique. Jaunes, rouges, bleus, roses, verts. Le bracelet d'or et les boucles d'oreilles représentent pour elle des trésors. C'est sa dot. Mais elle me les met et rit de plaisir.

Ceci s'est passé plusieurs fois. Elle adore faire ça. Elle m'admire d'être si instruite et capable de faire ce qui me plaît. Pense-t-elle. Elle me trouve merveilleuse. Ma vie semble la dépasser, la surprendre au plus haut point.

Hier après-midi, elle me revêtit donc de tout cela puis me maquilla les yeux. Elle me peignit les lèvres d'un rouge sombre et lourd comme celui des putains. Elle me planta devant le miroir craquelé dans la chambre de la voisine et toutes les femmes accoururent pour me voir. Elles étaient excitées et ravies. Puis elle me ramena dans l'appartement de sa sœur et me fit asseoir en attendant le souper. Yusuf devait venir. Je lui dis qu'elle était folle. Mais ce n'était pas la chose à dire, je m'en rendis compte. Il fallait qu'elle agît ainsi. Pendant ce temps-là, Shireen arborait un air sentencieux et souriait. Naseem arriva, exténué, maigre comme un clou car le peu de nourriture qu'il y a à la maison, il ne le mange pas mais le donne aux enfants. Il rit en me voyant. Puis arrive Yusuf. Il est beau, avec ses yeux sombres et liquides. Un vrai cheik arabe. Il rit. Il fait comme si j'étais sa fiancée. C'est amusant et agréable. Comme si chacun pardonnait à chacun quelque chose. Fâchée, je leur dis que c'est ridicule parce que je n'ai absolument pas l'intention de me marier. Mais j'ai tort de dire ça parce que c'est une espèce de jeu. Ils vivent un moment imaginaire. Une éventualité. L'existence qu'ils mènent est si étriquée. Ils possèdent si peu de choses. De l'autre côté, il y a Rachel, cette jeune occidentale gâtée par la vie. Ils l'aiment bien malgré tout. Mais il faut savoir la prendre. Et puis, elle pourrait bien épouser Yusuf, qui sait ! il arrive tellement de choses étranges ! Yusuf pourrait très bien tomber amoureux de Rachel. Et Rachel de Yusuf ! Une histoire d'amour ! Bien sûr, ils n'y croient pas un instant. C'est en quelque sorte la mise en scène d'une éventualité — sans malice ! Il y avait un festin. Un ragoût de légumes avec des boulettes de viande. Ils ne mangent presque jamais de viande. J'avais insisté pour apporter un dessert que maman avait préparé pour nous. A base de yaourts et de fruits. Shireen veilla à ce que les enfants en aient avant de se coucher, après leur part de ragoût. Elle ne pouvait laisser passer l'occasion de leur faire avaler un peu de nourriture.

J'étais là, toute parée, comme l'agneau du sacrifice. Ce fut un merveilleux repas. Je me régalai. Mais je n'arrêtais pas d'être furieuse. Pas contre eux. Mais contre l'horreur de toute cette pauvreté. Contre Allah. Contre tout. Et puis c'était ridicule tout ça, car on aurait dit que Yusuf et Fatima étaient déjà mariés. Il y a entre eux ce sentiment puissant, cet antagonisme. Ils se disputent comme s'ils étaient déjà mariés ; ils sont sûrs l'un de l'autre.

Après le repas, l'atmosphère de fête se dissipa. Les enfants étaient énervés et insupportables. Tout était en désordre. Naseem et Yusuf partirent au café. Shireen mit les gosses au lit. Fatima rangea. Puis elle s'assit à côté de moi et me dit : Il te plaît, Rachel ? Très sérieusement, mais en riant. Je dis : Oui, il me plaît et je le veux ! Ah ! tu vas l'épouser, alors ? Oui, je vais l'épouser, répondis-je. Elle se mit à rire mais prit un air grave. Est-ce que j'avais cessé de plaisanter ? Alors je l'embrassai pour lui faire comprendre que je n'épouserais pas son Yusuf. Pendant tout le temps que dura cette scène, j'avais envie de pleurer et de hurler. Mais je pense, après réflexion, que c'est moi qui suis puérile, pas eux.

Puis Fatima m'emmena dans la cour.

Il y avait un clair de lune, hier soir.

Les gens étaient assis un peu partout dans l'ombre. Nous allâmes près du bassin. C'est une mare minuscule rectangulaire. Les lys, dans leur pot de terre à une extrémité du bassin, sentaient très fort. Olga était là, assise, immobile, dans l'obscurité. Elle avait un bébé sur les genoux. Il était endormi. Je ne sais pas où étaient George et Benjamin. Olga savait que j'étais avec Shireen et Naseem et Fatima parce que je lui avais demandé la permission d'apporter le dessert. Elle était au courant pour Yusuf. Elle avait peur que je ne me sois pas bien comportée. Elle n'aurait pas aimé que je les aie offensés.

279

Lorsque je vins m'asseoir près du bassin avec Fatima, elle me dévisagea pour savoir si je m'étais bien comportée. Je lui lançai un regard qui voulait dire : oui, ça s'est bien passé.

La lune était très haut dans le ciel. Elle aurait dû se refléter dans le bassin. Mais il y avait cette poussière sur l'eau. Et des brindilles. Et des bouts de papier. L'eau n'est jamais propre. Les femmes y amènent leurs enfants qui ont fait des saletés pour les laver, ou bien l'un ou l'autre se penche pour s'asperger le visage quand il fait chaud. Olga avait d'abord essayé de les empêcher d'utiliser l'eau mais elle y a renoncé. Elle dit que, depuis le temps, ils doivent être immunisés contre les microbes. Fatima se pencha et se mit à enlever soigneusement avec le creux de la main la poussière et les détritus qui recouvraient l'eau. Puis Shireen sortit de chez elle et s'assit près de Fatima. Elle se mit, elle aussi, à épurer l'eau. Elle savait où Fatima voulait en venir, mais pas moi. Olga non plus. Elles avaient toutes les deux une idée en tête. Cela continua un certain temps. Les gens, assis tranquillement après la fatigue d'une chaude journée, regardaient les deux sœurs enlever la poussière sur l'eau en se demandant ce qui allait se passer.

Puis Naseem revint du café. Il ne s'était absenté qu'une heure. Il était fatigué et n'arrêtait pas de bâiller. Il resta un moment, appuyé contre un mur, à observer les deux sœurs. Puis il s'assit à côté de sa femme, près d'elle, mais pas trop, car ils se tiennent dignement en public. Il était près d'elle parce qu'il en avait envie. Sa jambe et sa cuisse étaient au moins à vingt centimètres de la jambe repliée de Shireen mais je sentais la chaleur de leur intimité. Je sentais leur entente charnelle. Chacun d'eux est conscient du moindre petit coin de peau de l'autre, bien qu'ils se regardent à peine et que Shireen continue à décanter l'eau. J'étais fascinée par cette chose qui existait entre eux. Je veux dire, la force de cette chose. Si seulement je pouvais comprendre. Ils étaient là, tous les deux ensemble, au bord du petit bassin, sous la lumière de la lune, et les autres n'existaient pas. Je ne sais pas comment dire : je n'arrêtais pas de les regarder mais j'aurais voulu m'en empêcher.

Pendant ce temps-là, Shireen continuait à épurer et à décanter adroitement et Fatima, à côté d'elle, en faisait autant. J'étais assise parmi elles, toute parée. Le bassin fut enfin propre. Petit rectangle d'eau noire dans lequel étincelait un copeau de lune.

Alors Fatima, souriant avec ravissement et Shireen, souriant avec plaisir, vinrent vers moi, chacune d'un côté, et me poussèrent gentiment en avant pour me faire pencher au-dessus du bassin.

Je n'en avais pas la moindre envie. Je me sentais ridicule. Mais je ne pouvais me dérober. Naseem, assis les jambes en tailleur, beau, attentif, nous regardait en souriant.

Je dus me regarder. J'étais superbe. C'est elles qui m'avaient rendue aussi belle. J'avais l'air beaucoup plus âgée que je ne l'étais ; je faisais beaucoup plus de quinze ans. J'étais une vraie femme, de leur type. J'avais horreur de cette situation. J'avais l'impression que Shireen et Fatima me tenaient prisonnière et m'entraînaient dans un terrible piège, un traquenard. Mais je les aimais tant ! J'aimais cette puissante entente physique entre Naseem et Shireen et je voulais y participer ou tout au moins savoir ce que c'était. Elle n'était pas que sexuelle, oh non !

Les jeunes femmes s'exclamaient d'admiration devant mon image et applaudissaient doucement ; puis elles forcèrent Naseem à se pencher au-dessus de l'eau et il applaudit, lui aussi, mi-ironique, mi-sincère. Les autres gens, autour du bassin, souriaient.

Je craignais que George n'arrive et ne voie cette mascarade. Car il n'en avait pas vu les préparatifs. Je sentis les larmes qui commençaient à couler, espérant que personne ne les verrait. Mais évidemment Shireen et Fatima s'en aperçurent. Elles poussèrent des cris, m'embrassèrent et essuyèrent mes joues du revers de leurs mains encore humides de l'eau du bassin, et me dirent que j'étais superbe et adorable.

Pendant ce temps, Olga, qui tenait toujours le bébé endormi, nous observait. Elle ne souriait pas. En même temps, on ne peut pas dire qu'elle ne souriait pas.

Olga, je le mentionne ici comme un fait, n'est pas très belle. C'est qu'elle est toujours fatiguée et qu'elle n'a pas le temps. Olga fait très anglais, malgré son grand-père indien. Elle a un air solide et trapu. Elle a des cheveux blonds décolorés dont la teinte laisse souvent à désirer. Elle a des yeux sombres, raisonnables et pensifs. En fait, elle est trop forte. C'est parce qu'elle oublie parfois de manger pendant toute une journée puis, affamée, se jette sur le garde-manger et enfourne machinalement du pain ou tout ce qu'elle y trouve, pour se remplir l'estomac. Ça lui est égal. Ou bien elle avalera des kilos de fruits ou de sucreries au lieu de faire un vrai repas quand elle rédige un rapport.

Elle a de jolis vêtements, qu'elle achète d'un seul coup pour en avoir fini et dont elle oublie ensuite de prendre soin.

Elle était là, assise, regardant sa fille, dans sa beauté exotique.

Elle était très intéressée par tout ce qui se passait. Je savais qu'elle pensait que tout cela me ferait du bien. Que c'était très instructif. De même que c'était bon pour nous, les enfants, de vivre dans ce bâtiment pauvre du quartier pauvre de la ville.

Je ne pouvais pas m'arrêter de pleurer. Ce qui troublait les jeunes femmes. Soudain, elles n'y comprirent plus rien. Naseem ne tarda pas à les entraîner vers la maison, mais tout d'abord Shireen et Fatima me serrèrent dans leurs bras et m'embrassèrent avec affection et sollicitude, ce qui ne fit qu'augmenter mon envie de hurler.

Je demeurai au bord du bassin. Olga aussi. Puis les autres partirent se coucher. Ils se lèvent tous de bonne heure et leur dure existence les épuise.

Il ne restait plus qu'Olga et moi. Je me penchai et regardai un bon coup ma lumineuse beauté. J'ai minci cette année. Quelquefois je me regarde quand je suis toute nue. Je n'ai rien à envier à la reine de Saba : seins, lys, coupes, nombril et tout le reste. Mais je ne veux pas. Comment avoir envie d'être adulte, mariée avec six gosses dont on sait qu'ils vont mourir de faim ou ne jamais manger à leur faim ?

Quand il n'y eut plus dans la cour qu'Olga et moi et que personne ne risquait plus de venir, je fis une chose que j'avais envie de faire depuis un bon moment mais que je ne pouvais faire tant que Shireen et Fatima étaient là : je les aime trop.

Je pris du sable dans le pot où sont les lys et en saupoudrai légèrement la surface immobile de l'eau miroitante. Légèrement. Pas trop. Juste assez pour ne plus voir, en me penchant, la belle et exotique Miss Sherban, Rachel, la vierge nubile.

Olga me regardait faire. Sans dire un mot.

Je me penchai au-dessus de l'eau pour être sûre que je ne pouvais pas me voir, que seuls apparaissaient les contours imprécis de la lune qui brillait, superbe, au milieu des étoiles.

Le matin, en admettant même que Shireen ou Fatima songent à regarder, elles penseraient que le vent avait chassé la poussière et qu'il en était tombé dans le bassin.

Olga se leva et ramena l'enfant chez lui. Puis elle revint et, un bras passé autour de mes épaules, me dit : allons viens maintenant, au lit ! Et elle me conduisit vers nos chambres. Elle me prit dans ses bras et m'embrassa. Rachel, dit-elle, ce n'est pas si terrible que ça.

Elle le dit avec humour et un certain désespoir en même temps.

Oh ! si, répondis-je, oh si !

Sur quoi elle partit se coucher.

Je traversai les autres pièces jusqu'à ma petite chambre de pisé. Assise sur le rebord de la fenêtre, les pieds dehors, dans la poussière, je contemplai la nuit. J'avais toujours sur moi la belle robe de Fatima, bien sûr, et tous ses précieux bibelots en or. De porter cette robe qu'elle avait elle-même portée des centaines de fois me faisait quelque chose que je ne peux décrire. S'il existe un mot, je ne le connais pas. Le tissu était plein de Fatima. Mais ce n'était pas ça. Il sentait son corps, sa peau, son parfum. C'était comme si j'avais enfilé sa peau sur la mienne. Aucune de mes robes ne m'avait jamais fait cet effet-là. N'avait jamais eu cette importance. Si je rencontrais un morceau de ce tissu, où que je me trouve, si je tombais dessus dans un tiroir ou une boîte, je dirais tout de suite : Fatima.

La sensation de cette étoffe tiède et douce me brûlait la peau.

Je comprends maintenant la vieille histoire de la femme qui se déchirait le sein de ses ongles. Si je n'avais pas eu sur le dos la plus belle robe de Fatima, la plus précieuse, celle qu'elle porterait pour son mariage, j'aurais labouré mes joues de mes ongles — seulement le sang aurait souillé la robe de Fatima.

Je restai assise là, toute la nuit, jusqu'au moment où le ciel commença à prendre une teinte grise. Des chiens trottaient dans le clair de lune. Ils étaient maigres. Il y en avait trois. Des bâtards. Si maigres qu'ils n'avaient que des côtes, pas d'estomac. Je sentais leur faim. Vivant dans ce pays, j'ai toujours du feu dans l'estomac. C'est la faim dont je sais que presque tous ceux que je vois souffrent tout le temps, tout le temps, même en dormant.

N'empêche que je partage les repas de ma famille parce que, bien sûr, ce serait ridicule de ne pas le faire. Mais chaque bouchée que j'avale me semble lourde et superflue, car je pense aux gens qui meurent de faim. Je suis sûre que même si je vivais — pendant des années — dans un pays où tout le monde mange à sa faim, j'aurais toujours ce feu dans l'estomac.

Je ne me suis pas couchée la nuit dernière. Lorsque le soleil s'est levé, j'ai ôté la belle robe de Fatima, je l'ai pliée et mise avec les boucles d'oreilles et la douzaine de bracelets différents. Plus tard, je lui rapporterai le tout. Un jour prochain, je pense que Shireen et moi aiderons Fatima à enfiler cette robe pour épouser Yusuf.

Lettre de Benjamin Sherban à un ami de collège.

Cher Siri.
Voici le compte rendu que je t'avais promis sur le grand cirque.
La veille de son départ, l'après-midi, George « reçut » — le seul mot qui convienne, je le crains — les représentants des trois organisations qu'il devait représenter. Les Protecteurs Juifs des Pauvres. (Une femme,

noire.) La Fédération des Jeunesses Islamiques pour la Défense des Villes. (Un homme, type très suffisant alliant à un socialisme marxiste tout à fait personnel quatre autres orientations différentes je crois, plus une longue généalogie qu'il entend bien ne laisser ignorer à personne.) La Fédération Chrétienne Unifiée des Jeunes Fonctionnaires pour les Responsabilités Civiques. (Une femme, café-au-lait.)

Les trois confièrent à leur délégué des quantités prodigieuses de messages, d'exposés, de mémorandums, de mises en garde et de bons vœux avant de repartir, tout contents, vers trois régions éloignées du Maroc.

J'accompagnai George sur son insistance et, à notre arrivée, on nous logea dans la maison d'un certain professeur Ishak. Les interminables palabres durèrent du crépuscule jusqu'après minuit, et là encore, George sembla avoir besoin de mon soutien, sinon je serais allé me coucher. Les réjouissances pré- ou/et post-colloques ne m'ont jamais intéressé.

Plus d'un millier de délégués du monde entier se rassemblèrent dans la salle de conférences « Bénédiction d'Allah », vaste pièce moderne, climatisée et entourée d'une quantité de snack-bars, de cafés et de petits coins restaurants qui plaisent à l'Orient comme à l'Occident, au nord comme au sud, tous de la plus haute qualité. Dès le premier instant, tout un chacun se jeta sur la bonne chère, mais particulièrement les délégués de l'Europe de l'Ouest et encore plus *particulièrement ceux des Iles britanniques qui paraissent toujours contents de pouvoir se mettre n'importe quoi dans l'estomac, chaque fois que l'occasion s'en présente.*

Discours d'ouverture prévus à neuf heures du matin. George doit en prononcer un. Tout à tous. Et à toutes bien sûr. La moitié des délégués sont des femmes, pas mal du tout même, et je m'y connais. Il y avait presque autant de types d'uniformes que de délégués, de toutes les teintes possibles et imaginables : on se serait cru dans la salle d'échantillons d'une usine de teinture. Les médailles étincelaient. Les rubans rutilaient. Se pouvait-il réellement que tant de valeur, d'intelligence, de talent et de dévouement à toutes sortes de conceptions du devoir, fussent ainsi rassemblé au même endroit, en même temps ?

Ton pauvre ami n'était pas parmi les uniformes. Je portai ma tunique « post-Mao » et les insignes de notre collège. George portait un costume de coton auquel personne ne pouvait trouver à redire, et dessus, ses trois insignes : les Protecteurs Juifs des Pauvres, la Fédération des Jeunesses Islamiques pour la Défense des Cités et la Fédération Chrétienne Unifiée des Jeunes Fonctionnaires pour les Responsabilités Civiques, surpassant et déjouant de la sorte nombre d'intérêts locaux, et ceci sans même le faire

284

exprès. Il était aussi beau que l'étoile du berger (comme je l'entendis murmurer à une délicieuse petite pépée et pas une âme, mâle ou femelle, qui ne soit émue par cette silhouette masculine modeste et séduisante).

Le sujet du colloque étant la fraternité, la coopération et la diffusion de l'information, de l'amour et de la bonne volonté (et cætera et cætera) parmi les Organisations Mondiales de la Jeunesse, il était nécessaire, avant même de descendre sur les rives dangereuses de l'unanimité, d'établir des frontières, de dissiper les malentendus et de revendiquer ses droits. Les traditionnelles agressions verbales (bâilllement) commencèrent sur-le-champ.

Le combat fut engagé par la Fédération des Jeunesses Communistes (Branche européenne, section 44) pour la Santé et le Sport, avec les références traditionnelles aux chiens courants du capitalisme, aux hyènes fascistes et aux soi-disant démocrates.

Une ouverture conventionnelle et discrète en somme.

La riposte fut donnée par la Section des Jeunesses Scandinaves de la Ligue pour la Protection des Côtes, avec référence aux oppresseurs tyranniques, aux geôliers de la libre-pensée et aux pervertis qui détournent les vrais courants du développement humain en plein essor vers les fossés bourbeux de la rhétorique répétitive.

Puis ce fut le tour des Jeunesses Soviétiques au Service du Monde (sous-section 15) avec : révisionnistes opportunistes et coprophages des trésors de la théorie marxiste.

Les délégués de la Fédération Socio-démocrate Islamique d'Afrique du Nord allaient-ils rester silencieux ? Héritiers dégénérés d'une éthique révolutionnaire corrompue, contaminateurs des vrais idéaux du patrimoine socialiste avec la complicité des défenseurs autodésignés du dogme : ce furent là leurs propos les plus doux.

Que dirent, alors, les Représentants des Jeunesses Chinoises pour la Paix, l'Indépendance et la Vraie Liberté ? Tu te le demandes, n'est-ce pas ? Fidèles à leur amour des définitions exactes, voici ce qu'ils nous proposèrent : utilisation de dogmes religieux archaïques et de superstitions pour asservir les masses, et rodomontades creuses des séides ruinés d'un système économique antédiluvien.

Détracteurs des vérités absolues et éternelles contenues dans le Coran !

Oppresseurs déchaînés !

Insultes faisandées !

Pollueurs du véritable héritage des sources spirituelles toujours jaillissantes des masses travailleuses de l'humanité !

Cet échange éblouissant fut interrompu par la déléguée des Jeunesses Norvégiennes contre la Pollution de l'Air, nattes blondes en bataille et seins en émoi, qui se mit à crier que tout cela n'était que roupie de sansonnet qui voulait se faire passer pour une pensée libre et souple, ce qui ne l'étonnait pas du tout, d'ailleurs, de la part de mâles prisonniers de leurs propres doctrines décadentes.

Se leva alors l'agent plénipotentiaire de l'Armée de Jeunes Femmes Britanniques pour la Protection de l'Enfance qui exprima son désaccord avec la Norvège en disant qu'à son avis, les Délégués 1 et 5 étaient dans le vrai, mais les Délégués 3 et 7 certainement pas, et que quant à elle, elle ne voyait que racisme dans cette roupie de sansonnet humanitaire et préjugés grossièrement évidents chez les goinfres qui peuplent les porcheries du sybaritisme postimpérialiste.

Ceci nous conduisit jusqu'à la première pause ; redevenus frères et sœurs, riant, plaisantant, échangeant le nom et l'adresse de leurs hôtels et les numéros des chambres, ceux qui s'étaient insultés cinq minutes plus tôt paraissaient déjà liés par la plus profonde amitié.

Une demi-heure plus tard, c'était reparti.

Je ne t'ennuierai pas avec les divers noms et styles des pourvoyeurs d'antiques insultes, mais me contenterai de transcrire certaines de mes observations, la première qui me vient à l'esprit étant qu'il paraissait absolument indispensable que le royaume animal (ou ce que nous en ont laissé nos aînés) fournît l'occasion de prouesses intellectuelles encore plus poussées.

Les chiens courants et les hyènes, nous connaissons déjà, mais bientôt apparurent les chats fourrés et les porcs — à la grande indignation des Sémites, Arabes et Juifs — les pigeons roucoulants de l'hypocrisie, les serpents (visqueux et autres) les mollusques empoisonnés des rivages de la pollution mentale, les crocodiles et les rhinocéros qui foncent aveuglément à travers les subtilités de la révélation marxiste.

Et les phénomènes naturels, pouvait-on s'en passer ?

Après le déjeuner, qui fut ample et amical et qui apporta à certains affamés un indispensable réconfort, nous retournâmes dans la salle de conférence, tous unis par une affection rayonnante et je notai : la rosée du matin apporte la vie nourricière de l'Islam au désert aride de l'impiété et du scepticisme. Les fleurs de la Pensée de Notre Maître (le Maître de qui ? j'ai oublié). Les tsunamis de l'obscurantisme crasse. Les bancs de sable de l'incompréhension. Les effluves pollués des esprits corrompus. Les eaux croupies du dogme. (J'ai encore oublié lesquels. Ceux du marxisme, de l'islamisme ou du christianisme ? Qui s'en soucie de toute façon ? Pas *eux, en tout cas !) Les cyclones de la confusion. Les bassins asséchés d'une théorie indigente. Les Badlands où rien ne pousse que les chardons des croyances moribondes. Les déserts des luttes d'extermination. Les nébulosités des fraternités de salon. Le roi Canut essayant de juguler la houle incessante de l'inspiration marxiste. Pieds d'argile. Têtes poussié-reuses mais hautaines. Cerveaux corrodés. Sables mouvants de la... torrents déchaînés du... Branches pourries des...*

Nous arrivâmes ainsi au dîner et il était visible que certains d'entre nous enfournaient tout ce qu'ils pouvaient ; à voir leur tête, on eût dit que c'était là le premier vrai repas de leur vie ! Et puis le bal ! Nous étions tous là, hommes et femmes, véritable parterre d'uniformes bigarrés ; certaines filles avaient même osé se mettre une ou deux fleurs dans les cheveux, et il y en avait une ou deux vêtues de robes dignes de ce nom. Elles étaient entourées de galants au point qu'une jeune vierge offensée parla de « viol », mais ce fut la seule voix discordante dans ce concert d'amour et d'harmonie. Menant mon enquête habituelle et me livrant à mes propres investigations traditionnelles, je découvris que pour beaucoup de ces pauvres gens, c'était la première « vraie » grande fête à laquelle ils assistaient, c'est-à-dire la première fois qu'ils rencontraient d'autres individus que ceux de leur espèce, n'ayant eux-mêmes jamais fréquenté que des réformateurs socialistes, des Nouveaux-Penseurs islamiques et tutti quanti. Ils s'amusaient comme des petits fous, s'émerveillant qu'une telle richesse intellectuelle existât dans ce monde foisonnant — « Oh ! merveilleux nouveau monde où vivent de telles créatures ! ». Mais ils avaient besoin d'être protégés contre leur propre inexpérience par de bonnes âmes vigilantes comme moi-même (délégué à ces fins par George) car s'il n'y avait aucun mal à ce que des gens se réveillassent dans des lits qu'ils avaient choisis, nous tentions d'empêcher les tristes réveils, au petit jour, dans les bras de parfaits inconnus. Bon, eh ! bien, au lit maintenant. (Et tout seul.) George, lui, passa, comme d'habitude, la nuit à parler.

Le lendemain, il y avait dans l'air un certain sentiment d'urgence car la vraie substance de l'ordre du jour ne nous avait pas encore été présentée ; mais les préliminaires n'étaient pas terminés !

Un esprit militaire régnait. Identification de l'objectif obscurcie par une vaine rhétorique... invectives automatisées... Précision calibrée du tir sur le front sociologique... Maintien des positions ennemies dans la ligne de mire de la clairvoyance sociale révolutionnaire. Identification de l'objectif obscurcie par un matériel analytique défaillant... vigilance sur les frontières mouvantes du changement social... traquenards dans le secteur social... bataillons invincibles de la dialectique... bombardement en

287

profondeur de nos bastions intellectuels... pénétration à beaucoup trop basse altitude des bases théoriques... camouflage inutile d'une position idéologique déjà effondrée... démolition de... destruction de... chute en vrille... vérification de la ligne de tir, réglage en hauteur, réglage du tir...

Tu crois qu'après ça, il ne peut plus rien y avoir ? Eh ! bien, détrompe-toi ; nous étions arrivés à la pause du matin et il ne nous restait plus que cette journée pour débattre des véritables questions.

On entendit les derniers et faibles grondements de l'orage qui s'éloignait... communistes bourgeois... socialistes bourgeois... démocrates bourgeois... technocrates bourgeois... pseudo-philosophes bourgeois... pessimistes bourgeois... optopolymathes bourgeois... bureaucrates bourgeois... racistes bourgeois et, pour finir, sexistes bourgeois...

Avec une bonne heure pour manger et la meute du temps sur nos talons agiles, nous nous mîmes sérieusement au travail et un seul et même cœur battant à présent dans nos poitrines, nous passâmes, sans en discuter, des résolutions sur l'unité, la fraternité, la coopération, etc. Puisque ce sont là les principes pour lesquels nous nous battons tous. Après déjeuner, nous décidâmes, rapidement et sans heurt, qu'il était urgent et nécessaire de créer des armées, des camps et des organisations subsidiaires pour les innombrables enfants du monde entier sans foyer ni parents. Un sous-comité fut élu à cette fin, dans lequel je fus confondu de me trouver car je n'y songeais pas un instant. Je crois que George avait employé Ali à cela mais je n'en ai aucune preuve et je ne lui en veux pas ; du moins c'est chose utile. Absolument urgente, en vérité.

Une foule de sous-comités furent établis en moins de temps qu'il ne m'en faut pour l'écrire, tous destinés à un éventail de tâches dans l'ensemble nécessaires, telles que des cours accélérés sur les différences réelles aux niveaux régional et national (tu remarqueras comme les règles pointilleuses des rhétoriciens adverses furent adroitement court-circuitées dans ce mot anodin compris de tout le monde, à en juger par les petits sourires satisfaits qui apparurent sur les visages), sur les méthodes de survie et sur les échanges de groupes échantillons entre pays.

Le colloque se termina dans la précipitation et les fanfares durent jouer à toute vitesse, du fait que nous avions dépassé notre temps, un tas d'hymnes nationaux, de chants propres à chaque organisation et de musiques martiales de toutes sortes, de tous types et de tous styles ; mais, Dieu merci, les délégués prenaient déjà en masse le chemin de la sortie pour monter dans leurs cars, beaucoup pleurant à chaudes larmes des amitiés et des amours interrompues, échafaudant des plans extravagants pour se rencontrer, s'embrassant, s'étreignant, se faisant de grands au revoir de la main. Je n'ai jamais vu une telle scène de — je ne trouve pas d'autre mot — trahison, car ces ennemis, collés les uns aux autres comme des sucres d'orge un jour de pluie, avaient bien du mal à se décoller.

Ainsi se termina le colloque.

George était content. Il était de joyeuse humeur sur le chemin du retour ; il chanta et joua à des jeux. C'est lui l'âme du groupe, il faut bien le dire — et je le dis. Bah ! il n'est pas si mal que ça mon saint de frère après tout ! Mais que diable faisait-il là ?

JOURNAL DE RACHEL SHERBAN

Ça fait longtemps que je n'ai rien écrit. Dix-huit mois pour être exacte. Nous sommes à présent à Tunis. Dans un immeuble moderne. Malheureusement. Je dis bien, malheureusement. Je me sentais si bien dans mon terrier de pisé. J'adorais vivre là. Benjamin a été ravi d'en partir. Dès qu'il est entré dans cet appartement sans âme, il s'est senti chez lui. On le voit s'épanouir de minute en minute. Il est tout sourire, et soulagé. *Je n'ai plus de nouvelles de Shireen et Naseem. Fatima a épousé Yusuf juste après mon départ. Ils vivent dans une pièce voisine de celles de Shireen et Naseem. Je suppose que Fatima aura bientôt cinq enfants. Qui aidera alors Shireen à s'occuper des petits ? Moi, si j'étais là. Je les sentais aussi proches de moi que ma famille. Je les aime, voilà. Ici un jour, ailleurs le lendemain. Dans cet immeuble, pas question de dormir sur le toit. Je n'avais jamais rien connu d'aussi merveilleux.*

Enfin, ici, du moins, on ne nous traite pas d'excentriques.

La raison pour laquelle je me force à écrire, c'est que je ne comprends plus rien à rien. En particulier à George. Je hais toute *cette histoire de mouvement de jeunes. Je trouve ça* puéril. *Je n'arrive pas à imaginer qu'aucun d'entre eux puisse prendre tout ça au sérieux. L'individu le plus bête* comprendrait *aussitôt pourquoi les gosses y adhèrent. C'est qu'ils n'auraient aucun privilège autrement. Je trouve ça* méprisable. Et George *y est fourré jusqu'au cou. Évidemment, beaucoup sont* obligés d'adhérer *à quelque chose. C'est la loi.*

La dernière fois que j'ai écrit des choses, j'ai compris ce qui se passait. Alors j'essaie de nouveau.

C'est Hasan, la dernière fois, qui m'a dit que je devrais le faire.

Où est Hasan ? Il a disparu de notre vie. George a quitté le Maroc apparemment sans un serrement de cœur. Apparemment, mais qui sait ce qu'il ressent ? Je ne pense pas, malgré tout, qu'il ait revu Hasan, or à Marrakech il le voyait tous les jours. Je lui ai demandé si Hasan lui manquait ; il a pris un air ennuyé puis il a soupiré. A cause de moi. Je lui ai redemandé une autre fois et il m'a dit : Rachel, pourquoi rends-tu les choses encore plus pénibles qu'elles ne le sont ?

Depuis que nous sommes ici, George a fait un deuxième voyage en Inde. Il n'en a pas parlé à son retour. Olga et Simon n'ont rien demandé. Moi non plus. Benjamin, si. Mais d'un ton sarcastique. Quand il est comme ça, George ne lui répond pas. De toute façon, il était invité à y aller et il a refusé. Mais George passe beaucoup de temps avec Benjamin. Souvent, le soir, ils vont au café. Moi, j'y vais rarement. Je travaille pour mes examens. J'étudie la géo-politique, la géographie économique et la géographie historique.

J'ai compris quelque chose. Je prépare des examens. Benjamin prépare des examens. George ne prépare pas d'examens. Voilà ce qu'il fait. Partout où nous allons, il fréquente un institut ou l'université, ou quelque chose de ce genre. Ou bien des précepteurs viennent à la maison. Ou encore il accompagne papa et maman dans leurs déplacements, mais très rarement maintenant ; ça, c'était quand il était plus jeune. A présent, il voyage avec des gens comme Hasan. Mais il ne passe jamais d'examens. Et pourtant il en sait autant que nous. Beaucoup plus même. Voilà comment ça se passe. Il reste un mois dans une classe ou avec un précepteur et il connaît le sujet. Papa et maman ne lui ont jamais fait passer d'examens. Nous si. Mais ils se donnent énormément de mal pour être sûrs qu'il apprend ce qu'il faut. Maman est absente ; elle est dans le Sud pour l'épidémie ; alors je demanderai à papa.

Ça y est, je lui ai demandé. De toute évidence, il s'attendait à cette question. Ce qu'il m'a dit, c'est que l'on sentait que George n'aurait pas besoin d'examens. On sentait. Je n'ai pas remarqué tout de suite qu'il avait dit cela. Puis je lui ai dit : qui sentait ? J'étais irritée, sarcastique (à la manière de Benjamin). Papa était tout à fait patient et affectueux mais nettement sur ses gardes sans être évasif, pourtant.

Il me répondit : tu as dû te rendre compte de la situation, Rachel.

Cela me freina parce que, bien sûr, je m'en suis rendu compte.

Je dis : oui, je le pense. Mais ce que je veux savoir c'est qui vous a dit, à maman et à toi, la première fois, que George devait être éduqué de cette façon.

Il me répondit : la première fois que cela nous fut suggéré, c'était à New York.

Miriam ?

Oui, c'est cela. Et puis, il y a eu les autres.

J'eus soudain une vision précise de la situation. Ça s'était passé comme *lorsque Hasan parlait et que je comprenais* soudain *quelque chose, même si, apparemment, il n'avait pas dit grand-chose. C'était ce qui était arrivé à papa et maman.* De toute évidence, *Miriam, puis l'un des précepteurs ou un autre, avait dit quelque chose de très banal qui s'était incrusté dans leur esprit. Ensuite, petit à petit, ils avaient compris.*

D'écrire cela m'a donné le besoin d'en connaître davantage sur Simon et Olga. Comment se fait-il qu'ils sont comme ça ? Pourquoi *ont-ils compris si facilement ? Ou peut-être qu'après tout ça n'a pas été facile. Mais, enfin, ils ont compris. Je ne connais pas d'autres parents, parmi mes amis, je veux dire, qui soient ainsi. Maintenant que je repense à notre éducation dans son ensemble, à toutes les choses bizarres — les précepteurs, les cours spéciaux, notre présence aux côtés d'Olga et de Simon dans toutes sortes d'endroits bizarres et parfois dangereux et à l'éducation spéciale qu'ils ont fait donner à George — je vois combien ils sont différents des autres. D'abord, sans parler du reste, ils se soucient énormément de nous. La plupart des parents ne se cassent pas ainsi la tête.*

Je viens d'interroger papa. Il travaille sur le bureau de sa chambre. Je suis entrée après avoir frappé et il m'a dit : attends une minute, Rachel. Il finissait des calculs. Puis il a dit : Qu'est-ce qu'il y a ?

Je me suis assise sur le lit, là où je voyais son visage éclairé par la lumière. J'étais furieuse mais je ne savais pas quelle question poser.

Il tourna sa chaise pour me faire face. Papa vieillit en ce moment. Ses cheveux sont gris et il est trop maigre. Il est très fatigué. Je voyais qu'il aurait souhaité que je ne vienne pas maintenant. La lumière brillait sur ses lunettes et je n'arrivais pas à voir ses yeux ; juste au moment où je pensais cela, il enleva ses lunettes. C'est bien de lui. Je sentis une vague d'affection m'envahir et je me lançai tout à trac dans ce que j'avais à dire. Je lui dis que je voulais lui poser une question difficile. Eh bien ! vas-y. Voilà, je voudrais savoir pourquoi maman et toi, vous êtes le type de parents que vous êtes. Pourquoi ?

Il n'eut pas l'air surpris. Il vit tout de suite ce que je voulais dire. Mais il réfléchit à ce qu'il allait répondre. Il avait les jambes étendues presque jusqu'au lit sur lequel j'étais assise. Il balançait ses lunettes d'avant en arrière. Ce qui a le don de mettre maman hors d'elle. Il est difficile de trouver des lunettes ; quant à les faire réparer !

Il dit : aussi étrange que cela puisse paraître — c'est toujours comme ça qu'il commence quand il a quelque chose de difficile ou d'humoristique à dire. Aussi étrange que cela puisse paraître, ce n'est pas la première fois que ta mère et moi y pensons.

Aussi étrange que cela puisse paraître, je ne suis pas surpris d'entendre cette question. Je suppose que, comme d'habitude, il y a longtemps que tu attends ce moment de vérité et que tu as les mots tout prêts.

Voilà à peu près ce qu'il me dit tout en balançant ses lunettes.

Maman va te tuer si tu casses encore tes lunettes.

Pardon. Il les posa sur le bureau. Écoute, Rachel, je crois que tu comprends aussi bien que nous la situation.

Mais non ! rétorquai-je, absolument furieuse. J'avais l'impression qu'il allait se dérober. Alors je lui dis : ah ! non, ça ne va pas. Écoute ! Il y a vous deux, avec trois enfants : papa-maman-et-les-trois-chérubins, à New York ; vous, évidemment, bien décidés à faire tout ce qu'il faut pour eux. Et voilà qu'arrive une femme parfaitement ordinaire du nom de Miriam Rabkin qui achète des glaces aux trois chérubins et dit : oh ! non, ce n'est pas la peine d'envoyer George à l'école, laissez-le simplement apprendre les choses au hasard, à son rythme, c'est beaucoup mieux, et en attendant je vais lui faire faire un petit tour au Musée de l'homme moderne. Et alors toi tu as dit : mais bien sûr, Mrs. Rabkin, quelle bonne idée ! c'est ce que nous allons faire.

Silence. Nous étions tous les deux assis, l'un en face de l'autre. Il souriait d'un air gentil. Je souriais d'un air angoissé. Je suis angoissée en ce moment. C'est la vérité.

C'est à peu près ça, dit-il.

Très bien. A Marrakech, George a passé exactement un demi-trimestre dans la classe de Mahmoud Banaki. Quand il l'a quittée, il connaissait parfaitement l'histoire des religions du Moyen-Orient en remontant jusqu'à Adam et même plus loin. Exact ?

Exact.

Mais qui vous avait conseillé de mettre George dans cette classe à ce moment-là ?

Hasan.

Tu veux dire qu'il s'est amené en coup de vent un après-midi en disant : Mr. Sherban ! Mrs. Sherban ! Je m'appelle Hasan et je m'intéresse à George : c'est un garçon qui promet, vous savez, j'aimerais que vous vous en rendiez compte, etc., etc. Et vous avez répondu : bien sûr ! Aussitôt dit, aussitôt fait, comme ça !

De toute évidence il était sur ses gardes mais m'écoutait avec patience.

292

Tu oublies, Rachel, que Hasan est arrivé après bien d'autres gens de cette espèce.

En disant de cette espèce *sur ce ton, il voulait que j'accepte ses paroles et toutes mes propres réflexions sur le sujet.*

C'est vrai, dis-je.

Il restait assis, se balançant d'avant en arrière sur sa chaise, tout en me regardant. Moi aussi je le regardais.

C'est alors qu'il prononça les paroles que j'avais toujours attendues.

Tu te rends compte, Rachel, qu'étant les parents de George, il fallait bien voir les choses d'une manière particulière.

Oui.

On nous a appris à voir les choses d'une façon particulière. Tu comprends ?

Oui.

Au début, quand ça a commencé, ta mère et moi nous sommes souvent demandé si nous n'étions pas fous. Ou je ne sais quoi.

Oui.

Puis nous avons accepté. Nous avons vraiment accepté. Et ça a marché.

Oui, répondis-je.

Alors il me dit : Rachel, sauve-toi maintenant. Il faut que je finisse ceci, je ne peux pas faire autrement. Veux-tu que je t'aide à faire tes devoirs ? Après souper, j'aurai le temps.

Non, dis-je, ça ira.

J'ai compris quelque chose. Pendant le trimestre où George étudiait l'histoire des religions du Moyen-Orient à la Madrasa, il prenait aussi des leçons avec un chrétien et un juif. En d'autres termes, tout en apprenant le programme, il apprenait également les points de vue partisans qui n'y figuraient pas. Sans parler de Dieu sait quoi, avec Hasan. Ça signifie qu'il ne pouvait pas passer d'examen parce que ce qu'il avait appris n'aurait jamais tenu dans les sujets donnés. Mais après tout, il aurait bien pu s'adapter aux sujets et réduire ce qu'il avait à dire, comme nous l'avons toujours fait, Benjamin et moi. Mais là n'est pas la question. On l'éduque à des fins différentes.

Qui, on ?

A quelles fins ?

En attendant, c'est une vraie vedette au sein des mouvements de jeunesse locaux. Ça m'écœure. Benjamin dit que George a besoin de parader. Et c'est ce que je ne peux m'empêcher de penser. Mais d'après ce que je connais de Benjamin, je sais qu'il a presque toujours tort. Ça vient de ce qu'il est jaloux. Comme moi. Au moins, moi je sais que je suis jalouse tandis que Benjamin n'en paraît pas conscient. En tout cas, j'en arrive de plus en plus à la conclusion que ce que je pense n'a aucune valeur. Je me vois de plus en plus comme un sac plein à craquer d'émotions. Qui s'agite et bouillonne. Je suis furieuse. Je ne sais pas pourquoi. Quelquefois je suis furieuse à mourir. Quelquefois je regarde mes émotions qui passent. Salut ! colère. Salut ! jalousie. Salut ! tout le monde. C'est Rachel qui vous dit bonjour !

Il faut que j'écrive ce que je ressens envers Suzannah. Je trouve Suzannah épouvantable. Maman est très patiente avec elle et papa plaisante beaucoup. C'est une fille vulgaire, bruyante, stupide et tape-à-l'œil. Elle est folle de George. Mais les filles qui sont folles de George, elles sont comme les cailloux de la plage, on ne les compte plus. Alors pourquoi Suzannah ?

J'ai interrogé maman (elle est revenue de l'épidémie mais repart pour la famine la semaine prochaine). Elle a répondu : George a dix-sept ans et demi. Elle a dit au moins dix fois en une demi-heure que George avait dix-sept ans. C'est à peu près tout ce qu'elle a pu me dire. En même temps, je voyais qu'elle aurait bien voulu que j'arrête de japper à ses oreilles. Yap, yap, yap, comme un petit chien. Je m'entendais. J'ai demandé à papa. Il m'a dit : Suzannah est extrêmement séduisante, physiquement. Je ne peux pas supporter ça. De plus, je ne crois pas que George couche avec elle. J'ai dit à Benjamin qui n'arrêtait pas de faire un tas de remarques grossières que George ne couche sûrement pas avec Suzannah. Il m'a dit : petite sœur chérie, que crois-tu qu'ils font pendant ces longues nuits étoilées ? Je lui ai dit qu'il était bête et ne comprenait rien à George.

J'ai demandé à George : tu couches avec Suzannah ? et il m'a répondu : oui.

Quand il m'a répondu ça, j'ai eu l'impression qu'il m'avait frappée. J'ai beaucoup pleuré. Si George pouvait coucher avec Suzannah, alors plus rien n'importait. Comment peut-il ? C'est une insulte. Je veux dire, aux filles qui sont sérieuses. J'ai l'impression que tout est gâché. Et Benjamin a tout à fait raison, j'en ai peur. Il dit que George est un assoiffé de pouvoir et c'est vrai. Voilà donc ce qu'il en est.

J'ai écrit ce dernier passage il y a plusieurs semaines. Ça a été un moment dur dans ma vie. Benjamin s'est mis à être gentil avec moi et nous sommes beaucoup sortis ensemble. Plusieurs fois — tout à fait par hasard — bien que, je le sais, nos parents ne le croient pas — nous nous sommes trouvés, Benjamin et moi, dans des cafés où George était avec Suzannah. Quand George est avec Suzannah il est très différent, m'a-t-il semblé, de ce qu'il est avec nous, à la maison. Il est très drôle. Il rit beaucoup. Absolument sans souci. Il parade. J'avais envie de vomir, littéralement. Puis Benjamin s'est mis, lui aussi, à parader, et il a plus d'une fois lancé des plaisanteries en direction de George et de Suzannah. J'avais envie de mourir. Après ça, j'ai dit que je ne voulais plus sortir avec Benjamin. Je restais à la maison. J'avais de mauvais résultats scolaires. Alors, un jour, maman m'a parlé. Je la décevais. Je sais que papa et elle en avaient discuté. Je ne suis pas idiote, moi. Elle est venue dans ma chambre, un soir. Je pleurais. Je lui ai dit tout de suite : D'accord papa et toi vous pensez que je suis jalouse de George. Elle me répondit : Il ne s'agit pas du tout de ça. Je lui dis : Bon, alors qu'est-ce qu'il y a ? car j'entrevoyais déjà une nouvelle perspective. Elle me dit : George n'est pas un saint, ce n'est pas une espèce de parangon. Le problème, c'est qu'il n'a pas encore dix-huit ans.

Je trouve tout ça dégoûtant, répondis-je.

Elle a dit, avec un humour incroyable, Rachel, qu'est-ce qui est dégoûtant ?

. Olga, dis-je, George est quelqu'un qui, assis dans une pièce avec trente autres personnes, pense qu'il y a trente intestins pleins de merde, trente vessies pleines de pisse, trente nez pleins de morve et cent cinquante litres de sang. Alors je suppose que lorsqu'il est dans un café avec Suzannah, avec ses gros nichons qui pendent, il pense : deux intestins pleins de merde, deux vessies pleines de pisse, deux nez morveux, deux corps pleins de sueur et dix litres de sang. Sans parler des sept cents millions de spermatozoïdes et un ovule. Et une érection et un vagin.

Olga s'assoit. Elle allume une cigarette. Elle s'appuie au dossier de sa chaise. Elle croise les bras. Elle soupire. Quand a-t-il dit des choses comme ça ? demande-t-elle, allant droit au but.

Il avait... il y a longtemps.

Je pense qu'il aurait ajouté une ou deux dimensions depuis.

En tout cas, je ne peux pas supporter ça, lui dis-je. Je ne supporte plus la vie. Voilà la vérité.

Je pensais vaguement qu'elle allait mettre ses bras autour de moi et me consoler. Mais bien que ce soit ce dont j'avais envie avant qu'elle entre, à présent j'aurais eu honte qu'elle le fasse.

Elle dit : Tu n'as pas le choix, Rachel. Ou bien tu la supportes, ou bien tu te suicides. Ou tu vis d'une façon qui équivaut au suicide. Et dans ce cas-là il est prouvé — elle faisait de l'humour comme papa, c'est de lui qu'elle tient ça —, il est prouvé que c'est l'enfer. Littéralement. Mais de toute façon, *on ne se suicide pas. Le ton avec lequel elle dit cela ne ressemblait à rien de ce que je lui avais jamais entendu dire ; l'orgueil avec lequel elle a dit ça ! Terrible. C'était comme si elle m'avait giflée ou plongée dans l'eau froide. Je la vis soudain sous un jour tout à fait différent. Je la vis comme une personne. Pas comme ma mère. Elle avait fait le tour de la question. Elle avait songé à se suicider. Elle ne se suiciderait jamais. Cette nuit-là, je devins adulte. Enfin, je voudrais le croire.*

Depuis un moment, je pense à la vie d'Olga. J'essaie de me mettre à sa place, toujours dans des camps pleins de réfugiés, de mourants, d'affamés, de gens qui meurent de maladie, de bébés qui meurent. La fois où je l'avais accompagnée pendant l'épidémie, je l'avais vue pleurer devant une salle pleine de bébés agonisants. Il n'y avait personne d'autre. Elle était fatiguée, c'est pourquoi elle pleurait. Du plus loin que je me rappelle, ma mère a toujours travaillé avec des gens qui mouraient d'une façon ou d'une autre. Elle est toujours dans des endroits où c'est l'enfer. Toujours. Et ceci est vrai de mon père aussi. Je vois que je suis très puérile.

Ce que j'écris maintenant a eu lieu voilà trois nuits. Je ne pouvais pas l'écrire avant, c'était trop difficile. Maintenant, j'y ai réfléchi. Très tard, j'ai entendu George rentrer. Il était quatre heures du matin. Il faisait très chaud. C'est l'heure où la nuit est encore là mais où le matin, lui aussi, est là, seulement on ne le voit pas, on ne fait que le sentir. Dehors, les rues étaient calmes, d'une façon particulière. Je reconnaîtrais n'importe quelle ville où j'ai vécu par le silence de ses rues à quatre heures du matin. George est entré. Je l'entendais dans sa chambre. J'allai frapper à sa porte. Il ne répondit pas. J'entrai. Il était juste en train de quitter son pantalon et je le vis. Notre famille n'a jamais eu peur de la nudité mais je pensais : alors c'est ça qui a pénétré cette espèce de vache ! Il se tourna pour enfiler son pyjama et je vis ses fesses et son dos. Puis il se mit au lit et s'allongea sur le dos, les bras sous la tête. George est d'une grande beauté. Mais s'il était laid, ce serait la même chose. Il était fatigué. Il aurait voulu que je ne sois pas là. Il était comme mes parents, affectueux et patient. Il me dit : Rachel, tu n'es pas gentille. Je m'attendais à ce qu'il dise : tu n'es pas chic. *Quand nous employons ce genre de mot, Olga et Simon rient en disant que nous sommes toujours enfants et anglais. Mais il dit : gentille. Je rétorquai : Je m'en fiche, George. Je ne comprends pas. Alors il répondit : Écoute, Rachel, je n'y peux rien.*

J'étais là, à sa porte, lui étendu sur son lit avec les yeux qui se fermaient.

Il me dit : Rachel qu'est-ce que tu veux ?

A ces mots, je me sentis comme giflée, une fois de plus. Parce que, évidemment, j'aurais voulu qu'il dise : Je déteste Suzannah, ce n'est qu'une imbécile, empotée et vulgaire. Mais il se serait plutôt fait hacher menu que de le dire.

Assieds-toi, dit-il.

Je m'assis au pied de son lit.

Je m'attendais à quelque remarque fulgurante, je m'en rends compte à présent, mais ses yeux se fermaient sans cesse.

Il était beau. Mais si fatigué. Je me mis à penser à sa vie. Il n'a jamais dormi plus de trois ou quatre heures par nuit.

Je crus qu'il s'était endormi. Alors je me mis à parler. A parler à George. Je lui dis : C'est intolérable, tout ça, c'est horrible, c'est affreux, c'est dégoûtant, et la vie est insupportable.

Sa poitrine se soulevait et s'abaissait, se soulevait et s'abaissait. J'aurais voulu poser ma tête dessus et m'endormir.

Soudain il dit, les yeux toujours fermés : Eh ! bien, Rachel… j'écoute. Et il se rendormit aussitôt. Profondément. Je restai là quelques minutes, pensant qu'il allait peut-être se réveiller. Mais le jour apparut à la fenêtre. Il y avait les palmiers poussiéreux le long des rues. L'odeur de poussière. La chaleur. Et George qui dormait, dormait. Pleine de honte et de colère je suis repartie me coucher.

Je pense à Suzannah. Ça fait presque un an que Suzannah est entrée dans la vie de George. C'est long. Je regarde en arrière et j'ai l'impression que c'est depuis toujours. J'ai tellement changé pendant cette année. Suzannah vient très souvent dîner à la maison. Elle fait tout ce qu'elle peut pour se rendre agréable. Elle ne quitte pas George des yeux un seul instant. J'ai pitié d'elle. Je ne m'en étais jamais aperçue jusqu'à aujourd'hui. C'est parce qu'elle sait qu'elle n'est pas assez bien pour

George. Elle voudrait l'épouser. Autrefois j'aurais pensé qu'elle était folle. Mais si George peut coucher avec elle, il peut très bien l'épouser. J'ai dit à George : Tu as l'intention d'épouser Suzannah ! Il m'a répondu : Ma chère petite sœur ! J'ai horreur de ça, c'est comme ça que Benjamin m'appelle, et, de toute façon, j'ai plus de seize ans maintenant. Et alors, Suzannah, dis-je. Elle a vingt-trois ans, m'a-t-il répondu. J'ai été choquée jusqu'à l'os quand il a dit ça. D'abord parce qu'elle est tellement plus âgée que lui. Ensuite parce qu'il pensait que ça pouvait changer les choses à ses yeux. Il dit : Elle sait très bien que le mariage n'est pas dans mes projets immédiats. A ces mots, je fus de nouveau choquée car je ne me rappelle pas avoir jamais vu George stupide auparavant. Je lui dis : George, Suzannah veut t'épouser. Elle ne pense qu'à ça nuit et jour. Il me répondit : Ma chère petite sœur, tu as toujours été mon bourreau, mon cilice. Sur quoi, il me prit dans ses bras et m'entraîna en valsant autour de la pièce.

Ça se passait dans la salle de séjour ; Benjamin entra juste à ce moment-là. Il voulut se joindre à nous. Dès qu'il apparut, les choses furent différentes ; je veux dire que ce tour de valse avec George devint différent — hostile, agressif et plus du tout amical. Ce qu'il était avant. Je sentais George ralentir parce qu'il en était, lui aussi, conscient. Benjamin essaya d'entrer dans la danse, comme si j'étais un prix qu'il fallait décrocher. George me plaqua contre le mur et se plaça devant moi. Benjamin ne cessait de tourner autour de George parce qu'il voulait me jeter en l'air, me rattraper et me faire tourbillonner. Moi, je pleurais de rage. En même temps j'étais reconnaissante à George.

Au bout d'une minute, Benjamin se sentit ridicule et alla s'asseoir. George s'assit aussi.

Rachel pense que je ne devrais pas coucher avec Suzannah, dit George à Benjamin. J'ai l'impression qu'il parlait sérieusement. Il m'avait prise au sérieux.

Mais si, bien sûr, tu as parfaitement raison de coucher avec elle. Baise-les toutes, si tu veux mon avis, dit Benjamin. Aussitôt qu'il eut prononcé ces mots, nous vîmes qu'il les regrettait. Il avait un air gêné.

Il y avait d'un côté Benjamin assis sur une chaise, fort, poilu et basané. De l'autre George, mince, élancé, élégant. Tous les deux embarrassés. Je ne bougeais pas de mon coin, de crainte que Benjamin ne se retourne contre moi.

Alors, petite sœur, tu penses que George ne devrait pas coucher avec Suzannah. Mais pourquoi ?

298

Je répondis : Bah ! couche avec qui tu voudras, qui s'en soucie ? Pas moi, en tout cas. Je pensais que ça avait de l'importance mais je vois bien maintenant que ça n'en a aucune.

Je pleurais et mes larmes éclaboussaient littéralement le plancher.

George me regardait. Il n'arrêtait pas de me regarder. Je triomphais.

George dit : Eh ! bien petite sœur avec qui crois-tu que je devrais coucher ?

A quoi Benjamin répondit : Avec Rachel, bien sûr !

Rien ne se passa pendant les instants qui suivirent. George parut choqué et amusé. Les deux à la fois. Benjamin était de nouveau gêné.

C'était l'un de ces moments que je perçois de plus en plus : on voit les scènes qui pourraient se passer parallèlement à la réalité. Étant donné Benjamin, ce qu'il était, je me voyais très bien me précipiter à l'autre bout de la pièce pour lui arracher les yeux. George se lèverait, me séparerait de Benjamin et me ferait rasseoir.

Ça, c'était la scène à la Benjamin. Les réactions qu'il suscite.

Mais George étant là, cette scène était impossible.

Encouragée par la présence de George et son air, je quittai le mur et allai m'asseoir à distance.

Il s'agit d'une conversation sérieuse, dit George à Benjamin, et Benjamin se tut.

Donc, avec qui devrais-je coucher ? Je suis un homme normal. Je n'ai pas l'intention de me marier avant cinq ans.

Ce qui nous arrêta, Benjamin et moi, mais chacun d'une façon différente. Il y eut un long silence.

Je voudrais savoir, dit George. Il y a des centaines et des centaines de bordels dans cette ville et dans les autres. Il y a aussi la chasteté, bien sûr. Il y a un tas de filles qui veulent coucher avec moi. Suzannah entre autres.

Tout ceci semblait tellement à côté de la question que j'en croyais à peine mes oreilles.

Et quand tu en auras fini avec elle, demandai-je. Que fera-t-elle quand, toi, tu te marieras ?

Bon Dieu, dit Benjamin, écoute-moi ça ! Il jouait la stupéfaction résignée. L'éternel féminin, l'absolu absolu, l'ultime ultimatum.

Allez, continue, petite sœur, je veux savoir.

Elle t'aime, lui dis-je.

Elle t'aime, dit Benjamin à George, toujours du même ton.

Mais oui, dis-je. C'est drôle que tu ne le voies pas. Pourquoi ?

299

Pourquoi es-tu comme ça ? Pourquoi es-tu tout à coup devenu idiot ? Tu es la chose la plus importante qui lui arrivera jamais.

Ça c'est vrai, dit Benjamin. La fausse modestie ne t'avancera à rien.

Car George avait pris un air ironique.

Tu peux épouser cinquante autres femmes et elle peut épouser quelque gros politicien stupide et bavard ; elle peut devenir une grande dame et prononcer des discours et courir partout en uniforme : n'empêche que tu seras toujours la chose la plus importante qui lui sera — ou aurait pu lui — arriver.

George était atrocement gêné. Il était rouge. Je ne l'avais jamais vu comme ça.

Benjamin, pour une fois, avait un air sensé et même adulte.

Benjamin dit à George : Elle a raison.

George répondit : Et alors qu'est-ce que je dois faire, selon vous ?

Benjamin dit d'un air théâtral : Piégé !

J'ai réfléchi.

J'en suis arrivée à cette conclusion que l'on ne peut comprendre quelque chose sans en avoir vu les résultats.

Ce qui me fait penser ça, c'est le Colloque de la Jeunesse. Quand il a dit qu'il y allait, ça m'a rendue malade. Plus tard, j'ai appris qu'il était délégué par certains musulmans, juifs et chrétiens. Évidemment, personne d'autre que lui n'en aurait été capable. Je ne sais pas comment il fait. Et il aurait pu représenter également des ligues socialistes, des marxistes et des groupes d'hommes d'affaires. Ils le lui avaient demandé.

Je n'ai pas pu aller au colloque. Je n'étais pas invitée. Comment l'aurais-je été alors que je ne fréquente aucun groupe ?

Benjamin y est allé. Il a commencé par dire qu'il n'irait pas, dût-on l'y traîner par les cheveux, mais il y est allé, évidemment.

J'ai su tout ce qui s'y était passé. Par Benjamin. Mais après qu'il eut terminé j'ai réarrangé ce qu'il m'avait dit selon mon propre point de vue.

Benjamin m'a dit que George avait eu un succès fou, qu'il avait été la grande vedette du spectacle ; il m'a laissé entendre qu'il avait passé la nuit avec une femme. Suzannah n'était pas là. Je pourrais le lui demander et il me répondrait, mais ça, jamais plus !

Depuis son retour, des messages arrivent du matin au soir, de partout. Je ne vais pas énumérer les pays car je vois bien que la liste serait sans fin.

Du fait que George a été à ce colloque de cette façon il peut maintenant se rendre où il veut : il sera bien accueilli. Plusieurs personnes sont venues chez nous pour parler de George et de ce qu'il avait dit au colloque. Il a parlé, disent-ils. Ils insistent sur le fait qu'il a parlé. Benjamin, lui, dit qu'il a « déblatéré » toute la nuit. S'il a déblatéré, comment pouvait-il être avec une femme ? J'ai dit ça à Benjamin et il m'a répondu qu'il n'avait jamais laissé entendre que George avait fait autre chose que parler.

Ils n'arrêtent pas de défiler ici — blancs, noirs, bruns, roses, verts, nuit et jour, tous les jours, et il est clair qu'ils viennent pour entendre George parler. J'ai compris quelque chose. George parle comme Hasan. Il l'a pris d'Hasan. C'est ce dont je me suis aperçue. Je m'assois pour écouter, comme tous ceux qui sont là. Comme Olga et Simon. Comme Benjamin aussi. Il ne dit pas un mot. Il peut ironiser tant qu'il voudra après ça ; parfois il n'a pas la moindre idée de ce qui se passe mais il écoute, comme nous tous. Alors, comme d'habitude, je dirai ceci : ce que je ressens est une chose. Ce que je pense en est une autre. Quant à ce que je comprends quand George parle, ça, alors... ! mais ça ne sert absolument à rien d'en parler.

De TAFTA, Maître absolu de Shikasta,
à ZARLEM, Contrôleur et Maître absolu de Shammat,
Salut !

Soumission, ô Seigneur tout-puissant !

Tes ordres ont été exécutés !

Les Quatre Secteurs Nationaux ont été mis à l'épreuve.

Chef d'État Numéro Un : Ayant reçu nos directives lui enjoignant de dire la vérité exacte, précise et absolue à ses sujets, il a informé son conseil des ministres que telle était son intention, parce que « cette pensée lui était venue à l'esprit ». Il fut immédiatement interné dans une prison pour malades mentaux et l'on a fait dire à ses sujets qu'il avait démissionné pour raison de santé.

Chef d'État Numéro Deux : Cet homme, qui venait d'être « élu chef de gouvernement », saisit la première occasion (une émission télévisée) pour informer ses sujets que la situation était bien pire qu'il ne l'avait imaginé avant de prendre ses fonctions et d'être en possession de certaines informations réservées exclusivement aux chefs d'État. Il considérait donc de son devoir de les informer de ces données qui ne devraient pas être tenues secrètes. Pour pouvoir survivre, sans plus, il leur faudrait accepter certains faits... Lorsque l'émission fut terminée, il apprit par la faction qui l'avait « porté au pouvoir » qu'il avait perdu son soutien. Il dut démissionner.

Chef d'État Numéro Trois : Cet homme, bien décidé à dévoiler aux habitants de son secteur géographique (à notre instigation) certains faits qui leur avaient été cachés, fut assassiné par les militaires avant même d'avoir pu le faire. Grâce au quadrillage complet du secteur par leurs services d'espionnage, ils avaient été immédiatement informés de son intention.

Chef d'État Numéro Quatre : Au cœur d'une crise plus grave que d'habitude, il rendit publics certains faits jusque-là tenus secrets et s'aperçut que personne ne le croyait : il y avait un trop grand fossé entre ce qu'on avait toujours dit aux gens et ce qu'on leur disait à présent. Devenu dépressif à la suite de cette constatation maintes fois répétée que la révélation de la vérité n'avait aucun effet sur les populations, il fut emporté par une crise cardiaque.

Ces tests ont prouvé que la planète est imperméable à la vérité.

Aucun obstacle ne s'oppose donc à nos activités !

Excelsior, Gloire à nous ! Nous avons vaincu !

Soumission, ô Seigneur !

La Fédération Paneuropéenne de la Dictature du Prolétariat socialiste et Démocratico-communiste pour la Préservation de la PAIX.

Services européens intégrés pour la Surveillance vigilante des Ennemis du Peuple et la Prévention des Crimes contre la Volonté du Peuple.

Section 15 (Grande-Bretagne). Niveau suprême. Secret.

A notre grand chef, salut ! Toute notre reconnaissance à Celui dont la Vie nous sauvegarde tous par sa prévoyance indomptable au service d'une avance incessante dans le futur. Nos hommages à celui qui se dresse, tel un bastion, entre nous et les forces de la dégénérescence. Les mots nous manquent pour évoquer ses sacrifices à notre Cause Sacrée.

[Rapport concernant soixante-quatorze leaders nés des mouvements de jeunesse ou ayant gardé leur influence passée, c'est-à-dire non désignés par la bureaucratie au pouvoir. Le rapport repose sur des renseignements fournis par des espions et des agents. Il fut commencé juste avant le contrôle de l'Europe par les Chinois et terminé — ou, dans certains cas, réécrit — par un responsable chinois. Nous choisissons ce

document particulier pour illustrer les qualités supérieures des nouveaux dirigeants. C'est nous, bien sûr, qui avons choisi ces trois représentants : le responsable britannique et le responsable chinois ne pensant pas que leur cas présentait un grand intérêt, tous deux insistèrent pour que nous en choisissions d'autres. *Les Archivistes.*]

Benjamin Sherban. N° 24. Que dire de ce philistin décadent dont la corruption pollue la glorieuse lutte menée pour transformer la maîtrise des moyens de production au bénéfice de tous les travailleurs de l'humanité ? La leçon que nous donnent ces dégénérés, c'est que nous avons encore beaucoup à faire pour remporter une victoire totale sur le plan politique et idéologique. Nous devons nous préparer à mener une lutte longue et vigilante contre les réactionnaires asservis aux courants sous-jacents des influences capitalistes hérités d'un passé d'opprobre, pour pouvoir escalader les cimes des véritables réalisations socialistes. Cet ennemi du peuple a impudemment pris en main la soi-disant direction des Cadets des Mouvements de Jeunesse d'Afrique du Nord (section III) et défie ouvertement la volonté des vrais porte-parole du Peuple. Sous le faux prétexte, parfaitement transparent d'ailleurs, de parler au nom des enfants de ces territoires (de huit à douze ans), il infuse le venin de ses balivernes subjectives dans leurs esprits sans défense, en contradiction avec les vraies conclusions atteintes par des méthodes de discipline fraternelle internes au Parti ; l'on recommande donc qu'il soit arrêté au nom de la Volonté du Peuple quand il assistera au Congrès des Jeunesses Unifiées à l'automne. Si cela s'avérait impossible, vu les contradictions de la situation existentielle, il faudrait le démasquer de façon impitoyable.

George Sherban. N° 19. Cette hyène est le frère du précédent. Grâce à des méthodes opportunistes déloyales et honteusement viles jamais égalées dans l'histoire de la glorieuse lutte des classes, il s'est imposé comme représentant de plusieurs factions au nom de la soi-disant Justice — sans se douter le moins du monde que ses faibles contorsions dans la poussière du subjectivisme avaient été percées à jour par les masses clairvoyantes dans leur glorieuse ascension des montagnes de la Vérité. Il a visité divers pays de notre glorieuse Fédération ces deux dernières années et a laissé sa bave, partout où l'ont mené ses basses ambitions. Que dire de ces criminels malhonnêtes et avilis qui traînent derrière eux la poussière polluée et contaminée d'un passé révolu ? Jurons d'être toujours vigilants ! Toujours prêts à débusquer l'erreur ! Toujours prêts à saisir l'occasion de proclamer un empirisme sans réserve et discipliné afin que, jamais plus, de tels chacals ne souillent l'esprit de nos masses glorieuses. Cet homme doit être arrêté la prochaine fois qu'il osera se montrer sur notre glorieux sol européen et passé en jugement s'il refuse de son plein gré de quitter la scène de l'histoire. Au cas où ceci s'avérerait impossible pour quelque raison que ce soit, alors notre propagande, toujours prête à dénoncer les contradictions et à imposer la ligne de conduite correcte, devra le démasquer.

John Brent-Oxford. N° 65. Ce pitoyable vestige du passé a parfois servi les intérêts du Peuple mais ceux qui, à une époque révolutionnaire, ne sont capables de suivre que les vieilles routines sont inaptes à saisir la nouveauté et le progrès. Sous la bannière de l'impartialité et de l'objectivité, il a défendu les camarades égarés qui avaient, à tort, tourné le dos à la Vérité. Il a même soutenu des membres du vieux Parti Travailliste dont les crimes et les abominables erreurs ont depuis longtemps été dénoncés. En dépit des efforts et des soins des Rééducateurs, il refuse obstinément d'ouvrir son esprit à la Vérité, et comme nous avons besoin de chaque centimètre carré de nos glorieuses prisons pour recevoir les éléments criminels de notre population, il est recommandé de l'envoyer à la Colonie Pénitentiaire N° 5. Notre Europe nouvelle n'a que faire de tels déchets du passé !

[Notes concernant le Rapport ci-dessus par le Camarade Chen Liu, chargé des Services Secrets du Peuple en Europe. *Les Archivistes.*]

24. Benjamin Sherban. Instable sur le plan affectif. A mon avis réagira bien à la rééducation. Devrait être *invité* à suivre les cours. Avec les récompenses habituelles. On devrait ensuite lui *demander* de reprendre son poste actuel à la tête du mouvement en faveur des enfants, en tant que notre représentant et avec un titre important.

19. George Sherban. Intelligent, instruit ; possède une personnalité engageante. Sait parfaitement manier les individus et les groupes. Il est, à mon avis, dangereux. Pas question ici de rééducation. Pas question non plus de l'arrêter lors de sa prochaine visite ni de l'utiliser en le passant en jugement : les répercussions en seraient fâcheuses. On devrait se débarrasser de lui au moyen d'un « accident » adéquat. J'ai donné les instructions nécessaires.

65. John Brent-Oxford. Cet homme est gênant. Il a de l'influence parmi la vieille génération qui se souvient de lui comme Membre du Parlement et Représentant de la Grande-Bretagne dans les premiers conseils paneuropéens. Il a une bonne moralité et ne peut être accusé de corruption ni de crimes d'aucune sorte. Sa santé s'est gravement détériorée en prison. Il souffre de diabète. Le régime de la prison ne tient pas compte de ce genre de chose. En prison ou au-dehors, il n'en a plus pour longtemps à vivre. Je propose qu'on lui attribue un poste de responsabilité modeste dans l'une des administrations dépendant des organisations de jeunes. Leur mépris et leur manque d'égards envers les gens âgés hâteront sa mort. Nous devrions le traiter avec respect de façon à ne pas nous aliéner ceux des vieux socialistes qui restent et qui peuvent encore être persuadés de travailler avec nous.

Lettre personnelle envoyée par la valise diplomatique.

AMBIEN II, de SIRIUS, à KLORATHY, de CANOPUS.

Un mot en hâte. Je viens de parcourir les rapports de Shikasta. Au cas — peu probable, je le sais — où tu n'aurais pas reçu cette information, je te signale que Shammat a organisé une réunion de tous ses agents à un certain endroit. Ceci nous semble en soi un signe de ce à quoi nous nous attendions depuis longtemps — et toi aussi, je le sais. La situation sur Shikasta affecte les Shammatiens encore plus que les Shikastiens, ou en tout cas, *plus rapidement*. Leur pouvoir de réflexion semble se détériorer à vue d'œil. Ils souffrent de fébrilictivité, d'accélération et d'arythmictivité. Leur diagnostic des situations — dans la limite de leurs possibilités et de leur espèce — est satisfaisant. Satisfaisant pour certaines situations et dans certaines conditions. Mais les conclusions qu'ils tirent de leurs analyses sont de plus en plus folles. Le fait que Shammat ordonne cette réunion, exposant ainsi ses agents à de tels dangers, montre que la planète mère est atteinte ; comme le montre également le fait que les agents locaux de Shammat obéissent à un ordre manifestement irréfléchi.

L'état de Shammat et de ses agents nous semble donc susceptible d'ajouter à la destructivité spontanée et sans but à laquelle on peut s'attendre de la part de Shikasta en ce moment.

Comme si nous avions besoin de ces problèmes supplémentaires !

Notre service de renseignements nous indique que tu résistes bien à la crise shikastienne — non que cela nous étonne de ta part. Si tout continue de bien aller, quand pouvons-nous espérer ta visite ? A bientôt le plaisir de te revoir, comme toujours.

JOURNAL DE RACHEL SHERBAN

Je sens que je vais me remettre à décrire ce qui se passe autour de moi. Cette fois-ci c'est parce que je ne sais vraiment plus où j'en suis. Tant de choses arrivent à tout instant, que je ne saisis pas. George dit que je n'ai qu'à essayer au lieu de décrocher. Il dit que je décroche.

L'appartement est toujours plein de gens à présent. Ils viennent voir George. C'est un grand appartement, ce n'est pas ça le problème. Surtout maintenant que Benjamin n'est presque jamais là, avec ses Camps d'Enfants. Et Olga et Simon sont presque toujours partis là où il se passe des catastrophes. Mais Benjamin et moi avions tous deux pensé que George prendrait sans doute un bureau ou quelque chose comme ça, étant donné tous ces gens. Mais il ne l'a pas fait. Benjamin a commencé à ironiser en disant que l'appartement devenait une vraie salle de séminaires. Olga et Simon ne disaient rien mais attendaient. Et moi je les regardais attendre et observer. Ils attendent de la même façon que moi. La seule façon de comprendre quoi que ce soit c'est d'observer ce qui se passe. La meilleure explication, ce sont les résultats. Ça signifie qu'il faut être patient. Ce qui se passe c'est que lorsque les gens viennent à l'appartement, brûlant de voir George, il ne les emmène même pas dans sa chambre. Qui est pourtant spacieuse. Non, il parle, assis dans la salle de séjour, avec les portes grandes ouvertes et tout le monde qui entre et qui sort. Ce qui signifie qu'il veut que nous soyons là, nous aussi. Alors je reste là aussi souvent que possible. Olga et Simon aussi. Et Benjamin aussi, quand il est là.

Ils viennent de tous les pays du monde. Ils ont notre âge, pour la plupart. Mais quelquefois il y en a des vieux. George a rencontré ces gens pendant son voyage d'inspection dans les Armées Paneuropéennes de la Jeunesse. Presque tous l'ont personnellement rencontré ou l'ont entendu prononcer des paroles qui leur ont ouvert les yeux. Troublés, perplexes, ils ont voulu venir se rendre compte sur place. Je le sais par mon propre exemple. Je ressens sans cesse la même chose. Mais non, ce n'est pas possible, me dis-je, pourtant je dois me rendre à l'évidence. Parfois ils ont un mal fou à venir jusqu'ici. Mais ils y parviennent tout de même. S'ils n'obtiennent pas par ruse un papier officiel quelconque — et Dieu sait que c'est difficile en ce moment —, ils viennent illégalement ou sous un déguisement. Je me trouve souvent dans la salle de séjour quand l'un d'eux arrive. Il ou elle enlève un uniforme, une perruque, une barbe ou des lunettes, ou bien change de sexe et l'on s'aperçoit tout à coup que cette personne était déguisée. C'est vrai que tout le monde a l'air déguisé, de toute façon. Ils ne retournent pas chez eux ni vers leurs organisations si George leur dit qu'il ne le faut pas. La plupart du temps, il les envoie dans quelque autre lieu. Toujours bien précis et pour une durée bien définie avant qu'ils n'aient la permission de repartir.

George me tarabuste. Il me dit qu'il faut que je me mette à penser *davantage. Il dit : A quoi te sert ton éducation, surtout le genre d'éducation que tu as reçue ! Il faut te rendre utile, me dit-il. Tu ne voudrais tout de même pas que je sois administrateur et que je dirige des tas de choses dis-je, atterrée. George m'a répondu : Pourquoi pas ? Regarde Olga et Simon, c'est ce qu'ils font et ils le font bien. Je lui ai dit : Diriger des choses, à quoi bon ? Il a dit : Il faut savoir hurler avec les loups. Ah ! Ah ! très drôle ! George me dit : Rachel, tu es trop sensible, il faut t'endurcir. M'endurcir, pour quoi faire ?*

Sur quoi il manifesta cette patience pleine d'humour qu'Olga et Simon utilisent avec moi.

Je me rends compte que cette conversation, je l'ai eue toute ma vie, d'une façon ou d'une autre, avec moi-même ou avec Olga et/ou Simon, ou George.

Bon, très bien. Les nouveaux problèmes à l'ordre du jour sont donc : 1) Défense de manger du poisson près des côtes. Pêcheurs en voie de disparition. Affrontement des grandes nations au milieu des océans au sujet de la pêche en haute mer. Premiers signes de poisson pollué dans l'océan Antarctique. 2) La nourriture dans les Iles britanniques a atteint un niveau inférieur au niveau mondial minimum. Les pays du tiers monde déclarent qu'ils n'ont aucun scrupule à affamer les Européens qui les ont toujours traités comme des chiens. Ils sont en train de se venger. Charmant. 3) Il y a quatre millions de gens en prison et dans les camps pénitentiaires d'Europe. Ils n'en sortiront pas vivants. Ce sont pour la plupart des vieillards. 4) Il y a une autre grande famine en Afrique centrale. 5) Le bétail est malade. Les moutons sont malades. Les porcs sont malades. Les arbres meurent. Les gouvernements disent que cela n'est pas dû à la pollution en tant que telle. 6) Les Armées de la Jeunesse sont en marche.

Grand bien leur fasse.

Ça suffit pour aujourd'hui.

Olga est revenue de la famine hier. Elle avait une mine épouvantable. Je lui ai fait couler un bain chaud et je l'ai mise dedans. J'avais l'impression d'être sa mère. Je l'ai forcée à manger des sandwiches. Puis je l'ai couchée. Elle était complètement hébétée de fatigue et très mal en point. Je me suis assise à côté de son lit. J'ai éteint la lumière à sa demande, pour qu'elle puisse voir les étoiles à travers la vitre. Assise là, près d'elle, j'ai compris qu'Olga n'en avait plus pour longtemps à vivre. Elle est usée. Plus que ça même. Elle est loin de moi. De nous tous. Quand elle est avec nous, on dirait qu'elle a l'esprit ailleurs, si on ne la connaissait pas. Olga n'a jamais l'esprit ailleurs parce qu'elle s'intéresse toujours à ce qui se passe autour d'elle. La vérité, c'est qu'elle s'en va de l'intérieur.

Aujourd'hui, dans la salle de séjour, il y avait George et des gens, des Chinois pour la plupart, mais pas des fonctionnaires du gouvernement. Maman était assise avec nous, George était en train de leur dire où aller, ce qu'il fallait faire et ne pas faire. Puis Benjamin est entré. Il a beaucoup changé maintenant qu'il a du succès. C'est méchant ce que je dis là. Non, maintenant qu'il est utile. *C'est l'exacte vérité. Mais c'est un Roi Benjamin de comédie. Il porte un uniforme qu'il s'est inventé, composé de jeans, d'une chemise de brousse et d'un keffiyeh. D'habitude il écoute, assis, mais aujourd'hui quelque chose de très bien avait dû lui arriver car il était plein de lui-même et ne cessait d'interrompre la conversation. Les Chinois attendaient qu'il se tût. Mais lui continuait. George attendait, impassible. Benjamin semblait trop grand pour la pièce : il est si costaud que tous les autres, à côté, paraissaient petits, bien élevés et courtois. Soudain, Olga se mit à pleurer. De fatigue. Je voyais clairement que des années et des années de Benjamin la submergeaient tout à coup. Elle n'arrêtait pas de sangloter. Oh ! arrête, je t'en prie, arrête, Benjamin. Il en fut* bouleversé *et s'effondra. George me fit un signe. J'emmenai Olga et la mis encore une fois au lit. Une minute après, Benjamin vint à sa chambre et demanda la permission d'entrer. Il s'assit à côté d'Olga et lui tint la main. Elle pleurait encore. Il pleurait. Je pleurais.*

Simon est rentré aujourd'hui avec son Hôpital Itinérant. Voilà des semaines qu'il travaille vingt heures par jour. Olga et lui restent assis dans la salle de séjour comme deux fantômes. Ils parlent à peine. Je me rends compte qu'ils n'en ont pas besoin. Je me rends compte que notre famille reste souvent assise pendant des heures dans la salle de séjour sans dire un mot. George aussi. Voilà plusieurs heures que George est assis avec Olga et Simon sans dire un mot. Il est simplement avec *eux. Benjamin a fait son entrée et a demandé à Simon des nouvelles de son voyage. Simon était un peu remis de sa fatigue. Il a dit ceci, cela et puis : Dieu merci, ils étaient chinois. Voulant dire les Dirigeants. (Les Représentants du Peuple.) Là où il était allé. J'ai remarqué que Simon et Olga disent souvent : Dieu merci il ou elle ou ils étaient chinois. Ce que je me demande soudain, c'est pourquoi* les Chinois *? Je veux dire, comment se fait-il que partout où l'on va il y ait des Chinois ? Tellement efficaces et utiles, bien sûr. Jamais un faux pas. Le tact personnifié. Simon et Olga disent : le bon sens personnifié. Le mois dernier, quand Olga est allée sur les lieux de la* *famine, elle s'est bel et bien emparée d'une Chinoise dans un bureau et l'a emmenée avec elle parce qu'ils valent leur pesant d'or. De bon sens. Il y a six docteurs chinois qui travaillent dans l'Hôpital Itinérant de Simon.*

Cet après-midi fut étrange. George est revenu de l'université à trois heures. Il donne des cours sur les systèmes législatifs. Il dit qu'il est utile de rappeler aux gens qu'une chose comme la Loi peut exister. Il y avait des gens qui l'attendaient. Je leur avais servi du thé à la menthe et des gâteaux. Puis voyant qu'ils étaient tous affamés, je leur donnai ce qui avait été préparé pour notre souper. Il y avait deux Allemands, trois Russes, une Française, un Chinois et un Britannique. Quand George entra et s'assit après les avoir salués, les choses devinrent soudain différentes. Une atmosphère. Habituellement, ce qui se passe, c'est qu'après quelques bavardages et des nouvelles de l'actualité, George commence à parler à sa manière. Parfois, on remarque le moment où il commence, parfois tout arrive avant qu'on ne s'en aperçoive. Les gens bavardent à tort et à travers et gâchent tout. Jusqu'au moment où ils comprennent. Cet après-midi, je voyais que ces gens avaient déjà été en contact avec lui, quelque part, au cours de l'un de ses voyages. Il y avait une atmosphère recueillie. Mais il y avait aussi quelque chose qui clochait. Il y avait quelqu'un qui clochait. Je me demandais qui ça pouvait être. Il y avait quelqu'un de dangereux. Je compris que c'était Raymond Watts, le Britannique. Une fois que je m'en fus aperçue, je m'étonnai qu'il m'ait fallu tant de temps. Il était évident que c'était un espion. Je vis que les autres qui étaient arrivés avec lui ne s'en étaient pas aperçus mais sentaient que quelque chose n'allait pas. Lentement, l'un après l'autre, ils comprirent. C'était horrible. Bientôt tous fixaient Raymond Watts. Qui avait un air gêné et faux. Il était terrifié. Et avec raison ! J'attendais que George dise quelque chose. Ou fasse quelque chose. Mais il souriait comme d'habitude, sans bouger. Puis les autres, à commencer par les Russes, se levèrent pour partir. Je me rendais compte qu'il se passait quelque chose de terrible. Les autres suivirent les Russes. Pas Raymond Watts. George me regarda. Je demeurai à ma place. Il alla dans l'entrée avec les autres et y resta un moment. J'essayai de parler à Raymond Watts mais il tremblait et transpirait. Dans l'entrée, on parlait fort, avec colère. Je compris qu'ils voulaient tuer Raymond Watts et que George disait non. Puis ils s'en allèrent. George revint et me fit un léger signe de tête. Je quittai la pièce. Plus tard, je dis à George : Tu crois qu'ils vont le tuer ? George répondit : Non, je leur ai dit que Raymond changerait. Je réfléchis un moment, commençant à comprendre certaines choses. Je dis : Oh ! ce n'est pas la première fois ? George me fit un grand

309

sourire. Ce n'était donc pas la première fois. Souvent ? George dit : Il y a des foules d'espions, de nos jours. Il me regardait. Je savais ce qui se préparait — il allait me répéter qu'il fallait que je m'endurcisse. George dit : D'abord, il faut bien que tout le monde mange. Ensuite, pour bien des gens, être espion ou quelque chose du genre, ça va de soi. Ils n'ont pas le choix. Tu ne vois pas ? Non, dis-je, je ne vois pas. A quoi il répondit : Rachel, il faut vraiment essayer d'être plus forte. Tu as eu la vie très facile à beaucoup d'égards. Ça, ça me mit en colère. Je lui dis : En quoi a-t-elle été facile ? Tout d'abord, dit-il, tu n'as jamais été tentée de faire quelque chose de répréhensible parce que quelqu'un que tu aimes avait faim ou parce que tu avais faim toi-même. Deuxièmement, tu as toujours vécu avec des gens privilégiés.

Je lui dis : Comme Naseem et Shireen par exemple. Privilégiés ? Oui. Ils avaient reçu une bonne éducation. C'étaient des gens bien. Mais la plupart des gens aujourd'hui ne reçoivent pas une bonne éducation ; au contraire, et ce n'est pas leur faute.

Il me fallut du temps pour entendre ce qu'il avait dit. Je dis à George : Ils sont donc morts ? Il dit : Naseem est mort il y a un mois, d'une infection. Il avait attrapé froid. Tu veux dire, repris-je, qu'il est mort de n'avoir pas mangé à sa faim ? C'est ça, dit-il. Et Shireen est morte à l'hôpital en accouchant.

Et les enfants alors ?

Il dit que deux d'entre eux étaient morts de la dysenterie et que le bébé qui avait fait mourir Shireen, Fatima s'en occupait. Les trois autres ont été envoyés dans un camp d'enfants.

Je m'étais mise à pleurer, malgré mes bonnes résolutions.

George me dit : Rachel, si tu ne peux pas supporter tout ça, il te faut repartir à zéro et refaire tout le chemin parcouru. Réfléchis-y.

J'ai essayé d'y réfléchir depuis.

Je voudrais être morte avec Naseem et Shireen.

Il faut que je note que George n'est plus aussi beau qu'il l'était, ne serait-ce qu'il y a deux ans. Parfois il est absolument défiguré par la fatigue.

J'ai compris que Simon n'en avait plus pour longtemps à vivre. Comme Olga, il est très loin de nous. George reste avec eux aussi souvent qu'il le peut. J'y vais aussi mais je suis vite obligée de sortir parce que j'ai envie de pleurer. Eux sont loin de pleurer : ils sont très sereins.

George m'a dit qu'il veut que j'aide Benjamin à s'occuper des Camps d'Enfants. Je n'en croyais pas mes oreilles. Il a dit : Oui, Rachel, voilà ce que tu dois faire. J'ai dit : Oh ! non, non, non. Il a dit : Oh ! si, si, si.

Benjamin est arrivé, ce gros lourdaud basané, et je ne pouvais pas. George n'était pas là. Je savais très bien que George s'était arrangé pour que je sois seule avec Benjamin. Benjamin n'arrêtait pas de dire : Où est George ? Où est maman ? Où est papa ? Simon était parti travailler à l'hôpital et Olga se reposait dans sa chambre. Je vis que Benjamin se sentait délaissé. Je me forçai enfin à lui demander si je pouvais aller l'aider dans les Camps d'Enfants. Son visage, alors ! J'étais contente de le lui avoir demandé. Je vois que quand Benjamin rentre à la maison, il a terriblement besoin de rencontrer de la sympathie. Maintenant il va vraiment falloir que je m'y mette. Je ne pense pas en être capable. George n'est pas là, il est parti visiter une Armée des Jeunes en Égypte.

J'ai accompagné Benjamin dans la visite de ses Camps. Il utilise une camionnette de l'armée. Il s'est arrêté au Café de la Paix pour prendre des gens. Nous avons pris dix-sept personnes qui, toutes, se rendaient aux Camps. Les Camps de Benjamin sont à vingt kilomètres de la ville. Il dit que c'est suffisant pour les empêcher de venir tout casser le soir. Il parlait des petits gosses et c'était comme lorsque les vieux et les gens de la rue disent des adolescents qu'ils « cassent tout ». Le site des Camps n'est pas très agréable. C'est une plaine poussiéreuse, entourée de quelques collines basses. Nous sommes soudain arrivés sur une clôture de barbelés. Électrifiée. Benjamin dit que la clôture est indispensable. Aussi bien pour empêcher les gens d'entrer que les gosses de sortir. Fermez les guillemets. Il y a cinq mille garçons dans celui où habite Benjamin. Des bâtiments en parpaing, cinquante garçons par bâtiment, cinq bâtiments par groupe ; il y a vingt groupes. Une colonne d'alimentation pour chaque groupe de cinq bâtiments et un bloc de douches et de WC, des bureaux et des bâtiments centraux. Le Camp a la forme d'une roue dont les bâtiments constituent les rayons, à raison de deux groupes de bâtiments par rayon.

Il y a une demi-douzaine de palmiers, quelques hibiscus et quelques buissons de plombaginacées. Le Camp grouille d'enfants mais tous en escouades et en rangs. Pas en désordre. Un haut-parleur les réveille chaque matin à cinq heures trente. Comme il fait chaud et étouffant dans les bâtiments, ils sont contents de sortir. Ils font de la gymnastique avec un vrai moniteur d'éducation physique. On a posé un toit de chaume de palme au-dessus d'un sol en ciment sur lequel on a étendu des nattes. C'est

311

là qu'ils prennent leurs repas, assis par terre, par groupes de cinq cents. Chaque service dure vingt minutes. Au petit déjeuner ils ont du yaourt et du porridge. Cet espace à manger est presque continuellement en service. Après le petit déjeuner, ce sont les cours et le sport. Les cours sont donnés par groupes de cent la plupart du temps. Il n'y a pas d'endroit approprié, alors ils ont lieu n'importe où, dans le hangar à manger, par exemple, quand personne ne s'en sert. Les cours sont hurlés, quelquefois par haut-parleurs, et les enfants psalmodient après les enseignants. Quand quelque chose comme cinquante cours différents se déroulent en même temps dans le Camp, ça fait une atmosphère bizarre : ici, on psalmodie le nom des capitales du monde, là, à quelques centaines de mètres plus loin, c'est le nom des héros de l'histoire que l'on psalmodie, à côté, les principes d'hygiène, un peu plus loin, les devoirs et le respect envers les adultes, encore plus loin, c'est la table d'addition et de multiplication, à l'aide d'un tableau noir de la taille d'une maison — tout ceci en même temps — et à l'autre bout du Camp, on entend une classe qui psalmodie le Coran ou qui exécute une danse. En tout cas, une chose dont ces gosses ne souffriront jamais, c'est une compartimentation de l'esprit. Ils déjeunent tôt. De légumes et de haricots. Ils font la sieste. Puis on les parque dans le hangar à manger, pratiquement assis sur la tête les uns des autres, et on leur fait un cours d'histoire et d'actualité. Endoctrinement. Puis ils ont des cours sur le Coran, Mahommet et l'Islam. Les chrétiens et les juifs étant moins nombreux, on les prend dans les bâtiments dortoirs. Puis quand, Dieu merci, il commence à faire un peu plus frais, autre séance de sport et souper. Ensuite, les prières, puis une espèce de sermon très sentimental et exaltant. Finalement, on les emmène se coucher au pas cadencé. Ils ne sont jamais seuls. Jamais, jamais. Pas une seconde, à aucun moment du jour ni de la nuit. Ils ne font rien par eux-mêmes. Ils sont comme les habitants des grandes villes qui font toujours attention à leurs gestes et à l'endroit où ils mettent les pieds, de peur de se cogner ou de se piétiner les uns les autres. Ils sont très polis et disciplinés. Ils ont de grands yeux brillants et vigilants. Cependant, on en voit parfois quelques-uns échappés du rang ou de l'escouade, qui, pris de folie, de délire, se mettent soudain à courir dans tous les sens en agitant les bras comme des moulins à vent en hurlant et en se bourrant les uns les autres de coups de poing. Les jeunes gens qui s'occupent d'eux se précipitent pour les séparer. Ces jeunes gens sont des volontaires venus du Camp de Jeunes à huit kilomètres de là.

Je dis à Benjamin que la psychologie de ces enfants devait être complètement différente de celle des enfants élevés normalement dans leur famille et que cela ferait des adultes totalement différents des autres. Benjamin me répondit : D'accord, c'est vrai, mais tu préférerais qu'ils soient morts ?

Je me demande comment vont les trois enfants de Naseem et de Shireen qui sont dans le Camp. Ces enfants sont tous des orphelins dont les parents sont morts pendant une des crises récentes.

Benjamin se promène d'un air bonhomme, souriant avec amabilité, accessible à tous. Les gosses l'aiment bien. Les surveillants l'aiment bien. Il les aime bien, lui aussi. Je m'aperçois que j'ai sous-estimé Benjamin. Si on ne le comparait pas toujours à George, les gens l'admireraient. Il est très efficace. Il veille à ce que tout marche bien. Rien ne marcherait si quelqu'un ne coordonnait pas les choses, étant donné le nombre d'enfants et les équipements insuffisants. Benjamin essaie d'obtenir plusieurs autres hangars comme celui où l'on mange actuellement, pour y faire les cours. Il n'est pas très optimiste. Il dit que sa hantise, nuit et jour, c'est qu'une épidémie se déclare.

Benjamin a prononcé l'un des discours exaltants. Le sermon, en fait. Il ne m'avait pas dit qu'il en avait l'intention car je sais que ça le gênait. Dès que je le vis debout, prêt à commencer, je pensai : surtout, n'essaie pas d'imiter George ! Mais il fut tout à fait différent, ça ressemblait plutôt aux discours d'encouragement qu'on nous faisait à l'école, au rassemblement du matin. Tous pour un, un pour tous, nous sommes frères et si nous nous aidons les uns les autres, Dieu nous aidera. Dieu et Allah. Je dirais Allah à soixante-dix pour cent et Dieu à trente, pour être juste. Mais il s'y prenait bien. Que peut-il faire d'autre de toute façon ? Que peut-on faire d'autre ?

Il me reconduisit à la maison après que les enfants furent couchés. Nous emmenâmes quelques auxiliaires du Camp. En route, nous faisions sans cesse monter des Jeunes. La camionnette était si chargée qu'elle se traînait péniblement. Benjamin me dit deux choses pendant le voyage du retour. L'une : Que je devrais avoir un ami. Je sais qu'il voulait dire que mon attitude envers George est malsaine. Je lui dis : Ne t'inquiète pas, je sais que tu penses à George. Mais tu te trompes sur mes sentiments. Alors il dit : Je comprends parfaitement bien. Je ne suis pas idiot. Mais si tu attends que se présente quelqu'un d'aussi bien que George, tu resteras vierge toute ta vie. Après quoi nous gardâmes tous les deux le silence. Un bon moment. J'étais furieuse, bien entendu, mais je sentais en même temps que j'étais injuste : il était gentil, il ne parlait pas du tout comme d'habitude. Il dit : Après tout, nous allons tous les deux avoir des problèmes à cause de George, tu ne crois pas ? Je digérai tout ceci. Puis je

313

dis : Je n'ai pas l'intention de grossir la population des Camps d'Enfants.
Sur quoi il dit : Je n'ai connu qu'une autre fille ayant aussi résolument que
toi choisi de vivre dans un autre siècle que le nôtre. Puis-je t'offrir un
manuel élémentaire de contrôle des naissances ? Sur quoi je dis à mon
tour : Je ne vois pas pourquoi tu penses que je suis idiote : j'ai réfléchi à
tout ça. Je n'ai aucun intérêt pour le genre d'association que choisissent les
couples d'aujourd'hui : pas d'enfants, pas de foyer ; pourquoi se
marient-ils alors ? Pourquoi prennent-ils la peine de se marier ? C'est-
à-dire, répondit Benjamin faisant de l'humour, qu'il y a ce qu'on appelle
le sexe. Eh ! bien, lui dis-je, je m'adresserai à toi pour que tu me trouves un
partenaire sympathique et sain quand je ne me contiendrai plus et que je
me sentirai incapable de le trouver toute seule. Nous nous mîmes à rire. Je
ne me rappelle pas avoir, de ma vie, passé un moment aussi agréable avec
Benjamin. Jamais. Pour la première fois Benjamin me plaît.

Mais il dit ensuite qu'il voulait que j'« entreprenne » le Camp des filles
qui fait pendant à ce Camp. Je répondis que bien sûr j'en étais incapable,
comment le pourrais-je, j'étais parfaitement incapable de diriger une
chose comme celle-là. Il dit : Pourquoi pas ? Je ne savais pas moi-même
avant de commencer. Et de toute façon, je ne « dirige » pas le Camp. Ce
sont les auxiliaires qui le font.

Sur quoi nous eûmes une discussion, mais pas pénible. Les auxiliaires
viennent du Camp de Jeunes, ils ont tous à peu près notre âge, entre
dix-huit et dix-neuf ans. Ce sont toujours les plus jeunes de chaque Camp
qui s'occupent des enfants. Il n'y a pas de femmes dans le Camp de
garçons, et c'est là-dessus que nous n'étions pas d'accord. Il dit que c'était
un pays musulman. Je lui répondis que ça m'était bien égal que ce soit un
pays musulman ou la planète Mars, mais qu'il était cruel de laisser tous ces
garçons sans une femme à la ronde. Il dit : Qu'est-ce que tu proposes ?
Une image de mère par bâtiment de cinquante enfants ? Non, dis-je, mais
la moitié des auxiliaires devraient être des filles. Il dit : Bon Dieu, j'ai déjà
tous les mullahs sur le dos, si, en plus, des filles travaillaient avec des
garçons nuit et jour, les Autorités deviendraient folles. Je dis : Ils ont tous
mauvais esprit. Il dit que je parlais en Occidentale et que je manquais de
perspicacité et de compréhension. Je répondis que tout ça m'était égal,
c'était bien simple, il fallait des femmes.

J'ai accompagné Benjamin au Camp des filles. Il n'existe aucun contact
entre les deux Camps bien qu'ils ne soient distants que de huit kilomètres
l'un de l'autre, ce qui fait que de nombreux frères et sœurs se trouvent
séparés. Mais une fois par semaine, on conduit les frères et les sœurs en

deux groupes dans un endroit neutre du Camp où ils passent quelques heures ensemble. C'est mieux que rien, après tout. Je n'avais pas prononcé un mot à ce sujet parce que j'avais décidé de ne pas le faire mais Benjamin me dit : Que proposes-tu d'autre ? — comme si j'avais émis une critique.

Le Camp est identique au Camp des garçons. Filles et garçons portent les mêmes vêtements : une espèce de costume de coton léger blanc ou bleu composé d'un pantalon et d'une tunique à manches courtes. Les garçons portent le keffiyeh. Les filles, un petit bonnet ajusté par-dessus un léger voile de mousseline. Aujourd'hui le vent envoyait de la poussière et du sable partout et tout ce que l'on voyait, c'était des yeux sombres au-dessus du voile ajusté autour de la bouche et des narines. Je regrettais de ne pas être moi-même voilée.

Les auxiliaires sont surtout des Tunisiens avec, évidemment, quelques Chinois. Ils ont tous du plaisir à s'occuper des enfants. Il y a, dans les Camps de Jeunesse, de longues listes d'attente car ils sont nombreux à vouloir travailler dans les Camps.

La journée se déroula de la même façon que dans le Camp des garçons.

L'après-midi, j'étais dans l'abri surmonté d'un toit de chaume qui sert de salle à manger quand plusieurs groupes de petites filles, sorties furtivement des bâtiments où elles étaient supposées se reposer, firent cercle autour de moi pour me regarder. J'étais un nouveau visage. Je n'étais pas en uniforme. Je portais une courte robe rouge par-dessus un pantalon bleu clair. La robe avait des manches courtes. J'étais parfaitement correcte. Mais à leurs yeux, j'étais très étrange. Exotique. Pas à cause de mon apparence physique. En fait, je leur ressemble. Je dis : Bonjour ! d'un air amical, mais elles restèrent sérieuses et silencieuses. Elles ne cessaient de me regarder et d'entrer, toujours plus nombreuses. J'étais envahie du sentiment de leur nombre, de leur présence autour de moi, de la gravité de leurs visages ; il y en avait des milliers, des milliers et des milliers. Que seront-elles quand elles seront grandes ? Mais elles ont déjà un air adulte, avec leurs petits visages durs et leurs yeux durs et vigilants. Je m'assis sur la natte du sol en espérant qu'elles viendraient s'asseoir à côté de moi. Le cercle se resserra ; elles me regardaient, assise à leurs pieds. Je leur dis : Je vous en prie, venez vous asseoir, venez parler avec moi. Tout d'abord, l'une d'elles s'assit puis toutes les autres en même temps. Elles étaient assises tout près de moi, me dévisageant sans rien dire. Puis Benjamin arriva vers nous à grandes enjambées et elles s'envolèrent toutes à la fois, sans un regard en arrière.

315

Benjamin me dit : Viens dans le bâtiment administratif. C'est que nous faisions scandale en étant ensemble dans un Camp exclusivement féminin. Je le suivis. C'était un bâtiment administratif comme tous les autres.

Il me dit : Alors, tu veux bien le faire ?

Je dis : Mais que faut-il que je fasse ?

Être là, dit-il d'un ton farouche et pressant, et je compris comment, lui, considérait ce qu'il faisait. Tu dois être là, à l'entière disposition de tout le monde, tout le temps, et veiller à ce que les choses soient bien coordonnées.

Je lui dis que j'y réfléchirais.

Après dîner, il prononça un autre sermon, le même, à un mot près, que celui d'hier soir. Tout le monde fut ravi. L'amour et la bonne volonté partout. Je pense que je pourrais apprendre à prononcer un sermon ; de toute évidence c'est facile puisque tout le monde le fait constamment, et entre le discours politique et le sermon quelle différence ?

Il faisait presque nuit quand nous partîmes. Les petites filles, par lots de cinquante, avec une fille de mon âge à la tête de chaque contingent et une autre derrière, défilaient tout autour du Camp en guise d'exercice, au pas cadencé, chantant à tue-tête. La lune se levait.

J'ai dit que j'y réfléchirais. C'est ce que je fais.

Aujourd'hui, j'avais décidé de ne pas prendre la direction du Camp des filles. A peine avais-je pris cette décision que George rentra à la maison. Il amenait deux enfants, un garçon et une fille. L'un pour un Camp et l'autre pour l'autre, je suppose. Kassim et Leila. Leurs parents sont morts du choléra. Ils sont pour l'instant dans l'appartement. Ils sont très tranquilles. Très sages. Ils vont dans la chambre de George lorsque celui-ci est absent et ferment la porte. Pour pleurer, je pense.

J'étais dans la salle de séjour, seule. George entra et s'assit. Toutes portes ouvertes. N'importe qui peut entrer à n'importe quel moment. C'est ça l'intérêt de la chose. Mais nous étions seuls, pour une fois. Je dis : voilà, j'ai vu les Camps.

Il ne réagit pas.

Comme je n'ajoutais rien, il me demanda : Tu l'as dit à Benjamin ?

Oui, répondis-je, et il dit aussitôt, très ennuyé mais résigné : Il doit être très contrarié.

Oui, dis-je. Il ne bougea pas. Alors j'ajoutai : J'ai réfléchi à la façon dont nous avons été éduqués. Il dit : Ah bon ! Et j'ai eu une idée qui va te plaire… Il souriait déjà, affectueusement. Je dis : Combien de gens au monde ont été élevés comme nous ?

Il hocha la tête.

Et tout le temps, de plus en plus de Camps, des écoles énormes, les gens menés comme du bétail, des slogans, des haut-parleurs, des institutions.

Il hocha la tête.

Je continuai à parler de la sorte. Puis je dis : Et tout le temps une poignée de brandons tirés du feu. Je ne me sens pas à la hauteur de la tâche.

Il s'appuya au dossier de sa chaise, soupira, croisa les jambes dans l'autre sens et exécuta une série de mouvements rapides et légers comme lorsqu'il est impatient et voudrait être sûr que ce soit à juste titre.

Puis il me dit : Rachel, si tu te mets à pleurer, je me lève et je sors. Il ne m'avait jamais parlé comme ça avant.

Mais je n'avais pas envie de céder. J'avais l'impression d'être dans mon droit.

Alors il dit : Ces deux enfants, je voudrais que tu t'en occupes.

Oh ! fis-je, pas Benjamin, pas les Camps ?

Non, ils viennent d'une famille comme la nôtre. Kassim a dix ans et Leila en a neuf. Il vaudrait mieux qu'ils n'aillent pas dans les Camps. Si c'est faisable.

Je me mis à réfléchir aux conséquences que cela entraînerait, à nos parents, à la façon dont ils nous avaient élevés. Serais-je capable de faire ce genre de chose ? Mais je dis : D'accord, je vais essayer.

Bien, dit-il, et il se leva pour partir.

Si j'avais accepté de travailler dans le Camp, dis-je, je n'aurais pas pu veiller sur Kassim et Leila. A qui l'aurais-tu demandé, alors ?

Il hésita, puis répondit : A Suzannah.

Ces mots me coupèrent littéralement le souffle. Je restai immobile.

Suzannah est bonne, dit-il. Ce n'était pas un reproche à mon endroit mais une constatation à l'égard de Suzannah. Il me fit un petit signe de tête, sourit et s'en alla.

Aujourd'hui, George est entré dans ma chambre et m'a dit qu'il partait de nouveau en voyage. Partout, dans toutes les Armées d'Europe, puis en Inde et en Chine. Il serait absent un an ou plus.

Je ne pouvais y croire. Il me semblait qu'il venait d'arriver et que nous n'avions pas encore eu le temps de parler sérieusement.

George dit : Rachel, ce voyage sera pour moi le dernier.

Au début, je crus qu'il voulait dire qu'il allait être tué, puis je me rendis compte que non. Ce qu'il voulait dire, c'est qu'après ce voyage il ne lui serait plus possible d'en faire d'autres du même genre.

Il me dit que beaucoup de gens viendraient à la maison et qu'il me laisserait des instructions sur ce que je devrais leur dire.

Pas à Simon ou Olga ? demandai-je et il répondit : Non.

Bien sûr je savais ce qu'il avait à l'esprit.

Alors, juste au moment où je pensais que maintenant que Benjamin était devenu raisonnable et gentil avec moi il pourrait m'aider, George me dit : Benjamin m'accompagne. C'était plus que je n'en pouvais supporter, d'un seul coup. George était là, assis sur sa chaise, parfaitement à l'aise et tranquille, m'observant avec intérêt, mais attendant que je me montre forte. Je ne m'en sentais pas capable.

George me dit : Rachel, il le faut.

Je n'avais plus une goutte de salive pour répondre. George ajouta : Je ne m'en vais pas avant un mois, puis sortit.

J'allai m'étendre sur mon lit.

Aujourd'hui, on a annoncé que les Glorieuses Dictatures Communistes Démocratiques et Socialistes Paneuropéennes pour la Préservation de la Paix acceptent avec joie la Tutelle Bienveillante des Glorieux Frères Chinois. Bah ! pourquoi s'en faire ? Quelle farce !

Mais quand George a entendu ça à la radio, il est devenu grave. Je lui dis : Mais tu savais que ça allait arriver, non ? Il répondit : Oui, mais pas si tôt. Il envoya un message à Benjamin par l'intermédiaire de quelqu'un qui partait du Café de la Paix (parce qu'encore une fois le téléphone était en panne) lui demandant de venir le rejoindre le plus tôt possible. Il passe beaucoup de temps avec Benjamin à présent. Tous les après-midi. Il va aux Camps, il reste un moment avec les enfants, puis va dîner avec Benjamin au café. Benjamin a reçu des Chinois une invitation à se rendre en Europe. Il est flatté. Et a honte de l'être.

Tous les matins, très tôt avant le petit déjeuner, j'emmène Kassim et Leila dans ma chambre et leur enseigne la géographie et l'espagnol. Et l'histoire des politiques et religions récentes. C'est, dit George, ce qu'ils doivent apprendre. Quand je reviens de faire mes cours au Collège, l'après-midi, j'enseigne à Kassim et Leila le portugais et la géographie historique. Le reste du temps, ils sont avec George. Olga et Simon ont à peine remarqué les enfants. C'est trop pour eux. Olga est retournée travailler à l'hôpital. Elle se bat contre la bureaucratie. Rien de nouveau, quoi ! Simon a pris une semaine de vacances parce qu'il vient d'avoir une petite crise cardiaque. C'est George qui le lui a ordonné. Ils parlent beaucoup ou restent tranquillement assis ensemble. L'autre jour, Olga a dit : J'ai le sentiment d'avoir terminé ce que je voulais faire.

Je lui ai dit : Olga, veux-tu dire que tu n'as plus de soucis maintenant que nous sommes tous les trois adultes ? Oui, c'est un peu ça, a-t-elle répondu. J'ai ajouté : Mais je n'ai pas du tout l'impression d'être adulte moi ! Affectueusement elle m'a répondu : Eh ! bien, tant pis, pas de chance ! Nous avons ri. Voilà comment ça se passe chez nous en ce moment.

Ce soir, George et Benjamin étaient dans la salle de séjour avec une dizaine de gens venus voir George. Parmi eux, une Indienne parla d'une jeune fille appelée Sharma, et d'après la réaction de Benjamin, je compris que George s'y intéressait. Il y avait un paquet de lettres adressées par la jeune fille à George. Lorsque les visiteurs furent partis et que George fut sorti avec Kassim et Leila, je restai seule avec Benjamin. Je dis : Qui est cette fille ?

Je vis que, si je n'y prenais pas garde, nous allions retomber dans les affreuses querelles d'autrefois.

J'ai l'impression que George s'est entiché d'elle, me dit Benjamin. C'était lui, en fait, qui maintenait entre nous un ton amical, raisonnable et paisible. Je lui en fus reconnaissante.

C'est sérieux ? demandai-je.

J'ai cru que tu allais dire : Et Suzannah ?

C'était à Suzannah, en réalité, que je pensais.

A ce moment-là, je sentis que j'allais me mettre à crier contre Benjamin si je ne quittais pas tout de suite la pièce, et ça aurait été injuste parce qu'il ne m'avait rien fait. Alors je me levai et sortis.

Je dormis à peine, je pensai toute la nuit à George et à cette fille. Je rêvai. C'était horrible : on m'enlevait tout. Je sais que je ne me montre pas forte. Cet après-midi, George est entré dans ma chambre pendant que j'enseignais le portugais aux enfants et je compris que c'était parce qu'il savait que je voulais lui parler de cette fille. Il fit un signe de tête et les enfants sortirent. Puis il s'assit sur une chaise en face de moi, se pencha et me regarda droit dans les yeux.

Il demanda : Rachel, que souhaites-tu que je te dise ?

Je veux que tu me dises : j'aime cette fille, c'est la plus merveilleuse du

319

monde, elle est belle, sensible et intelligente ; elle est remarquable.

Voilà, répondit-il, je l'ai dit. Et maintenant, Rachel ?

Évidemment, comme d'habitude, je me sentais idiote ; j'étais là, assise, avec mes émotions qui dansaient la java, inutile à tous.

J'étais incapable de parler, alors il me dit : Ce n'est pas difficile d'aimer quelqu'un, dans la mesure où on se sent attiré par des possibilités. Des potentialités.

Ses qualités ne sont donc pas celles dont tu as besoin ? demandai-je. La question avait l'air légèrement sarcastique, mais je ne l'avais pas du tout voulue ainsi. Et il ne la prit pas comme telle.

Tu te rends bien compte, Rachel, qu'aucun de nous n'aura jamais les choses qu'il désire.

Ça, je le sais bien.

Alors c'est parfait.

Tu ne parles pas de Suzannah.

Je ne croyais pas que c'était à Suzannah que tu pensais.

Je ne répondis rien.

Il dit : Rachel, je veux que tu m'écoutes très attentivement.

Mais je t'écoute toujours attentivement.

Bon, alors, écoute. Quand Benjamin et moi serons partis, je veux que tu restes ici, dans l'appartement, et que tu t'occupes de Kassim et de Leila. Je ne veux pas que tu partes d'ici. Je veux que tu te souviennes toujours de ce que je viens de te dire.

Quand je l'entendis prononcer ces paroles, je me sentis submergée par la nausée. Je tombai dans un trou noir. C'était horrible. Je savais que ce qui se passait était terrible. Je voulais saisir ce qui se passait. J'avais l'impression que j'aurais dû enregistrer quelque chose que je n'enregistrais pas.

J'étais à moitié évanouie et ne voyais plus clair mais je l'entendis qui disait : Rachel, s'il te plaît, rappelle-toi, je t'en prie.

Quand je sortis de mon évanouissement, il était parti. Il me renvoya les enfants et je continuai mon cours.

Depuis, j'attends que George parle encore avec moi, seul à seule, mais si je suis souvent avec lui et ses visiteurs, il ne me parle pas quand nous sommes seuls.

Nous avons appris aujourd'hui que Simon est mort au Soudan. D'un des nouveaux virus. George a obtenu une permission spéciale pour téléphoner du collège, mais Simon était déjà enterré. George, Benjamin et moi, nous sommes assis dans la salle de séjour tous les trois, tout seuls. Pas de visiteurs. Il fait très chaud ce soir. Nous avons attendu Olga. Elle est arrivée tard mais elle savait déjà. Alors nous nous sommes assis tous les quatre. Olga est tellement usée que je me demande si elle ressentait quelque chose. Je voyais, à son visage, que ce n'était pas qu'elle n'avait pas assimilé la nouvelle, mais qu'il y avait longtemps, au contraire, que c'était fait. Nous restâmes assis longtemps tous les quatre, immobiles et silencieux, jusqu'au moment où Olga dit : Ça va bientôt être le matin. Elle est allée se coucher. George et Benjamin sont encore assis dans la salle de séjour.

Aujourd'hui George et Benjamin sont partis pour l'Europe. Avec un contingent de vingt-quatre délégués de différentes régions d'Afrique. Olga et moi sommes ici, avec les deux enfants. Olga est presque invisible, elle flotte. Elle va à l'hôpital mais rentre tôt le soir et s'allonge. Elle vit un peu le matin. Elle s'assoit dans la cuisine avec Kassim et Leila, et leur raconte l'enfance de George, puis son adolescence. Quand elle oublie quelque chose, elle me regarde et je complète. Je vois qu'elle veut être sûre qu'ils connaissent bien George. Assise, je l'écoute parler, mais ce qu'elle dit est tout à fait différent de ce dont je me souviens. Je veux dire qu'elle est tellement fatiguée et lointaine *que les choses qu'elle dit sont hachées et insipides. Quelquefois, je ne peux pas croire que c'est de George qu'elle parle. Du coup, je me demande si ce que j'ai moi-même écrit à son sujet est aussi terne et ennuyeux. Parfois, ce qu'elle dit donne l'impression de sortir d'un vieux livre poussiéreux. Elle répète des anecdotes. Elle leur dit sur George des choses qu'elle connaissait, mais pas moi. Elle parle, elle parle, elle parle, sans arrêt, de George.*

Leila et Kassim la regardent, assis sur leurs chaises. Ce sont de beaux enfants, minces, par manque de nourriture, nerveux, avec un visage brun, éveillé, des cheveux noirs et raides, des yeux sombres et doux. Je les oppose aux enfants des Camps et je les sens précieux. C'est injuste vis-à-vis des enfants des Camps. Tous ont besoin d'être aimés de quelqu'un. Tous, sans exception.

Suzannah vient tous les soirs à l'heure du souper. Elle est calme et humble. *Comme un chien qui espère qu'on ne va pas le chasser. Et pourtant, chaque fois qu'elle vient, tout le monde est gentil avec elle. Olga, particulièrement. Suzannah reste assise auprès des enfants pendant qu'ils dînent. Elle est gentille avec eux, simple et sensée. Ils l'aiment bien. Je regarde son chemisier tape-à-l'œil et à la mode, son visage vulgaire et sa mise en plis et je n'arrive pas à y croire.*

Olga m'a réveillée la nuit dernière et m'a dit de l'emmener à l'hôpital. J'ai téléphoné à Suzannah qui est arrivée dans sa voiture militaire. Nous avons conduit Olga à l'hôpital et j'ai demandé à Suzannah de retourner à la maison auprès des enfants. On a mis Olga dans une petite chambre donnant sur l'une de ses propres salles. Il y avait un tas de lumières vives, des docteurs et des infirmières. Elle a dit au médecin-chef : Je vous en prie... voulant dire : ne me donnez pas de médicaments. Il travaille habituellement sous ses ordres. Il lui a pris la main en souriant et en hochant la tête. Puis il a fait un signe de tête aux docteurs et aux infirmières qui sont tous sortis, me laissant avec Olga. Elle était très fatiguée. Son visage était gris. Ses lèvres blanches. Elle a fait un mouvement de la main et je l'ai prise entre les miennes. Elle me regardait de loin, de très loin. Je voyais qu'elle avait toutes les peines du monde à respirer. Elle dit tout à coup d'une voix forte : Rachel. J'attendis, attendis, attendis... sous l'éclat aveuglant des lumières. Puis elle sourit, d'un vrai sourire, et je sus qu'elle allait mourir. Elle dit : Eh bien Rachel..., d'un air affectueux. Puis sa respiration s'arrêta. Au bout d'un moment, je lui fermai les yeux. Avant ça, elle me regardait. Aurait-on dit. Je restai avec elle jusqu'à ce qu'elle fût froide. Je ne ressentais aucun chagrin parce qu'il me semblait que ce n'était pas le moment. De toute façon, je ne crois pas à la mort. Et de toute façon j'aurais voulu être avec elle. J'appelai une infirmière et lui dis que s'il y avait des documents à signer, il fallait me les donner car j'étais à présent le seul membre de la famille ici présent. On m'apporta une tasse de café et un formulaire à signer. Puis je rentrai à la maison à pied. Il faisait jour. Suzannah dormait sur le canapé du salon. Cela me la rendit sympathique parce qu'il y avait six lits vides dans lesquels elle aurait pu s'installer. Elle ne fit pas d'histoires, ne dit pas de bêtises, me prépara du café, réveilla les enfants et les fit déjeuner. Nous nous assîmes tous ensemble dans la cuisine et je leur dis qu'Olga était morte et que c'était moi qui m'occuperais d'eux. Et Suzannah aussi ? demandèrent-ils. Évidemment je dis : Oui, Suzannah aussi. Cela semblait la seule chose à dire.

J'ai compris que George épouserait Suzannah, c'est évident. Comment ne l'ai-je pas vu plus tôt ? Elle fait déjà partie de la famille. Et depuis longtemps.

Maintenant que George et Benjamin sont partis et que papa et maman sont morts, il y a beaucoup de place dans l'appartement. J'ai mis Kassim dans la chambre de George et Leila dans celle de Benjamin. C'est très important pour eux. Avant, ils se sentaient comme des réfugiés qu'on avait

322

recueillis. Mais maintenant ils se sentent de la famille. Je leur ai assigné des tâches, comme celle de faire le ménage et les courses, et tous les deux savent un peu cuisiner. Je ne les ai pas encore envoyés à l'école. Je ne sais où, ni comment. J'ai même pensé à retrouver Hasan pour lui demander conseil. Ces enfants ont peut-être la même importance que George ? D'après ce que j'ai appris, Hasan est mort. C'est toujours la même chose ; on pense à quelqu'un qu'on n'a pas vu depuis un certain temps et puis on vous dit : il est mort. George ne m'a laissé aucune instruction concernant les enfants, si ce n'est que je devais m'en occuper. Je ne peux absolument pas leur enseigner tout ce qu'ils devraient savoir.

Hier soir, Suzannah est venue à l'heure du souper, comme elle le fait toujours. Ses yeux disaient qu'il fallait l'inviter, mais elle était prête à partir si je ne le faisais pas. Comme nous bavardions, à table, la question de l'école est venue sur le tapis. Suzannah est bonne en mathématiques, alors elle leur donnera des leçons. Puis elle a dit qu'elle les emmènerait parfois avec elle à son travail. Elle enseigne la culture physique, l'hygiène, la diététique et d'autres choses du même genre à l'un des Camps de Jeunesse. Je dis : Non, je ne voulais pas que les enfants soient influencés par tout ça. Je voyais qu'ils s'amusaient, poliment, à leur manière, de ce que nous disions. Suzannah dit : Il ne faut pas les surprotéger, tu sais. Ça me met toujours en colère, intérieurement, quand elle dit des choses. C'est sa manière de les dire. Tout ce qu'elle dit a la même qualité : l'arrivisme. Je ne comprenais pas à l'époque parce que je ne l'aimais pas. C'est son énergie qui fait qu'elle insiste sur ce qu'elle pense. Si elle insiste et manque de discrétion, c'est à cause de ses expériences passées. Les expériences malheureuses traditionnelles. Elle est obligée de se battre pour tout. Alors elle se bat. C'est une réfugiée. Elle ne connaît même pas son véritable nom. L'administrateur du Camp l'a appelée Suzannah. Elle n'a pas d'autre nom. Elle a passé six ans dans un Camp de filles. Elle y a appris toutes sortes de choses par elle-même. Elle a obligé les auxiliaires qui connaissaient les mathématiques, l'hygiène, la diététique, etc., à lui donner des leçons. Elle s'est battue pour sortir.

Suzannah allait travailler ce matin, et il aurait été sensé de lui demander de passer la nuit ici. Mais je ne l'ai pas fait. Je le voulais mais je n'ai pas pu me dominer. J'avais l'impression qu'elle avait pris ma place. Alors elle est rentrée chez elle, juste avant le couvre-feu. Je me sentais coupable. Au moment où j'aidais les enfants à se coucher, Kassim me dit : Rachel, est-ce que tu essaies de nous protéger, Leila et moi, de choses que nous avons déjà subies ? Je ne sais pas grand-chose d'eux. Je ne les interroge pas parce que ça doit être pénible, ou alors si George m'en a parlé, je n'ai pas écouté.

323

Ou peut-être ont-ils envie de parler et je ne le leur permets pas ? Ça viendra, mais donnez-moi le temps.

Les gens continuent à venir ici et à demander après George, mais beaucoup moins qu'avant. Comme le courant régulier d'un fleuve qui réduirait brusquement son débit. Je m'en étonne. Car les choses se sont toujours passées de façon si désordonnée, je veux dire, les gens qui venaient ici, tout comme la façon dont ils venaient, toujours si difficile. Maintenant qu'il n'est plus là, quelques-uns seulement viennent. Je suis sur mes gardes. Benjamin m'a dit de faire très attention à la présence possible d'informateurs et d'espions. Mais comment savoir que quelqu'un est un espion ? On m'a laissée avec des responsabilités qui me dépassent. Je dois sûrement commettre de graves erreurs.

Hier, Raymond Watts est venu. Bien sûr, de lui je me méfie. Mais pourquoi est-il encore ici ? George était toujours en train de dire aux gens d'aller ici ou d'aller là, mais il n'a jamais dit à personne de rester ici. En fin de soirée, de jeunes Hollandais sont arrivés. Ils sont parvenus jusqu'ici comme tous les autres, de façon folle, au petit bonheur. Suzannah était là. Elle m'a fait un signe et m'a entraînée dehors. Ils s'en sont aperçus, bien sûr. Elle s'imaginait, je pense, qu'ils n'avaient rien vu. Elle « chuchota » que je devais me méfier d'eux. Ils entendirent sans doute parce qu'ils partirent aussitôt. Je demandai à Suzannah comment elle le savait. Quand on a connu certaines expériences, on sent ces choses. Alors je lui ai demandé ce qu'elle pensait de Raymond Watts. Elle m'a répondu : Oh ! il est bien, maintenant.

Raymond Watts est revenu. J'ai compris qu'il est amoureux de moi. S'il veut perdre son temps, ça le regarde. Il parlait de choses et d'autres et j'ai appris qu'il était instituteur en Angleterre. Je lui ai demandé combien de temps il resterait ici et il m'a dit : six mois, à moins que les cieux ne me soient cléments, parlant de moi, je suppose ; alors je lui ai demandé de donner des cours à Leila et Kassim.
Hier soir, Suzannah était ici parce qu'elle a emmené les enfants au Camp avec elle ; elle leur a demandé de l'aider, puis leur a donné une leçon de mathématiques ; puis elle a soupé avec nous. Je me suis forcée à lui demander de passer la nuit ici. Je l'ai mise dans la chambre de papa et maman. Elle défaillait presque d'émotion. Moi aussi, d'ailleurs. Elle a une chambre minuscule, une vraie boîte d'allumettes, aux limites de la ville ; le sable monte à l'assaut de sa porte et il y a des chiens galeux qui

errent tout autour. Il y fait trop chaud pour qu'elle puisse y rester l'après-midi. Elle ressemble tout à fait à la petite chambre de pisé que j'aimais tant, mais la maison n'a pas une cour avec un bassin, et elle n'a pas de toit où elle puisse dormir à la belle étoile. Ce matin, je lui ai dit qu'elle devrait venir vivre ici. Je ne l'ai pas fait très gentiment, j'en ai peur, mais enfin je l'ai fait, c'est le principal. Je sais qu'elle va envahir la maison, mais elle n'y mettra aucune malice et de toute façon je n'y peux rien et je sais que ça n'a pas d'importance.

Quand j'ai installé Kassim dans la chambre de George, je lui ai dit que je débarrasserais les placards. Je l'ai fait aujourd'hui. J'ai mis les affaires de George dans ma chambre. Il n'a jamais eu grand-chose comme vêtements, alors ceux qui restaient sont allés avec les miens. Évidemment, je n'ai pas pu m'empêcher de pleurer. Il me manque tellement que j'ai mal jour et nuit. Benjamin me manque également, aussi étrange que cela puisse paraître. Olga et Simon, eux, ne me manquent pas beaucoup. C'est qu'ils s'étaient déjà éloignés les derniers temps. Ce qui me manque, c'est ce que je me rappelle d'eux quand j'étais petite. C'est bête. Et quand je me souviens comme ils étaient fatigués, ça me donne envie de pleurer. Mais ils n'apprécieraient pas. Moi non plus, d'ailleurs, je n'apprécie pas. Mais j'ai cessé de me tourmenter de ma puérilité. J'ai mis les papiers de George dans les cartons. J'ai trouvé des lettres. Je ne sais pas si j'ai eu raison ou tort de les lire mais en tout cas je l'ai fait. L'une d'elles était de son grand amour indien. Tout ce que je peux dire, c'est qu'elle ne comprend pas grand-chose à George. Et aussi une lettre de George adressée à elle, qu'il n'a jamais envoyée. Elle ne l'a pas lue ; moi, si. D'où je conclus, d'après les résultats, que cette lettre m'était destinée plutôt qu'à elle. Il est évident que je fais quelque chose de malhonnête.

Lettre de **SHARMA PATEL**
à GEORGE SHERBAN
Cher Camarade,
J'ai appris hier seulement que le porteur de ce mot devait passer près du lieu où tu te trouves, ainsi cette lettre que je lui donne — la dernière — (je t'ai écrit auparavant, chaque fois que je disposais de quelques minutes, ce qui est bien peu) doit être nécessairement courte.
Quand viens-tu ? Tu a promis de venir. Luis dit que tu dois entreprendre un autre voyage circulaire, l'Inde n'étant qu'une de tes étapes. Je t'attends — tu sais avec quelle impatience.
Mais j'ai une proposition concrète à te faire. A la prochaine Conférence

325

Paneuropéenne des Armées de la Jeunesse, il est très probable que l'Inde sera élue au poste de Rassembleur. Tout le monde s'y attend. Et ta Sharma sera donc à la tête de l'Europe pour cette année-là. (Bien entendu, je plaisante, comme tu sais !) Mais, mis à part les voyages à effectuer dans chaque pays, le poste me plairait beaucoup. J'ai parlé de mon idée à Luis. Je lui ai demandé d'y réfléchir sérieusement. Je lui ai dit que si tu voulais bien proposer ta candidature, tu aurais toutes les chances de représenter l'Afrique du Nord. Es-tu prêt à le faire ? Quand nous en avons discuté, tu ne paraissais pas tout à fait convaincu. Tu as tort ! Ce n'est pas bien d'hésiter et de tergiverser quand on sait parfaitement qu'on est l'homme qui convient à ce poste. L'ambition égoïste est une chose, et ce n'est pas ce que je préconise. Je ne pense pas que mes pires ennemis eux-mêmes puissent m'en accuser. Mais ce n'est pas faire preuve de modestie que de refuser d'assumer des responsabilités qui vous conviennent. Tu es l'homme qu'il faut pour ce poste ; et tu le mérites. L'on connaît bien ton style d'action et tout ce que tu as accompli. Il y a aussi tes origines indiennes, et cela se sait. De tous côtés, je n'entends que des louanges à ton égard. J'espère donc que tu vas m'écrire que tu as accepté de t'engager dans la voie qui se présente à toi. Ce qui m'amène à te parler de mon projet. Voici ce que j'ai demandé à Luis : ce serait un pas dans la bonne direction que de lier l'Europe à l'Afrique. A présent, ces liens sont ténus et intermittents. Il faudrait y remédier. Je propose qu'en tant que représentant de l'Afrique du Nord (je suis sûre que tu vas accepter, il le faut), tu sois élu avec moi co-leader des Armées pour l'année qui vient. Bien sûr, il est très possible que cette année soit doublée, ou plus ; ces choses se produisent souvent ! Je vois d'ici ton cher sourire ! Je t'entends d'ici me faire remarquer que mon projet dépend de trois inconnues. Mais j'ai un pressentiment. Je sens comment les choses vont se réaliser. J'ai eu assez souvent raison, avoue-le ! Je travaille donc ici à la réussite de ce projet. Nous pourrons voyager ensemble dans toute l'Europe et l'Afrique du Nord. Je n'ai pas besoin de te dire quelle importance cela aurait pour moi. Et pour toi aussi, je le sais. Notre vie commune, notre amour se fondront dans la marche ascendante de l'humanité, menée par la jeunesse intègre de ce monde.

Oh ! comme je suis impatiente de te revoir ! Mais je suis tellement occupée, toute la journée et la moitié de la nuit, que je n'ai pas le temps d'être triste. Je sais que c'est ce que tu voudrais m'entendre dire quand nous nous retrouverons.

Je me permets cependant une petite faiblesse... Je me rappelle — t'en souvient-il, toi ? — cette précieuse nuit après la conférence de Simla... un jour, toute l'humanité aura droit à des nuits pareilles ; alors, je ne me sens pas égoïste quand je pense à cette précieuse nuit. Oh ! George, quand donc te reverrai-je ? Le porteur de ce mot doit revenir ici avant de poursuivre jusqu'à Pékin ; il me rapportera ta réponse. Laquelle, je l'espère de tout mon cœur, me dira que tu acceptes mon projet.

Ta Sharma.

GEORGE SHERBAN à SHARMA PATEL

J'ai lu ta lettre avec beaucoup d'attention. J'irai te voir au cours de ma visite en Inde et te dirai alors pourquoi je n'accepte pas d'être candidat, comme tu le suggères. Mais je te l'ai déjà dit, Sharma, je t'ai déjà tout expliqué.

J'ai fait un rêve. Veux-tu connaître mon rêve ?

Il y avait un jour une civilisation. Où cela ? Le lieu n'importe guère : c'était peut-être au Moyen-Orient ou en Chine, ou en Inde... cette civilisation avait duré longtemps : des milliers d'années. Nous ne pouvons plus imaginer, de nos jours, cette continuité des cultures qui varient peu d'une génération à l'autre. C'était une civilisation qui avait ses riches et ses pauvres, sans toutefois de grands écarts. Elle était bien équilibrée : le commerce, l'agriculture, l'exploitation des minéraux se faisaient en parfaite harmonie. Les gens vivaient longtemps, cinq cents, mille ans peut-être — enfin, longtemps — le chiffre n'a pas d'importance. A présent, bien sûr, nous méprisons le passé et nous pensons que c'était l'ignorance des gens qui causait une telle mortalité infantile. Mais ces gens-là n'étaient pas ignorants. Ils savaient éviter d'avoir trop d'enfants et vivre en paix avec leur terre et leurs voisins.

Imagine, Sharma, ce que le mariage pouvait être alors. Rien là de frénétique ni d'angoissé, aucune crainte de la mort telle que nous la connaissons tous et qui nous fait nous précipiter dans l'union avec l'autre sexe, dans les liens sacrés du mariage, parce que nous savons que tout peut nous être enlevé brutalement.

Des vies entières devant soi... un jeune homme a des parents de deux cents ans ; pense, Sharma, à l'expérience et au bon sens qu'ils doivent avoir... il voit leur mariage, sa force, sa raison, et il sait que c'est cela qu'il veut. Et il y a une jeune fille tout comme lui. Peut-être se sont-ils connus toute leur vie. Ou chacun a entendu parler de l'autre, car on a tout le temps d'entendre parler de celui-ci ou de celle-là, d'écouter quelqu'un qui grandit près de chez soi et de se demander si l'on est fait l'un pour l'autre. Mais il n'y a aucune hâte, aucune précipitation ni anxiété ; ils ont derrière eux toute une civilisation dont leur parlent les sages, les historiens, les conteurs, et devant eux leur monde, qui se déploie jusqu'à l'infini.

Mais on se marie jeune, bien sûr, car c'est l'âge propre à l'union. Les familles, posément, avec soin, se font des ouvertures. Leur souci, c'est la façon dont elles pourront assurer la continuité de ce qu'il y a de meilleur, à leur connaissance, dans leur culture et leur race. Elles se voient et se sentent porteuses d'une culture. C'est ça, elles discutent des particularités de l'autre famille : c'est une bonne famille, la mère est bonne, bien équilibrée, assez belle ; le père possède aussi toutes ces qualités ; ses ascendants aussi. Quand ces jeunes gens apprennent que leurs familles discutent de ces choses, ils ne considèrent pas cela comme un affront personnel, comme nous le ferions aujourd'hui si nous entendions discuter — non pas de notre précieuse et merveilleuse personne — mais de notre importance en tant que représentants d'une culture. Quand ils se rencontrent, c'est sans avidité, sans panique. Ils bavardent, se rendent visite, attendent, apprennent à connaître la famille de l'autre et tout ceci peut durer longtemps, des années, car rien ne presse. Ils savent aussi que s'ils décident de ne pas s'épouser, ils resteront quand même amis, et si longtemps qu'ils ne voient pas la fin de cette amitié. En attendant, ils s'aiment bien sûr, et choisissent leur mode de vie, dans tel ou tel endroit ; il aura un métier, elle aussi ; et dans tout ce qu'ils font, pensent et disent, les enfants sont toujours inclus, car la chose la plus profonde en eux est de savoir comment conserver une civilisation durable, saine et forte.

Peut-on même imaginer, dans notre fébrilité à jouir de toutes les possibilités, la trame de leurs jours et de leurs années, dans son lent déroulement ?

Ils se marient le moment venu. Quel est son métier ? S'il est marchand, elle l'accompagnera dans ses voyages et l'aidera dans ses affaires. Est-il fermier ? Ou bien sont-ils tous deux artisans, fabricants de carreaux, d'ustensiles ménagers, de tout ce qui satisfait la main et flatte l'œil ? Ils vont peut-être décider d'habiter une maison à côté de leur boulangerie ou de leur maroquinerie ; il est peut-être menuisier ou bien travaille le métal. Ce qu'ils fabriquent de leurs mains leur procure plaisir et satisfaction ; chacun de leurs gestes doit être utile, nécessaire. Ils ne connaissent ni la hâte ni la peur. Les gens meurent, bien entendu, mais après une longue vie. Il y a aussi des accidents, et même parfois des guerres, mais ce ne sont que des échauffourées aux frontières de leur civilisation, contre une autre civilisation aussi ancienne et aussi bonne que la leur. Entre ces deux cultures, il y a un sentiment de respect, souvent mariage, et un grand commerce.

Ce couple a des enfants qu'il éduque ; ces enfants sont absorbés dans le flot de leur patrimoine qui les emporte comme un fleuve. Je vois ces deux jeunes — comme nous, Sharma — tendrement amoureux, mais pas au service de quelque « cause » et n'empoignant pas l'amour comme un bouclier contre l'horreur, comme nous le faisons, nous, Sharma. *Ils sont enjoués et bons... Je les vois, accomplissant des choses simples et agréables comme marcher le long d'une rivière, nager tout nus, avec leurs amis, dans une eau douce et bonne, aller l'un chez l'autre ou chez leurs amis. Imagines-tu ce que l'amitié devait être à cette époque ? Aujourd'hui, nos amis sont sur un autre continent ou vont nous quitter la semaine suivante. J'aime à penser à ce que l'amitié pouvait être alors.*

Je vois ce couple avec ses jeunes enfants, ayant plaisir à les avoir, goûtant chaque minute de leur présence parce qu'ils n'ont pas à subir les contraintes que nous connaissons, les regardant grandir et révéler tel ou tel trait de caractère, marque du passé qu'ils transportent dans l'avenir. Je les vois encore, toujours jeunes, très jeunes, âgés de cent ou deux cents ans, vifs et vigoureux ; leurs enfants ont grandi et gagnent leur vie, mais ils ne sont pas partis au loin comme nous trouvons naturel de le faire. Imagine les rapports entre parents et enfants qui se sont connus pendant des centaines d'années peut-être. Je me demande quels liens cela créerait. Penses-y ; il faut peut-être trois cents ans ou plus pour qu'une personne atteigne sa maturité. L'on peut y réfléchir, tout considérer, et ne pas réussir à saisir cette idée, qui est trop difficile pour nous. Le mariage, dans toute sa noblesse. Un vrai mariage. Il fut une époque où cela existait, j'en suis certain.

Aimes-tu ce rêve, Sharma ? Je me le demande...

Ou si tu ne l'aimes pas, que dirais-tu de celui-ci... nous remontons le temps, loin, très loin... les gens sont physiquement différents de ceux que je viens de te décrire et, bien sûr, différents de nous, avec nos maladies, nos organes en pleine dégénérescence et nos petites vies minables.

Il fut une époque où cette terre était liée de très près aux étoiles et à leur puissance... est-ce que ceci t'agace, Sharma ? Tu penses que c'est inutile. *Tu es un être pratique et c'est ce que j'admire en toi. Toutes les situations qui s'offrent à toi, tu en saisis tout de suite la signification, tu en dégages l'essentiel et en vois l'évolution possible. C'est un pouvoir qui plonge ses racines au cœur même de ta nature — tu apprécies ce pouvoir mais pas ce dans quoi il prend racine. Il n'y a rien de ce que j'admire en toi qui te ferait plaisir si je t'en parlais, sais-tu cela ? N'est-ce pas étonnant ? Tu crois que ce qui compte pour moi, c'est ce que tu apprécies le plus en toi-même : ton intelligence pratique, ta capacité à maîtriser les situations, tes discours brillants et pleins de bon sens, ta rapidité et ta concision dans les débats des commissions. Même ton humanité... Tu sais, tu te fâcherais si je te disais que ce que j'aime voir en toi... c'est ta merveilleuse maîtrise de la réalité ; c'est chez toi un instinct, un sens, un don. Je te regarde prendre un bol de riz et tes mains ont en elles le langage de la compréhension. Le geste de ta main pour ajuster ton sari, je pourrais passer ma vie à le regarder. Tu mets dans ce geste tant de certitude, tant de savoir. Un des enfants se précipite vers toi, et ce n'est pas ce que tu dis, mais la manière dont tu le touches et le tiens. C'est un miracle, cette chose en toi. Je ne m'en lasse jamais ; je regarde comment tu poses le pied sur le sol, d'une manière tellement parfaite, à chaque pas, et le mouvement de ta tête quand tu la tournes pour écouter ! Je te le dis, Sharma, il y a quelque chose que — mais j'abandonne ! je ne peux qu'y rendre hommage, c'est tout.*

Aux temps du premier de mes deux rêves, la terre était peu peuplée. Les gens qui y vivaient connaissaient les raisons de leur existence. C'est une chose que nous ignorons, dont nous n'avons aucune idée. Ils existaient pour maintenir la vie sur cette planète. C'était eux qui réglaient les forces, les puissances et les courants cosmiques si nombreux, si différents, tous avec leurs caractéristiques, leur flux et leur rythme différents. Ces gens organisaient chaque minute de leur vie selon leur savoir. Non pas avec cette régularité d'horloge qui caractérise aujourd'hui nos sentiments et nos pensées, mais selon un mouvement qui accompagnait et traversait le flux toujours changeant de ces courants.

Quand un homme et une femme s'épousaient, ce n'était pas pour « avoir des enfants » ni pour « fonder une famille » — pas forcément du moins — il fallait bien que des enfants naissent mais quand ils naissaient c'était au moment voulu et par choix. Non, ces deux êtres, donc, auraient été ou se seraient choisis, car ils étaient nés en sachant comment faire, parce qu'ils étaient complémentaires et cela se jugeait à la place qu'ils occupaient dans le réseau d'étoiles, de planètes, de forces venues de la terre, de la lune, de notre soleil — en un mot dans la danse céleste. Ils ne se choisissaient pas mais étaient plutôt choisis par ce qu'ils étaient, par la place qu'ils occupaient. Quand ils « se mariaient » (et nous ne pouvons pas du tout imaginer comment ils considéraient cela), leur union était un sacrement, dans le sens que tout contribuait à cette harmonie. Et quand ils s'unissaient, c'était un sacrement, au sens exact et vrai du mot, utilisé consciemment et avec précision pour ajuster les puissances et les courants, pour les alimenter, les augmenter ou les diminuer. Il en était de même pour ce qu'ils mangeaient et les vêtements qu'ils portaient. Il ne pouvait rien y avoir de discordant, parce qu'ils étaient l'harmonie même : tout, leurs pensées, leurs mouvements... ils étaient sur cette terre, suspendus entre ciel et terre, et la vie des étoiles les traversait et la substance de la terre aux étoiles les traversait aussi.

Voilà ce qu'était le mariage à cette époque, Sharma. Je vois l'expression de ton visage quand tu liras ceci.

Il faut que je termine. Ma vie personnelle a été triste ces derniers temps. Mon père et ma mère sont morts. C'étaient des gens merveilleux. J'ai des problèmes familiaux.

A bientôt.

JOURNAL DE RACHEL SHERBAN

La nouvelle guerre nous a envoyé de nombreux réfugiés ; nous en avons eu jusqu'à vingt dans l'appartement. Ils se sont installés tant bien que mal. Ils sont partis maintenant dans un Camp. Des survivants. Et qui survivent. Je ne comprends pas pourquoi ils s'accrochent comme ça. Derrière chacun d'eux, il y a l'histoire d'une incroyable aventure.

Il y a eu un million de morts la semaine dernière. Quelle importance si Rachel Sherban continue à vivre ? C'est la question que je pose. Je ne sais pas à qui la poser. Il doit bien y avoir une réponse. Si George était là, il répondrait uniquement par ses actes. Il passe son temps à sauver des gens. D'une manière ou d'une autre. Remarquez, je me demande si certains des individus qu'il sauve seraient heureux d'apprendre qu'ils ont une valeur génétique. Utiles génétiquement, comme dit George que j'interrogeais un jour au sujet de quelqu'un.

Un million de morts ; j'essaie d'imaginer. Les gens qui se pressaient dans cet appartement sont bien vivants. *Mais ceux qui n'ont pas eu de chance sont bien* morts. *Pourquoi donc les uns sont-ils vivants et les autres morts ? Pour moi, c'est parfaitement absurde. La nuit, dans les rues, toutes ces émeutes, ces coups de feu, et puis ce mort sur le trottoir. Ça aurait aussi bien pu être moi. Hier soir, je suis sortie. Couvre-feu ou pas, je me suis promenée dans la ville. Toute la nuit. Des soldats. Des camions. Des coups de feu. Je ne me suis même pas voilé le visage. Personne ne m'a vue. Je suis revenue à l'appartement ce matin bien en vie, merci.* Alors *répondez à cela, qui que vous soyez. Suzannah était folle d'inquiétude. Veux-tu te tuer ? hurlait-elle.*

J'ai compris quelque chose. Je me demande comment cela se fait que je ne l'aie pas compris plus tôt. Quelqu'un a besoin de cette tuerie, de ce martyre, de cette souffrance, de cette mort, mort, mort, mort. Du sang et

331

encore du sang. L'odeur fade du sang qui monte de cette planète doit bien atteindre les narines de quelqu'un. Quelqu'un en a besoin. Ou quelque chose. Il n'y a rien qui n'ait une fonction. Tout ce qui arrive s'accorde toujours avec le reste. Ce qui arrive est nécessaire à quelque chose. Cela se produit en conséquence d'une situation qui en fait une nécessité. Rien n'arrive gratuitement. Il y a quelque chose ou quelqu'un qui a besoin de cette barbarie, de ce sang.

Le Diable, je suppose. J'ai l'impression d'avoir soudain trouvé une clé dans ma main.

J'ai lu que le tour le plus habile du Diable est que personne ne croit en lui — en elle — en ça. Nous avons vraiment été bien sots.

Je me sens très étrange. Comme si je n'étais pas du tout là. Comme si je n'existais pas. Le vent me traverse. Il souffle à travers mes fentes et mes failles. J'ai tout le temps froid.

Je me promène dans cet appartement et je me sens emportée dans l'irréel. C'est un mot. Je regarde ce mot et je vois qu'il n'est rien. Encore une fois, il n'y a pas de mot pour cela. Hier, je me sentais si loin de tout que je me suis retournée pour regarder si je pouvais me voir assise à la fenêtre. Parce que je ne me sentais pas où j'étais, debout à la porte.

Quand cet appartement était rempli de réfugiés, ça allait parce que chaque minute était occupée à leur chercher quelque chose ou à faire quelque chose. Mais même à ce moment-là, je me sentais sans poids, comme poreuse.

Suzannah est inquiète. Elle me regarde sans cesse en poussant des exclamations.

Suzannah est si forte. Quand je suis assise près d'elle, je sens la chaleur s'exhaler d'elle à chaque battement de son cœur. Non, pas de la chaleur, de la force. Qui me brûle littéralement. Qui m'enveloppe. Mais quand je vais m'asseoir auprès d'elle pour sentir cette force parce que je pense qu'elle peut me réchauffer, c'est comme si j'étais écrasée, ou balayée comme le vent balaie une herbe sèche. Hier soir, elle m'a entourée de ses bras et serrée contre elle. Puis elle s'est mise à me bercer. C'est tout à fait comme ça qu'une chatte lèche, avec une grande rudesse, son chaton lorsqu'il a froid ou que quelque chose l'inquiète — si fort que le chaton a du mal à rester debout et parfois même chavire. C'est pour faire circuler le sang. Pour obliger le chaton à reprendre l'usage de ses sens. Ces mots, « l'usage de ses sens », sont exacts. Ils vivent. Ils vibrent. Je les sens. Quand j'écris ceci, je vois que certains mots sont vivants et je les sens palpiter, mais d'autres sont bien morts. Comme « Réalité ». Suzannah me serrait avec rudesse et me secouait, aussi instinctivement qu'une chatte.

Mais je n'étais plus rien. Qu'une brindille ou une ombre froide entre les grands bras de Suzannah.

J'ai mis ma tête contre son épaule, en partie pour lui faire plaisir. Je me suis même endormie.

Je ne suis plus du tout présente.

Il y a deux nuits, je me suis réveillée et j'ai vu Olga assise sur mon lit. Elle souriait. Je me suis rendu compte tout de suite que ce n'était pas Olga, c'était la lune et le rideau qui bougeaient. Mais pendant la seconde où j'ai cru que c'était elle, j'ai eu un sentiment de douceur et de tendre désir. Cela m'a fait peur, parce que je n'ai jamais éprouvé ces sentiments-là pour Olga quand elle était vivante.

J'ai l'impression qu'une chose très forte m'attire, m'aspire, m'entraîne, à laquelle je me laisse aller. Il y a tout près de moi une douceur pleine de force qui me tire à elle.

Suzannah me suit partout et me regarde. Elle m'aime parce que je suis la sœur de George.

Je la regarde ; elle est si forte. Et si laide. Elle était en train de se laver les cheveux et je pensais qu'elle allait les recoiffer avec ces horribles crans et ces boucles qui l'épaississent et l'enlaidissent. Une fois ses cheveux mouillés, je suis allée à elle, j'ai pris un peigne, je lui ai fait une raie et l'ai coiffée en laissant ses cheveux raides et plats. Elle savait ce que je faisais. Elle avait un petit sourire de patience. Elle est si gentille, Suzannah. Quand ce fut fini, je la regardai et vis une femme de quarante ans, sans beauté, qui avait plutôt l'air d'une servante. Elle savait ce que je voyais. Elle avait les larmes aux yeux. Elle pensait : Rachel est belle. Suzannah ne m'envie pas. Elle n'a pas de mauvais sentiments de hargne et de jalousie comme moi.

Je lui ai rendu le peigne ; elle s'est remise à son miroir et a arrangé avec soin ses cheveux comme d'habitude, en les bouffant et en les crêpant. Puis le khôl et le rouge à lèvres. Elle était revenue à son état normal. Quand elle a terminé, elle ne m'a pas regardée. Elle avait un air obstiné. Elle s'accroche à ce qui est bien à elle. Nous avons soupé, Suzannah, les enfants et moi. Je la regardais en me demandant d'où elle tirait sa force. J'ai glissé ma main dans les siennes et elle l'a frottée, longuement. Elle savait pourquoi je voulais qu'elle enserrât ma main. Elle devine ces choses. Elle me dit : « Pauvre petite fille, pauvre Rachel ! »

Je ne sais vraiment pas que dire ni que faire. Je n'ai pas l'impression d'exister du tout. Il y a autour de moi une transparence, comme un voile ténu que je ne puis écarter. Une sorte de pâle arc-en-ciel.

Raymond Watts, qui était ici, m'a dit que quelqu'un venait d'arriver de là-bas et qu'il avait des renseignements à me donner. Cette personne espérait trouver George à la maison. Mais cela même est étrange. Pourquoi l'espérait-il ? J'ai engagé Raymond à amener ce « quelqu'un » ici.

Je dois partir, et tout de suite. Ce « quelqu'un » a dit qu'il avait appris que George allait être tué par les Dirigeants. Il ne savait pas que George était déjà parti. Il fait partie de l'Administration. Ça veut dire que les membres de la Jeunesse n'auraient pas eu confiance en lui. Raymond Watts lui fait confiance parce qu'il a dit que, du point de vue de l'Administration, il a « mal tourné ».

Il faut que je le dise à George, que je le prévienne. Il ne le sait peut-être pas.

Suzannah m'a harcelée toute la nuit. J'avais bien dit qu'elle prendrait les choses en main : c'est fait. Comment est-ce possible ? Il y a un an, Olga et Simon étaient encore en vie ; c'étaient mes parents ; George et Benjamin étaient ici ; et maintenant, je suis seule dans cet appartement avec Suzannah et deux enfants que l'année dernière je ne connaissais même pas, et c'est là ma famille.

De quel droit Suzannah me dit-elle ce que je dois faire ? Je ne pouvais pas m'empêcher de la détester quand, penchée en avant avec ses grosses mamelles, le regard convaincu, elle me disait : « Fais ceci, fais cela. » Elle dit que je dois rester ici.

C'est ta maison, Rachel, tu en fais partie. Et tu dois rester avec Kassim et Leila, c'est évident ; ils ont besoin de toi. Elle répète ça sans cesse.

Pourquoi ont-ils besoin de moi ? C'est d'elle qu'ils ont besoin ! Pourquoi le monde aurait-il besoin d'une Rachel Sherban quand il a Suzannah !

Elle serait, bien sûr, trop contente de rester dans cet appartement dont elle serait seule responsable, comme elle serait seule responsable des enfants. Elle est solidement installée. Elle a pris la chambre de mes parents. Elle occupe la bonne position pour George quand il reviendra. S'il revient.

Tout ce que je viens d'écrire sur Suzannah, je ne le pensais pas vraiment.

Elle répète continuellement que George ne veut pas que je me précipite après lui. Comment le sait-elle ?

334

Oui, c'est vrai, George a bien dit que je devais rester ici, mais savait-il que cet homme allait venir ? Il faut que je parte vite ; je sais comment je vais faire, j'y ai réfléchi. Suzannah a dit : Tu ne peux pas partir, Rachel, d'abord pour la seule raison que « je fais tellement distinguée » et « qu'ils » (elle veut dire les membres de l'Armée de la Jeunesse) n'aimeraient pas mes manières. « Enfin, tu le sais bien, Rachel », dit-elle. Sans rosserie, oh non ! c'est ce qu'elle pense, alors elle le dit.

Quand je lui ai annoncé que je partais, Suzannah a dit : Laisse-moi au moins prévenir quelqu'un qui, je le sais, pourra t'aider. Elle voulait dire, pour le transport et le déguisement. Ce « au moins » m'a mise hors de moi. C'est drôle comme Suzannah me met hors de moi. Elle me prend à rebrousse-poil. Ça, c'est une expression bien vivante. Tous les mots en sont justes. J'ai répondu que peu importait qui je rencontrerais ou ce que je ferais ; tout ce que je voulais, c'était traverser l'Europe tout de suite et prévenir George. Je ne les laisserais pas le tuer.

Je me déguiserai de manière à lui ressembler. Nous nous ressemblons beaucoup, tout le monde le dit. Ainsi ils me tueront à sa place. C'est facile. Tous ces uniformes différents et ces centaines de façons de s'habiller rendent la chose aisée.

Je suis prête à partir. Suzannah me suit partout en disant : N'y va pas, Rachel, n'y va pas. La moitié du temps, elle est en larmes. Elle répète continuellement : Tu te trompes, Rachel. Elle prononce mon nom avec passion en appuyant à la manière juive Ra-chel. J'aime bien mon nom comme ça. Ça m'a toujours fait plaisir d'entendre les gens prononcer Ra-chel. Mais quand elle le dit, c'est comme si elle s'emparait de moi. Grâce à mon nom. Une idée me travaille : supposons que George savait effectivement qu'on allait essayer de le tuer, que « quelqu'un » viendrait ici et que je voudrais me précipiter pour le prévenir. Il sait toutes sortes de choses avant même qu'elles n'arrivent. Mais supposons qu'il ne sache pas celle-là ? C'est ça l'important. Parfois je penche pour une réponse, parfois pour l'autre. Je pleure tout le temps, malgré mes efforts pour me retenir. Suzannah pleure. Elle se tord les mains ; je ne savais pas que se tordre les mains était quelque chose qu'on faisait réellement. Elle le fait, elle. C'est bien d'elle. Tout en elle est si pur. Elle m'accuse : Ra-chel, tu as tort, tu as tort ! — ses yeux lancent des éclairs, puis s'emplissent de larmes : accusation. Comment peux-tu faire cela Ra-chel ! C'est mal, oh, je n'aurais pas cru ça de toi : reproche. Elle fait une infime bêtise, par exemple quand elle cuisine et qu'elle gâche un petit bout de quelque chose : Oh ! comment ai-je pu faire une chose pareille, comment ai-je pu !

335

remords. *Elle ouvre les yeux tout grands, le regard fixe, comme si elle avait devant elle un juge vengeur ; ses cheveux se dressent littéralement sur sa tête.*

Nous sommes donc à présent deux femmes qui pleurent et se tordent les mains. Je nous observe.

Nous sommes là, dans cet appartement, nous deux avec deux enfants : une famille. Elle me couve, me fait des bols de soupe, me donne ses rations ; elle me dit : Tu dois manger, Ra-chel, tu dois dormir, Ra-chel. Elle a changé tout le mobilier dans la chambre de papa et maman. Il n'y a aucune raison qu'elle s'en prive. Je l'ai observée : elle était à la porte, souriant à la pièce, comme si on lui avait donné un présent enveloppé dans du joli papier et qu'elle n'osait pas l'ouvrir de peur d'abîmer le papier.

Quand j'ai vu cela je l'ai embrassée. Ça m'attendrissait. J'aurais voulu tout lui donner dans du joli papier pour compenser toutes les choses terribles dont elle a souffert et dont elle s'est sortie. Je n'arrive pas à croire que quelque chose pourrait abattre Suzannah. Si on l'abandonnait dans le désert avec Kassim et Leila, toute seule, à mille kilomètres de tout lieu habité, elle dirait : écoutez bien, Kassim et Leila, voilà ce que nous devons faire. Nous devons être raisonnables et...

Je pars demain.

LE CAMARADE CHEN LIU, à PÉKIN
Affaire George Sherban

Les tentatives pour se débarrasser de ce dangereux individu ont échoué. On ne sait pas clairement quelle erreur a été commise. Une femme, qui se faisait passer pour lui, a été vue dans plusieurs endroits, mais pas où il était attendu, car il n'a jamais essayé de tenir ses déplacements secrets. Nous avons découvert plus tard que cette femme était sa sœur. Elle portait l'uniforme des Mouvements de Jeunesse d'Afrique du Nord, section III, de son départ de Tunisie à son arrivée en Espagne. Aidée par les réseaux de la Jeunesse, elle a voyagé à bord de divers types de véhicules militaires. Dans le sud de la France, elle a revêtu des vêtements semblables à ceux que le dénommé George Sherban portait habituellement et a réussi à se faire passer pour lui — mais seulement pendant quelques jours — se présentant dans des villes et des camps où il n'était pas attendu et se conduisant de façon bizarre ;

« il » passe pour avoir souffert d'une dépression nerveuse. Entre-temps, le vrai George Sherban était à Bruxelles. Cette période de moins d'une semaine suffit à faire naître le bruit que ce « saint » — c'est ainsi que le voient certains milieux — avait le don d'ubiquité. Le bruit se répandit partout et il paraît que le véritable George Sherban en fut gêné. En tout cas, à Amsterdam, il prit la parole devant une assemblée d'hystériques pour démentir qu'il avait ce don, mais la ferveur de la foule était telle qu'il dut s'enfuir précipitamment. Il partit pour Stockholm où nos agents perdirent sa trace pendant quelques jours. Entre-temps, alors que nos agents continuaient à prendre Rachel Sherban pour lui, celle-ci fut mêlée à deux accidents graves dans les environs de Paris mais s'en sortit chaque fois avec des blessures superficielles. Nous sommes enclins à croire que George Sherban essayait de la rejoindre ou de lui faire parvenir certains messages. Mais, suivant nos instructions, elle fut arrêtée à Paris par la Police du Peuple et se donna la mort avant qu'on ait pu l'interroger.

Ces événements spectaculaires ne sont pas le seul point obscur de la situation. Par exemple, nous nous attendions à ce que George Sherban cherche à être élu délégué de toute l'Afrique du Nord et nous avions appris qu'il aurait réussi. Mais il ne s'est pas présenté et n'a fait aucune tentative dans ce sens. Il parcourt les réseaux de la Jeunesse en tant que représentant d'un assortiment de diverses organisations, certaines avec un statut légal, d'autres dont l'influence est si minime que c'en est ridicule. La seule chose que j'en conclus, c'est que son ambition vise beaucoup plus haut. Je n'arrive pas à deviner les desseins de cet homme. Ce n'est pas la première fois qu'il méprise l'occasion de satisfaire une ambition *apparente*. D'autres lui furent offertes sur un plateau qu'il a dédaignées.

Nos agents, en recherchant les traits qui marquent sa carrière de délégué de tant d'organisations de Jeunesse, ne peuvent proposer que quelques faits présentant une certaine logique. L'un de ces faits est que, quel que soit l'endroit où il se trouve, certains individus abandonnent le poste qu'ils occupaient et s'en vont ailleurs. Nous n'avons trouvé aucun dénominateur commun à ces individus qui appartiennent tous à des races et à des nations différentes, et sont des deux sexes. Ni aux endroits où ils se rendent ni d'où ils viennent. Ni aux tâches qu'ils exécutent à leur arrivée. Certains restent dans les réseaux de la Jeunesse, d'autres non. Leur travail peut soit comporter des responsabilités apparentes et inspirer le respect, soit n'avoir aucune valeur civique.

Considérant tous ces facteurs, je suggère qu'on laisse George Sherban en vie pour le moment, jusqu'à ce que nous découvrions ses objectifs.

Les neuf tentatives faites pour l'éliminer nous ont coûté cinq de nos agents.

Son frère, Benjamin Sherban, est au Camp n° 16, en Tchécoslovaquie. Il suit le Traitement Supérieur du Cycle des Élites. Il est trop tôt pour en mesurer les résultats. George Sherban, qu'on disait être sur le chemin de l'Inde, a passé une journée avec Benjamin Sherban. La manière dont il s'y est pris est caractéristique de son style. Son arrivée et son séjour au Camp n° 16 n'avaient rien d'illégal. Pourtant, personne jusqu'ici n'avait essayé de le faire ; nous ne pensions pas que quelqu'un essaierait un jour : cela paraît tellement vain. Mais ceci est hors de notre juridiction, à moins que nous ne précisions les modalités de notre Règle Bienfaitrice, au risque de la rendre plus pesante.

BENJAMIN SHERBAN, CAMP N° 16
TCHÉCOSLOVAQUIE, à GEORGE SHERBAN à SIMLA

J'ai des choses à te raconter, petit frère ! Mais comment les raconter, ça c'est une autre affaire. Une chose après l'autre, je t'entends dire ? Bon. Commençons. Tu étais ici la veille du jour où devait débuter le « Séminaire sur l'Amitié ». Nous ne savions pas à quoi nous attendre. Pour ma part, je pensais que cela se passerait dans le luxe et l'opulence, dans la grande tradition baroque de Karlovy Vary, inventée par la Bourgeoisie pour se consoler de sa pénible vie ; même chose pour les Chefs du Parti et leur pénible vie. Eh bien ! pas du tout. Dans une splendide coque, toute pleine de dorures, de cupidons et autres splendeurs de pacotille, nous voyons des cellules fonctionnelles prévues pour nous autres étudiants et des salles communes qui n'inspirent que des pensées spartiates. Nous sommes deux cents. Le dessus du panier. Tous moins de vingt-cinq ans, y compris les Chinois, nos mentors. Hommes et femmes en nombre égal. Une austérité convenable ; aucun privilège pour quiconque, même pas pour les Chinois.

Les trois autres de *notre* groupe finirent par arriver, mais en retard : ils avaient eu des difficultés. Je me présentai à eux et on leur passa les instructions.

Les divers objets avaient été placés selon les directives reçues.

Nous avons pris nos repas dans ce qui était la salle à manger de l'hôtel, d'un décor luxuriant jusqu'à la lubricité, mais, comme nourriture, il y avait surtout des pommes de terre et nous devions « nous-estimer-heureux-de-les-avoir ».

Dès le départ, les Chinois, au nombre de dix, se mêlèrent à nous ; ils sont corrects, mais accueillants. Ils nous ont laissé comprendre qu'au début il n'y aurait rien d'organisé. Ordre du jour : faire connaissance les uns avec les autres. Comme nous insistions on nous précisa : discussions libres sur les problèmes qui se posent à nous.

Qui sont ?

Les relations entre les Armées de la Jeunesse et les masses européennes, les attitudes correctes envers ces masses tenues en sujétion. Ce n'est pas du tout ce à quoi, en général, les gens s'attendaient, c'est-à-dire, bien sûr, des excursions touristiques ici et là, des entrevues avec les Pontes, des photos devant les monuments culturels, probablement une année dans une ville chinoise comme invité d'honneur et autres foutaises.

Avec un pareil « ordre du jour », tu parles s'il y a eu des discussions libres ! Auxquelles les Chinois se gardèrent bien de se mêler. Ils nous ont laissé faire. Notre conclusion fut donc que les récompenses que nous pouvions attendre pour notre bonne conduite et notre « coopération » ne seraient pas aussi simplistes que ce que je viens de citer, mais seraient plutôt des positions et postes divers dans la nouvelle structure encadrant lesdites populations. En d'autres termes, nous avons conclu (et c'est toujours notre opinion) que les couches supérieures des Armées de la Jeunesse seraient incorporées dans le Gouvernement des Dirigeants. Système pratiqué de tout temps, bien sûr. Mais, après tout, s'il n'avait pas toujours été aussi efficace, serait-il autant pratiqué ? En d'autres termes, nous devons envisager la disparition complète de l'autonomie des Armées de la Jeunesse — telle que nous l'avons connue — mais on nous demande de ne pas nous en inquiéter ; au contraire, nous devons accepter d'être avalés tout crus sans protester.

Ne crois pas que j'y trouve à redire ! Puisque cela devait arriver à un moment ou à un autre et que nous le savions tous, je, ils, tout le monde, suis, sont, est, saisi d'admiration, comme *d'habitude,* pour le fin doigté de nos Bienfaiteurs chinois, ce qui nous change tellement de ceux-que-tu-sais. Quel dommage qu'ils se sentent trop supérieurs pour prendre d'utiles leçons de nos Bienfaiteurs.

Bon. C'est tout pour le cadre, qui ne constitue pas la partie principale de mon message, seulement le décor.

Les « discussions libres » citées plus haut ont continué plusieurs jours et plusieurs nuits, favorisées par l'alcool (en quantité modérée), les relations sexuelles (bienséantes) et les serments d'amitié éternelle entre

339

les Alaskans et les Brésiliens, les Océaniens et les Irlandais, les filles du Cap des Tempêtes et les habitants du Cap de Bonne-Espérance, comme à l'accoutumée.

Exactement comme à l'accoutumée et, comme il fallait s'y attendre, chacun prenait les attitudes que leurs Grandeurs Bienfaitrices voulaient, de toute évidence, nous voir rejeter avant que ne commencent les discussions sérieuses : « Je ne courberai jamais la tête... » « Je préférerais mourir plutôt que de ... » « Croient-ils qu'ils peuvent acheter... » etc., etc., *ad nauseam. Mais quelques heures plus tard, l'atmosphère avait changé, et c'est là que je compte sur ton interprétation.* N'oublions pas que pendant toute cette phase, nos guides se tenaient discrètement à l'écart, n'apparaissant qu'aux repas, où ils étaient le charme, l'amabilité et l'amitié personnifiés.

L'atmosphère dont je viens de parler. Il m'a fallu du temps pour comprendre ce qui se passait, et ensuite pour le croire. Le tout premier matin, j'étais avec vingt autres personnes, réunies par hasard dans une ancienne salle de billard métamorphosée en un décor pour « nous ne sortirons pas d'ici » ! Nous étions tous assis, décontractés, bien à notre aise, discutant sur le thème « s'ils-croient-qu'ils-peuvent-nous-acheter », quand il m'est apparu que tout ce que nous disions pouvait être interprété d'une autre manière. A un niveau différent. Cela m'a semblé si extravagant que je l'ai attribué au fait d'avoir veillé — non, bavardé — jusqu'à quatre heures du matin avec son Amabilité d'Abyssinie. Après avoir déjeuné de navets (nous-devions-nous-estimer-heureux-de-les-avoir), j'étais avec un autre groupe d'une vingtaine de personnes, dans une autre salle. Nous discutions des possibilités de coopération avec leurs Grandeurs Bienfaitrices, quand je me suis rendu compte que cela se reproduisait. Et cette fois je l'ai accepté ; je ne l'ai pas repoussé avec un : « Mais c'est impossible ! » L'atmosphère était étonnante : *claire, rafraîchissante* sont les mots qui me viennent. Tout le monde avait l'esprit alerte, rapide, saisissant toutes les nuances ; les regards, qui en disaient long, suppléaient aux mots. Non seulement moi, mais tout le monde s'était rendu compte qu'un événement extraordinaire se produisait. Après tout, j'ai eu l'avantage d'être avec toi dans des occasions semblables, quand j'étais opérationnel. Mais tout le monde ici savait. Chacun d'entre nous. Et cependant si les Bienfaiteurs avaient été présents, ils auraient pu nous écouter du début à la fin sans entendre un mot subversif.

Il en a été ainsi les trois jours suivants.

Tu n'as pas besoin d'un dessin.

340

J'étais sans cesse avec différents groupes suivant la manière dont ils se formaient au moment où débutait une séance de « discussion libre ». Souvent dans des salles différentes. Mais il en était de même avec tous les groupes. Nos trois amis personnels le confirmèrent : nous avons bien discuté un peu, *mais cela n'était pas nécessaire.* Il arrivait, de plus en plus souvent, qu'après une période de discussion *transparente,* nous nous retrouvions silencieux pendant une durée de dix, quinze, vingt minutes. Plus : une fois, pendant une heure. Ne disant rien, n'éprouvant pas le besoin de dire un mot.

Et quand nous parlions réellement, les deux niveaux étaient, sans erreur possible, clairs, si faciles à déchiffrer que c'était comme si on nous avait soudain appris à tous une autre langue.

Tandis que ces discussions à bâtons rompus se poursuivaient, nous nous retrouvions, bien sûr tous ensemble, pour les repas dans la grande salle à manger où nous étions unis dans cette atmosphère de calme supérieur qui faisait de nous un seul être. Et les Chinois n'y comprenaient rien. Ils essayaient de lancer des thèmes de discussions, mais au bout d'une minute, celles-ci s'arrêtaient d'elles-mêmes. Nous voyions bien qu'ils croyaient que nous avions pris de la drogue ou quelque chose comme ça. Nous devinions bien qu'ils commençaient aussi à s'inquiéter. Ils n'aimaient pas cela. Nous savions qu'ils se réunissaient pour en discuter. En attendant, nous avons profité de deux autres journées entre nous. Il y a même eu une séance où nous (le groupe toujours formé au hasard) sommes entrés dans une salle, nous nous sommes assis, et n'avons pas dit un mot de toute la matinée. Nous n'en éprouvions pas le besoin. Alors leurs Grandeurs Bienfaitrices ont changé de tactique et ont coiffé chaque groupe de « discussion libre » d'un conseiller. Cela ne changea rien. Quand nous discutions vraiment, rien n'était dit devant eux qui ne fût pas « sensé », à un certain niveau. Mais une fois ou deux, le long silence s'est établi, qu'ils ont rompu parce qu'ils ne pouvaient pas le supporter.

Bien.

Fin des bonnes nouvelles.

Début des mauvaises.

Le sixième jour, nous étions tous présents, et *tous* si loin de notre stupide moi habituel que rien que de nous en souvenir, nous en avions la nausée. Or, voilà qu'au petit déjeuner, un homme apparaît, sans se présenter ; il se contente de s'asseoir dans la salle. Les Chinois ne le connaissaient pas non plus, c'était clair ; bien que, la première surprise passée, ils aient prétendu que *ce n'était pas* une surprise. Ce fut du moins l'attitude de quelques-uns. Comme d'habitude, nous avons été sauvés par le fait qu'il est impossible de laver tous les cerveaux au même point en même temps. Certains de nos conseillers surent faire aussitôt bon visage et présenter un front unifié mais d'autres en furent incapables. Et c'est comme ça que nous avons su que cette Grandeur Bienfaitrice-là leur était inconnue.

Mais quel salaud ! Du type technocrate international ; pas besoin d'en ajouter.

Le Débonnaire s'introduisit tout de suite dans une de nos discussions, celle à laquelle je participais, comme par hasard. Il entra, tout sourire. Il s'assit, tout sourire. Je vais te dire, il y a longtemps que j'en suis arrivé au point où quand je vois un certain sourire, j'ai envie de prendre mon revolver.

L'atmosphère avait... elle avait changé.

Elle s'était *épaissie*. Nous avons tous essayé des sujets de discussion dans l'esprit de ces derniers jours, mais tout ce que nous disions *tombait à plat*. Littéralement, c'est ce qui est arrivé. Les mots lancés comme des cerfs-volants dans l'air de l'espoir, guidés par la ficelle de la concorde ont fait *pchouf* ! comme brisés par un coup de fusil à air comprimé.

Tu me suis ?

Nous étions tous là, faisant des efforts pour nous élever à nouveau comme des cerfs-volants, chutant sur la colline de la déception et de l'incapacité.

Avant le déjeuner, j'ai effectué ma visite d'inspection et ai découvert, comme je m'y attendais, que tous les objets que tu m'avais donnés avaient disparu.

Au déjeuner, l'humeur générale dans la salle à manger était à l'irritation et à la morosité. Le Débonnaire était assis à l'écart, comme au petit déjeuner.

Les Chinois étaient toujours inquiets de sa présence, tout en feignant de ne pas l'être. De la scène, cependant, émanait clairement un sentiment de : ceci-n'est-pas-correct-et-je-vais-écoper-si-je-ne-fais-pas-attention, ne serait-ce que parce qu'on a si souvent soi-même été conscient d'exhaler cette atmosphère.

Après le déjeuner, je ne suis pas resté dans la même salle, mais me suis promené de groupe en groupe. L'Homme-au-Sourire était dans un groupe différent de celui qu'il avait honoré de sa présence ce matin-là.

Il n'y avait plus aucune ambiance. *Évacuée*. C'est le mot juste. Non ?

Aspirée, alors ?

Nous n'avons pas revu sa Majesté Débonnaire. C'est-à-dire qu'Elle honora nos débats de Sa présence pendant une journée exactement. A nos questions, les Chinois se contentaient de répondre : « Oh, tout est en règle, c'était un Camarade Associé. »

Le lendemain, nos « discussions libres » avaient repris leur cours normal — chamailleries idiotes bourrées de clichés, comme d'habitude.

Les trois amis de notre groupe ont complètement disparu. Ils ne sont plus ici. Sa Majesté Malfaisante les aurait-Elle enlevés d'un coup de baguette ? Je n'arrive pas à le savoir.

Les Chinois disent qu'ils vont « faire une enquête ». Tout cela les perturbe beaucoup.

Entre-temps, il est clair que les gens ne se rappellent plus ce qui est arrivé durant ces cinq journées. Dans un sens précis et absolu. Quand j'essaie de le leur rappeler, je rencontre ce regard vide et éteint que je connais si bien.

Quant à moi, j'ai plus d'une fois senti mon esprit s'engourdir en essayant de me rappeler exactement cette ambiance, ou si même seulement tout cela était arrivé.

Mais oui, c'est arrivé.

C'est arrivé !

Qu'est-ce qui est arrivé ?

Au moins l'on sait ce qui est possible.

Je me suis souvenu de ce que tu m'as dit le matin où tu es parti : Écoute, tu ne peux pas tous les gagner à ta cause !

Ah ! quelle nonchalance ! Quelle insouciance !

Naturellement, il y a une question que — tu t'en doutes — nous avons au moins évoquée — à savoir : pourquoi se donner tant de peine si l'on sait à l'avance que ça ne servira à rien ? Qu'il y a mille chances pour une que l'on aille à l'échec ?

Non, ne te donne pas la peine de répondre.

Comme tu as dit quand je t'ai raconté ce qui était arrivé à Rachel : on aura plus de chance la prochaine fois.

D'accord, d'accord, je plaisante.

Mais tout juste.

Je me perds en bavardages. Inévitablement. Pardonne-moi.

Je n'ai trouvé personne pour te porter cette lettre plus tôt. Nous arrivons à la fin du Mois d'Étude et d'Amitié, qui fut fastidieux au-delà de toute expression. Avec les habituelles chamailleries, interminables, vides de sens, à propos de choses qui n'arriveront jamais. La Direction des Armées de la Jeunesse a passé une motion acceptant de « tenter d'adapter ses activités à l'Administration Paneuropéenne ».

J'ai mentionné plusieurs fois Sa Majesté le Mauvais à nos Bienfaiteurs, ne serait-ce que parce que cela m'amuse de voir la manière hâtive, embarrassée et par trop correcte avec laquelle ils assurent que sa visite était tout à fait en règle et parfaitement agréée.

Ah, mais par qui, voilà la question.

Alors, que veux-tu que je fasse maintenant ?

LE CAMARADE CHEN LIU, *à* PÉKIN
COMITÉ *de la* DIRECTION PUBLIQUE *et de la* COORDINATION GÉNÉRALE

Je dois à nouveau signaler les privations dues à l'insuffisance de nourriture allouée au secteur européen. Les réquisitions de produits agricoles ont entraîné, dans toute cette région du globe, une résistance passive de la part des fermiers, ainsi que nous l'avions prévu. Le trop grand zèle de l'Administration Locale à répondre aux exigences légitimes et louables du Centre va à l'encontre du but recherché. De l'Irlande à l'Oural, de la Scandinavie à la Méditerranée (région dont j'ai l'honneur d'être le responsable), les populations souffrent de la famine. J'ai pris la liberté de signaler dans mon dernier Rapport que, selon moi, l'attitude trop rigide vis-à-vis de la Région Paneuropéenne était due à un désir non exprimé de vengeance pour les siècles d'oppression coloniale. Je supplie humblement le Conseil d'envisager de faire des représentations aux Comités Alignés pour les Pays en Voie de Développement, pour qu'ils examinent avec soin les résultats de leur politique. Si l'on désire exterminer les populations paneuropéennes, alors qu'on le dise et qu'on prenne les mesures nécessaires pour l'exécution de ce plan. J'ai été informé par le messager que je vous ai envoyé que ce que j'ai écrit à ce sujet a choqué. J'espère que ma carrière au service du Peuple parlera en ma faveur. Il n'a jamais été envisagé, dans notre politique, d'infliger des souffrances sur une grande échelle aux nations que nous avons prises sous notre Bienveillante Tutelle. Il a toujours été dans mes objectifs, quand c'était possible, de rééduquer jusqu'aux sections récalcitrantes de la population qui montrent peu de signes de compréhension. En conséquence, j'ai pris la liberté (et je le fais à nouveau dans ce rapport) de demander si la politique déterminée de notre Conseil est d'apporter son appui aux Comités Alignés pour les Pays en Voie de Développement. S'il est vraiment dans ses intentions de vider l'Europe pour la coloniser par des populations originaires du Sud, si c'est vraiment là son but, alors je me sens forcé de protester, pour des raisons de pure opportunité. Tout ce qui se passe en Europe sera attribué à l'action de notre Direction Bienfaitrice. Tous les regards sont tournés vers nous. Le fait que les représentants locaux ont cessé toute résistance grâce à notre système plus ou moins sévère de rééducation et ont été presque partout remplacés par notre direction, donne plus de poids à l'argument selon lequel nous veillons à ce que la politique suivie par les Comités Alignés pour les Nations en Voie de Développement augmente notre prestige de véritable Frère Aîné des Peuples Déshérités du Monde.

Lettre jointe au Rapport, adressé à l'ami de CHEN LIU,
le Président du Conseil, KU YUANG

Je n'ai pas de nouvelles de toi. Cela signifie-t-il que tu n'as pas reçu ma dernière lettre ? Ou, au contraire, qu'elle t'est parvenue ? Je ne sais quelle hypothèse est la pire.

Si tu l'as bien reçue, ce ne sera pas la peine de lire ceci.

Je te supplie de faire ce que tu pourras. Jusque dans les camps et les communes des Armées de la Jeunesse, qui sont au moins régulièrement ravitaillés, fût-ce de manière insuffisante, les privations se font sentir. Les souffrances sont en général grandes et choquantes. Notre Conseil s'inclinerait-il maintenant devant les Nations en Voie de Développement ? Le Centre serait-il dominé par ses membres ? Cela signifie-t-il qu'il ne s'agit pas là de faiblesse, mais de politique ? Est-ce que nous ne nous sentons même plus capables d'exprimer une opinion ? Ou est-ce que nous protestons, mais en secret ? Ici, dans les colonies, il est bien sûr difficile de se tenir informé. Mais je fais ce que je peux : par exemple, une analyse des innombrables réunions, conférences, conseils, qui se sont tenus les douze derniers mois dans tout l'hémisphère sud, révèle qu'il y a eu plus de cent discours sur le thème de la *vengeance,* mais pas un seul (pas un de transcrit en tout cas) exprimant la modération ni même l'intention d'exploiter et d'utiliser intelligemment les ressources humaines et autres, plutôt que de les détruire.

Mon vieil ami, l'état de conflit intellectuel et émotionnel dans lequel je me trouve me tient éveillé la nuit et me gâte le plaisir de travailler pour notre Grand Peuple. Quand tu m'as annoncé que tu m'avais désigné pour diriger le Continent Paneuropéen, je t'ai bien dit que je n'étais pas le meilleur pour cette tâche. Tu m'as répondu qu'un homme conscient des réserves à faire et des risques de conflits émotionnels serait plus à sa

345

place ici que quelqu'un d'autre. Je me le demande ! Je travaille tous les jours, à chaque heure de la journée avec nos fonctionnaires, des hommes et des femmes de la plus haute envergure, qui semblent ne souffrir d'aucune hésitation dans leur travail. Et pourtant, je le répète, ces derniers mois, ce travail n'a pas été (du moins je l'espère) le résultat de décisions prises par nous, le Centre.

Je déteste les peuples blancs. Je les trouve physiquement repoussants. Leur odeur offense mes narines. Leur cupidité m'a toujours causé du dégoût. Leurs gestes sont malhabiles, leur esprit gauche, sans finesse, plein d'arrogance. La supériorité qu'ils s'arrogent est celle du croquant, grand homme de son petit village, qui, lorsqu'il vient à la ville, ne s'aperçoit pas que les citadins raffinés trouvent ses vantardises et ses airs farauds tout à fait ridicules.

Leur barbarie m'a toujours épouvanté. L'intention délibérée avec laquelle ils nous ont imposé l'opium, la destruction gratuite de notre héritage culturel, ou son pillage, et leur infériorité... mais je n'ai pas besoin de continuer, car nous en avons assez souvent discuté. Je vis au milieu d'une race que, du plus profond de moi-même, je déteste. Même dans leur déclin et leur sujétion, certains, que dis-je, nombre d'entre eux trouvent le moyen de se conduire comme s'ils avaient été injustement spoliés de leur sinécure et quelques-uns même trouvent le moyen de prendre des airs de princes déchus qui supportent bravement la populace.

Imagine donc ma situation — celle d'un témoin forcé des réalisations d'une politique que mes émotions approuvent, qui flatte mes instincts les plus bas et qui me fait moi-même retourner à la barbarie. Mon vieil ami, j'écris, poussé par des sentiments que tu comprends ; et tu voudras bien accepter ma lettre avec indulgence. Je crois que nos cadres sont ici vraiment aussi contents et enthousiastes dans leur travail qu'ils le paraissent. Leur satisfaction ne peut venir que du fait que a) ils se félicitent de la politique suivie par les Nations en Voie de Développement et sont d'accord avec ce qu'ils voient et ce qu'ils ont à faire, ou b) ils ne comprennent pas ce qu'ils voient — ne comprennent pas ce que l'exécution de cette politique signifie pour *nous*, car ce ne peut certainement pas être *notre* politique, notre Volonté ? Je les observe en me demandant s'il est possible que notre Grand Peuple puisse, avec tant de complaisance, accepter un génocide délibéré, ou s'il peut se persuader que ce qui se produit est en fait autre chose.

N'avons-nous vraiment aucune objection à être comparés à Gengis Khan ?

Je sais que nous avons tous renoncé à des congés dans l'intérêt du bien commun, mais j'aimerais te parler. Est-il vrai que tu vas faire un voyage dans l'hémisphère sud à l'automne ? Si cela était, je pourrais peut-être faire une demande de congé et te rencontrer quelque part.

Le Rapport de CHEN LIU au CONSEIL de PÉKIN

Suite à mon Rapport de l'année dernière. La décimation, pour ne pas dire la destruction des populations de Paneurope étant à présent la politique officielle décidée par les Nations en Voie de Développement, conformément à la Conférence de Kampala, je n'ai rien à ajouter à ce sujet, si ce n'est en exposer une des conséquences.

Jusqu'ici, les Armées de la Jeunesse n'avaient pas en général connu de clivage selon les races. Ceci entre dans leur politique officielle, car le racisme appartient pour eux au passé, à la vieille génération. Alors que les immigrants sont venus des Indes, des zones arides de l'Afrique, des Antilles, du Moyen-Orient et se sont installés en Europe partout où il y avait des terres ou des habitations disponibles (le plus souvent parce que les habitants étaient morts de faim ou de maladie) les Armées de la Jeunesse ont en général respecté la politique et les droits locaux concernant la terre, ainsi que l'intégrité des régions. Si les secteurs de Jeunes ont réquisitionné des villages vides ou des terres inoccupées, ils l'ont toujours fait à leur manière, longuement mise au point, en respectant ces limites, au moins dans la forme ; parfois bien sûr, cela a abouti à une attitude insolente, calculée ou non. Cependant, la force réelle de ces Armées est minée par les privations. Par exemple, la Conférence Paneuropéenne qui devait avoir lieu ce mois-ci en Suisse a été réduite à moins de la moitié de ses participants éventuels du fait du manque de transport, de chauffage et de nourriture. Repoussée à l'été prochain parce que les vêtements ne protègent pas assez du froid, elle se tiendra donc en Grèce, qui est plus facile d'accès.

En général, l'activité des Armées de la Jeunesse est entièrement détournée vers leur propre subsistance. Je sais que notre politique a toujours été de déplorer l'existence même de ce mouvement et je ne veux pas en discuter ici. Mais il me semble que notre dénigrement à leur endroit est en grande partie — et cela est peut-être nécessaire — rhétorique. Car dans de nombreux domaines, ces Armées ont constitué une certaine force de police et de contrôle, souvent même la seule, contre toute espèce d'anarchie.

Pour la première fois, des voix se font entendre parmi la Jeunesse pour demander que les délégués européens soient relégués au second rang,

347

après ceux des anciennes colonies, étant donné leur infériorité raciale, dont leur barbarie passée apporte la preuve.

Je vous renvoie à mes rapports précédents.

CHEN LIU *à son ami* KU YUANG

Je n'ai pas eu de réponse de ta part. Pourtant, il me paraît peu probable que tu n'aies pas reçu mes quelques lettres personnelles.

Souhaitons-nous voir ces millions de jeunes, dont certains, bien sûr, ont des idées politiques complètement fausses mais qui ont montré qu'on pouvait les rééduquer, ces millions qui ont créé à travers le monde leurs propres organisations, leurs styles d'action, leurs agences de protection, leurs méthodes d'autodiscipline — souhaitons-nous les voir s'attaquer mutuellement ? Je ne puis croire que ce soit ton souhait personnel, ni que tu approuves la politique menée envers l'Europe.

CHEN LIU *fait son Rapport au* CONSEIL DE PÉKIN

En ce qui concerne l'objet de mon dernier Rapport, on observe l'évolution suivante : il doit y avoir un pseudo-procès, au plus haut niveau des instances de l'Union des Armées de la Jeunesse du Monde. L'accusé serait la Race Blanche, le plaignant, les Races de Couleur. Il se tiendra cet été en Grèce. Ce pseudo-procès est d'une très grande importance pour les Armées de la Jeunesse, où qu'elles se trouvent. Je ne puis assez insister sur cette importance.

Un individu, nommé George Sherban, que je surveille de près depuis le début de notre Tutelle Bienfaitrice et qui, avant cela, était sous la surveillance de la Fédération Européenne de la DPCDS pour le P de P, doit jouer le rôle du Procureur. Celui qui assurera la défense est John Brent-Oxford, vieux membre de l'aile gauche du Parti Travailliste de Grande-Bretagne, qui a participé à différentes tâches, souvent en qualité de représentant de la Grande-Bretagne pour différents gouvernements travaillistes. Il a été emprisonné à l'époque de la Fédération Paneuropéenne puis libéré sur ma recommandation et placé à un poste inférieur à l'Échelon de Surveillance de la Jeunesse à Bristol, Angleterre. Il est en mauvaise santé. Il était membre d'un cabinet d'avocats renommé de Grande-Bretagne mais ses activités politiques lui firent renoncer au droit. Il possède cependant assez de talents pour une tâche où les qualités oratoires sont plus importantes que les connaissances en droit ancien ou nouveau. Le choix de ces deux hommes est extraordinaire. George Sherban est de descendance britannique et ses attaches avec l'Inde se résument à un seul grand-parent. Il est cependant accepté

348

dans les Armées de la Jeunesse comme Indien honoraire. John Brent-Oxford a plus de soixante ans. Il serait trop facile de dire que le choix d'un membre de la vieille génération tant méprisée ne fait qu'ajouter un préjugé émotionnel contre l'accusé : je sais, en fait, que les Jeunes qui ont travaillé avec lui l'aiment beaucoup. L'on peut qualifier ce choix de cynique, ou d'irréfléchi.

Le frère de George Sherban, un certain Benjamin, qui est loin d'avoir le même charisme que lui, doit être l'un des « conseillers » de John Brent-Oxford. C'est dire qu'il sera du côté opposé à son frère. Il a récemment subi un stage de Rééducation au Niveau Supérieur, sans résultat notable.

Ce « procès » ne doit pas être sous-estimé. J'ai déjà reçu des quantités de demandes de tous les pays, sollicitant des moyens de transport. Il est à mon avis essentiel d'allouer une nourriture suffisante et de monter des tentes d'hébergement. Comme je l'ai bien laissé entendre, l'humeur des Armées de la Jeunesse est très différente de ce qu'elle était. Elle est devenue explosive, changeante, cynique — dangereuse. J'ai déjà pris mes précautions pour pouvoir facilement utiliser la troupe, et en nombre.

CHEN LIU *à son ami* KU YUANG

Je te supplie d'intervenir. J'ai vu annuler mes ordres pour que deux régiments soient disponibles au moment du « Procès ». Annulés aussi mes ordres pour une allocation spéciale de nourriture. Mes ordres pour qu'un espace assez grand soit alloué aux tentes, que des points d'eau soient installés, que le terrain soit gardé contre la population locale — annulés, annulés. Tout cela sans explication. *Je n'en ai pas réclamé.*

Dans deux mois, plusieurs milliers de délégués des Armées de la Jeunesse du Monde vont se rassembler en Grèce. Le Conseil a-t-il sérieusement considéré l'effet produit sur le monde entier si nous sommes débordés par les événements ?

J'écris cela dans un état d'âme que je n'aurais pas besoin d'expliquer si nous étions aux temps de notre vieille amitié.

CHEN LIU *à son ami* KU YUANG

J'ai reçu ton message. Je comprends ta situation. L'agent qui l'a apporté est digne de confiance, autant que je puisse en juger. Il t'expliquera ma situation. J'ai été plus soulagé que je ne puis le dire d'avoir eu de toi un message *personnel,* même si les nouvelles qu'il donne ne laissent pas beaucoup d'espoir. Je vais maintenant te décrire ce qui s'est passé au « Procès », comme tu me le demandes, indépendamment du Rapport qui sera envoyé au Conseil par les voies habituelles.

Tout d'abord, George Sherban, le Procureur Général, s'est rendu au Zimbabwe par les moyens les moins rapides : voiture, car, camion, train et même parfois à pied, représentant différentes Armées de la Jeunesse et recevant d'elles des directives. Plus d'une fois, le voyage a été dangereux. Les guerres qui ravagent cette région l'ont réduite à un point tel que rien ne s'y passe comme prévu. Les Armées de la Jeunesse sont mal organisées, anarchiques, parfois tombées au rang de bandes de pilleurs et d'incendiaires. La troupe de voyageurs a dû se frayer un chemin à travers plusieurs zones en guerre. George Sherban était muni de l'entière autorisation du Conseil de Coordination des Armées mondiales de la Jeunesse. Il en avait besoin. Il faillit deux fois être capturé, fut même arrêté, mais réussit à convaincre ceux qui le retenaient de le laisser partir. Son frère Benjamin l'accompagnait. Celui-ci a subi plusieurs stages de Rééducation au Niveau Supérieur. Je dois signaler que cela a été un échec. Mais un échec intéressant. Il n'y eut jamais ni confrontation, ni manque de politesse, ni absence aux cours qu'il devait suivre. Au contraire, nous avons rarement eu un sujet aussi intelligent et aussi coopératif. A première vue, son acceptation de notre Tutelle Bienfaitrice était totale. Cependant, il a accompagné son frère dans ce long voyage en dépit de nos vœux exprimés. Certes, s'il s'était trouvé sur un territoire que nous dirigeons *ouvertement,* il aurait été puni ; mais il occupe une position trop importante dans les Armées de la Jeunesse pour que nous risquions de les mécontenter. Même lorsqu'il nous a signalé son intention de faire ce voyage, il nous a dit qu'il était tout à fait d'accord pour collaborer avec nous pour telle mission que nous voudrions suggérer, sauf de ne pas partir.

Au Zimbabwe, un Congrès monstre eut lieu à Bulawayo, à l'endroit où Lobengula tenait sa cour. Le Lobengula actuel était présent et libéra plusieurs milliers de prisonniers pour manifester sa joie devant cet événement. Ce fut là, au cœur de ce qui était autrefois le Continent Noir, que George Sherban accepta d'être choisi comme représentant des Races de Couleur au futur Procès — événement qui, dans la bouche de tous, devenait un Procès pour de bon. Ces gens semblaient incapables de comprendre l'idée, ou peut-être l'utilité d'un Procès qui serve uniquement d'instrument effectif de propagande. Ils ont pu se trouver déroutés par la situation, comme le furent les représentants (très nombreux) des races de couleur ou autres (y compris la nôtre) qui avaient réussi à se rendre à ce Congrès. Par son audace, son imagination, son succès, ce

350

Congrès fut sans précédent. Cet homme, presque entièrement de race blanche, fut accepté avec enthousiasme par les noirs comme leur représentant et de plus, comme Indien, l'aversion séculaire de tous les Africains, du Nord au Sud, pour tout ce qui est indien semblant être abolie. Mes informateurs me disent que cette réunion fut aussi la première de son espèce par sa vigueur, son émotion, sa verve. J'aurais donné beaucoup pour y être présent. Benjamin Sherban est resté dans l'ombre, ce à quoi je ne me serais pas attendu, s'il faut en croire les nombreux rapports soulignant la pétulance et la fatuité dont il a fait preuve jusqu'ici. Il n'était qu'un des nombreux assistants de George Sherban, et le seul de race blanche. Il avait l'avantage de représenter les Cadets des Armées de la Jeunesse (ceux de huit à quatorze ans) et ceci a partout un grand pouvoir émotionnel.

George Sherban et son groupe séjournèrent plusieurs semaines au Zimbabwe. Ils firent même, illégalement, un voyage au Transvaal, ce qui, d'après mes informateurs, exigeait un mélange remarquable d'audace et d'ingéniosité. Puis ils se rendirent en Grèce par avion, après avoir été *bénis* (c'est le mot qu'utilise Benjamin Sherban dans une lettre personnelle racontant l'affaire) par l'actuel Lobengula.

Ils avaient déjà été prévenus qu'il n'y aurait pas de protection militaire, pas de rations supplémentaires ni de coopération de la part des autorités.

L'on me signale que leurs préparatifs se déroulent conformément à nos vœux.

Je ne pouvais assister personnellement au « Procès » : ma présence aurait souligné l'intérêt que nous y portons dont je ne voulais pas qu'il fût trop évident. Mais j'avais de très nombreux observateurs, officiels (dans notre propre délégation, qui, bien entendu, me tiennent au courant), ou bien cachés, répartis dans les diverses délégations ; c'est à partir de ces nombreux rapports différents que je rédige ce compte rendu.

Les cinq mille délégués avaient piètre mine comparés à ce qui était jusqu'ici la norme. Nous avions l'habitude que de telles occasions démontrent la prospérité relative des Armées de la Jeunesse. Or, ces délégués étaient mal nourris, mal habillés, certains en mauvaise santé. La confiance en eux-mêmes qui les animait autrefois, certains qu'ils étaient d'offrir un avenir viable, avait disparu. Ils étaient sombres et cyniques.

Pour tous, il avait été difficile de se rendre sur les lieux du « Procès » bien que j'aie donné des instructions (je n'étais pas du tout certain qu'on les suivrait) pour qu'on ne s'oppose pas à leur voyage. Beaucoup d'entre eux avaient parcouru de longues distances à pied : ceci est surtout vrai des Européens.

Larcins et pillages commencèrent avec l'arrivée des délégués, mais s'arrêtèrent dès que l'on fit appel à leur sens des responsabilités. Cependant, le mal était fait, et il faut se représenter la population locale — informée de « l'honneur » qui lui était fait par cet événement — comme une foule silencieuse, morose, à l'affût, toujours présente autour du camp, comptant parfois plusieurs centaines de personnes.

Les organisateurs avaient disposé des gardes, des sentinelles, tout ce qui pouvait assurer la sécurité, mais ceci s'avéra précaire du début jusqu'à la fin, plus à cause de tensions internes qu'externes. On avait pris des dispositions pour que les races fussent réparties uniformément dans le camp, mais presque tout de suite le sujet du « Procès » se fit sentir avec force et la Race Blanche fut réduite à une minorité, à un camp à l'intérieur du camp, avec ses propres gardes et sentinelles. Dès le début, des plaisanteries circulèrent, en général pas méchantes, sur le fait que le Procureur Général était en réalité un blanc. Dès le premier jour, un chant se répandit parmi toutes les sections, la noire, la brune, la dorée, la jade et la blanche : « J'ai une grand-mère indienne », avec de nombreuses variantes — la variante : « J'ai une grand-mère blanche » étant la favorite. Il y eut des moments où le camp tout entier chantait à tue-tête : « J'ai une grand-mère... » blanche, noire, brune, irlandaise, africaine, esquimaude ; exprimant ainsi le sentiment qui régnait alors : un nihilisme moqueur et sardonique non dépourvu, en fait, de bonne humeur.

Qui écrit ces chansons ? D'où viennent-elles ? La puissance du Peuple est grande !

Il faisait très chaud. Ce fut le fait marquant de ce mois, qui domina tout le reste. Les tentes où l'on servait les repas, vastes et spacieuses, étaient en partie à l'ombre de vieux oliviers, mais la plupart se dressaient au soleil. L'atmosphère était brûlante ; on y cuisait jour après jour. L'eau était rare, les installations sanitaires tout juste suffisantes. A la fin, l'endroit était absolument nauséabond. Sans quelques ondées, le camp aurait été intolérable avant la fin de la première semaine.

Je viens de passer plusieurs heures à relire les rapports de mes agents et j'ai maintenant un autre point de vue sur ces événements. Il y a là quelque chose qui m'intrigue. Que ces Jeunes soient de merveilleux organisateurs n'est pas pour nous une découverte : en fait, nous devrions les imiter dans ce domaine. Mais ceci dépassait le simple bon sens et même la bonne synchronisation.

Je te rappelle que le « Procès » s'ouvrit par ce qui était presque une plaisanterie. C'est du moins le sentiment qu'en donnèrent les premières nouvelles reçues : « Les gosses nous tournent encore en dérision » — ou quelque chose comme ça. Cela paraissait de mauvais goût et inutile, bien entendu, étant donné la violence et les profondes passions qu'éveillent partout les problèmes raciaux. Puis nos rapports mirent en évidence le sérieux avec lequel tous les Jeunes prenaient l'affaire. Ensuite, ce fut le tour des préparatifs : la visite en Afrique du Sud, par exemple, organisée pour les Jeunesses mondiales et suivie par elles avec intérêt. Finalement, il y eut la participation des échelons supérieurs des Armées de la Jeunesse et la présence, au plus fort de ces préparatifs, de George Sherban qui semble toujours là aux moments cruciaux. A propos, on avait recommandé de le faire disparaître, mais l'ordre fut annulé, afin de lui donner le temps d'abattre ses cartes. C'est, je crois, ce qu'il a fait.

Je continue. Pourquoi la Grèce ? De nombreux bruits ont d'abord couru selon lesquels le « Procès » devait se tenir dans une des arènes d'Espagne, mais il fut annoncé, et ceci était une excellente propagande, que cela « préjugerait du résultat, les arènes étant des lieux sanguinaires ». Sans commentaire. Et les amphithéâtres grecs ? Pour les Européens, ceux-ci évoquent la civilisation et la culture. Les Anciens Grecs, qui n'avaient rien d'un peuple paisible, ni stable ni démocratique (des esclavagistes, qui méprisaient les femmes et admiraient l'homosexualité), étaient tenus en révérence par la « tradition occidentale ». Sans commentaire.

Les amphithéâtres sont des espaces circulaires sans toit, entourés de pierres disposées en gradins qui servent de sièges, un peu à la manière de bancs. Le climat est terriblement chaud ou froid. A-t-il changé ou bien les Anciens Grecs étaient-ils indifférents au froid et au chaud ?

Les organisateurs du « Procès » résolurent le problème en changeant les jours en nuits.

Une séance était prévue tous les jours après la grande chaleur de cinq heures de l'après-midi, à minuit. Puis l'on prenait un repas de salade, de céréales et de pain. Le « Procès » reprenait à quatre heures du matin et continuait jusqu'à huit heures. On servait alors du pain et des fruits. Entre minuit et quatre heures, il y avait des débats animés et des discussions libres. Pour commencer, l'on demanda à tous les participants

353

de dormir ou de se reposer de neuf heures du matin à quatre heures de l'après-midi. Mais cela s'avéra impossible. La chaleur, dans les tentes, était insupportable et on manquait d'endroits ombragés. Certains essayèrent de dormir dans des abris improvisés, ou dans les tentes qui servaient de réfectoire. En vérité, on dormit très peu pendant tout ce mois.

Les participants avaient été *priés* de ne pas apporter le moindre alcool dans le camp, à cause des musulmans et aussi à cause des problèmes de maintien de l'ordre. Ce conseil fut suivi, du moins au début.

Nous avions refusé l'autorisation d'utiliser des projecteurs et toute source d'électricité. Ce qui eut des conséquences intéressantes. En vérité, la grande chaleur mise à part, il devint évident que l'éclairage fut le facteur le plus important du « Procès ».

L'arène elle-même était éclairée par des torches disposées régulièrement à la périphérie. Ces torches étaient du type courant : des roseaux compressés imbibés de résine. Quand la lumière de la lune était forte, celle-ci suffisait pour rendre l'arène très visible. Sans la lune, l'effet était inégal.

Imaginons les gradins dominant l'arène, éclairés par la lune ou les étoiles, sans autre lumière, et les groupes de plaideurs, en bas, éclairés par la lune ou par la lumière insuffisante des torches. Cette scène impressionna fort tous mes informateurs et il est certain que les séances nocturnes du « Procès », avec leur éclairage particulier, intensifièrent beaucoup l'aspect émotionnel et en rendirent le contrôle plus difficile.

Les gardes occupaient le gradin supérieur ; ils étaient changés à chaque séance et choisis de manière à ce qu'aucune race ne puisse se croire avantagée. Ils étaient placés sur deux rangs, l'un faisant face à la foule de l'amphithéâtre, l'autre tourné vers l'extérieur, à cause des habitants du village qui approchaient aussi près qu'ils le pouvaient. Au cours du mois que dura le « Procès », de nombreux visiteurs arrivèrent sans y être invités, rendant plus aigus les problèmes d'organisation et d'hygiène. C'étaient presque tous des gens âgés, ou même des vieillards, et de jeunes enfants. Ils souffraient de privations. Le fait que les Jeunes ne soient pas en meilleur état qu'eux semblait les apaiser, favorisant même une certaine fraternisation.

Je n'ai jamais vu ni entendu parler d'une manifestation qui semble promettre plus de violence, de conflits et d'hostilité, et où il y en eut, en fait, si peu.

J'en arrive maintenant à ce que les « spectateurs » (le mot ne convient guère pour des participants si passionnés) voyaient au-dessous d'eux sur cette scène.

Dès le début, ce fut saisissant. Le « Procès » n'était rien moins qu'une provocation *visuelle...* sûrement pas par hasard ?

L'arène n'avait ni décoration, ni slogan, ni bannière, ni drapeau, à cause du danger d'incendie. Il n'y avait que les torches, au nombre de trente, chacune avec deux servants. Ceux-ci venaient du contingent des Cadets de Benjamin Sherban ; c'étaient des enfants d'environ dix ans, garçons et filles en nombre égal et pour la plupart, mais pas tous, bruns ou noirs. La scène centrale était donc entourée d'enfants ayant tous une responsabilité, car les torches devaient être surveillées et changées lorsqu'elles étaient consumées, ce qui se produisait au bout d'une heure. Entre parenthèses, on aurait fort bien pu utiliser des torches durant trois ou quatre heures, mais ce ne sont pas celles-là qui furent choisies. Les enfants contrôlaient un aspect important des séances et ceci donna le ton dès que les « spectateurs » eurent pris place. Les « Jeunes », les « gosses », les « héritiers », tout le temps qu'ils étaient assis là, étaient amenés à penser qu'ils seraient eux-mêmes bientôt mis à l'écart par les nouveaux « héritiers ».

De chaque côté de l'arène, une petite table et une douzaine de chaises. C'est tout. Le ton, la disposition, l'atmosphère furent sans façon du début à la fin.

Du côté de l'accusation, George Sherban représentait les Races de Couleur. Sa peau est ivoire, comme celle d'un certain type de métis, mais ses cheveux et ses yeux noirs pourraient aisément être ceux d'un Indien ou d'un Arabe. Pourtant, à le *voir,* c'est un blanc. Avec lui était un groupe changeant, de toutes les couleurs de peau possibles et imaginables.

Du côté de la défense, l'aspect visuel était tout aussi provocant. Le groupe des blancs comprenait *toujours* quelques personnes colorées ou noires.

La composition des groupes, du côté de l'accusation comme de la défense, changeait à chaque séance, et pendant les séances mêmes il y avait un mouvement continuel de l'arène aux gradins ou dans l'autre sens. C'était là un moyen de souligner l'absence de règles de procédure. L'accusé John Brent-Oxford était le seul individu âgé. Comme je l'ai indiqué auparavant, ceci pourrait être interprété comme un moyen délibéré d'affaiblir le côté des blancs. Les cheveux tout blancs, frêle d'aspect, visiblement malade, il devait rester assis, alors que tous les autres se tenaient debout ou marchaient de long en large. Il ne pouvait donc utiliser aucune astuce physique pour souligner ses paroles, comme le geste brusque, l'arrêt au milieu d'un mouvement parce qu'une nouvelle idée se présente, ou le rejet des bras en arrière, la poitrine ouverte aux hasards du destin — tous ces petits procédés dont, mon cher ami, nous connaissons si bien l'efficacité.

Il n'avait que sa faible présence et sa voix, qui n'était pas forte, mais soutenue et mesurée.

Durant toutes les séances, et ce fait n'échappa à personne, il fut assisté par deux enfants du Contingent de Benjamin Sherban, l'un blanc et l'autre noir comme jais, un Britannique de Liverpool. On sut bientôt que ces enfants avaient pour lui de l'affection car il leur était venu en aide à la mort de leurs parents. Il était, en bref, comme leur père adoptif.

Benjamin Sherban, en tant que responsable des enfants, se tenait presque toujours derrière la chaise du vieux blanc. Sa situation dans les Camps d'Enfants, connue de tout le monde, produisit son effet.

Mes informateurs furent tous, sans exception, frappés par la disposition de l'arène qui n'offrait aucune cible évidente ni bien précise à leur indignation. Je dois indiquer, me semble-t-il, que les rapports que j'ai reçus durant ce « Procès » sont loin d'être ennuyeux : j'aimerais pouvoir le dire plus souvent.

J'en viens maintenant à ce que l'on *entendait*. Il y a là un point intéressant. Alors que chacun de mes ordres avait été annulé (troupes, rations supplémentaires, points d'eau, éclairage suffisant) un seul fut suivi : celui de fournir des haut-parleurs. Cependant, personne ne les utilisa.

Pourquoi a-t-on autorisé les haut-parleurs ? Peut-être par négligence ! Il n'est pas exagéré de dire que chaque administrateur passe une partie importante de son temps à chercher le sens caché d'événements qui ne sont dus, en fait, qu'à une simple incompétence.

Pourquoi les organisateurs du « Procès » n'ont-ils pas profité des haut-parleurs ?

Cela eut l'effet négatif d'augmenter la tension et l'irritation. Rester assis parmi la foule sur des gradins de pierre de cinq heures de l'après-midi à minuit, l'oreille tendue ; rester assis pressés les uns contre les autres sur un siège dur et rugueux dans la chaleur croissante de l'aube et jusqu'à huit heures du matin, l'oreille tendue — ceci n'était pas fait pour adoucir des conditions déjà pénibles.

L'un de mes agents, Tsi Kwang (petite-fille d'un des héros de la Longue Marche), s'était assise sur le dernier gradin afin de pouvoir tout observer. Elle raconte qu'au début, quand elle se rendit compte qu'elle devait tendre l'oreille pour entendre chaque syllabe, elle fut prise de colère. Des murmures de protestation remplirent l'amphithéâtre. Des cris s'élevèrent : où sont les micros ? Mais ces cris n'eurent aucun effet et les cinq mille délégués ne purent qu'en conclure que « les Autorités » (nous, implicitement et de fait, en cette occasion) avaient non seulement refusé les rations supplémentaires etc., mais aussi les micros.

Tsi Kwang raconte que de cette hauteur « c'était comme si l'on regardait de petits pantins ». « Cela était gênant. » Elle éprouvait le sentiment « qu'on faisait injure à cet important événement ». (Tous nos agents partageaient, bien sûr, les sentiments du côté antiblanc et espéraient que le « Procès » prouverait que le blanc était le grand traître dans cette affaire. Ce qu'il démontra jusqu'à un certain point. Comment aurait-il pu en être autrement ?)

Sans micros, avec la seule voix humaine, tout ce qui se disait dans le petit espace, tout en bas (je vois cela, en écrivant, par les yeux de Tsi Kwang) devait être simplifié, parce qu'il fallait le crier. Et ceci ajoutait au côté provocant du spectacle, car tout le reste était sans cérémonie. Sans gêne. (Sauf, bien sûr, la nécessaire présence des gardes.) Mais tout ce qui était *dit* se réduisait presque à des slogans, ou tout au moins à de simples déclarations ou questions, car à mi-hauteur des gradins, personne n'aurait pu entendre ni des arguments complexes ni les subtilités de la loi.

Tous les présents — et ils étaient tous venus, l'esprit plein d'exemples historiques, de souvenirs personnels d'oppression et de mauvais traitements subis par eux-mêmes, leurs parents ou leurs aïeux —, tous les présents étaient venus, brûlant du désir de connaître *enfin* ! (comme le dit l'Agent Tsi Kwang) *la Vérité*.

Le « Procès » commença aussitôt, dès le premier soir. Les délégués continuaient à arriver, épuisés, certains même affamés. Des tables de fortune avaient été dressées sur l'herbe desséchée, parmi les arbres clairsemés ; elles portaient des cruches d'eau et des paniers de pain de pays. Ces provisions disparurent immédiatement et tout le monde y vit l'indication qu'on serait plus parcimonieux à l'avenir. Les tentes furent montées sur plusieurs hectares. Il fut mis fin aux premiers pillages. Des milliers de Jeunes circulaient dans le camp. Ceux de l'extrême-nord, Islande et Scandinavie, étaient accablés par la chaleur. Notre Agent Tsi Kwang (qui est de la Province septentrionale) a été frappée par ce ciel profond et brûlant. Le chant des cigales était assourdissant. Les chiens, comme toujours, arrivèrent d'on ne sait où, fouinant partout, à l'affût de quelque nourriture. A quatre heures précises, la nouvelle circula que le « Procès » allait commencer sur-le-champ. Et pendant que les délégués, affamés, fatigués par le voyage, s'entassaient sur les pierres brûlantes des gradins, sous le ciel ardent, les deux groupes opposés, sans aucun préliminaire, défilèrent dans l'arène pour prendre place. Les torches, bien sûr, n'étaient pas encore allumées, mais les enfants étaient en place, deux par torche.

Il n'y avait, sur les petites tables de bois, ni livre, ni papier, ni notes — rien.

George Sherban, avec son groupe, se tenait debout à la table, du côté où l'ombre allait bientôt gagner. Assis à l'autre table, en plein soleil, il y avait le vieillard frêle, le traître blanc, dont tout le monde assurément connaissait l'histoire, car la rumeur publique est le moyen le plus rapide, sinon le plus exact, de transmettre l'information. Tous les Jeunes assis sur ces gradins avaient entendu parler de John Brent-Oxford et savaient que le traître avait appartenu à la vieille gauche britannique, avait été emprisonné pour crimes contre le peuple, réhabilité, et amené ici par les Armées de la Jeunesse pour défendre une cause impossible.

La foule était agitée. Les spectateurs remuaient sans cesse sur ces durs gradins, grognaient contre la chaleur, le manque de micros et le fait que le « Procès » commençait avant l'arrivée de nombreux délégués. Des gens, qui s'étaient vus des mois ou des années auparavant peut-être à quelque congrès sur l'autre face du globe, renouaient connaissance. Il y avait un courant sous-jacent d'anxiété et de désespoir qui n'avait rien à voir avec ce qui se passait sous leurs yeux mais qui était lié à notre souci général d'une guerre prête à éclater. Et avant même qu'un seul mot eût été échangé entre l'accusation et la défense, il sautait déjà aux yeux de tout le monde que le « Procès » était loin d'être au cœur des véritables problèmes de l'humanité et qu'il ne suffit pas d'accuser une classe, une race ou une nation de tous les crimes de la terre. Je compte sur ta compréhension en disant cela, car je ne voudrais pas qu'on pense que mon long exil (du moins pour moi) dans ces provinces reculées, a émoussé mes facultés de voir les choses correctement d'un point de vue de classe. Mais la détresse humaine est grande et il était impossible à ces cinq mille élus, « fleur » de la jeunesse du monde, de rester en ce lieu face à face, désespérés, affamés, hâves, couverts de loques, *sans* voir certaines évidences.

Ils n'avaient pas eu plus d'une demi-heure pour s'installer et absorber ce qu'ils voyaient — ce qu'on les forçait à voir — quand George Sherban ouvrit le « Procès » en s'avançant de deux pas et en disant :

« J'ai été élu représentant des races non blanches de ce " Procès " par... », et il récita une liste d'une quarantaine de groupes, d'organisations ou d'armées. L'Agent Tsi Kwang nous dit qu'un profond silence régnait, car presque aussitôt, quand tout le monde eut compris que si l'on voulait entendre quelque chose, il fallait rester tranquille, le remue-ménage, les bruits de toux et les chuchotements s'arrêtèrent. Et ce fut la première occasion qui fut offerte aux spectateurs d'enregistrer l'impact que cet homme avait sur leurs espérances.

Il n'avait pas de liste en main et récitait tous les noms, dont certains étaient très longs et d'autres absurdement bureaucratiques (en faisant cette remarque, je compte sur notre vieille connaissance de l'absurdité nécessaire de certaines formes d'organisation) sans aucun aide-mémoire. Il était dans l'arène, dit l'Agent Tsi Kwang, tout à fait calme, souriant et détendu.

Il fit deux pas en arrière, et attendit.

Le vieux blanc, de sa chaise, prit alors la parole. Sa voix était plus faible que celle de George Sherban, mais elle était claire et le silence absolu régnait. Il me semble que ce silence n'était pas dû qu'à la haine ou au mépris, car même l'Agent Tsi Kwang fait observer que « son apparence donnait à penser ». Tout d'abord, je crois que, sauf à de très rares moments, la plupart des jeunes ne voient les personnes d'âge mûr ou les vieillards que comme d'antiques créatures qui les fuient par peur, ou comme des squelettes habillés gisant dans la rue, attendant les croque-morts, ou peut-être encore comme des visions fugitives dans des institutions, prêts à mourir de faim ou de manque de soins. Les jeunes ne *voient* pas les vieux. Ils ne sont pas programmés pour voir les vieux qui sont pour eux annulés, niés, gommés, « exclus » — comme l'écrit si bien Tsi Kwang — « des pages honorables de l'histoire ». Elle ne pouvait pas, dit-elle, quitter des yeux « ce vieil élément criminel ». Sa vue l'emplissait « d'une haine concrète et correcte ». Elle aurait aimé le voir disparaître de la surface de la terre « comme un insecte ». Et autres remarques similaires tout à fait raisonnables en ces circonstances. Vous aurez remarqué que si je cite cet agent aussi souvent — comme j'ai l'intention de le faire dans tout ce Rapport — c'est à cause de ce que je pourrais peut-être appeler la correction classique de son point de vue. On peut toujours compter sur elle pour fournir le commentaire juste. Les autres agents, dont aucun ne la vaut, m'ont été utiles pour me permettre de tenter d'apporter à ma description les lumières et les ombres appropriées.

Le vieux spectre dit qu'il représentait les races blanches (ceci ne fut pas accueilli par des huées et des lazzi, seulement par le silence) et qu'il avait été nommé pour cela par…, et il n'y eut pas ici de longue liste d'organisations de tous les coins du globe, uniquement « le Comité Allié de Coordination des Armées de la Jeunesse ».

Puis il resta silencieux sur sa chaise, tandis que George Sherban s'avançait à nouveau et énonçait d'une voix claire et forte les mots suivants, s'arrêtant à chaque phrase, les yeux balayant les gradins :

« J'ouvre ce " Procès " par une accusation. Voici l'accusation : que les races blanches de ce monde l'ont détruit et corrompu, ont donné naissance aux guerres qui l'ont ruiné, ont jeté les bases de cette guerre que nous craignons tous, ont empoisonné les mers, l'air et l'eau, ont volé et accaparé ses ressources, ont épuisé les richesses du sol, du nord au sud et de l'est à l'ouest, ont toujours agi envers les autres races avec arrogance, mépris et barbarie, ont, avant tout, été coupables du crime suprême de stupidité et doivent accepter, en tant que meurtriers, voleurs et destructeurs, le poids de leur responsabilité dans la terrible situation où nous nous trouvons tous à présent. »

Pendant toute cette harangue on n'entendit pas un bruit, mais lorsque, une fois terminée, il recula d'un pas, une stridente rumeur s'éleva de la foule immense « plus effrayante que si nous avions maudit les traîtres ou que nous les avions couverts d'insultes ». Tel est le commentaire d'un autre agent que Tsi Kwang, qui, elle, se contenta de dire : « Rien ne fut épargné pour humilier les criminels traînés au tribunal de l'histoire. » Un autre commentaire vient d'une lettre écrite par Benjamin Sherban et interceptée par nos services. « J'ai toujours adoré la grosse farce, mais je t'assure que si je ne m'étais pas trop longtemps nourri et rassasié du spectacle minable de la folie pure et simple pour n'avoir plus aucune réaction devant elle, je serais tombé raide mort de peur à entendre ces sifflements de haine. » Je cite ces mots parce qu'ils contrastent avec ceux de notre admirable Tsi Kwang qui-ne-nous-décevra-jamais. (N'oublie pas que Benjamin Sherban se tenait derrière l'accusé.)

Il est clair que le contingent des blancs avait du mal à faire face : ils regardaient droit devant eux et non la foule furieuse des visages bruns, noirs et dorés qui les entouraient ; ils ne tenaient bon que par effort de volonté. Il y eut un long et lourd silence. Le vieux blanc ne bougeait pas. Les deux enfants qui se tenaient de chaque côté de sa chaise, levant lentement la tête, se mirent à regarder les visages qui, autour et au-dessus d'eux, remplissaient les gradins. Benjamin Sherban avait gardé, semble-t-il, sa posture habituelle indolente et presque désinvolte.

Le soleil baissait déjà et l'ombre avait englouti le groupe de George Sherban ; le soir était arrivé, chaud, poussiéreux, accablant.

« J'appelle maintenant mon premier témoin », cria George Sherban. Ce furent les derniers mots qu'il devait prononcer avant plusieurs jours. Il ne fut jamais absent du « Procès » mais se tint dans l'ombre, perdu parmi les gens de l'accusation.

Le premier témoin était admirablement choisi. (D'un certain point de vue.) C'était une déléguée de la province de Shan-Hsi, une jeune fille d'une vingtaine d'années. Elle était bien nourrie, proprement habillée et avait un air de santé qui détendit tout de suite l'atmosphère. Nous ne sommes pas populaires. C'est le prix de notre supériorité ! (Je compte sur notre vieille compréhension des subtiles, nécessaires et souvent ironiques fluctuations de l'histoire.) Non pas que nos Jeunesses Chinoises ne se conduisent pas correctement. Bien au contraire, elles sont toujours, où qu'elles se trouvent, exhortées à se tenir correctement. Mais le fait est qu'elles jouissent de certains avantages dus à la nature même de notre Autorité Bienfaitrice et — en bref — il n'était pas facile aux Européens défavorisés ainsi qu'aux représentants des Nations en Voie de Développement de s'identifier à elles. Notre Agent Tsi Kwang observa qu'elle était satisfaite de voir que le premier témoin était chinois, mais « troublée » aussi, car elle trouvait cela « impertinent d'une manière qu'elle ne saisissait pas bien et qu'elle avait besoin d'analyser plus avant ». Le commentaire du malheureux Benjamin Sherban fut : « Quelle chose effrayante que la foule ! Un conglomérat d'*éléments instables,* c'est bien ça ? Si le Diable peut se permettre de citer l'Écriture… »

Le témoin énuméra pendant un quart d'heure, pas plus, mais avec lenteur et clarté — dans le style imposé à tout le monde — les crimes commis par les races blanches contre la Chine et conclut (comme devaient le faire, par la suite, presque tous les témoins) par « … et se rendirent constamment coupables d'un mépris insultant et inhumain, d'une stupidité et d'une ignorance totales à l'égard du peuple chinois et de sa glorieuse histoire ».

Il était maintenant presque sept heures et l'arène était un puits de ténèbres. Les gradins étaient dans la demi-obscurité. Notre déléguée, ayant terminé, retourna se joindre aux autres, dans l'ombre, tandis que des gradins émanaient les « bravo » et les applaudissements. Mais ce n'était pas là l'ovation enthousiaste à laquelle on aurait pu s'attendre pour le premier des « témoins » et qui ne se serait pas fait attendre (je le dis avec l'esprit impartial du commentateur) si celui-ci avait été un Indien d'Amérique, par exemple. Non, l'émotion était tombée et c'est cette conclusion qui s'impose après l'étude des rapports de nos différents agents. En outre, c'est ici l'organisateur — pas trop indigne, je l'espère — de milliers de manifestations publiques qui parle.

On alluma les torches. Voici comment : des quatre escaliers qui coupaient les gradins, on vit descendre de grands flambeaux avec, en dessous, des silhouettes indistinctes qui se révélèrent de couleurs différentes — dorées, brunes, noires et blanches ; elles traversèrent l'arène en courant avec ces torches, évoquant inévitablement le souvenir des jeux Olympiques et autres événements internationaux émotionnels du même type appartenant au passé, et tendirent les torches aux enfants qui attendaient de les prendre. Ceux-ci étaient vêtus des différents uniformes de leurs organisations. Ils se dressèrent sur la pointe des pieds — ce détail, qui apparaît dans tous les rapports, a donc fait impression — pour allumer les faisceaux de roseaux plantés dans les murs de l'arène. L'une après l'autre, les torches s'embrasèrent, illuminant l'arène. Cette petite cérémonie fut observée avec beaucoup d'attention. Il y eut des murmures de satisfaction. Nos agents interprétèrent de manières diverses le sens de ces murmures.

La cérémonie dura quelque temps. Étant la première du genre, elle n'alla pas sans problèmes. L'une des torches tomba de son support et les deux enfants s'écartèrent vivement ; alors une jeune fille à peine plus âgée qu'eux, bondissant du gradin supérieur, se chargea de replacer la torche dans son candélabre et aida les enfants à la rallumer d'une manière adroite — mais dangereuse — en utilisant les restes d'une torche qui avait été amenée du haut des gradins. Tout ceci, bien entendu spontané et improvisé, convenait parfaitement à l'atmosphère bon enfant qui régnait dans l'amphithéâtre. Une autre torche, qui brûlait trop vite, envoyait des flammèches en direction des gens assis juste au-dessus ; il fallut l'enlever, l'éteindre et la remplacer par une autre. Le temps de procéder à tout ceci, l'atmosphère s'était calmée et détendue, les délégués bavardaient entre eux et il faisait tout à fait nuit. C'était une nuit chaude et noire que les étoiles n'arrivaient pas à éclairer. Au fond de l'arène, les deux groupes ennemis se faisaient face. Se détachant nettement dans la lumière vive et changeante, apparaissait le vieil homme blanc, assis, immobile, flanqué des deux enfants, un noir et un blanc.

La lune émergea d'un banc de nuages bas. On aurait juré une mise en scène ! C'était une demi-lune, mais brillante, avec Vénus à son côté. Le décor était parfait pour une Retraite aux Flambeaux, un Défilé d'Étendards ou la Danse du Dragon.

Pendant quelques minutes, rien ne se produisit. Il était clair que chacun restait muet devant la beauté de cette scène et le spectacle de l'arène. Puis on s'aperçut que les membres de l'accusation conféraient entre eux. De façon informelle. Il avait bien été indiqué, dès le début, puis confirmé et reconfirmé, que tout devait se passer de façon informelle. Des gens avaient quitté les deux groupes pour aller s'asseoir dans les gradins et d'autres les avaient remplacés. C'étaient des allées et venues continuelles. Le premier « témoin » était retourné parmi la Délégation Chinoise, qui, soit dit en passant, avait été installée bien en vue, en bloc, aux meilleures places, en bas des gradins, à mi-chemin entre les deux groupes. C'était le seul groupe national qui eût droit à un emplacement spécial, marqué d'un étendard — le seul, autrement dit, qui attirât l'attention pendant toute la durée du « Procès ».

Après quelques minutes de contemplation du ciel étoilé, de la lune qui se levait, de l'arène indistincte et des charmants enfants qui veillaient avec courage et sérieux sur leurs torches, quelqu'un du groupe, qui n'était pas George Sherban, vint parler avec l'accusé ; puis cette personne, une jeune fille, cria qu'il apparaissait aux protagonistes que les débats étaient ouverts, que tous connaissaient la situation et devaient être fatigués et affamés et que ce serait peut-être une bonne chose si, ce soir, le « Procès » se terminait de bonne heure, ce soir seulement. Tout le monde était-il d'accord ?

Personne ne contesta.

« Dans ce cas, cria-t-elle, le dîner sera servi à neuf heures, ce soir exceptionnellement, et non à minuit comme les jours suivants. » Puis elle rappela l'organisation des séances, réclama l'indulgence car la nourriture avait été difficile à obtenir et serait servie en quantité limitée, demanda à tous de faire attention aux pilleurs éventuels et de traiter les gens du pays avec respect ; elle souligna que tous devraient « faire appel à des trésors de bonne volonté et de compréhension fraternelle pendant le mois qui s'ouvrait car leur patience et leur endurance seraient mises à rude épreuve ».

Le fait que cette fille fût une déléguée ordinaire et non l'une des « vedettes », et que la plupart des gens ignorent son identité fit très bonne impression.

Les gradins se vidèrent rapidement tandis que les délégués se frayaient un chemin dans les demi-ténèbres. L'éclairage du camp était réduit au strict minimum : des lampes tempête à l'entrée et à l'intérieur

363

des tentes-réfectoires ainsi que devant des latrines qui étaient des tentes plantées sur des fosses.

Enfin, les gens réussirent à se faire nourrir dans les tentes bondées.

Voilà comment se passa le premier jour du « Procès ». Je le considère comme une réussite en ce qui concerne le contrôle des foules.

Après ce premier dîner, les gens s'endormirent d'épuisement. Beaucoup s'assoupirent sur place, dans les tentes-réfectoires tandis que les serveurs les enjambaient avec leurs plateaux. D'autres dormirent au petit bonheur, à l'extérieur de leurs tentes, car il faisait trop chaud à l'intérieur. C'était une scène de désordre apparent. Néanmoins, les blancs trouvèrent le moyen de se retirer dans le ghetto qu'ils s'étaient créé et y postèrent des gardes.

Le lendemain matin, quand les deux groupes antagonistes se retrouvèrent dans l'arène à la lumière des torches rallumées avec leurs petits servants ensommeillés, les gradins étaient à moitié vides et le restèrent pendant toute cette séance, car de nombreux délégués s'étaient trouvés trop fatigués pour se lever.

Si bien que cette importante séance matinale se déroula plutôt au ralenti, et lorsqu'à huit heures les retardataires partirent en titubant à la rencontre des autres — qui, eux, avaient déjà passé quatre heures assis sur la pierre dure des gradins dans l'aube naissante qui empourprait le ciel et promettait un jour de chaleur et de poussière, et se rendaient de nouveau aux réfectoires où l'on allait leur servir du pain et des fruits —, ce fut pour entendre un compte rendu de seconde main de ce qui s'était passé. Il y avait eu deux « témoins », tous deux très attendus, et d'une importance affective énorme. Le premier représentait les tribus d'Indiens d'Amérique et le second l'Inde.

Un jeune homme appartenant à une tribu hopi du sud-ouest des États-Unis se tenait, seul, au centre de l'arène, criant en direction des gradins à moitié vides, tournant lentement sur lui-même de façon que tous puissent le voir et l'entendre, les mains tendues devant lui comme s'« il nous offrait, dans ses mains ouvertes, sa cause et lui-même, le pauvre » (Benjamin Sherban). Quand il commença, la nuit était noire et le ciel rempli d'étoiles. Elles s'éteignirent pendant qu'il parlait.

Si l'Europe regorgeait alors de pauvres créatures affamées, c'était à cause de la cupidité de ses classes dirigeantes. Quand ces misérables opprimés protestaient, ils étaient persécutés, pendus, ne serait-ce que pour le vol d'un œuf ou d'un morceau de pain, fouettés et jetés en prison... on les encourageait à quitter leur pays pour l'Amérique du Nord où ils se mirent systématiquement à voler les possessions des tribus indiennes qui vivaient en harmonie avec la terre et la nature entière. Il n'est aucune ruse, aucune cruauté, aucune brutalité qu'on ne puisse attribuer à ces pillards blancs. Quand ils eurent envahi le pays d'un bout à l'autre, exterminé les animaux et détruit les arbres et le sol, ils emprisonnèrent les Indiens dans des camps et les maltraitèrent. Ces gens, dont l'existence même sur ces vastes terres indiennes était la conséquence de la cupidité et de la cruauté de leur propre race, oublièrent tout à coup leur passé récent et devinrent à leur tour comme elle. Bientôt, les pillards blancs étaient divisés en riches et pauvres, et les riches étaient aussi cruels, tyranniques et insensibles aux souffrances de leurs semblables que tous les autres tyrans de l'histoire. Grâce à l'exploitation du travail des pauvres, les nouveaux dirigeants devinrent très puissants et exploitèrent non seulement l'Amérique du Nord, mais d'autres parties du monde. Ils importèrent des esclaves d'Afrique, là encore par des méthodes d'une cruauté et d'une brutalité inouïes, pour faire leur travail et leur servir de domestiques. Ce grand pays, autrefois habité par des peuples qui ne connaissaient pas les mots riche, pauvre, avoir ni posséder, qui passaient toute leur existence en communion avec le Grand Esprit qui dirige le monde (je cite, bien sûr, les rapports de nos agents) et lui vouaient obéissance, ce beau et riche pays fut dépouillé, empoisonné, transformé en dépôt d'armes. Et de la côte est à la côte ouest, du nord au sud, tous furent contraints d'adorer non le Grand Esprit, qui était l'âme de chaque créature humaine, mais l'accumulation des richesses. De l'argent. Des marchandises. Des objets. De la nourriture. Du pouvoir. Le plus pauvre des blancs était riche en comparaison des Indiens asservis. Les plus démunis et les plus exploités des pauvres étaient légalement privilégiés par rapport aux véritables propriétaires de ce pays. Ces États-Unis — il cracha ces mots avec mépris — étaient un lieu de honte, de méchanceté, de corruption et de vice. Et tous ces crimes avaient été commis au nom du « progrès » — il cracha le mot. Tous dans un esprit d'autosatisfaction et d'orgueil.

Puis le résumé, l'accusation :

« La source de ces pratiques criminelles, c'est le mépris, la haine de ceux qui ne vous ressemblent pas, une arrogance qui vous a même empêchés de chercher à connaître la véritable nature de ces peuples que vous avez dépossédés et traités en inférieurs, un manque d'humilité et de cette curiosité qui naît de l'humilité. Vous êtes accusés d'arrogance, d'ignorance et de stupidité. Et Dieu vous punira. Le Grand Esprit vous

365

punit déjà et vous ne serez bientôt plus qu'un souvenir, un affreux et honteux souvenir. »

Tout ceci fut clamé, crié plutôt, phrase par phrase, avec lenteur par le jeune homme qui levait le visage vers le ciel, les mains tendues devant lui, et quand il eut fini, le ciel pâlissait. Le vieil homme blanc était toujours assis, immobile et silencieux.

Silence complet. Personne ne fit un geste.

Les torches fumaient et les enfants, aidés par George Sherban, les éteignirent. On entendait à présent les cigales.

Pendant toute cette intervention, quelques retardataires étaient descendus s'asseoir à leur place. Le vaste amphithéâtre était encore à moitié vide lorsqu'une jeune femme originaire du nord de l'Inde, leader des Armées de la Jeunesse, Sharma Patel, la maîtresse supposée de George Sherban, s'avança vers le centre de l'arène.

Sa beauté fit aussitôt grande impression. L'Agent Tsi Kwang la décrit comme « remarquable et dotée de nombreux avantages personnels ».

« L'Europe, et la Grande-Bretagne en particulier, mais d'autres pays également, considérèrent longtemps l'Inde comme elle l'avait toujours fait, c'est-à-dire comme un endroit à conquérir, à exploiter et à utiliser. Pendant deux siècles et demi l'Inde fut drainée de ses richesses. » Suivirent vingt minutes de statistiques. Ce n'était pas une très bonne idée d'utiliser des matériaux et une élocution plus appropriés à un séminaire qu'à ce vaste décor où il fallait tendre l'oreille pour entendre. Avant même qu'elle eût terminé cette partie de son intervention, le public, bien que cordial, s'agitait. « L'Inde fut occupée " pour son bien " évidemment, selon la terminologie hypocrite propre à l'Europe, par l'armée et la police, et les habitants du continent, avec leur histoire ancienne et complexe, leurs nombreuses religions complémentaires et leurs différentes cultures, furent traités par leurs envahisseurs comme des êtres inférieurs. La domination de l'Inde par la Grande-Bretagne fut accomplie et maintenue par les armes et par le fouet. Les gens qui ont fait cela étaient des barbares. Ils étaient... », suivit l'accusation traditionnelle : « Ils étaient arrogants. Ils conduisirent l'exploitation de l'Inde au nom du progrès et de leur propre supériorité. Supérieurs ! Ces affreux lourdauds, épais de corps et d'esprit ! Supérieurs, ces gens incapables d'apprendre la langue des peuples qu'ils avaient asservis ! Ils ignoraient tout de nos coutumes, de notre histoire et de nos modes de pensée. Ils ne furent jamais que des gens sots, des imbéciles, des ignorants et des fats. »

Ces deux interventions durèrent jusqu'à huit heures.

Les paresseux entendirent les deux premières « inculpations » de la bouche de ceux qui venaient chercher leur petit déjeuner. « Oui, d'accord, mais tout ça nous le savons », entendait-on dire fréquemment. Comme si les gens s'étaient attendus à plus ou à autre chose. Mais à quoi ? Car ce sentiment persista du début à la fin du « Procès ». Voilà quelque chose à quoi j'ai beaucoup réfléchi mais qui reste pour moi une énigme.

Toute la journée, jusqu'à cinq heures, heure de la séance du soir, il fit chaud et mauvais dans le camp ; et les choses furent difficiles. Chacun comprit que les jours qui suivraient seraient pénibles à vivre. Il y avait trop de monde. Pas assez d'eau. On effectuait déjà des sorties à l'extérieur pour faire provision de nourriture et d'eau. Il y avait de la poussière partout. Le temps était venu de dormir. Mais où ? Les gens du pays commençaient à arriver ! Ils étaient là, sans cesse, à flâner en observant les milliers de Jeunes qui allaient et venaient à la recherche de nourriture, d'un peu d'ombre et d'un endroit pour dormir. Résignés, ils finissaient par s'installer en groupes, chantant parfois en s'accompagnant d'un instrument, ou bien bavardant ou discutant de la situation dans leurs pays respectifs. Ces réunions de Jeunes sont très proches — comme je n'ai jamais cessé de l'affirmer — de véritables séances législatives ! Dans leurs effets du moins. George Sherban, son frère et les autres « vedettes » étaient partout, prenant part aux discussions et aux concerts. Le vieux blanc aussi était là, assez bien reçu par tous et souvent même le centre d'intérêt de groupes attentifs.

L'ensemble des délégués de race blanche, au nombre de sept cents environ, restèrent dans l'enclave de leurs tentes ce jour-là, et lorsqu'ils en sortaient pour prendre leurs repas ou pour d'autres raisons, ils se comportaient avec calme, évitant les regards insistants, et si on les défaiait, souriant et se montrant affables et polis. Se conduisant, en fait, comme les peuples qu'ils avaient asservis avaient dû le faire si longtemps, ils essayaient à leur tour de se rendre invisibles.

Ce jour-là, après la séance de nuit, et encore le lendemain, les blancs coururent un véritable danger, puis les passions s'émoussèrent.

Nos agents furent très assidus. Il est évident qu'ils furent tous abusés, dans une certaine mesure, par leur très louable amour de la justice. Ils parlèrent d'une « victoire totale » sur les races blanches. Qu'entendaient-ils par là ? Ils semblaient songer non seulement à un « verdict en leur propre faveur » mais même à une sorte de justice expéditive. Administrée comment, et contre qui ? La personne de John Brent-Oxford ? Leurs camarades délégués ? Tout ce que je déduis de ces rapports enflammés (tout à fait compréhensibles, bien sûr) c'est que les passions et l'atmosphère du camp devaient être houleuses et irrationnelles.

Je fus frappé à l'époque, et je le suis encore maintenant, par la différence de ton entre les premiers rapports de nos agents et ceux qui suivirent. Du fait que nous ne pouvons considérer que comme erroné leur jugement de certaines situations, devons-nous maintenant en conclure que leur jugement dans d'autres domaines est, lui aussi, parfois en défaut ?

Pour la deuxième séance du soir, des gardes accompagnèrent les blancs, en groupe, jusqu'à l'amphithéâtre. Ils avaient été désignés par les organisateurs et comprenaient les deux Sherban, Sharma Patel et d'autres « vedettes ». Les délégués de race blanche restèrent ensemble pendant cette séance ; ils se trouvaient placés juste en face de l'endroit réservé à nos délégués, les Chinois. Ceci donnait l'impression d'une confrontation, car comme je l'ai dit plus haut, aucun autre groupe de délégués n'était placé selon son origine nationale ou raciale.

Il est évident que cette confrontation blancs-Chinois (car c'était *l'impression* produite) ne fut pas du goût de nos délégués qui sentaient qu'un honneur (normal, juste et très apprécié, réservé à notre Autorité Bienfaitrice) se trouvait par là même critiqué et même bafoué, car les blancs haïs et méprisés étaient, comme eux, placés à part et juste en face d'eux. Même si c'était pour des raisons différentes.

Encore une fois, on assista à la confrontation entre les « accusateurs » dirigés par un George Sherban silencieux et son groupe, et les « accusés », c'est-à-dire le vieux blanc et son groupe.

Et de nouveau, l'après-midi sombra dans le crépuscule, l'allumage des torches, les charmants enfants, les constantes allées et venues entre l'arène et les gradins et entre le camp et l'amphithéâtre bourré, bondé, noir de monde.

La seconde séance de nuit fut occupée par les représentants de l'Amérique du Sud, jeunes hommes et jeunes femmes appartenant à des tribus indiennes. Ils étaient trente au total. Plusieurs d'entre eux ravagés par la maladie. J'ai peine à imaginer que certains aient même pu effectuer le voyage.

Je n'entrerai pas dans les détails.

Cette accusation eut encore plus de force que celle des Indiens des États-Unis, car les événements décrits étaient plus récents. Nous avions devant nous les victimes mêmes de ces crimes...

L'invasion de l'Amérique du Sud par les Européens. L'assujettissement de civilisations brillantes par la rapacité, la cupidité, la ruse et la traîtrise. La barbarie du christianisme. L'asservissement des Indiens. L'introduction des noirs d'Afrique et la traite des esclaves.

La dévastation du continent, de ses ressources, de sa beauté et de ses richesses.

Le meurtre désinvolte ou délibéré des tribus indiennes pour leur voler leur terre ; leur anéantissement par l'importation de nouvelles maladies, par la famine et le pillage — autant de crimes qui ne sont même pas révolus à l'heure actuelle puisqu'il existe encore des zones de forêts exploitables (chacun sait que là où il existe une source de profit il y a forcément exploitation). La destruction des animaux, des forêts, des eaux et du sol.

Les uns après les autres, les Indiens s'avancèrent et parlèrent, ou plutôt crièrent, clamèrent leurs phrases accusatrices, de façon que les milliers d'auditeurs attentifs puissent les entendre. Les blancs, les Espagnols surtout, immobiles sur leurs gradins, entourés de leurs gardes, étaient directement accusés, coupables, honteux — récoltant la haine de ces Jeunes rassemblés, véritables représentants, à plus d'un titre, car maintenant c'était eux les destructeurs, les meurtriers qu'ils avaient, en tant qu'individus, toujours condamnés bien sûr. Ils auraient fort bien pu être lynchés... et le vieil homme blanc était oublié car tous les yeux étaient ailleurs.

Au moment où les Indiens terminaient leur plaidoyer ou plutôt leur accusation, deux des Espagnols, échappant à l'attention de leurs gardes, descendirent en courant dans l'arène et vinrent se placer juste en face du vieil homme blanc assis sur sa chaise, tendant leurs bras écartés vers le ciel en un geste rappelant le Christ en croix, et se soumettant à leurs pairs.

De nouveau s'éleva l'effrayante rumeur, à la fois profonde et stridente.

Juste en face des Espagnols se tenait la petite troupe d'Indiens dont certains, trop faibles et malades, devaient être soutenus. Les deux groupes étaient là, dans la lumière des torches flamboyantes, tandis que les spectateurs, par milliers, continuaient à faire entendre leur stridente rumeur. Puis, sur un signe de l'accusation, les enfants éteignirent leurs torches. Bientôt, le vaste amphithéâtre fut plongé dans l'obscurité, éclairé par les étoiles et la lune qui grossissait de jour en jour. Il y eut des remous puis la foule commença à se disperser à grand bruit.

Nos agents déclarèrent tous qu'ils s'attendaient à ce que l'on trouvât les deux Espagnols assassinés dans l'obscurité, mais il n'en fut rien.

Ce fut la première nuit normale. Vers minuit, tout le monde se rassembla autour des réfectoires, à la recherche de quelque nourriture. Les blancs demandèrent à leurs gardes de s'éloigner — ce qui fit très bonne impression. Les deux Espagnols s'étaient joints à eux et il semble que, sans tarder, on assista à une espèce de séminaire informel sur la situation du continent sud-américain, conduit par les Espagnols et les deux Sherban. Le vieux blanc, lui aussi, était populaire. En fait, pendant tout le mois on les vit partout, George Sherban en particulier, chaque nuit, de minuit à quatre heures, c'est-à-dire au début de la séance matinale, au centre de cercles attentifs. De séminaires. De groupes d'étude. De cours. Ces mots se retrouvent sous la plume de tous nos agents. Le vieux blanc était très recherché parce que les Jeunes, je suppose, étaient curieux de l'entendre parler des derniers jours de la « démocratie britannique » et du Parti travailliste — pour eux, de l'histoire ancienne. Ils le voyaient aussi comme un personnage qui s'était racheté par son empressement à confesser ses crimes devant le Tribunal du Peuple et à consacrer les derniers moments de sa vie au service des Travailleurs.

A quatre heures du matin, lorsque l'amphithéâtre se remplit, les blancs furent de nouveau escortés à leur place en face de la délégation chinoise, mais une fois arrivés là ils se consultèrent brièvement, demandèrent aux gardes de les laisser puis se dispersèrent et allèrent s'asseoir un peu partout, au hasard. Ce geste souleva l'indignation de certains, de l'Agent Tsi Kwang en particulier, car il lui apparut comme une insulte au Jugement Correct des Masses. Mais, dans l'ensemble, il fut bien reçu. Les passions hostiles se calmaient tout comme l'éventualité de menaces, et pire encore. Bientôt, les blancs se mêlèrent librement aux autres, tout en continuant de se retirer sous leurs tentes pour dormir. Mais cela ne dura pas.

Ce jour-là, l'atmosphère changea, au grand déplaisir ou dépit de tous nos agents qui espéraient bien que « quelque chose de concret » allait sortir du déchaînement de passions de la nuit précédente. Ils s'attendaient, c'est évident, à ce que la haine grandisse ou atteigne un point culminant.

Mais les passions raciales s'apaisèrent, après le défilé d'une série de « témoins » à la barre pour attester des effets des préparatifs militaires, de la course aux armements, de la guerre sous-marine, potentielle et réelle, des flottes qui patrouillent les océans et surtout des instruments qui contrôlent les cieux et dont l'existence même menace à tout moment d'une mort soudaine des continents entiers.

La séance du soir fut consacrée à une série de récits ou de comptes rendus ressemblant à des lamentations — étant donné le rythme lent et martelé sur lequel les mots, très simples, étaient prononcés — concernant les guerres passées : la Première Guerre mondiale, guerre purement européenne dont la barbarie se répercuta sur les peuples non européens forcés de combattre ou de donner leurs matières premières ; les colonies « perdues », échangées, ou fraîchement conquises ; les colonies utilisées comme champ de bataille où se réglaient des conflits qui ne les concernaient pas. La Deuxième Guerre mondiale, avec ses dévastations effroyables, dans laquelle sombra le monde entier ou presque — guerre opposant, encore une fois, des races blanches mais qui utilisa les autres races selon ses besoins et ses possibilités, avec son horrible apogée : le bombardement atomique, par les blancs, d'Hiroshima et de Nagasaki. Puis la guerre de Corée, avec sa barbarie absolue, son illogisme, ses effets destructeurs, son renforcement du pouvoir des États-Unis qu'elle corrompit complètement. Les Français au Vietnam. Les États-Unis au Vietnam. L'Afrique et ses efforts pour se libérer de l'Europe. Si je veux vraiment ici décrire la réalité, il me faut mentionner qu'à ce moment-là il y eut certaines références voilées que l'on pourrait interpréter comme une critique à notre endroit et à l'endroit de l'Union soviétique, pour notre action en Afrique.

Cette litanie, ou requiem, ou lamentation sur le sujet de la guerre dura trois jours. Pendant ce temps, le clair de lune augmentait. Les séances du soir étaient éclairées par une lune presque pleine dont l'éclat atténuait la lumière des torches et rapetissait l'arène et les protagonistes.

Dès le cinquième jour, une routine s'installa, ainsi qu'une autodiscipline dont tous comprenaient la nécessité.

Elle concernait surtout l'alcool. Il y avait eu plusieurs incidents malheureux. Encore une fois, on conseilla d'interdire l'alcool dans le camp. Pendant ce temps, les gens du pays affluaient nuit et jour, tout prêts à vendre ou à troquer de l'alcool et même un peu de nourriture. Les Jeunes avaient déjà commencé à quitter le camp aussitôt après le « petit déjeuner » (les agents se plaignirent que les repas devenaient « invisibles ») pour se diriger vers la mer, à quelques kilomètres de là. Ils y buvaient du vin, mangeaient ce qu'ils arrivaient à mendier ou à voler et attrapaient du poisson qu'ils faisaient cuire sur le rivage — tout en sachant que ce qu'ils pêchaient dans cette mer était dangereux à consommer. Ils se baignaient, se reposaient, faisaient l'amour — et étaient de retour pour cinq heures. Sans cela, le camp serait devenu encore plus invivable. Il était déjà assez inconfortable, surtout à cause du manque d'eau, malodorant, sale et de plus en plus assiégé par les villageois curieux qui ne quittaient pas une minute leurs visiteurs du regard et essayaient sans cesse de se faire une petite place sur les gradins pour jouir de ce qu'ils considéraient, de toute évidence, comme un spectacle.

On eût dit que George Sherban ne dormait jamais. Il restait dans le camp la plupart du temps, toujours disponible pour chacun. Il était souvent avec le vieux blanc. Quant à son frère, Benjamin, il avait fort à faire pour surveiller son contingent d'enfants qui devenait de jour en jour plus turbulent et indocile et menaçait à tout moment de se transformer en un gang juvénile du type que nous ne connaissons que trop bien aujourd'hui. De nombreux délégués, hommes et femmes, consacraient toute leur énergie à contenir les enfants.

La cinquième nuit, il y eut une ondée, brève mais forte, qui colla la poussière au sol, rafraîchit l'atmosphère, lava les gradins de l'amphithéâtre et fit baisser la tension. On en profita pour combler les fosses des latrines et en creuser d'autres. Ce qui améliora un peu les choses.

Aux séances sur la guerre succédèrent quatre jours sur l'Afrique. Les « témoins » venaient de tous les coins d'Afrique. Leurs témoignages, à leur tour, changèrent manifestement l'atmosphère. Comment dire ? Tout en étant de types et d'aspects variés, ils créaient, à eux tous, une telle impression d'entrain et d'exubérance, de force, de parfaite virilité et de puissance guerrière — il ne faut pas oublier que dans certaines parties de ce continent ont toujours existé des gouvernements qui, tout en paraissant à certains d'entre nous assez odieux, ont si lourdement accablé telles fractions de la population qu'ils condamnaient, que seuls les plus belliqueux ont survécu. Quoi qu'il en soit — apparemment, et bien sûr je ne fais que recomposer l'image que s'en font nos agents — cette centaine de délégués, ou presque, frappait apparemment tout le monde par leur différence avec les autres. Un exemple : alors qu'ils avaient tout de même plus de raisons de se plaindre des blancs que les autres continents, ils prirent soin de faire porter leurs jugements sur l'intervention d'autres races que la blanche.

J'en viens aux détails.

Le premier « témoin » était une jeune et jolie camarade du Zimbabwe.

Elle fut accueillie par un public attentif et silencieux. Il n'était plus question de la rumeur stridente si souvent mentionnée par nos informateurs. Ce fut le premier signe que l'humeur du public changeait, et cela à cause de la situation actuelle en Afrique, caractérisée par des conflits, des guerres civiles et le chaos économique. Ses propos ressemblaient à de l'histoire ancienne, ce qui, étant donné son point de départ : la conquête du Matabélé et du Mashona par Rhodes et ses valets il n'y a guère plus de cent ans — fait qu'elle se hâta de rappeler à son auditoire — était en soi stupéfiant. Notre Agent Tsi Kwang, par exemple, alla jusqu'à observer que cela la fit réfléchir.

Son accusation, de toute évidence exemplaire aux yeux de son public, peut-être parce qu'elle tenait dans un court laps de temps — un siècle faisant l'effet d'un instant à côté des siècles et des siècles, sans parler des millénaires —, que certains des délégués n'avaient aucun mal à embrasser, dura de quatre heures à huit heures du matin le sixième jour mais elle fut soutenue, pendant la dernière heure, par un témoin de race blanche, un homme de loi dont la présence à ses côtés — et sur un signe d'elle — la proclamation tonnante, vers les cieux matinaux, de toutes sortes de chiffres et de faits, produisirent une impression bizarre et même, aux yeux de certains spectateurs ombrageux, parfaitement ridicule.

Le tranchant de son accusation ne fut pas celui qu'on escomptait, à savoir l'histoire de barbares de race blanche conquérant par les armes un peuple paisible et hospitalier qui ne s'attendait de leur part ni à la traîtrise ni à la ruse, mais qui au contraire offrait son pays sans réticence ni contrainte à ces bandits pour se retrouver ensuite assassiné, massacré, puis asservi. Non, le point qui l'intéressait était le suivant, et le fait qu'il eût mieux porté s'il avait été développé dans un décor plus modeste, propice à ce genre de réflexion modérée, ne nous empêche pas, nous, de le considérer dans un décor plus modeste.

Dans ce vaste territoire, les blancs avaient reçu, en 1924, l'autonomie de la mère patrie, la Grande-Bretagne, excepté dans deux domaines, celui de la Défense, qui ne concernait pas la déléguée, et celui des « Affaires indigènes », réservé par le gouvernement britannique pour la raison expresse et spécifique que la nation britannique, elle, était tenue de protéger les populations indigènes conquises, de veiller à ce que leurs droits ne fussent pas violés et que des épreuves ne leur fussent pas infligées du fait de leur « tutelle » par les blancs. Car il va sans dire que les blancs considéraient leur autorité comme formatrice et bienveillante. (J'écris ce second mot à contrecœur, en comptant sur ta compréhension et en me disant, à la réflexion, qu'un mot peut avoir tout un éventail de nuances selon les circonstances.) Dès l'instant où les conquérants blancs reçurent l'« autonomie » ils spolièrent les noirs de leurs terres, de leurs droits et de leur liberté et en firent, à tous égards, des esclaves et des

serviteurs, utilisant toutes les techniques basées sur la force et l'intimi-
dation, l'humiliation et la tromperie. Mais jamais la Grande-Bretagne
ne protesta. Jamais, pas une seule fois, elle n'éleva la voix, alors même
que, pendant toute cette période de brimades infligées par la minorité
blanche, les peuples noirs attendaient d'être secourus par leur gouvernement « protecteur » d'outre-mer, persuadés que si cette délivrance
n'arrivait pas c'était parce que leurs amis blancs d'outre-mer n'étaient
pas vraiment au courant de la situation. Non qu'ils eussent renoncé à
faire des représentations à la reine et au Parlement, et ce par toutes
sortes de personnes interposées. Mais pourquoi aucun gouverneur
britannique ne remarqua-t-il jamais ce qui se passait, n'envoya-t-il
jamais un rapport auprès de son gouvernement, protestant que la clause
principale du fameux accord octroyant l'autonomie aux blancs n'était
pas honorée ? Pourquoi le peuple asservi et trahi de la Rhodésie du Sud
ne reçut-il jamais ni aide ni assistance ? C'est très simple. Parce que le
gouvernement de Grande-Bretagne, le peuple de Grande-Bretagne ne
se *souvenaient* pas, n'avaient jamais pris la peine de comprendre un fait
essentiel, à savoir que l'autonomie avait été octroyée à la minorité
blanche à condition que les noirs ne fussent pas maltraités, et qu'ils
avaient le devoir d'intervenir. Ce qui leur avait permis d'oublier,
simplement de se désintéresser de la chose, c'était leur mépris inhérent
et inné à l'égard de peuples différents d'eux-mêmes. Mais le pire restait à
venir. Quand l'Afrique commença à secouer ses chaînes (expression qui
fit plaisir à l'Agent Tsi Kwang), quand quelques blancs « libéraux »
commencèrent à protester en Grande-Bretagne contre le traitement
infligé aux noirs bafoués, eux-mêmes semblaient ignorer que tout ce
temps-là, la Grande-Bretagne avait eu le droit d'intervenir à tout
moment, conformément à son devoir. Ils ne semblaient pas avoir
compris que pendant plusieurs décennies durant lesquelles les noirs
s'étaient vus spoliés de tous leurs biens, la Grande-Bretagne avait eu
légalement et moralement le devoir d'intervenir et d'empêcher par la
force les blancs d'agir à leur fantaisie. Bien plus, lorsque les noirs
commencèrent à riposter sous le gouvernement de l'infâme Smith et de
ses cohortes et que le gouvernement britannique fut enfin forcé
d'adopter certaines attitudes responsables, même alors, personne ne
sembla se souvenir que le coupable n'était pas Smith ni même ses
prédécesseurs, mais la Grande-Bretagne elle-même, qui avait trahi les
noirs qu'elle était supposée protéger contre les blancs. Car c'était la
Grande-Bretagne qui avait toléré, permis, et par son indifférence
passive, encouragé les blancs à agir selon leur bon plaisir. Et pendant

toute la dernière phase de cette lutte tragique, le gouvernement britannique parut croire ou, en tout cas, donna l'impression que c'étaient les blancs de Rhodésie, et non lui, les responsables de la situation, comme si quelque chose de bizarre et de nouveau se passait : une grande surprise que cette saisie, par les noirs, de leurs droits et de leurs terres, quelque chose qui ne concernait en rien le gouvernement britannique. Tout ceci donna naissance à l'un des chapitres les plus grotesques, les plus abjects de l'histoire coloniale récente de la Grande-Bretagne, à savoir que la Rhodésie aurait pu faire la une des journaux nuit et jour depuis des années, que la cause des noirs, si tardivement épousée par des milliers de cœurs généreux, aurait pu être commentée par des milliers de professionnels et que pas une fois, pendant tout ce temps, l'on ne fit remarquer que la Grande-Bretagne était la première responsable de la situation.

« Comment cet extraordinaire état de choses avait-il donc été possible ? »

« Je vais vous le dire », clama la jeune militante tandis que le soleil se levait au-dessus de l'amphithéâtre. « C'est parce que le peuple britannique et son gouvernement ne nous voyaient pas ; ils ont toujours été atteints de cécité à notre endroit : nous, les noirs, nous ne comptions pas. Si nous avions été des chats ou des chiens ils nous auraient vus, mais nous étions des noirs. Pendant la Guerre de Libération, ces philanthropes pleuraient lorsqu'un blanc était tué, mais quand cinquante noirs étaient tués, même si c'étaient des enfants, ils ne le remarquaient pas. Nous n'avons jamais eu, à leurs yeux, aucune existence. Pourquoi, dès lors, s'inquiéter de promesses oubliées ? »

Je décris peut-être ceci trop en détail, surtout pour toi qui as toujours porté un tel intérêt à l'Afrique et qui as, dans ta jeunesse, passé deux ans au Mozambique dans les Forces de la Résistance. Si je le fais, c'est parce que cela m'a obligé à réfléchir à l'extraordinaire pérennité de certains phénomènes dans certaines zones géographiques. (Au nom de notre vieille amitié j'espère que tu me pardonneras un certain manque de rigueur dans la pensée ou la phraséologie, ou peut-être même une apparente méprise sur les véritables problèmes de la Libération du Peuple, mais il est presque quatre heures du matin et j'entends le bruit des patrouilles — *les nôtres,* d'ailleurs — qui passent devant l'état-major ; mais qui peut croire en la permanence de quoi que ce soit en ces temps troublés ?)

Cette pérennité, ou persistance, j'y reviendrai dans un instant. En attendant, je m'arrête pour faire observer que l'intervention de cette

375

jeune noire fut la plus rationnelle de toutes les accusations. Je ne veux pas dire qu'elle fut plus « correcte » que les autres. Là n'est pas la question.

Il n'y a pas de fin aux accusations contre l'homme blanc. Point n'est besoin d'en dire davantage : l'on n'a qu'à citer un seul pays, et les faits et les chiffres sautent aux yeux dans toute leur brutalité. Nous n'avions pas besoin d'un « Procès » !

Mais cette jeune femme présentait un argument que les autres n'avaient pas avancé. La « stupidité », l'« ignorance », l'« arrogance » et cette autosatisfaction dont nous avons déjà si souvent parlé sont une seule et même chose et c'est par ces mots, ou d'autres semblables, que se terminait chaque « accusation ». Elle disait quelque chose de plus. *Comment* était-ce possible qu'une étendue de terre de la taille de la province du Ho-Nan fût conquise par une poignée d'aventuriers puis *oubliée* ensuite par l'Empire ? Parce que c'est ce qui s'est passé ici. La brutalité ? Oui. L'ignorance ? Oui. Oui, oui, oui, c'est entendu. Mais on ne peut pas dire que ceci soit nouveau dans l'histoire. Et pourtant, il arriva, dans l'Empire britannique, qu'une vaste région de l'Afrique soit physiquement conquise, placée entre les mains d'une centaine de milliers de blancs — dont le nombre ne dépassa jamais le demi-million — pour être ensuite oubliée. Oh ! bien sûr on y envoya des gouverneurs — du type de ceux que nous connaissons bien. Je ne doute pas que, de temps à autre, le gouvernement britannique fût informé par ses financiers qu'il y avait là-bas des intérêts à sauvegarder, mais c'est tout. Ce n'est pas tant que les entreprises, les promesses et les obligations sérieuses se trouvassent reniées, mais plutôt négligées. Au point que la crise rhodésienne, lorsqu'elle éclata enfin, put être discutée pendant des années et des années sans que ce fait fondamental fût jamais mentionné.

J'en arrive maintenant à mon idée sur la pérennité d'une tendance ou d'un facteur en un lieu donné, chez un peuple donné.

Ce « Procès » eut lieu, en ce qui concerne les participants, dans un seul but : adresser griefs et reproches aux anciens oppresseurs colonialistes. Les Impérialistes. C'était là sa fonction. La jeune fille présenta son accusation pendant quatre heures, faisant parfois appel à son juriste blanc. Elle fut écoutée avec la plus grande attention. Et pourtant *elle ne convainquit pas son public.* Ceci tenait à l'atmosphère générale : il y avait tant de choses à écouter, à démêler, et dans de telles conditions d'inconfort ! Son argument, à savoir qu'un grand empire fût capable de conquérir puis d'oublier ou de se désintéresser d'un territoire de la taille du Ho-Nan ne fut pas assimilé par son auditoire. N'est-ce pas incroyable ? *En fait, ce qui se passait, c'est ce qui s'était toujours passé dans ce territoire.* Cependant, à quelques centaines de kilomètres de là, en Rhodésie du Nord — la future Zambie — des soulèvements dressaient victorieusement les noirs contre les blancs ; le principal facteur émotionnel, dans cette affaire, était que les Britanniques, en la personne de la reine Victoria, avaient fait des promesses qu'ils n'avaient pas tenues. Argument radical *ici* mais pas en Rhodésie.

Eh ! bien moi, du moins, je me prends à réfléchir à cette question. Un secteur géographique garde un certain *parfum* qui se manifeste dans tous ses événements, ses bouleversements et son histoire. J'en veux pour exemple la malheureuse Union soviétique, ou Russie, dans laquelle les événements surviennent et se répètent inlassablement, sans jamais changer, que ce vaste pays s'appelle la Russie ou l'Union soviétique, que son idéologie dominante soit ceci ou cela. Je pourrais, bien sûr, trouver d'autres exemples.

Je me demande parfois si l'on n'aurait pas intérêt à enseigner cette réflexion aux enfants au début de leurs « leçons de géographie » — ou plutôt d'*histoire,* dans ce cas ? Si je te donne l'impression de divaguer, accuses-en cette longue nuit de veille *inquiète.* L'aube s'est levée, mais le moment n'est pas encore venu pour moi de me reposer car je voudrais d'abord finir cette longue lettre ; le courrier part ce soir.

Je reviens à l'amphithéâtre : l'Afrique était au programme pour plusieurs jours.

Pendant ce temps, dans le camp lui-même, l'organisation laissait de toute évidence à désirer.

Tout le monde était accablé par la faim, le manque de sommeil, la chaleur et la poussière. A présent, presque tous se précipitaient au bord de la mer pendant les heures de midi ce qui, bien sûr, les fatiguait encore davantage.

Il régnait maintenant un sentiment d'urgence. Avec la pleine lune qui dardait ses rayons sur les gradins, si bien que les milliers de spectateurs se voyaient tous parfaitement et que les torches n'étaient presque plus nécessaires, les protagonistes abordèrent rapidement : la détérioration du Pacifique, l'introduction autoritaire de coutumes étrangères dans des sociétés anciennes et paisibles, l'importation du christianisme par la force, la destruction des îles dans l'intérêt de l'industrie et de l'agriculture occidentales, l'emploi du Pacifique pour des essais nucléaires comme si l'océan appartenait à l'Europe. On aborda également : la domination par l'Europe des peuples du Moyen-Orient, les promesses

377

inconciliables faites aux Arabes et aux Juifs, l'arrogance manifestée, le mépris, la stupidité et l'ignorance.

Je signale ici en passant que ces ennemis d'hier, les Arabes et les Juifs, étaient devenus inséparables et ne perdaient pas une occasion de souligner leur origine commune, leurs religions semblables, la compatibilité de leurs cultures et — du moins ils le souhaitaient — l'émergence d'un avenir commun harmonieux.

Le « Procès » aborda ensuite l'homme blanc en Australie, l'homme blanc en Nouvelle-Zélande, l'homme blanc au Canada, l'homme blanc dans l'Antarctique.

Tu remarqueras que je n'ai pratiquement pas mentionné les Russes. L'une des raisons pour lesquelles je ne l'ai pas fait, c'est qu'il n'y avait pas de délégués russes, bien qu'il y en ait des colonies russes telles que la Pologne, la Bulgarie, la Hongrie, la Tchécoslovaquie, la Roumanie, Cuba, l'Afghanistan et certaines régions du Moyen-Orient.

Les délégués se relayaient à présent toutes les dix minutes ; faisant la queue le long des escaliers de l'amphithéâtre en attendant leur tour d'énumérer, ou plutôt de clamer leurs accusations avant de retourner à leur place.

Nous sommes maintenant arrivés à la moitié du « Procès », c'est-à-dire au quinzième jour. En relisant les rapports des délégués, ce qui me frappe, c'est l'impression de frustration, d'irritation qui s'en dégage. N'oublie pas que nos agents sont tous des membres actifs de leurs organisations respectives et non des dissidents ou des excentriques. Ils travaillent pour nous, la plupart du temps de façon bénévole, et en signe de gratitude envers notre Autorité Bienfaitrice. Ils font sentimentalement partie des Armées de la Jeunesse et ce qui les rend précieux, c'est qu'ils partagent et ne peuvent qu'enregistrer l'humeur ou les humeurs générales du moment.

Encore une fois, je demande : qu'était-ce donc que ces Jeunes étaient venus chercher et qu'ils n'avaient pas trouvé ? Car apparemment ils recevaient exactement ce qu'ils étaient venus chercher.

Je cite Tsi Kwang : « Il ne règne pas ici un esprit correct. Les responsables ne savent pas vaincre les difficultés de la situation. On note des hésitations et de nombreuses erreurs, une volonté insuffisante de saisir hardiment les distorsions bourgeoises qui ne peuvent que ruiner les authentiques expériences de la Jeunesse sincère. » Ainsi de suite pendant plusieurs pages.

Tous nos agents, pendant ces journées, rédigèrent des rapports semblables.

L'insigne Benjamin Sherban : « Le centre ne tient plus, l'anarchie a envahi le monde. » L'on me dit que ces lignes viennent d'une ancienne ballade populaire. (J'aimerais entendre le reste car on pourrait s'en inspirer en ces temps difficiles.)

De toute évidence, les délégués avaient atteint les limites de leur résistance et ce n'est que grâce à la souplesse et à la tolérance des organisateurs que le « Procès » put continuer. D'une part, l'alcool entrait maintenant dans le camp, portant atteinte à l'ordre et à la discipline. D'autre part, la sexualité, jusque-là discrète et contenue dans les limites du bon sens, était maintenant partout, non seulement entre les délégués mais entre eux et les autochtones.

L'atmosphère générale était à l'agitation, au mécontentement ; il y avait un *mouvement* continuel autour du camp, des tentes aux abris improvisés et aux tentes-réfectoires, où des débats et des *séminaires* semblaient se tenir en permanence, ainsi que du camp à la mer. On avait mis la main sur quelques ânes, et des camions militaires abandonnés avaient été repérés et mis en service (l'essence étant évidemment réquisitionnée) ; des groupes de délégués parcouraient la côte, entrant dans les villes et les villages pour tenter de résoudre leurs problèmes de nourriture tandis que des individus isolés erraient, de-ci de-là, au hasard. Il arrive en effet souvent, en ces moments de grande tension, que certains éléments, comme soumis à une force centrifuge, s'éloignent obstinément des autres. Ils sombraient dans la dépression ou menaçaient de le faire, pleuraient, se plaignaient d'être sous-estimés, envisageaient la possibilité d'un suicide et tombaient éperdument amoureux d'autres délégués qu'ils (ou elles) ne devaient jamais revoir.

Tout ceci ne signifie pas pour autant que les séances n'étaient pas assidûment suivies. L'amphithéâtre était bondé, attentif, concentré sur ce qui se passait dans l'arène, de quatre à huit heures du matin et de cinq heures du soir à minuit. Mais le public était moins silencieux qu'avant, intervenant souvent dans les « accusations » pour y ajouter des faits, des chiffres ou des commentaires. Il existait une totale collaboration entre le public et — j'allais dire — les acteurs.

Il n'y avait aucune raison, semblait-il, pour que cessât jamais le flot des témoins, mais déjà les gens demandaient quand le vieux blanc, qui restait assis heure après heure, jour après jour, silencieux, sur sa chaise, « allait se défendre ». Entre-temps, bien sûr, il avait conversé avec tous ceux qui désiraient le faire — c'est-à-dire tous, en fin de compte — hostiles ou non, pendant les heures de loisir, si c'est le mot qui convient pour décrire une telle frénésie, une telle agitation. Bref, il ne faisait pas figure d'ennemi et les épithètes utilisées (correctement, bien sûr) par nos informateurs me semblaient avoir perdu la ferveur du début.

Il fut dit ouvertement que le « Procès » ne pouvait continuer tout un mois, car la situation devenait intenable.

C'est alors qu'un nouveau fait survint. Des appareils aériens apparurent qui, de toute évidence, surveillaient ce qui se passait. La première fois, ce fut pendant la pleine lune : un hélicoptère resta quelques minutes suspendu au-dessus de l'amphithéâtre ; il fallut interrompre la séance jusqu'à ce qu'il voulût bien s'en aller. Cet engin d'observation *non identifié* produisit un gros effet : nos agents rapportent des réactions de fureur, d'exaspération, de rage contenue, et si l'engin avait été accessible, il aurait été mis en pièces. On « plaisanta » : les Russes veillaient. Ou bien que c'était nous (je signale, sans plus). La nuit suivante, un autre appareil se montra, également anonyme, qui resta au-dessus de l'amphithéâtre jusqu'à ce qu'il eût reconnu l'endroit. Nouvelle réaction de fureur — de rage quasi hystérique. Certains milieux se rendent-ils compte de l'horreur et du dégoût ressentis par beaucoup devant les produits de l'ingéniosité humaine et des progrès techniques ? Des appareils divers apparurent ensuite dans le ciel à toute heure du jour et de la nuit, certains à très basse altitude, d'autres si haut qu'on les voyait à peine, la plupart inconnus des Jeunes — très experts — qui les observaient. On parla en « plaisantant » de vaisseaux spatiaux, de soucoupes volantes, de forces de police internationales, d'escouades de police privée et de satellites espions téléguidés.

Du coup, l'imminence de la guerre fut au centre de toutes les conversations. Si c'était ce que souhaitait l'appareil de surveillance, il avait réussi.

Maintenant que la lune déclinait, se levant un peu plus tard chaque soir, les torches exerçaient de nouveau leur puissant impact émotionnel sur chacun.

Brusquement, au soir du neuvième jour, George Sherban, qui n'avait à peu près rien dit au cours des séances, s'avança dans l'arène pour faire remarquer, d'un air détaché qui irrita certains de nos agents, « qu'à son avis il était temps pour l'accusation de conclure ». Personne ne s'attendait à cela, tout au moins pas encore. Mais il n'avait pas plutôt prononcé ces mots que chacun sentit qu'il avait raison. Que pouvait-on ajouter aux accusations déjà entendues ?

On escomptait néanmoins un résumé mais il se borna à dire : « Je conclus mon réquisitoire et je somme John Brent-Oxford de parler. »

Au début, le public réagit fortement. Puis la déception se changea en approbation, chacun disant à son voisin que cette approche, pour hardie qu'elle fût, n'en était pas moins correcte. Il se fit un silence total. Le vieux blanc ne se leva pas. Personne ne s'y attendait d'ailleurs, car tous le savaient en mauvaise santé. Assis sur sa chaise, dont il n'avait pas bougé pendant toutes ces séances, il dit, clairement mais sans faire d'effort pour être entendu :

« Je plaide coupable pour tout ce qui a été dit. Que puis-je faire d'autre ? »

De nouveau, silence.

Il n'ajouta rien. Des murmures s'élevèrent, puis des rires de colère suivis de mouvements de foule indignés.

La tension baissa lorsqu'un jeune homme cria du ton railleur mais bon enfant qui, de toute évidence était celui du « Procès » : « Alors, qu'est-ce qu'on fait ? On le lynche ? »

Rires. Certains de nos agents rapportent qu'ils ne trouvaient pas la scène amusante. Il manquait, déclara Tsi Kwang, le respect dû aux « verdicts salutaires de l'histoire ».

Il régnait aussi une extrême confusion et un grand sentiment de fureur.

Au bout de quelques minutes, le vieux blanc leva la main pour demander le silence puis reprit la parole. « Je voudrais vous demander, à vous tous qui êtes ici : comment se fait-il que vous, les accusateurs, ayez adopté avec tant d'énergie et d'efficacité les attitudes que vous n'avez jamais cessé de condamner ? Bien sûr, certains d'entre vous n'avaient pas le choix, je veux parler des Indiens d'Amérique du Nord et d'Amérique du Sud, par exemple. Mais les autres ? Comment se fait-il que tant d'individus parmi vous, sans y avoir jamais été contraints, aient choisi d'imiter le matérialisme, la cupidité et la rapacité de la société technologique de l'homme blanc ? »

Après quoi il se tut.

Indignation. Puis des murmures s'élevèrent qui grossirent et se transformèrent en clameur.

Alors George Sherban dit d'une voix forte : « Puisqu'il est presque minuit, je propose que nous ajournions la séance pour la reprendre à quatre heures, comme d'habitude. »

Les gradins se vidèrent. Cette nuit-là, peu de gens quittèrent le camp survolté où régnait une atmosphère que, après lecture attentive des rapports, je me permets de qualifier d'enjouée.

Les quatre heures se passèrent en discussions énergiques. Partout l'on s'interrogeait sur la plaidoirie à venir. On *plaisantait* : il était évident que le blanc, qui était toujours dans son droit, allait les accuser — en particulier les nations de couleur qui s'étaient avec succès tournées vers l'industrie et la technologie au nombre desquelles, je suis heureux de le dire, nous nous trouvons — d'une grande part des crimes dont il avait, lui, été accusé. Dans un esprit mi-indigné mi-burlesque, tout le monde, soit en couples, soit en groupes ou en « séminaires » discutait, échafaudait et élaborait les chefs d'accusation probables ; on allait même jusqu'à les proposer au vieux blanc pour son usage personnel.

Nos agents se déclarèrent tous outrés du tour que prenaient les événements qu'ils traitèrent de frivole et d'insultant.

Peu avant l'aube, il se mit à pleuvoir : une forte averse. Au moment même où s'esquissait un mouvement vers l'amphithéâtre pour allumer les torches, la pluie se remit à tomber. C'était une aube mouillée et froide. Le bruit courut que la séance était annulée de façon à permettre à l'amphithéâtre de sécher. Un grand nombre de participants s'endormirent où ils étaient car la chute de température, alliée au dégrisement général, avait détendu l'atmosphère.

A leur réveil, et pendant toute la matinée et le début de l'après-midi, conversations et débats reprirent de plus belle, mais un ton plus bas, avec plus de sérieux et moins de rires. Cependant, l'atmosphère était à la jovialité.

Il apparaît clairement maintenant, à la lecture des rapports, que le « Procès » était, en fait, terminé. Mais à ce moment-là, les gens étaient encore impatients de savoir ce qui allait arriver.

C'était une chance qu'il eût plu, mais même autrement, les choses auraient sans doute tourné court ainsi, à peu de chose près.

A cinq heures, l'amphithéâtre était sec et les délégués s'entassèrent sur les gradins.

Tous regardaient dans la direction du vieux blanc, beaucoup se demandant avec ironie quelle ligne de défense il allait adopter, mais ce fut George Sherban qui s'avança au centre de l'arène ; levant les bras pour imposer silence, il commença ainsi :

« Hier, les accusés ont prononcé une contre-accusation qui, depuis, je le sais, a suscité bien des réflexions et bien des discussions. Aujourd'hui, je voudrais présenter une autocritique dont il me semble que, de l'avis unanime, elle s'accorde assez bien avec l'esprit de ce rassemblement qui est le nôtre. »

C'était là une déclaration inattendue et personne ne pipa mot. La femme appelée Sharma Patel s'avança et vint se placer à côté de lui.

« Voici des jours et des jours maintenant que nous entendons divers comptes rendus des mauvais traitements infligés par les Races Blanches aux Races de Couleur, auxquelles, pour les besoins de ce « Procès », j'ai l'honneur d'appartenir... »

Ces mots furent accueillis par un grand éclat de rire sardonique, et en plusieurs points de l'immense assemblée on se mit à chanter : « J'ai un grand-père indien », « j'ai une grand-mère juive ».

Il leva la main et le bruit s'arrêta. Il dit : « En vérité, un grand-père juif polonais. Et il semble à présent possible que cet ancêtre soit issu des Khazars et non d'Israël ou des pays avoisinants ; cela me fait donc deux grands-parents non européens sur quatre. Pour le reste, bien sûr, j'appartiens au mélange courant irlando-écossais, toutes deux des races sujettes. »

Nouvel éclat de rire. Les chants menaçaient de reprendre mais il les arrêta.

« Je veux faire une seule observation, celle-ci : depuis trois mille ans, l'Inde persécute et maltraite une partie de sa propre population. Je veux parler des Intouchables. Au traitement inqualifiable infligé à ces malheureux : *barbare, cruel, insensé* — ces trois mots furent lancés, l'un après l'autre, à intervalles réguliers, comme un défi, en direction des gradins tandis qu'il pivotait lentement sur lui-même pour faire face à tous les spectateurs les uns après les autres — à ce traitement d'une inqualifiable cruauté on ne trouve rien de comparable, par la bassesse, dans tout ce qu'ont jamais fait les Races Blanches. En ce moment, des millions et des millions d'habitants du sous-continent indien sont plus maltraités que les noirs le furent jamais par les blancs d'Afrique du Sud, aussi mal qu'un homme ou une femme de race noire fut jamais traité par aucun oppresseur blanc. Il ne s'agit pas ici d'une année d'oppression, de dix ans de persécution, d'un siècle de mauvais traitements, ce n'est pas là le résultat d'un régime éphémère et condamné comme celui de l'Empire britannique, ni d'une explosion de barbarie de dix ans comme le régime hitlérien en Europe, ni de cinquante ans de barbarie comme le communisme russe, mais de quelque chose d'intégré à une religion et à un mode de vie, et cela si profondément, que les gens qui le pratiquent n'en saisissent ni l'horreur ni l'abjection. »

Sur ce, il s'écarta et Sharma Patel prit sa place :

« Moi, Indienne de naissance et d'éducation, je m'associe à ce que vient de dire notre camarade. Je ne suis pas une Intouchable. Si je l'étais, je ne serais pas ici. Du fait que je ne le suis pas, je peux m'avancer pour vous dire que je n'ai rien entendu depuis que nous écoutons les accusations, qui ne puisse se comparer à ce que je sais — que nous savons tous — être vrai, je veux parler du traitement des Indiens par les Indiens. Voilà des milliers et des milliers d'années que cela dure, et nous semblons, encore aujourd'hui, incapables de mettre fin à cette monstrueuse injustice. Au lieu de cela, nous venons ici accuser les autres. »

Ayant dit, elle retourna vers son groupe et George Sherban après elle.

Un long silence suivit. Pas un mot. Puis commencèrent les mouvements et les murmures agités qui signifient toujours que la foule va s'exprimer, d'une manière ou d'une autre.

John Brent-Oxford éleva alors la voix, mais à peine, si bien que tout le monde dut faire silence pour l'entendre.

« Nous savons tous à présent, aujourd'hui, qu'il y a des nations, des nations de couleur, qui dominent et asservissent d'autres nations par la force, certaines de couleur, d'autres de race blanche. »

Nouveau silence.

Puis : « Voulez-vous que je vous rappelle les nombreux exemples historiques de peuples noirs, bruns, brun clair, dorés ou café au lait ayant agi envers leurs semblables ou d'autres peuples avec la plus grande cruauté ? »

Silence.

« Par exemple, personne d'entre nous n'ignore que la traite des noirs en Afrique fut largement orchestrée par les Arabes et rendue possible par l'aide complaisante des noirs. »

A ce moment-là, un retardataire qui descendait en courant les escaliers de l'amphithéâtre s'écria : « J'ai l'impression que nous sommes partis pour un séminaire sur la cruauté de l'homme envers l'homme. » Ses voisins lui expliquèrent ce qui se passait ; il s'excusa à voix haute et pendant ce léger incident, on s'aperçut que l'assistance commençait à évacuer la place.

Une jeune fille se leva alors et cria. « J'en ai assez de la cruauté de l'homme envers l'homme ! A quoi ça sert, de toute façon ? »

Elle était allemande. Une Polonaise se leva de l'autre côté de l'amphithéâtre et cria à son tour : « Ça ne m'étonne pas que tu en aies assez ! Tu peux partir si tu veux, mais pas avant de venir témoigner comme les autres et de faire ton autocritique. Parle-nous des crimes commis pendant la Deuxième Guerre mondiale par les Allemands. »

Alors, un peu partout, on entendit : « Oh ! non ! » « Pour l'amour du Ciel ! » « Allons-nous-en ! »

Le vieux blanc essayait de se faire entendre. D'autres criaient que quiconque désirait présenter un argument similaire n'avait qu'à descendre et le faire de façon claire, adéquate et correcte.

L'Allemande, les nattes en bataille, descendait quatre à quatre dans l'arène pour rejoindre et défier son adversaire, la Polonaise, une grosse fille vêtue de manière que nos agents, jusqu'au dernier, qualifièrent de « dégoûtante » — c'est-à-dire d'un short blanc sale et d'un soutien-gorge. Mais à ce stade du « Procès », il y avait longtemps que chacun s'habillait selon sa fantaisie et les vêtements étaient réduits à leur plus simple expression.

Beaucoup criaient à présent qu'ils n'étaient pas venus pour écouter des « querelles personnelles ».

Ceci entraîna plusieurs interventions, verbales et autres, quelques échauffourées. En un instant, tout ne fut que disputes et désordre.

George Sherban mit fin au débat. C'est alors qu'un hélicoptère apparut, juste au-dessus de l'amphithéâtre, à très basse altitude. Il était gros, bruyant, avec des clignotants éblouissants de toutes les couleurs.

Soudain, tout le monde fut debout, hurlant, le poing levé. Il faisait maintenant presque nuit et les torches flamboyaient : une scène de confusion et de rage impuissante.

Tous retournèrent au camp. L'on savait désormais que le « Procès » était terminé. Les gens parlaient déjà de regagner leurs pays respectifs. Ils avaient chaud, ils étaient sales, fatigués, irritables, affamés. Toute la nuit, il y eut un va-et-vient continuel d'appareils aériens. Il était impossible de dormir ou de se reposer. Dès qu'il fit jour, on se précipita en troupe vers la mer au pas, au petit trot ou au pas de course.

Tout le monde ne quitta pas le camp.

Vers sept heures du matin, un appareil arriva, seul, à assez haute altitude, et lâcha une seule bombe, juste au-dessus de l'amphithéâtre qui fut entièrement détruit. Des débris tombèrent parmi les tentes. Le vieux blanc, assis à l'écart à proximité de l'amphithéâtre, reçut un éclat de pierre qui le tua sur le coup. Il n'y eut pas d'autre victime.

Lorsque les milliers de jeunes gens revinrent en masse au camp, ils découvrirent une scène de désolation. Quelques-uns partirent sur-le-champ à pied vers les villes et les villages de la côte d'où ils allaient entreprendre leur long et dangereux voyage de retour.

Il ne restait déjà plus grand monde cette nuit-là. Le camp avait été démantelé, les horribles latrines comblées et les autochtones étaient repartis chez eux.

Nos délégués chinois furent emmenés par cars spéciaux.

Le ressentiment et la colère éclatèrent quand on s'aperçut que de la nourriture avait été apportée et que nos délégués étaient déjà en train de manger dans les cars qui les emmenaient.

Le lendemain matin, il ne restait rien, que les traditionnels chiens affamés, fouinant à la recherche de nourriture.

Voilà pour le « Procès ».

Pendant qu'il se déroulait, j'avais reçu des rapports concernant des rumeurs persistantes et menaçantes, en particulier en Inde et en Afrique, selon lesquelles il y aurait des plans de « transfert en masse des populations » vers toutes les régions d'Europe. Ces plans comprenaient bien sûr, implicitement, des pogroms, des massacres et l'annexion autoritaire de territoires. La raison alléguée de ces invasions était toujours une variation sur le thème de la culpabilité de l'homme blanc qui s'était « révélé incapable de jouer son rôle dans la fraternité des nations ».

L'on espérait, mieux, l'on *supposait* que *notre* attitude serait celle d'une non-interférence compréhensive.

Peu après que les délégués eurent quitté la Grèce pour se disséminer aux quatre coins du monde, les rumeurs cessèrent.

Devons-nous donc croire que les « accusations », rhétoriques et simplifiées à l'excès (bien que parfaitement correctes dans leur essence) lancées au « Procès » avaient désamorcé une certaine charge de colère et de désir de vengeance ? ou bien que les *comptes rendus* établis par les jeunes gens à leur retour chez eux, la description des arguments et des contre-arguments utilisés, avaient éteint certains feux ?

Je ne possède aucune explication rationnelle. Mais le *fait* est, coïncidence ou non, que des massacres et la liquidation délibérée et organisée des populations européennes restantes furent à un certain moment envisagés et activement sanctionnés ; or, voilà que maintenant on n'en entend plus parler.

Cet événement mineur, bizarre et suspect que fut le « Procès » et qui commença par une plaisanterie ou presque (non pas, je m'empresse de le dire, à cause de son sujet), suscite à présent des commentaires dans tous les coins du globe.

Et ceci bien que nous n'ayons autorisé aucun reportage. Certes, des comptes rendus incorrects et déformés se sont infiltrés dans les journaux du monde entier, y compris dans les organes officiels de la Volonté du Peuple. Mais toujours sur un ton mineur et discret. Il n'y a eu aucune émission de télévision et les stations de radio officielles en ont à peine parlé.

Abordons maintenant la question de George Sherban. Ce « Procès » a eu pour effet, d'un bout à l'autre, de l'élever au rang de chef et de porte-parole incontesté, sans même qu'il ait prononcé plus de vingt phrases. Qu'espérait-il gagner en se mettant en valeur de cette façon et, je te le rappelle, sans l'aide de certaines fonctions qu'il aurait pu aisément occuper s'il l'avait voulu ?

Je ne peux que signaler que contrairement à tout ce que l'on pouvait envisager, il a bel et bien disparu dès la fin du « Procès ». Personne n'a l'air de savoir où il se trouve et pourtant les organisations et les Armées de la Jeunesse réclament à corps et à cri sa visite et son « enseignement ».

Parmi les délégués au « Procès », beaucoup ont également disparu ainsi que les gens avec lesquels ils étaient en contact.

Quels étaient les sujets de conversation pendant ces jours et ces nuits où il était sans cesse en vue dans les camps, parlant, discutant et « tenant des séminaires » ?

L'étude des rapports rédigés par mes informateurs ne me fournit aucune réponse.

C'est un causeur brillant et spirituel, qui n'a cependant aucun sujet de prédilection. Il produit une forte impression sans pourtant laisser aux gens le souvenir d'opinions tranchées. Il ne défend aucune cause politique particulière, ne soutient aucune classe, aucune position définissable. Et pourtant les jeunes cadres, pour qui la politique est tout, lui font entièrement confiance.

Notre Agent Tsi Kwang a rapporté des conversations qui — de toute évidence — la fascinaient puisqu'elle signale maintes et maintes fois qu'elle s'est trouvée en sa compagnie : « Le délégué George Sherban ne satisfait pas les aspirations croissantes des glorieux militants du Peuple. Il n'a aucune envergure révolutionnaire. Il est incapable de fonder ses actions sur les plus hauts intérêts des masses populaires. Il est affligé d'un vague idéalisme, d'un vague enthousiasme pour des idées humanitaires coupées des besoins concrets. Les individus bornés, dépourvus de bases doctrinaires correctes, trouvent ses propos séduisants. Il faudrait le démasquer et le rééduquer. »

387

J'ai de nouveau donné des instructions pour qu'il soit éliminé.

Je t'adresse, camarade, mes salutations fraternelles. Les souvenirs et réminiscences de notre vieille amitié sont l'un de mes rares plaisirs d'exilé.

[Ce Dirigeant fut rappelé peu de temps après. Son ami, Ku Yuang, avait déjà été relevé de ses fonctions par une faction adverse. Tous deux furent séquestrés et soumis à un « châtiment salutaire » jusqu'à leur mort. *Les Archivistes.*]

Histoire de Shikasta, vol. 3014, *Période intermédiaire entre la Deuxième et la Troisième Guerre mondiale,* chapitre récapitulatif.

Ce fut une période d'intense activité.

Les habitants de Shikasta, occupés à se détruire eux-mêmes et menacés à court terme d'être confrontés à la brève mais violente phase finale de leur longue orgie de destruction mutuelle, n'étaient pas totalement inconscients de leur situation. Un pressentiment général régnait, mais ignorant des divers dangers et sans rapport avec l'énormité de la situation. Alarmes et mises en garde, pour être fréquentes, n'en concernaient pas moins qu'un seul aspect de la conjoncture ; cela les préoccupait pour un temps puis tout était oublié au profit d'une nouvelle crise qui leur semblait, celle-là, primordiale. Néanmoins, dans tous les pays, des Shikastiens se rendaient compte de ce qui se passait.

Les Shikastiens de tous les pays s'agitaient donc avec la frénésie d'insectes dont le nid est menacé et dans lequel une brèche doit être immédiatement colmatée. Bien entendu, pendant ce temps-là, on parlait beaucoup, sans cesse et partout : conférences, réunions, discussions se tenaient aux quatre coins de la planète, dont certaines se prétendaient dans l'intérêt de Shikasta tout entière, mais les habitudes de pensée partisane et sectaire étaient trop profondément ancrées dans les esprits pour que ceux-ci fussent d'une grande utilité.

Aucun d'entre eux ne comprenait la nature de l'intérêt que leur portaient d'autres mondes.

Que certains « êtres venus de l'espace » eussent pour eux de la curiosité, ils s'en doutaient un peu et tous étaient persuadés que les chefs d'État et de gouvernement avaient une connaissance factuelle et précise de ces visites, pacifiques ou autres, émanant d'autres parties de la galaxie. On pensait que ces fonctionnaires et leurs subordonnés niaient cette connaissance par peur des réactions de populations qui, pour leur part, et du fait des innombrables « repérages », « expériences » de toutes sortes par des engins spatiaux inconnus, croyaient en l'existence de « visiteurs venus de l'espace » mais d'une manière vague, presque mythique, comme ils croyaient en des archétypes religieux, des créatures de l'autre monde — angéliques ou démoniaques — car il n'existait pas un seul endroit de Shikasta où les mythes et les légendes ne fissent allusion à des visites de créatures d'une essence supérieure.

Pendant ce temps, de vraies batailles se déroulaient et de vrais événements se produisaient sous le nez de ces malheureux.

Tout d'abord, il y avait notre ancienne ennemie, notre difficile alliée, Sirius.

Pendant la longue évolution de Shikasta, Sirius avait, à plusieurs reprises, utilisé des zones situées pour la plupart dans l'hémisphère sud, pour se livrer, avec notre accord, à des expériences sur des animaux. Certains de ces animaux s'avérèrent inaptes aux objectifs à long terme de Sirius qui les laissa donc vivre et se développer selon leurs propres lois, sans autre modification ni intervention de sa part. Certaines expériences s'étant, elles, révélées satisfaisantes ou prometteuses, plus d'une fois les flottes siriennes vinrent chercher une espèce entière comprenant parfois plusieurs milliers de créatures après un laps de temps allant, disons, de cinq cents ou mille ans à plusieurs milliers d'années. Celle-ci était transférée vers d'autres colonies siriennes pour y évoluer selon un plan et un objectif bien définis ou pour servir immédiatement selon ses qualités physiques spécifiques et son développement intellectuel.

Étant donné la facilité relative des voyages dans les derniers temps et l'accessibilité de toutes les parties de Shikasta aux autres planètes, un grand mélange s'était fait entre les différentes races.

Sirius ne fut guère impliquée dans les événements capitaux qui affectèrent Shikasta, une des raisons étant ce mélange racial : dès que les voyages, grâce aux progrès technologiques, furent devenus chose courante, Sirius mit fin à certaines expériences et n'attendit plus rien de Shikasta. Elle nous tint cependant toujours informés de ses faits et gestes, nous indiquant exactement quand elle comptait mettre un terme à sa participation active et nous fournissant les détails des expériences qu'elle avait entreprises à divers moments et dont nous aurions peut-être à contrôler le résultat ou à tenir compte nous-mêmes. Elle envoya néanmoins des engins spatiaux d'observation de toutes premières taille et qualité : la crème de sa flotte. C'était en partie pour nous faire savoir, à nous qui étions son ancienne ennemie, que cet abandon de pouvoir était délibéré, et en partie pour intimider Shammat dont les idées extravagantes nous effrayaient tous.

C'est la Shammat de Puttiora qui était, à présent, la planète la plus puissante de ce complexe et Puttiora, en apparence demeurée le centre pour des raisons de commodité particulières à Shammat, n'était en fait qu'un pantin dont elle tirait les ficelles. Shammat savait bien qu'un jour le fâcheux agencement cosmique qui était à l'origine du long déclin de Shikasta causé par la diminution du courant de SAF arriverait à son terme. Elle savait que Shikasta retrouverait sa place dans la grande structure qui faisait de Canopus et de ses planètes un ensemble interdépendant et harmonieux. Un jour, l'influence de Shammat arriverait, elle aussi, à son terme.

Mais quand ? Shammat ne le savait pas. Elle ne savait pas quelle serait l'ampleur de sa chute. Elle ne savait pas quel était notre plan.

La faiblesse de Shammat avait toujours été de même nature et de même intensité ; un bon proverbe shikastien la décrit parfaitement : il faut en être pour se reconnaître ! car le niveau d'évolution de Shammat ne lui a jamais permis de comprendre la nature de nos intérêts ni de nos intentions.

La nature de Shammat a toujours été celle d'un exploiteur, d'un vampire, d'un glouton et d'un parasite. Elle n'a jamais compris que d'autres empires puissent être fondés sur des principes plus élevés que les siens.

Depuis son ascension rapide à une position clé dans l'Empire de Puttiora, Shammat a toujours été une puissance dominatrice, lourdement fortifiée, sans cesse en guerre et dont les citoyens, tous de la même origine raciale (ex-Puttiora), se considèrent comme des êtres supérieurs et exigent un tribut de toutes les autres parties de la galaxie qu'il leur arrive de conquérir ou de contrôler. Shammat trône au milieu de son complexe comme une bouche toujours béante. Shammat est, a toujours été une menace au développement global de la galaxie. Planète immense, la plus grande des planètes connues, elle est stérile, sèche et dépourvue de ressources. Tout doit être importé. De par sa position dans l'organisation cosmique, il lui manque les forces et les courants indispensables à son équilibre. Puttiora elle-même n'exploiterait pas cet horrible endroit. Et pourtant, par un regrettable jeu du hasard, des criminels se sont frayé un chemin jusqu'à elle, s'en sont emparé, ont utilisé son abjection même pour s'arroger le pouvoir au détriment des autres.

Pendant un court moment (à l'échelle cosmique), Shammat fut la plus florissante des planètes de la galaxie. Elle regorgeait de ressources, de richesses nées de centaines de cultures inventives et industrieuses. Les habitants vivaient dans un sybaritisme et une bestialité inégalés même aux pires époques de Shikasta.

L'énergie émanant de Shikasta a toujours été le principal aliment de Shammat et elle n'a jamais été capable de rien trouver qui la remplaçât.

Plus le temps passait, plus elle soutirait à Shikasta son énergie. Elle prenait tout ce qu'elle pouvait, tant qu'elle le pouvait. Mais elle était incapable de comprendre ce qui arrivait. Elle ne savait comment déchiffrer la situation et s'agitait follement, à l'aveuglette, s'engageant dans toutes sortes de voies funestes, en vue de son salut. Elle savait que nous, Canopus, avons été, sommes et serons toujours son ennemie implacable, elle savait que nous étions toujours présents, puissants, invincibles, mais ne savait pas à quoi s'attendre, incapable qu'elle était de nous reconnaître sous nos innombrables déguisements.

Shammat, jusqu'à la fin, crut que, par un miracle quelconque, il lui serait possible de maintenir « d'une façon ou d'une autre » les liens avec Shikasta. Cet aveuglement éperdu de Shammat n'existait pas au temps où nous l'observions et prévoyions avec exactitude l'affaiblissement des liens entre Canopus et Shikasta et les bénéfices que Shammat pourrait en tirer — mais elle avait sombré dans la dégénérescence. La longue histoire de sa honteuse exploitation des autres planètes, l'égoïsme de son attitude envers les planètes voisines, son parasitisme, son luxe et le relâchement de sa fibre morale — tout conspirait à sa perte. Jusqu'aux émanations de Shikasta qui, dans la phase finale, étaient devenues toxiques. Le processus enclenché par Shammat — processus de réduction, d'affaiblissement et d'asservissement d'une grande partie des populations shikastiennes — l'avait elle-même réduite, affaiblie, divisée et précipitée dans la guerre.

A cette époque, dans le ciel de Shikasta, des batailles se livraient qui ne la concernaient en rien ! C'était Shammat qui combattait Shammat — furieusement, follement, de façon suicidaire.

Les cieux de Shikasta, de toute façon, étaient remplis, envahis, de toutes sortes d'engins mécaniques et techniques : stations d'observation, stations météorologiques, relais radio, certains au service du progrès, d'autres au service de la guerre ; armes de toutes sortes, avec des effets destructeurs d'intensité variable. Celles-ci aussi rivalisaient entre elles d'une façon dont les habitants de Shikasta ignoraient tout. Shikasta était prise dans une véritable coquille métallique qui tournoyait autour d'elle. Que ceci contribuât à affaiblir les mailles du réseau des forces cosmiques,

Shikasta ne s'en souciait pas car ses techniciens, même à la fin, alors que certains faits sautaient aux yeux, n'étaient pas encore aptes à comprendre ces forces. Pendant des siècles, leur science avait suivi un chemin obscurantiste et rétrograde qui les avaient toujours empêchés de réfléchir dans cette direction. (Ils n'avaient jamais soupçonné, par exemple, que beaucoup de leurs villes et de leurs maisons étaient ainsi construites qu'elles ne pouvaient que rendre leurs habitants fous ou déséquilibrés.) Autour de la coquille métallique tourbillonnante qui enfermait Shikasta, se livraient d'innombrables batailles. Et d'autres observaient ces batailles. Plus d'une fois, des vaisseaux-laboratoires siriens, arrivant en mission de reconnaissance, mirent en fuite les appareils de Shammat qui se bagarraient dans les cieux shikastiens. Plus d'une fois, ces appareils siriens, les nôtres aussi, patrouillèrent les cieux de Shikasta en alliés protecteurs pour chasser les horribles petits engins de Shammat dont l'agressivité quasi automatique ne faisait qu'aggraver les pressions qui pesaient sur Shikasta. Et la lune shikastienne était chaudement disputée.

Plusieurs appareils des Trois Planètes rendirent également visite à Shikasta. Leur harmonieux équilibre dans la structure des forces cosmiques était depuis longtemps affecté par la descente de Shikasta dans la barbarie et elles avaient bien du mal, depuis ce temps, à se maintenir en bon état. La Guerre du Vingtième Siècle, avec ses émanations diaboliques et délétères qui n'avaient profité qu'à Shammat, avait affecté ces planètes. Leurs appareils venaient en visite de reconnaissance et d'observation. De tout temps, nos employés ont entretenu avec elles d'excellentes relations et leur ont toujours fourni aide et assistance. Elles attendaient, comme nous tous, le moment où la longue nuit de Shikasta ferait enfin place à un lent retour vers la lumière.

L'on voit donc qu'une grande partie du travail accompli par les visiteurs de Shikasta était une tâche de contrôle et d'observation et ne constituait aucune menace pour cette malheureuse planète, bien au contraire. Mais ses habitants ignoraient l'existence de ces différents visiteurs et de leurs différents types d'appareils. Il y avait aussi, bien sûr, le fait déjà mentionné que les grandes puissances possédaient des armes de guerre « secrètes » dont elles cachaient l'existence à leurs voisins et surtout à leur peuple, et comme, pour des armes aussi puissantes, le ciel de Shikasta était exigu, chaque partie du globe recevait la visite d'appareils originaires de Shikasta elle-même.

Shammat ne comprenait d'ailleurs pas la nature ni la puissance de tous ces différents appareils ni de tous ces visiteurs.

Combien profonde était l'incompréhension de Shammat et quels dégâts celle-ci commettait, brisant, sabotant et saccageant tout à la ronde !

Par exemple, dans leur ignorance, les agents de Shammat exterminaient souvent nombre d'individus dont le terme sur Shikasta n'était pas encore échu et dont la disparition n'était pour Shammat d'aucun secours. Nous renvoyions alors ces gens en Zone Six et les réintroduisions immédiatement sur Shikasta pour continuer leur service, dès qu'ils pouvaient parler et marcher. Par exemple : le souci de Shammat a toujours été d'affaiblir et d'émousser la fibre morale de ses habitants. Nos efforts ont toujours été dirigés dans le sens contraire. Mais Shammat était souvent — et de plus en plus vers la fin — aussi incapable de contrôler ses propres efforts, que d'observer et de comprendre les nôtres.

Encore un exemple : les agents de Shammat rôdaient insidieusement, alimentant les pulsions de haine, d'hostilité, de déraison et de discorde ; nous agissions alors dans le sens contraire, systématiquement, mais ils ne pouvaient observer ni comprendre les techniques employées contre eux, ce qui conduisait parfois à des situations grotesques dans lesquelles il arrivait qu'ils travaillent contre eux-mêmes à leur insu.

Enfin, les agents de Shammat, se fiant aux liens qui unissaient Shikasta et Shammat, voyaient souvent cette alliance là où elle n'existait pas, ou bien là où elle avait été soit détruite soit affaiblie par nous. Des êtres qui ne subissaient pas l'influence shammatienne et qui s'étaient accrochés à nous, comprenant — très vaguement au début, par intuition — que le salut ne leur viendrait que de nous, des êtres qui, en vérité, étaient à notre service bien souvent à leur insu, jouissaient de la confiance de Shammat car celle-ci n'avait pas les moyens de jauger la situation.

Sur l'ensemble de Shikasta, pendant les derniers temps, voyageaient nos agents, nos employés, nos amis et avec eux la Signature dont ils portaient l'empreinte sur eux, en eux, dans leur chair, tout comme l'horrible dépravation shammatienne était gravée sur tous ceux qui appartenaient à Shammat. Quiconque, n'importe où, avait gardé ne fût-ce qu'un vestige de l'Ombre de la Signature, sentait notre présence, levait les yeux et, nous ayant reconnus, nous suivait. Ou tentait de nous suivre. Je ne prétends pas que notre lutte ne fut pas acharnée, cruelle, terrible. Il y eut beaucoup d'échecs et beaucoup de victimes. Mais de la même façon que durant les derniers jours, dans la phase finale, les agents de Shammat semèrent sur Shikasta l'épouvante, l'horreur, la honte et la destruction, l'Ombre de la Signature mobilisait tous ceux qui se souvenaient... et les derniers jours, bien qu'horribles, furent empreints d'une espèce de douceur, de foi, d'allégresse et d'espoir.

Notes ajoutées à ce qui précède par JOHOR, TAUFIQ, USSELL et d'autres.

Étant donné qu'un aussi vaste secteur de Shikasta était condamné à être dévasté, l'une de nos préoccupations était donc de préserver un matériel génétique représentatif suffisant. Nous y parvînmes en partie grâce à des pressions judicieuses et spécifiques exercées sur certains individus et groupes d'individus capables d'oublier leurs préoccupations personnelles dans l'intérêt d'un objectif global. Car lorsqu'ils étaient dirigés vers certains endroits temporairement ou relativement « protégés », ce n'était pas nécessairement avec l'idée de leur propre survivance. Certains types de Shikastiens réagirent de façon très satisfaisante : c'est cette capacité de réaction qui nous les fit choisir. Mais notre problème, certes, était celui du mélange de précieuses et admirables qualités avec d'abominables défauts. Sirius et ses colonies, Canopus et ses colonies, Shammat — et d'autres —, toutes étaient désormais les héritières de Shikasta. Et la pression croissante sur la race shikastienne exercée par les radiations locales et extérieures, par l'atmosphère de plus en plus polluée et altérée, par la nourriture, pleine de produits chimiques et de radiations de toutes sortes et par la grave conscience des responsabilités de sa destinée : tout ceci eut pour effet de transformer encore davantage le matériel génétique, donnant naissance à des anomalies variées. Certaines d'entre elles étaient — et sont encore — précieuses et pleines d'avenir. Mais ce n'est pas, hélas, le cas de toutes.

Nous mentionnerons, à titre d'exemple, un risque particulier neutralisé par une prévision et une planification à long, très long terme. Nous le mentionnons uniquement parce qu'il entre dans le cadre de l'histoire contenue dans ce volume et non parce qu'il a plus ou moins d'importance que nos autres préoccupations.

Il était prévu, depuis longtemps, qu'il se produirait une forte réaction contre les Races Blanches dont la technologie avait anéanti une si grande partie du monde et un si grand nombre de ses habitants. Le danger, c'était que les passions risquaient de s'exacerber au point d'entraîner une sérieuse diminution du matériel génétique. La — ou les — Races Blanches étaient le fruit d'un brassage génétique très varié. Si certaines régions du globe, même à la fin, étaient encore homogènes et pures, le secteur central et le secteur occidental du continent principal, en particulier les franges nord-ouest, avaient absorbé tant de souches différentes venues d'autres régions de Shikasta ou extérieures à Shikasta, qu'il ne fallait pas que cette

« race » disparût. Une somme considérable d'efforts — certains d'entre eux apparemment bizarres — fut dépensée pour s'assurer qu'un nombre suffisant de ces créatures avaient survécu pour transmettre leurs gènes à leur descendance : ces tentatives furent menées de façon vigoureuse et continue en tout lieu de l'hémisphère nord. Ou presque : le continent nord indépendant, à l'origine peuplé par une souche génétique indigène assez homogène et adaptée à l'environnement, fut submergé par un peuple d'envahisseurs issu en particulier des franges nord-ouest et du continent principal et dont les gènes n'avaient rien qui ne nous intéressât déjà.

Dans l'ensemble, le moral de la Race Blanche de l'hémisphère nord ne nous aida guère dans nos efforts. En effet, son envahissement partiel par les Races Jaunes, la famine continue et systématique imposée par les Races de Couleur pendant la période précédant cette invasion, dans le but — typiquement shikastien (ou shammatien !) — de se venger des humiliations et des privations passées, sa lente acceptation de l'opinion que le reste du globe avait d'elle et qui entraîna une brutale et douloureuse réadaptation, un abandon du sentiment de supériorité qui l'avait soutenue pendant des siècles —, tout ceci contribua à faire baisser le tonus et la vitalité des franges nord-ouest en particulier, au point d'affecter à la fois leur instinct de conservation et les émanations de ces régions : or, de bonnes et fortes émanations nous étaient nécessaires pour essayer d'éviter des souffrances et des effusions de sang inutiles. Cette baisse de moral fut telle qu'un grand nombre de jeunes, d'abord, puis d'individus plus âgés, se trouvèrent incapables de garder en eux le moindre orgueil de leur passé. Aucune de leurs réalisations dans le domaine du progrès technique, de l'expérimentation vigoureuse de divers types de société et de justice — remarquables sur le plan conceptuel sinon pratique — ne leur semblait plus avoir de valeur et ils avaient tendance à sombrer dans une profonde humilité et un effacement morose. En réalité, cette réaction émotive, qui les poussait à se voir sous les seuls traits de scélérats et de spoliateurs du globe — attitude sans cesse confortée par des centaines de sources extérieures de propagande — était aussi étroite et aussi égocentrique que leur attitude ancienne, selon laquelle ils se voyaient comme les bienfaiteurs de Shikasta, un don de Dieu. Aucun de ces deux points de vue ne considérait les faits dans leur interaction, comme un réseau serré d'événements, un échange de besoins, d'aptitudes et de capacités réciproques. Les Races Blanches, asservies, insultées, affamées, démunies, avec une masse énorme de leurs populations déportées comme main-d'œuvre bon marché dans des parties renaissantes du globe, sans aucune trace de leurs richesses et guère de leur culture, étaient tout aussi inaptes qu'avant à se voir comme une partie du tout. Cette compartimentation de l'esprit, caractéristique de Shikasta, régnait sur le monde, pratiquement incontestée, sauf par nos employés et nos agents qui tentaient sans relâche de rétablir l'équilibre et de remédier à ces lamentables insuffisances de l'intelligence imaginative.

De TAFTA, Maître absolu de Shikasta,
à ZARLEM, Contrôleur et Maître absolu de Shammat,
Salut !

Salut à l'Autorité Universelle de Shammat !

Obéissance !

Obéissance à Puttiora !

Tout obéit à Puttiora, l'Infiniment Magnifique !

Shikasta est sous ta botte, Shikasta attend tes volontés !

D'une Zone à l'autre, d'un Pôle à l'autre, d'une extrémité à l'autre, Shikasta est ta servante.

Combien belle et profonde la soumission de Shikasta à Shammat, servante de Puttiora !

D'une extrémité à l'autre de la planète, ces dégoûtants insectes se tordent et se contorsionnent sous notre Regard omniprésent !

Dans chaque pays, ces animaux dégénérés tuent, souffrent et se battent et les effluves de douleur et de sang qui s'élèvent partout comme des vapeurs pourpres au-dessus de Shikasta, chatouillent délicieusement les narines de l'insigne Shammat.

Comme il est fort le courant nourricier qui va de Shikasta à Shammat, plus fort chaque jour le courant qui nourrit Shammat, toujours plus fort le lien millénaire qui fait passer de Shikasta à Shammat la puissance qui est notre droit et notre dû, le prix de notre tutelle, de notre Suzeraineté et de notre Supériorité dans l'Échelle de la Galaxie !

Oh ! Shikasta, petit animal sanguinolent, comme nous te louons pour ton abjection librement consentie, comme nous t'applaudissons pour ta servilité, comme nous te secourons, toi notre *alter ego,* notre poche de sang frais, notre source de vie !

Jour et nuit, à chaque instant, déverse à nos pieds ton Tribut, oh ! Shikasta la servile ; les Vibrations de haine et de discorde nous sustentent, nous soutiennent, nous grandissent, nous, Shammat la Toute-Puissante !

Nuit et jour, oh ! immonde dégénérée, tu nous donnes notre nourriture : le fracas des armes, les cris des guerriers, le vacarme des machines en guerre.

Jour et nuit, oh ! planète la plus abjecte des abjectes, tu trembles et frissonnes sous notre Autorité, celle de Shammat la Glorieuse, fille de Puttiora la Glorieuse, tandis que tu nous offres ta richesse et ta substance, le parfum de ton angoisse, les effluves de ta cruauté et ta dégoûtation.

Comme elle est bas, Shikasta, misérable ver qui se tord dans la poussière, monceaux et abîmes grouillants de vers en décomposition, qui tous, tous, nous alimentent, nous, Shammat, et Puttiora aussi. Dans ton ciel, Shikasta, le reflet éclatant de tes discordes — tes épouvantables inventions — nous alimentent du feu de ta haine. Sous tes océans, Shikasta, le vacarme métallique et les vibrations de tes machines en action nous alimentent et nous embaument, nous, Shammat. Dans ton esprit malade, Shikasta, dans l'esprit corrompu de tes animaux arriérés et ignorants qui ont eu la chance d'attirer notre Autorité bienveillante, flamboient les animosités qui nous font vivre, nous, Shammat.

Partout se meuvent nos magnifiques créatures, toujours en alerte, toujours vigilantes, toujours gardiennes des nôtres !

Nos Yeux, nos Oreilles sont partout et rien ne nous échappe !

Nous observons les pitoyables sursauts de tes tentatives de révolte, nous prenons note, puis nous *Écrasons* !

Nous avons épié les mouvements et les machinations de nos ennemis postés sur Shikasta et nous les avons tous déjoués — que le diable emporte leurs façons hypocrites, trois fois maudites soit leur politicaillerie, qu'ils se tordent dans des souffrances atroces avant d'expirer, qu'ils souffrent et *meurent* !

Nous, Shammat, Shammat de Puttiora la Glorieuse, nous affirmons que le Courant existe encore, que le Courant est encore plus fort, que le Courant est impérissable et éternel, que le Courant sera, jusqu'à la fin des temps, Notre

397

soutien et Notre aliment, à nous les Seigneurs de la Galaxie, les Seigneurs de tous les Mondes...

NOTE CONCERNANT LE TEXTE CI-DESSUS :

Hé ! Zarl.

J'ai besoin d'un congé de maladie. Il y a un nouveau virus de merde qui se promène. On tombe comme des mouches sur cette foutue planète. Ou si ce n'est pas un virus alors c'est de la Trahison. Pourquoi ne suis-je pas dans le nouveau gouvernement ? C'est ça leur reconnaissance ? Merde ! Ça va changer et je vais les faire mijoter dans leur sang dégoûtant ; tu vas voir !

LYNDA COLDRIDGE à BENJAMIN SHERBAN
(N° 17. « Individus divers ».)

Votre frère m'a conseillé de vous écrire. Il me dit vous avoir informé que nous étions, lui et moi, en contact. J'espère qu'il l'a fait. Sinon vous n'auriez aucune raison de me faire confiance. C'est dur de demander ça aux gens de nos jours. Il faut que vous me fassiez confiance par égard pour les gens qui vont venir vers vous. Autrement, ils mourront. On pense que les choses ne peuvent pas aller plus mal, mais ce n'est pas vrai. Ça fait longtemps que je sais que tout cela devait arriver. Mais quand ça arrive, ça fait tout de même un choc. George dit qu'il faut que ces gens aillent vous voir. Il dit que vous êtes à Marseille. Ça doit être difficile de vivre là-bas. Ces gens sont dignes de confiance. Ils viennent tous des hôpitaux dans lesquels j'ai été. Ce sont pour la plupart des malades. Mais il y a quelques docteurs et infirmières parmi eux. Ils vous seront utiles. Nous ne vous envoyons pas les gens qui ont été si malades qu'ils pourraient créer des problèmes. Le docteur Hebert m'a aidée à choisir ces gens. Il connaît parfaitement la question. Lui et moi travaillons ensemble. Je ne sais plus depuis combien de temps. Je voudrais qu'il aille vous voir avec les autres mais il refuse. Il dit qu'il est vieux et qu'il ne va pas tarder à mourir. Je ne suis pas d'accord. Il connaît tellement de Choses Utiles, et il n'est pas Fou lui, ce n'est pas comme moi. J'espère que vous comprenez ce que je veux dire par Choses Utiles. J'ai interrogé votre frère au sujet du docteur Hebert. Il dit que le docteur Hebert doit faire comme il l'entend. La conscience. L'individu. Ses droits. Moi, je reste. Je suis vieille aussi. Votre frère veut que je reste. Il me l'a

398

demandé. Il dit que c'est plus utile. Qu'il y aura des survivants malgré l'horreur de la chose. Ils seront rares. Il y a des abris souterrains. La plupart réservés aux gros bonnets. Des *amis* à nous ont construit un abri souterrain. Personne ne le sait, excepté quelques rares personnes. Il est fait pour une vingtaine de gens. La plupart ont les Aptitudes au contact. George dit que vous les avez quelquefois. J'ai essayé d'entrer en contact avec vous mais, de votre côté, ça n'a pas marché. Nous ne sommes peut-être pas sur la même longueur d'onde ! (Ah ! Ah !) Les vingt personnes sont de tous les âges. Il y a des enfants. Ils sont tous prêts à vivre ce qui va arriver. La Fureur. Quelquefois je me dis que s'ils savaient ce qui les attend ils ne le seraient pas. Prêts, je veux dire. Je voudrais que ça arrive, vite, et que ce soit fini. Nous accepterons dans l'abri plus de gens qu'il n'est fait pour en contenir. C'est parce que je ne vivrai pas longtemps. Le docteur Hebert non plus. Et il y a deux autres personnes âgées. Le docteur Hebert sera le seul docteur parmi nous, à part un jeune qui n'a pas terminé ses études. Il peut en former d'autres. Lui aussi a une grande Aptitude. Je sais quand le docteur Hebert et moi-même allons mourir. A ce moment-là, tous les autres auront été formés aux Aptitudes. Ils vivront tous jusqu'au jour où les équipes de secours arriveront et où l'Angleterre sera de nouveau ouverte. Je ne sais pas si George vous a dit tout ça. George ne dit que ce qui est nécessaire. Puis il décroche. Je veux dire que nous n'avons pas de véritables conversations. Nous ne bavardons pas. J'en déduis qu'il doit être très occupé. Ça ne m'étonne pas. Quand je suis entrée la première fois en contact avec lui, c'était par accident. J'ai cru que c'était mon esprit qui me parlait. Je me demande si vous comprenez. Peut-être, après tout. Je sais que l'esprit peut dire toutes sortes de choses. On croit que c'est quelqu'un d'autre, mais non, c'est soi-même. Vous comprenez ? J'écris trop. C'est que c'est bizarre de travailler des années et des années à sauver des gens sans même savoir si l'on en est capable. Quelquefois, ça a été très difficile. Au début, personne ne nous croyait, le docteur Hebert et moi. Il en a fallu du temps. Et puis, après ça, on les envoie à quelqu'un qu'on n'a jamais vu. A Marseille ! Ce sera un terrible voyage. Nous avons réuni tous les faux papiers. Et les uniformes. Tout. Mais je ne peux pas m'empêcher d'être inquiète. En tout cas, nous avons fait ce que nous avions projeté. Nous avions dit que nous sauverions des gens, c'est fait. Les voilà. Nous n'aurons plus de contact après cela. A moins que vous ne fassiez des progrès en Aptitudes ! Alors, au revoir. Si cette lettre vous parvient, c'est que les gens seront bien arrivés. C'est drôle, non ? d'être obligé de faire confiance à quelqu'un de cette façon. Je veux dire, à cause de la qualité d'une instruction « par la voie des airs ». Eh bien ! bonne chance. Lynda Coldridge.

LE DOCTEUR HEBERT *à* BENJAMIN SHERBAN

Ci-joint une liste de tous les gens qui doivent entreprendre ce difficile et dangereux voyage jusqu'à vous. Mrs. Coldridge me dit qu'une courte description de chacun d'eux vous sera très utile et je pense qu'elle a raison. Les diplômes des médecins et du personnel hospitalier sont indiqués ainsi que l'histoire médicale des malades qui ont été soignés dans les divers hôpitaux où Mrs. Coldridge et moi-même avons travaillé. Dans chacun, nous avons trouvé des individus qui possédaient diverses Aptitudes à l'état embryonnaire ou potentiel, et qui, par incompréhension des phénomènes qui les habitaient, avaient été déclarés malades et provisoirement ou définitivement internés ; mais grâce à un heureux concours de circonstances ou à une constitution robuste, les traitements ne les ont pas détériorés. Certes, rien n'a pu ou ne peut être tenté pour les victimes de traitements plus draconiens ou prolongés. Il n'a pas été facile de convaincre ces gens de leurs propres possibilités, car ces arguments tombaient dans des oreilles conditionnées à les considérer soit comme non scientifiques, soit comme tellement « dingues » qu'ils ne pouvaient même pas les écouter. Mais la patience fait des miracles et voici le résultat de nombreuses années d'efforts, tous entrepris dans le dos des autorités hospitalières et dans des conditions toujours difficiles et souvent risquées. Les hôpitaux psychiatriques n'ont jamais été des endroits sûrs, en aucun coin du globe ! Ce sont aussi des gens qui, étant donné leur passé, sont tous endurcis aux épreuves, à l'incompréhension, à l'incertitude et ont une certaine aptitude à suspendre leur jugement — récompense inévitable des années pendant lesquelles ils furent contraints de suspendre leur jugement sur le fonctionnement de leur propre esprit. Ce sont là de précieuses qualités ! Croyez-moi, j'en parle en connaissance de cause ! Lorsque je découvris en moi-même certaines Aptitudes, ma première réaction fut celle d'un homme qui a repéré un ennemi dans sa maison. Car avant de rencontrer Mrs. Coldridge et de comprendre son message et — a fortiori — sa longue et douloureuse histoire, je ne savais pas être patient envers mes propres bredouillements dans un domaine si nouveau pour moi qu'il me faisait, au début, l'effet d'un territoire ennemi. Je m'explique : tous ces gens peuvent assumer une charge, une responsabilité, un fardeau, des difficultés, des retards, et la mort d'un espoir. Ceci constitue, nous le savons tous, un bagage essentiel par les temps qui courent... En écrivant cela je suis atterré devant l'insuffisance du langage ! Ce que nous subissons est pire que tout ce que nous avions vu dans nos pires cauchemars. Et pourtant nous supportons tout et certains d'entre nous, pas beaucoup, survivent. C'est ce dont la race humaine a le plus besoin, après tout ! C'est ainsi qu'il faut prendre la vie. Je voudrais vous dire ce que je considère comme mon testament, un acte de foi ! Voilà : si les êtres humains peuvent supporter toute leur vie le type d'expérience subjective qui fut le lot de Mrs. Coldridge, s'ils sont, comme elle, aptes à subir avec patience et obstination les assauts de leurs plus intimes bastions, si nous pouvons supporter l'idée de vivre jour après jour ce que la plupart des gens considèrent comme l'« enfer » pur et simple et de ressortir de l'autre côté à peu près indemnes, à quelques blessures près — comme Mrs. Coldridge serait la première à l'admettre —, si nous, la race humaine, avons en nous de telles ressources de patience et d'endurance, alors de quoi ne sommes-nous pas capables ? J'ai puisé en Mrs. Coldridge l'inspiration de ma vie. Quand je la rencontrai pour la première fois, elle n'était qu'une malheureuse créature dépenaillée, un vrai squelette avec de grands yeux bleus effrayés qui errait dans les corridors de l'hôpital Lomax, dans un faubourg sordide de l'une de nos plus affreuses cités ; elle n'était qu'une de ces innombrables épaves délabrées parmi lesquelles j'avais passé tant d'années de ma vie et dont je n'avais jamais, au grand jamais, supposé qu'elles puissent être la source d'aucune révélation, d'aucune leçon ; et pourtant c'est cette folle — car c'est ce qu'elle était lorsque je la rencontrai pour la première fois — qui m'a fait découvrir le courage et la ténacité qui peuvent animer un être humain et, par conséquent, nous tous. Que nous reste-t-il, hormis le courage ? Peut-être ce mot ne désigne-t-il que notre résignation à continuer de vivre ? Je vous souhaite bon courage pour le succès de votre entreprise, en espérant que cette suite de pauvres phrases usées vous éclairera sur mes sentiments. Je vous confie ces gens qui... comment dire ? Je me sépare d'eux dans le même esprit qu'un enfant lance une feuille morte sur les eaux tumultueuses du caniveau. Je prierai pour vous et pour eux. Ceci ne concerne que moi car Mrs. Coldridge, je le crains, n'a pour la religion que du mépris. Étant donné sa vie passée, je pense qu'elle sera pardonnée.

BENJAMIN SHERBAN *à* GEORGE SHERBAN

Eh bien ! mon petit frère ! Nous voilà tous, présents et corrects. Au nombre de cinq cents. Le Pacifique est fantastique malgré tout ; excuse ma frivolité en ces durs moments. J'en arrive à l'essentiel. L'eau à l'intérieur des terres est propre — enfin, plus ou moins — la nourriture abondante, et il n'y a pas d'Indigènes car ceux-ci ont été transférés ailleurs voici vingt ans quand on a nettoyé le secteur pour y essayer la bombe H. Qui étaient-ils pour protester ? Quand leurs Maîtres avaient parlé ? En tout cas à quelque chose malheur est bon car nous avons maintenant de la place. Jusqu'ici, pas de victimes. Très peu de maladies et, de toute façon, nous avons ce qu'il nous faut en médecins et en médicaments. C'est une vraie petite ville qui s'est formée déjà, avec tout le confort, même si ce n'est pas le confort moderne ! C'est le Paradis sur terre. Mais pour combien de temps ? Ah ! c'est là le hic. Si je te semble tenir des propos incohérents, c'est que je n'arrive pas à croire qu'aucun d'entre nous soit encore en vie. Ayant résisté à la tentative d'envoyer ceci dans une bouteille bouchée avec la prochaine marée, je l'envoie par canoë puis par cargo, puis par air à Samoa. Je continuerai de t'envoyer des rapports tant que ces facilités existeront. Ah ! civilisation, dire que nous nous sommes plaints de toi, plaints d'un seul de tes vilains petits défauts... Soyez assuré, je vous prie, que je demeure à jamais votre très humble et très obéissant serviteur. Benjamin. Tu sais, je suppose, que Suzannah est au Camp 7, dans les Andes, avec Kassim et Leila.

GEORGE SHERBAN *à* SHARMA PATEL

Sharma chérie.

Tout d'abord, salut ! dans le style que tu voudras. Non, je ne me moque pas de toi, je t'assure. Je t'écris ceci en toute hâte, en pleine nuit, parce que j'ai l'impression *très nette* que tu as changé tes plans. Oui, je sais comme tu te moques de moi quand je dis ce genre de chose. Et je suis triste parce que j'ai quelque chose d'important à te dire et que j'ai l'impression que tu ne m'écouteras pas. Peut-être m'écouteras-tu, après tout, peut-être en seras-tu capable, juste pour cette fois ; alors je t'écris pour te dire ceci : *je t'en prie* ne change pas tes plans et pars à l'heure dite. Je t'en prie ne descends *pas* au Camp 8. Je t'en supplie. Et si tu as décidé, pour une fois, de me faire confiance, de me croire, prends avec toi tous les membres de ton personnel qui voudront bien t'accompagner. Ne reste pas où tu es et ne descends pas au Camp 8. Comment faire pour t'atteindre ? pour te convaincre ? Imagines-tu ce que c'est que de connaître quelqu'un comme je te connais, de t'entendre dire : je t'aime, avec une telle profondeur de sentiment, une telle sincérité, tout en sachant que je ne serai pas cru, quoi que je dise. Tu ne feras pas ce que je te demande, je le sais. Mais j'essaie tout de même, il le faut.

Sharma, que puis-je faire pour être sûr que tu m'écouteras ? Écoute-moi pour cette fois. Si je te disais : abandonne ton poste, à la tête de ton armée, abandonne tes honneurs et tes responsabilités, tu me sermonnerais en me rétorquant que je ne comprends pas que tu es mon égale, que j'ignore tout des femmes et de ce dont elles sont capables ; mais immédiatement, à ta propre surprise, tu abandonnerais tout — ton pouvoir, ta position — et, hypnotisée, tu me suivrais comme une somnambule, tu te présenterais à moi avec un sourire signifiant : me voilà. Dès lors, tu ne serais plus d'accord avec moi sur rien, tu n'approuverais plus aucun de mes désirs, tu ne me ferais plus jamais confiance. Ta vie serait la preuve tangible de ma dureté envers toi. Tu le sais Sharma ? N'est-ce pas extraordinaire ? Tu ne penses pas que ça se passerait ainsi. Non, c'est vrai, je ne veux pas du tout dire que c'est ce que j'aimerais que tu fasses, non, non. Je te supplie seulement ; oui, je t'en supplie, écoute-moi, ne descends pas au Camp 8. Sharma, mon amour, m'écouteras-tu ? Je t'en supplie, écoute-moi... *(Cette lettre n'a jamais été envoyée.)*

[Voir *Histoire de Shikasta,* vol. 3015, *Le Siècle de la Destruction, Guerre du Vingtième Siècle : troisième et dernière phase.* **Chapitre récapitulatif.**]

De SUZANNAH *au* CAMP 7, *dans les* ANDES,
à GEORGE SHERBAN

Mon chéri,
Il fait très froid ce soir. Il n'est pas facile de s'acclimater à cette altitude. Kassim et Leila vont bien, et c'est l'essentiel. Beaucoup de gens trouvent la vie pénible ici. Nous avons beaucoup de problèmes

pulmonaires. Nos médecins travaillent sans relâche. Heureusement, nous avons des tas de médicaments. Mais je me demande pour combien de temps. Soixante-trois personnes sont arrivées. Elles se sont échappées de France. Elles disent qu'il ne reste pas grand-chose de l'Europe. Elles ont plein d'histoires à raconter, mais je leur ai dit que je ne voulais pas les entendre. Je n'en vois pas l'intérêt. Je trouve ça morbide. Ce qui est fait est fait ; alors je suis rentrée dans notre cabane et je les ai laissés parler. Ce serait bien si tu pouvais te procurer des vêtements chauds pour tous les enfants. Nous en avons presque mille deux cents maintenant. J'ai fait comme tu m'avais dit et j'ai donné la garde des enfants à Juanita ; elle a demandé à son mari de l'aider. Ils forment une bonne équipe. Tous les enfants les aiment. Aujourd'hui, un groupe est arrivé d'Amérique du Nord. Quatre-vingt-quatorze. Ils veulent rester ici mais je leur ai dit que le Camp était plein. C'est vrai. Comment allons-nous faire pour nourrir tout le monde ? C'est ce qui m'obsède. Je leur ai dit qu'ils pouvaient rester ici quelques jours pour se reposer mais qu'il leur faudrait ensuite s'en aller au Camp 4. Il n'est qu'à trois cents kilomètres d'ici. Ils peuvent nous laisser les gens faibles et les enfants. Ils disent qu'il y a plein de problèmes en Amérique du Nord mais je leur ai dit que je ne voulais plus les écouter. J'ai du pain sur la planche. Peux-tu essayer de trouver quelques paires de chaussures pour les enfants ? Je crois que ce serait une bonne chose que d'autres Camps soient créés si les réfugiés arrivent sans cesse comme ça. Je ne vois vraiment pas ce qu'il peut rester là-bas. Mais je ne veux pas y penser. Kassim dit qu'il veut aller te rejoindre. Je lui ai dit qu'il était trop jeune, mais il a quinze ans. Leila veut venir aussi. Là, j'ai dit carrément non. J'ai dit que je te demanderais ton avis au sujet de Kassim. Et qu'ils devraient obéir. Mais ça, ce n'est pas évident !

Quand je pense à l'arrivée de l'hiver dans le Nord, je me dis que c'est une bonne chose pour les épidémies sans doute, mais que c'est terrible pour les gens qui restent. Mais je ne veux pas avoir de pensées morbides.

Philip vient d'arriver ; il dit qu'il t'a vu et que tu travailles dur. Il dit que tu dois venir la semaine prochaine. Quand tu viendras, nous devrions nous marier parce que je suis enceinte. J'en suis sûre à présent. Je ne l'étais pas jusqu'à aujourd'hui. C'est bien joli ce que disent les jeunes, que c'est pas important de nos jours etc., mais je trouve que nous devrions donner l'exemple.

Je suis enceinte de deux mois et deux jours.

Je voudrais que ce soit un garçon, mais avec ma chance, je crains que ce ne soit une fille. Enfin, je ne le pense pas vraiment, un peu seulement.

J'ai demandé à Pedro de réparer le toit de la cabane. Pedro est vraiment bien et j'aimerais te proposer de l'adopter lorsque tu viendras. Enfin, tu comprends, nous devrions lui dire que nous le considérons comme notre fils. Il se sent menacé. Je perçois toujours ce genre de chose. Ce n'est pas bon pour un enfant de huit ans de n'avoir ni parents ni rien. Je pense que nous devrions faire une petite cérémonie. On peut toujours imaginer quelque chose. A la fin de notre vie, nous en aurons sans doute une douzaine ou plus si ça continue comme ça ! Les plaisanteries deviennent souvent réalité !

Je ne dirai pas à Pedro qu'il peut être notre fils avant que tu ne m'aies donné ton accord.

On a fait un grand feu au milieu du Camp ce soir et il y a un beau clair de lune. C'est joli. Les gens se racontent l'histoire de leur évasion. Ça se passe comme ça : quelqu'un s'avance près du feu, tout le monde fait silence et la personne raconte son histoire. Puis elle va s'asseoir et quelqu'un d'autre se lève. Ou bien quelqu'un chante, fredonne une chanson. Certaines sont très tristes. D'autres, romantiques. Puis quelqu'un s'avance et raconte l'histoire de ses malheurs. Beaucoup de bébés vont naître. Il faudra les nourrir. Les médecins surveillent les bébés de très près.

Tout se passe comme tu l'as ordonné.

Je me sens très seule sans toi ; je sais que tu n'aimes pas que je dise des choses comme ça.

Je sais que ça ne sert à rien de te demander si tu te sens seul sans moi, tu souriras, comme d'habitude.

Bon, mon chéri, à la semaine prochaine, si Dieu le veut.

Ta Suzannah.

De KASSIM SHERBAN

Chère Leila et chère Suzannah. Salut à Pedro, Philip, Anqui, Quitlan et Shoshona.

Et un gros baiser à la petite Rachel. C'est le plus important, bien sûr. Dites-le-lui et dites-lui aussi que j'ai un oiseau jaune superbe pour elle.

Salut, salut, salut. Je sais, Suzannah, que tu attends que je te parle de George, mais ce n'est pas possible, parce que tu ne devineras jamais :

quand je l'ai rattrapé il se préparait à partir vers le nord et il m'a dit de me débrouiller tout seul ; il m'a donné des choses à faire et m'a renvoyé. Mais il m'a donné de tes nouvelles, Suzannah : c'est merveilleux ; cette fois ce sera un garçon, j'en suis sûr.

Cette ville est toute nouvelle. J'y suis arrivé la semaine dernière. C'est une ville des plus étranges. Elle est entièrement construite en bois, en pierre et en papier laqué, mais les formes surprennent, je n'ai pas encore tout compris. Pour y arriver, j'ai dû descendre une colline ; c'était comme un rêve. De plus, j'avais très peur. Après tout, je suis jeune et malgré tous mes efforts je ne peux pas le cacher ; en outre, je porte *encore* le vieil uniforme des Armées de la Jeunesse parce que je n'ai rien trouvé d'autre, et après tout, les membres de l'Armée de la Jeunesse étaient chassés des villes avant la Troisième Guerre mondiale, et même assassinés. Les chasseurs chassés. Tu te rappelles la chanson :

> *Les chasseurs chassés*
> *Les armes retournées*
>
> *Quand les chasseurs chassaient*
> *Le monde s'enflammait...*

C'est tout ce dont je me souviens. Parce que je ne veux pas m'en souvenir, je suppose. On n'était nulle part à l'abri quand on entendait ça. Comment avons-nous survécu à tout ça ? Je me le demande. Je ne voulais pas me remettre à parler de ça. Je n'arrête pas de me dire que je ne veux plus y penser mais mon esprit y revient sans cesse.

Quoi qu'il en soit, je suis arrivé terrorisé dans la ville. Je ne savais pas à quoi m'attendre. Je pensais qu'au mieux il me faudrait convaincre les gens que j'étais inoffensif. Mais ça ne fut pas nécessaire. La ville a une place centrale, avec une fontaine. Le tout en pierre. Il y avait des gens sur la place et quand je suis arrivé, plein d'appréhension, chose étrange, ils m'ont immédiatement accepté. Personne ne s'attendait à ce que je sois dangereux. Tu te rends compte ?

Il y a un caravansérail pour les voyageurs et chaque voyageur est nourri — pas beaucoup, mais enfin ! — pendant une semaine, et s'il y a du travail, il commence à gagner le prix de sa nourriture, sinon, il s'en va ailleurs. Je ne voulais pas me mettre à travailler parce que, comme George l'avait dit, j'étais en « tournée d'enquête ». C'est ce qu'il avait *dit* et si l'on veut récolter des faits, il faut poser des questions. Les meilleurs endroits pour cela n'étaient-ils pas le caravansérail, puis le café, la boutique, puis, de nouveau, la place ? Je commençais à comprendre que c'était les gens qu'il me fallait interroger, que c'était ça l'intérêt de la chose. Les gens, sur la place et partout ailleurs, répondirent à mes questions. Des faits. Il y a moins de faits dans le monde aujourd'hui qu'avant le cataclysme. Une femme du nord, une Argentine, m'emmena chez elle et là, elle me raconta ce qui se passait ici et comment la guerre avait affecté le secteur ; elle me fit aussi rencontrer d'autres gens. C'est alors que je commençai à comprendre... Je n'arrêtais pas de me rappeler vaguement quelque chose, je ne savais pas bien quoi, et je restais éveillé, la nuit, essayant de me rappeler ce que ça pouvait bien être ; même maintenant je ne peux en dire grand-chose, mais ça me fait penser à ce que l'autre Rachel, Olga et Simon me disaient autrefois : que les trois enfants recevaient l'enseignement de gens de passage, qu'ils apprenaient les choses sans suivre de cours, sans respecter d'emplois du temps. Je n'arrête pas de rencontrer des gens qui semblent tous savoir qui je suis, quoi me dire et où m'emmener. C'est étrange. Il se passe des faits étranges, mais je ne sais pas quoi.

Prenons une chose simple comme la forme de cette ville, par exemple. Il n'y a pas eu de plans, pas d'architecte. Et pourtant elle a grandi de façon symétrique, selon la forme d'une étoile à six branches. Je ne m'étais pas aperçu que c'était une étoile jusqu'au moment où, escaladant les collines qui entourent la ville, un matin de bonne heure, et regardant la ville à mes pieds pour essayer de voir si j'apercevais quelque chose de différent, je distinguai la forme de l'étoile. Mais aucun de ceux que j'interroge ne semble capable de me parler de plans ni même d'un plan d'ensemble, rien. Et il y a plus. Quand j'entrai dans la ville j'étais sûr, *absolument* sûr, que j'y trouverais différentes factions, des gouvernants, des armées, une police et qu'il me faudrait être prudent et faire attention à mes propos. Tu te rends compte que nous avons toujours été obligés d'agir ainsi ? Est-ce que tu te rends compte ? Bien sûr, je ne parle pas des tout-petits comme Rachel, mais même de Philip et de Pedro. Tout le temps sur la défensive. On nous a dressés à ça. Au bout de deux jours, j'ai senti mon corps se détendre tout entier comme si je bâillais ou m'étirais, et j'ai soudain compris que je ne craignais plus de commettre une erreur ni d'atterrir en prison ni de finir en chair à pâté. Je ne pouvais y croire. Je ne peux pas encore y croire. Je n'ai vu personne se battre. Je n'ai pas vu une seule émeute, ni des gens démolir des murs ou jeter des pierres, ni personne emmené de force en hurlant — rien de ce genre. Il y a ici un vieil Indien, et quand je lui ai raconté les choses que je viens d'écrire il m'a dit : tu es l'enfant d'un grand malheur ; il te faut à présent apprendre à vivre différemment. Sais-tu que lorsque les premiers explorateurs arrivèrent, il y a longtemps, des Géants vivaient ici ? Le vieil Indien m'a dit qu'il avait appris ça à ce qu'il appelle l'École Blanche — et ça, ça te rappelle quelque chose ? — mais que c'était vrai parce que son grand-père et son arrière-grand-mère étaient parfaitement au courant. Je n'aimerais pas que l'on me demande ce que j'ai appris ici sur le plan des *faits,* mais je pars demain. J'espérais que les gens de cette ville, qui ont été bons envers moi, me diraient : dans la prochaine ville où tu iras, demande un tel ou un tel. Mais ils ne l'ont pas fait. Je voyage avec quatre autres. Un vieil Israélien, un savant, qui habitait autrefois Tel-Aviv, une jeune fille des anciens Émirats arabes unis, une vieille femme de Norvège — elle a réussi à venir jusqu'ici je ne sais comment —, plus une autre femme avec deux enfants, des Monts Oural. Ils voulaient tous rester ici et trouver du travail mais il n'y en a pas ; cependant, le bruit court qu'on réclame des gens dans une autre ville nouvelle, à une quarantaine de kilomètres d'ici.

Une semaine a passé. Quand je suis descendu vers cette ville-ci, j'ai tout de suite cherché à voir si elle avait une forme ; tu parles si elle en a une ! Elle est superbe : c'est un cercle mais avec des bords dentelés. Ces ondulations sont des jardins. Sa structure est la même que celle de la ville précédente dont je t'ai parlé. Elle a la même place centrale pavée, en forme de cercle, avec une très belle fontaine constituée d'une vasque ronde en pierre du pays d'un rose ocre. La vasque est peu profonde : elle fait environ six centimètres et le filet d'eau, en tombant, forme des motifs ; il y a aussi des motifs sur la pierre qui luit en transparence dans l'eau et on les retrouve sur le toit des maisons, sur les dalles du sol, partout. C'est la plus belle ville que j'aie jamais vue. Là non plus, personne ne parle de plans ni d'architectes ; la ville est née, comme ça — tout au moins c'est l'impression qu'elle donne. Je suis de nouveau dans un caravansérail. Nous sommes toujours ensemble, mais la femme avec les enfants a trouvé du travail dans les champs et au laboratoire, le savant aussi. Quant aux autres, pas de chance pour l'instant.

Ici aussi, les gens me parlent et me disent des choses. Je vais de l'un à l'autre. Je sais tout de cette région, de cette ville : qui y habite, ce que font les habitants et ce qu'ils faisaient avant la Guerre, ce qu'ils pensent. J'ai moi-même les pensées les plus étranges. Des pensées extraordinaires, bouleversantes, mais elles me viennent, alors j'ai décidé de les accepter. Demain, je m'en vais avec la jeune Arabe et la femme de Norvège. Elles n'ont pas de travail. Plus un nouveau compagnon de voyage, un jaguar qui est entré hier soir dans le caravansérail, s'est couché à nos pieds ; il était encore là ce matin. Nous avons pensé qu'il était apprivoisé mais personne ne le connaît. Nous lui avons donné de la bouillie de maïs et du lait aigre, et nous nous attendions à ce qu'il les dédaigne mais il n'en fut rien. En dehors du jaguar, il y a l'oiseau jaune de la petite Rachel, qui n'est pas un vrai oiseau car il est fait d'herbes sèches, plus un très beau bâtard qui s'est pris d'amitié pour moi ; le jaguar et lui gambadent autour de nous quand nous sortons de la ville.

Une semaine plus tard.

Cette fois, la ville à laquelle nous sommes arrivés en *grimpant,* sur une colline est octogonale mais nous ne nous en sommes pas aperçus avant d'y avoir vraiment pénétré. Elle est faite de six hexagones reliés les uns aux autres. Les hexagones sont en fait des jardins. Les bâtiments forment les mailles du réseau. Ici aussi, les bâtiments sont surprenants, étant donné ce dont nous avons l'habitude : ils sont faits de briques, d'adobe, d'écrans d'herbes sèches et de papier laqué. Tout est léger et aéré. La place centrale est en étoile avec une fontaine qui forme des motifs de pierre et d'eau qui se répondent. Il y a des motifs sur les murs et le sol des maisons, différents de ceux de la ville précédente. La vieille Norvégienne a trouvé du travail dans la cuisine du caravansérail. La jeune fille des Émirats arabes unis est avec un homme qu'elle a rencontré à la fontaine. Je me retrouve donc seul avec le jaguar et le chien. J'ai parlé à un tas de gens dans cette ville. Maintenant il va falloir que je te le dise. Tant pis. Voilà ce à quoi je réfléchis depuis que je marche le long des routes. Nous avions toujours pensé que George était quelqu'un à part. Attention, je ne dis pas qu'il ne l'est pas. Je n'y songeais d'ailleurs pas beaucoup à l'époque. J'acceptais cela avec le reste. Mais il y en a beaucoup comme George. Vous le saviez, vous tous, toi, Suzannah, et les autres ? Tous ces gens que je ne cesse de rencontrer dans les villes, ainsi que ceux qui marchent sur les routes et qui font un bout de chemin avec nous avant de disparaître dans les pampas et les forêts, comme s'ils s'attendaient à nous rencontrer et avaient quelque chose à nous dire, eh ! bien, tous ces gens sont des gens-comme-George. Ils sont pareils. Je sais que c'est impossible, mais c'est la conclusion à laquelle je suis arrivé. Il y a de plus en plus de gens-comme-George.

Dans cette ville, c'est comme partout ailleurs. Maintenant, je m'habitue à entrer dans une ville, détendu et non plus avec une boule à l'estomac et sur mes gardes au cas où on me sauterait dessus à un coin de rue, sans avoir à chercher les Camps de l'endroit, sans être mort de peur à la vue d'un groupe de Jeunes, comme nous l'étions tous alors. Bon, bien sûr, je n'étais pas exactement vieux moi-même ! Crois-tu que la vie dans les villes était comme ça jadis ? Avec des gens détendus et à l'aise et des choses qui se passent normalement, sans lois ni règles, ni commandements ni armées ? ni prisons partout, partout, partout... Crois-tu que c'était possible ? Je sais, c'est une idée folle, mais si c'était vrai ?

Quatre mois ont passé. Je suis allé dans quatre autres villes, toutes nouvelles : un triangle, un carré, un autre cercle et un hexagone. Tu sais, les gens quittent les vieilles villes quand ils le peuvent et en construisent de nouvelles, ailleurs, de cette façon. Est-ce que ça ne change pas ta façon de penser ? Les gens parlent des vieilles villes et des vieilles cités comme si c'était l'*enfer*. Si elles sont comme l'étaient nos anciennes villes, alors, oui, c'est l'enfer.

J'ai eu pas mal de nouveaux compagnons de voyage et entendu toutes sortes d'histoires. De toutes les parties du monde. Suzannah, je pense que tu as raison de ne pas vouloir entendre parler des événements d'Europe etc. Autrefois, je trouvais que tu avais tort et je te méprisais pour cela. Je te le dis, Suzannah, parce que tu es si bonne que tu ne m'en voudras pas. J'ai remarqué quelque chose. Tandis que je marche sur les routes, je suis parfois seul avec mon jaguar et mon chien fidèles, parfois, au contraire, je me trouve avec d'autres, et quand on commence à parler de l'horreur, c'est comme si les gens *n'entendaient pas*. Non pas qu'ils n'écoutent pas. Ils n'entendent pas. Ils vous regardent, les yeux vagues. Vides. Tu sais ce que je pense. *Ils ne peuvent y croire.* Moi-même, quelquefois, je pense au passé si récent, et je ne peux y croire. J'ai l'impression que l'horreur se passe ailleurs. Je ne sais pas comment dire. Tu vois, quand des choses atroces arrivent, même au point que nous venons de connaître, eh bien ! notre esprit ne les enregistre pas. Pas vraiment. Il y a un abîme entre le fait de dire bonjour, veux-tu un verre d'eau et celui de voir les bombes tomber ou les rayons laser réduire le monde en cendres. C'est pour ça, je crois, que personne n'a su empêcher l'horreur. On n'y croyait pas.

J'ai compris que le regard vague et vide venait du passé. Il n'a rien à voir avec ce que nous sommes à présent. Crois-tu que ce qui se passe, ce n'est pas tant que nous « oublions » les atrocités mais bien plutôt que nous n'avons jamais cru qu'elles arriveraient ?

As-tu remarqué combien tout le monde est différent à présent ? Nous sommes tous plus vifs, plus alertes, nous ne passons plus notre temps à dormir, nous sommes tout d'une pièce et non plus intérieurement divisés. Tu vois ce que je veux dire ?

410

J'ai perdu mon fidèle jaguar. Je grimpais depuis un bon moment le long d'un sentier escarpé et étroit entre des pâturages quand je vis un berger à l'ancienne mode, avec un chien et un âne. J'étais inquiet en pensant au jaguar. Le chien, je pouvais le commander, mais pas le jaguar. Le berger, un homme jeune avec une femme et deux petits enfants qui habitent une jolie petite maison au flanc de la colline, était, lui aussi, inquiet. Mon gros chien sympathisa tout de suite avec le sien. Mais le jaguar alla se coucher un peu à l'écart. La femme sortit de la maison avec un peu de lait dans une jatte qu'elle lui donna à boire. Je passai la nuit là, puis poursuivis mon chemin tout seul car mon jaguar décida de rester avec le berger et la femme ; au moment où je m'en allais, je le vis qui aidait le berger à rassembler des moutons égarés, aidé par les deux chiens.

Si bien que je me retrouvai tout seul pendant une trentaine de kilomètres ou plus. Puis j'aperçus quelqu'un devant moi et pensai : tiens, on dirait George. C'était lui.

Il m'a dit que tu as eu ton bébé, Suzannah, je suis content, et en plus, c'est un garçon. George a dit qu'on l'appellerait Benjamin. Je suppose donc que notre Benjamin est mort. Benjamin et Rachel.

Pendant longtemps, dans les caravansérails et durant mes marches solitaires, j'ai pensé à des questions que j'avais envie de poser à George ; je l'ai donc interrogé tout d'abord sur les villes nouvelles et lui ai demandé comment il se fait qu'elles sont comme ça ; il m'a répondu qu'elles étaient *fonctionnelles*.

Il m'a dit que là-bas, vous étiez tous en train de construire. Sa réponse : Attends un peu et tu verras.

Il m'a emmené tout d'abord dans une ancienne ville, pas grande, sur un bras du Rio Negro. Ce fut affreux, je me sentis envie de vomir et mal à l'aise dès que j'y posai le pied. C'est une ville qui meurt. Les gens s'enfuient. Partout des bâtiments s'écroulent sans que personne ne les reconstruise. Le centre est désert.

Pourquoi ? ai-je demandé.

C'est parce que les cités nouvelles sont fonctionnelles.

J'ai bien vu qu'il ne m'expliquerait rien. Qu'il fallait que je trouve tout seul.

Nous passâmes la nuit dans un hôtel délabré. C'était horrible. Là-bas, les gens sont encore effrayés et méfiants. Je me sentais souffrant et je voyais que George ne se sentait pas bien non plus. Le lendemain, nous nous promenâmes toute la journée autour de la ville, au hasard, sans but. Les gens avaient remarqué George et voulaient lui parler. Alors il leur parlait. Ou bien ils se contentaient de le suivre. Ils avaient tous l'air si désespéré et si désemparé !

Le soir, il quitta la ville et environ trois cents personnes le suivirent bien qu'il n'ait pas dit un mot qui les encourageât à nous accompagner. La nuit était froide, humide et brumeuse, et nous étions tous assez misérables, mais nous poursuivîmes tous courageusement notre route avec George sans qu'une parole fût échangée.

Quand le soleil se leva il faisait froid, très froid, terriblement froid et nous avions tous faim.

George se tenait sur un coteau abrupt et rocheux, surplombé par un plateau. Des oiseaux décrivaient de grands cercles au-dessus de nous dans le soleil qui montait et ils étincelaient dans la lumière. Je n'ai jamais eu aussi froid de ma vie.

George *observa,* d'un ton normal, que ce serait une bonne idée de construire une ville ici.

Les gens dirent : où ? par où devons-nous commencer ?

Il ne répondit pas. En attendant, tous mouraient de faim. C'est alors qu'un troupeau de moutons apparut, avec un autre berger ; nous achetâmes plusieurs moutons que nous fîmes rôtir sur un feu et dont nous rassasiâmes notre faim.

Puis nous nous mîmes à errer sur le coteau et sur le plateau. Une vingtaine d'entre nous. Tout à coup, nous vîmes clairement où la ville devrait être. Nous le sûmes tous en même temps. Nous découvrîmes ensuite une source au milieu de cet endroit. Voilà comment naquit cette ville. La cité sera une étoile à cinq branches.

Nous trouvâmes, non loin de là, de la terre adéquate pour fabriquer des briques et de l'adobe. Il y a tout ce dont nous avons besoin. Nous avons déjà commencé à créer les jardins et les champs.

Certains d'entre nous vont à la ville moribonde, chaque jour, chercher du pain pour nous maintenir en vie.

Les premières maisons sont déjà debout, la place centrale, ronde, est pavée, et la vasque de la fontaine est faite. Au fur et à mesure que nous construisons, de merveilleux motifs apparaissent, comme si nos mains avaient mystérieusement appris à les faire.

Nous sommes haut ici, très haut, avec un merveilleux ciel bleu pâle, clair et cristallin, loin au-dessus de nos têtes, et les beaux oiseaux qui y décrivent de grands cercles.

George est parti au bout de quelques jours. Je fis un petit bout de chemin avec lui. Je lui demandai : que se passe-t-il ? pourquoi les choses sont-elles si différentes ?

Il me parla enfin.

Il me dit qu'il allait partir pour l'Europe avec une équipe. Il me dit que tu savais qu'il partirait, mais pas qu'il partirait maintenant, et qu'il fallait que je te dise que lorsque sa tâche en Europe serait terminée, son travail serait terminé. Je ne compris qu'après qu'il fut parti qu'il voulait dire qu'il mourrait et que nous ne le reverrions plus jamais.

Voilà.

Je t'écris, assis sur un petit mur blanc orné de motifs. Les gens, autour de moi, travaillent à ceci et cela. En attendant, nous sommes dans des tentes, tout est provisoire, inconfortable même, mais on ne le sent pas car tout se passe dans le nouvel esprit : pas besoin d'argumenter sans fin, de discuter, de se disputer, de se consulter, de s'accuser, de se battre ni de s'entre-tuer. Tout ça est fini, terminé, mort.

Comment avons-nous pu vivre ainsi ? Comment l'avons-nous supporté ? Nous trébuchions tous dans de profondes ténèbres, de profondes, affreuses et étouffantes ténèbres pleines d'ennemis et de dangers, nous étions comme des aveugles accablés sous un lourd et étouffant fardeau de soupçons, de doutes et de craintes.

Pauvres créatures du passé, pauvres, pauvres créatures innombrables qui, pendant des milliers et des milliers d'années, ont vécu dans l'ignorance, tâtonnant et trébuchant, affamées de quelque chose de différent sans savoir ce qui leur était arrivé ni de quoi elles avaient faim.

Je ne peux m'empêcher de penser à nos ancêtres, ces créatures mi-hommes mi-bêtes, les pauvres, toujours en train d'assassiner et de détruire parce qu'elles ne pouvaient s'en empêcher.

Et nous, nous vivrons toujours comme maintenant, comme si nous nous trouvions lentement soulevés, remplis et baignés par de suaves harmonies qui lavent nos tristes esprits embués, nous protègent, nous guérissent et nous nourrissent de leçons dont nous n'avions aucune idée.

Nous voici donc tous ensemble, tous ensemble...

Les **étudiants auront intérêt à consulter :**
Abrégé de l'histoire de Canopus
Relations entre Canopus et Sirius
1. La guerre. 2. La paix.
Histoire de l'Empire sirien
Histoire de Puttiora

413

Shammat la Scandaleuse
Mémoires de Taufiq
Nasar, Ussell, Taufiq, Johor : Extraits
Les expériences siriennes sur Shikasta
L'Avant-Dernier Temps
Avant la catastrophe shikastienne
Les Petits Hommes : Commerce, Art et Métallurgie
Envoyés des Derniers Jours : Bref historique
Contes des Trois Planètes

L'Alliance Canopéenne (Sur Shikasta : « SAF ») ; ses propriétés, ses densités, ses effets variés sur différentes espèces, son absence complète. (Shammat.)
(Chapitre sur la physique.)

IMP. HÉRISSEY À ÉVREUX (EURE)
D.L. 4e TRIM. 1981. No 5953 (27268)